U0163960

許錟輝總策畫　中華章法學會主編

跨界章法學研究叢書　第二冊

辭章章法四大律

黃淑貞　著

萬卷樓圖書股份有限公司出版

總序

「章法學」又稱「雙螺旋層次邏輯學」，是研究深藏於宇宙人生「萬事萬物」之間，以「陰陽二元」雙螺旋互動為基礎，產生層層「轉化」的動態作用，而形成其「雙螺旋層次邏輯」系統的一門學問。若要挖掘這種使「萬事萬物」不斷「轉化」之「雙螺旋層次邏輯」，將它們彰顯出來，則非靠由一般「科學方法」提升到哲學層面的「方法論」不可。而這些「方法論」，是可在「陰陽二元」的不斷互動下，主要經「移位」（秩序）、或「轉位」（變化）、「對比、調和」與「包孕」（聯貫←→統一），產生「互動、循環、往復而提升」之「0一二多」雙螺旋層次邏輯運動，構成其「微觀」（方法論：個別）、「中觀」（方法論原則：概括）而「宏觀」（方法論系統：體系）的完整體系，以呈現其普遍性與適應性，而由此正式打開「跨界章法學」研究的一扇扇大門[1]。

---

1 此扇門自1974年開始逐漸打開，見陳滿銘：《比較章法學》（臺北市：萬卷樓圖書公司，2012年11月初版）。頁1-377。即以個人專著而言，除《比較章法學》外，《學庸義理別裁》（2002年）、《論孟義理別裁》（2003年）、《蘇辛詞論稿》（2003年）、《意象學廣論》（2006年）、《辭章學十論》（2006年）、《多二一（0）螺旋結構論——以哲學、文學、美學為研究範圍》（2007年）、《篇章意象學》（2011年），皆屬「跨界章法學」之性質。

一　微觀層面的跨界章法學

這主要是就「章法類型（結構）」[2] 而言的。凡是「章法」都由「陰陽二元」互動，呈現其層次邏輯關係，而形成多種類型。這種「陰陽二元」互動觀念的論述，在中國的哲學古籍裡，很容易找到。其中以《周易》與《老子》二書，為最早而最明顯。

在此，限於篇幅，僅舉《周易》來看，它以「陰陽」為其一對基本概念，是由此陰（斷 --）陽（連 —）二爻而衍為四象，再由四象而衍為八卦、六十四卦的。而八卦之取象，是兩相對待的，即乾（天）為「三連」（☰）而坤（地）為「六斷」（☷）、震（雷）為「仰盂」（☳）而艮（山）為「覆碗」（☶）、離（火）為「中虛」（☲）而坎（水）為「中滿」（☵）、兌（澤）為「上缺」（☱）而巽（風）為「下斷」（☴）；而所謂「三連」（陰）與「六斷」（☷）、「仰盂」（☳）與「覆碗」（☶）、「中虛」（☲）與「中滿」（☵）、「上缺」（☱）與「下斷」（☴），正好形成四組兩相互動之運作關係，以呈現其簡單的「二元互動」之邏輯結構。後來將此八卦重疊，推演為六十四卦，雖更趨複雜，卻依然存有這種「二元互動」的運作關係，如「坎（☵）上震（☳）下」（〈屯〉）與「震（☳）上坎（☵）下」（〈解〉）、「艮（☶）上巽（☴）下」（〈蠱〉）與「巽（☴）上艮（☶）下」（〈漸〉）、「乾（☰）上兌（☱）下」（〈履〉）與「兌（☱）上乾（☰）下」（〈夬〉）、「離上（☲）坤（☷）下」（〈晉〉）與「坤（☷）上離（☲）下」（〈明夷〉）……等，就是如此。而〈雜卦〉云：

2　陳滿銘：《章法學綜論》（臺北市：萬卷樓圖書公司，2003年6月初版），頁17-33。又，蒲基維：〈章法類型概說〉，《大學國文選・教師手冊・附錄三》（臺北市：普林斯頓國際公司，2011年7月二版修訂），頁483-523。

> 乾，剛；坤，柔。比，樂；師，憂。臨、觀之意，或與或求。……震，起也；艮，止也。損、益，衰盛之始也。大畜，時也；無妄，災也。萃，聚，而升，不來也。謙，輕；而豫，怡也。……兌，見；而巽，伏也。隨，無故也；蠱，則飭也。剝，爛也；復，反也。晉，晝也，明夷，誅也。井，通；而困，相遇也。咸，速也；恆，久也。渙，離也；節，止也。解，緩也；蹇，難也。睽，外也；家人，內也。否、泰，反其類也。……革，去故也；鼎，取新也。小過，過也；中孚，信也。豐，多故也；親寡，旅也。離，上；而坎，下也。……大過，顛也；頤，養正也。既濟，定也；未濟，男之窮也。姤，遇也，柔遇剛也；……夬，決也；剛決柔也。君子道長，小人道憂也。

這些卦的要義或特性，都兩兩互動，如剛和柔、樂與憂、與和求、起和止、衰和盛、時和災、見和伏、速和久、離和止、外和內、否和泰、去故和取新、多故和親寡、上和下……等等。由此反映宇宙人生之「雙螺旋層次邏輯」，為人生行為找出準則，以適應宇宙自然之動態規律[3]。

到目前為止，透過「模式研究」（人為探索）以對應「客觀存在」（自然呈現）[4] 的努力結果，已發現之「章法類型」有：今昔、久

3 陳滿銘：〈論螺旋邏輯學的創立——以哲學螺旋與科學螺旋為鍵軸探討其體系之建構〉，《國文天地．學術論壇》31卷1期（2015年6月），頁116-136。又參見徐復觀：《中國人性論史．先秦篇》（臺北市：臺灣商務印書館，1978年10月四版），頁202；陳望衡：《中國古典美學史》（長沙市：湖南教育出版社，1998年8月一版一刷），頁182。

4 陳滿銘：〈論辭章之無法與有法——以客觀存在與科學研究作對應考察〉，彰化師大《國文學誌》23期（2011年12月），頁29-63。

暫、遠近、內外、左右、高低、大小、視角轉換、知覺轉換、時空交錯、狀態變化、本末、淺深、因果、眾寡、並列、情景、論敘、泛具、虛實（時間、空間、假設與事實、虛構與真實）、凡目、詳略、賓主、正反、立破、抑揚、問答、平側（平提側注、平提側收）、縱收、張弛、插補、偏全、點染、天（自然）人（人事）、圖底、敲擊……等類型[5]，都由「陰陽二元」互動所形成。大抵而論，屬於本、先、靜、低、內、小、近……的，為「陰」為「柔」，屬於末、後、動、高、外、大、遠……的，為「陽」為「剛」[6]。如「正反」法以「正」為「陰」而「反」為「陽」、「因果」法以「因」為「陰」而「果」為「陽」，而其他的也皆如此，以反映自然運動的雙螺旋層次邏輯準則。

就單以「偏（陽）全（陰）」而言，「三一」語言學派創始人王希杰認為就是「方法論」，說：「值得一提的是，在〈從偏全的觀點試解讀四書所引生的一些糾葛〉一文[7]中，滿銘教授說：『讀古書，尤其是有關義理方面的專著，很多時候是不能一味單從「偏」（局部）或「全」（整體）的觀點來瞭解其義的。讀《四書》也不例外，必須審慎地試著辨明「偏」還是「全」的觀點來加以理解，才不至於犯混同的毛病。』……我認為，滿銘教授的這一說法是具有『方法論』意義的。」[8]

可見這些由「陰陽二元」互動所形成之「章法類型」（含「章法結構」），能在《周易》中尋得其哲理根源，成為「章法學」中屬於

5 陳滿銘：《章法學綜論》，頁17-32。

6 陳望衡：《中國古典美學史》，頁184。

7 陳滿銘：〈從偏全的觀點試解讀《四書》所引生的一些糾葛〉，臺灣師大《中國學術年刊》13期（1992年4月），頁11-22。

8 王希杰：〈陳滿銘教授和章法學〉，《畢節學院學報》總96期（2008年2月），頁1-5。

「微觀」層面之「方法論」；而由此呈現「微觀」層面之「跨界章法學」。

二　中觀層面的跨界章法學

這主要是就「章法規律」而言[9]的。由「章法類型」所形成之「章法結構」，是在「陰陽二元」互動之作用下，由「移位」或「轉位」與「對比、調和」、「包孕」而形成的。其中由「移位」呈現「秩序律」；「轉位」呈現「變化律」；「對比、調和」徹下、徹上以呈現「聯貫律」；由「包孕」徹下、徹上以呈現「統一律」。而這種「雙螺旋層次邏輯」之四大規律，乃先由「秩序」或「變化」而「聯貫」，然後趨於「統一」，形成「雙螺旋層次邏輯系統」。這種理論，可見於《周易》與《老子》[10]。在此，也只歸本於《周易》作簡要探討。

先以「秩序」而言，涉及「移位」，此乃「陰陽二元」最基本的一種互動，是在對待往來中起伏消息、迭相推盪而產生的。因為事物之發展是統一物分裂為兩相對待，而相互作用的運作過程，而此對待面的相互作用，在《周易》的《易傳》中以相互推移（剛柔相推）、相互摩擦（剛柔相摩）、與相互衝擊（八卦相盪）等各種表現形式[11]，為順向移位與逆向移位，提出了最精微的論證。就以〈乾卦〉來看，由初九的「潛龍，勿用」，移向九二的「見龍在田，利見大

9 「中觀」層面，原含「規律」、「族性」、「多元」與「比較」等內容，在此特舉「規律」以概其餘。參，見陳滿銘：〈章法學三觀論〉，高雄師大《國文學報》21期．特約稿（2015年1月），頁1-33。

10 陳滿銘：〈論章法四大律之方法論原則——以「多、二、一（0）」螺旋結構作系統探討〉，臺灣師大《中國學術年刊》33期．春季號（2011年3月），頁87-118。

11 馮友蘭：《中國哲學史新編》二（臺北市：藍燈文化公司，1991年12月初版），頁376。

人」，移向九三的「君子終日乾乾，夕惕若。厲，無咎」；再移向九四的「或躍在淵，無咎」；然後躍升，移向九五的「飛龍在天，利見大人」，形成一連串的順向位移。上九，則因已到達了極限、頂點，會由吉變凶，漸次另形成逆向移位，開始向對待面轉化，造成另一種轉位，故說是「亢龍有悔」了。而這種「移位」全離不開雙向「陰陽互動」作用：

順向：陰 ——→ 陽

逆向：陽 ——→ 陰

而六爻之所以能夠用以模擬事物的運動變化，是因「六位」能體現「道」的陰陽互動、統一之規律性。而此「六位」原則一確立，整個自然界與人類社會的基本規律全都可加以反映，故〈說卦傳〉將其概括為「分陰分陽」,「六位而成章」，以「六位」體現著哲學原理。「六爻」體現著事物在一定規律支配下的變化運動過程，從時間性上可畫分為潛在的與顯露的兩大階段，以一卦的卦象去體現，而其運動變化即可以由此清楚地瞭解而加以掌握[12]。因此，內外卦之間可以相互往來升降，六個爻畫之間也可以相互往來升降；通過這種往來升降的相互作用，就使種種的轉化運動，產生了一連串的順向移位（陰→陽）與逆向移位（陽→陰）；如：

1.「正反」法：「正（陰）→反（陽）」（順向）、「反（陽）→正（陰）」（逆向）

---

12 徐志銳：《周易陰陽八卦說解》（臺北市：里仁書局，2000年3月初版四刷），頁60-73。

2.「因果」法：「因（陰）→果（陽）」（順向）、「果（陽）→因（陰）」（逆向）

這種「移位」全離不開「陰陽二元」之互動作用，由此呈現「秩序律」。

次以「變化」而言，涉及以「移位」為基礎的「轉位」[13]。由於「陰陽」互動、生生而一，使《周易》哲學之發展形成開放的序列。這一序列正體現在〈乾〉、〈坤〉兩卦的「用九」、「用六」上。而「用九」、「用六」並不局限於〈乾〉、〈坤〉兩卦，而是為六十四卦發其通例，然後每一卦位在九、六互變中，均可一一尋出因「移位」而造成「轉位」的變動歷程。由〈乾〉、〈坤〉，而至〈既濟〉、〈未濟〉，〈序卦〉不但說明了由運動變化而形成秩序的無窮盡歷程，也表示了宇宙萬物由六十四卦的位位互移，運動變化到達極點時，即會形成「大反轉」，反本而回復其根，形成另一個互動的循環系統。這一個「大反轉」，就是一個「大轉位」。這種「大轉位」可用下圖來表示：

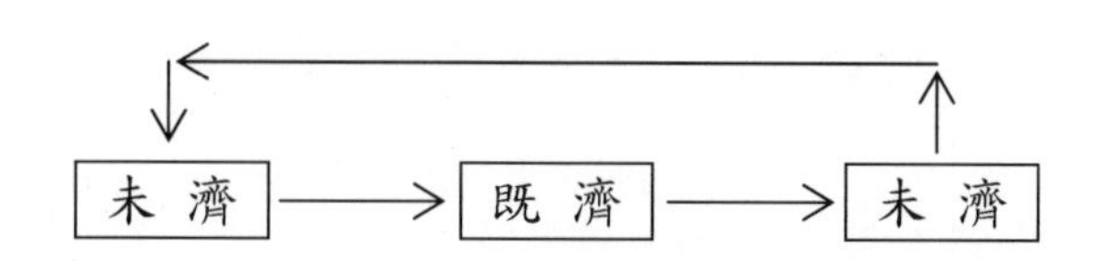

這雖是就「大轉位」而言，但「小轉位」又何嘗不是如此呢？就在這互動的「循環系統」中，自然涵蘊著無限的陰陽之「轉位」，如下圖：

13 陳滿銘：〈章法的「移位」、「轉位」結構論〉，臺灣師大《師大學報・人文與社會類》49卷2期（2004年10月），頁1-22。又，黃淑貞：〈《周易》「移位」、「轉位」論〉，《孔孟月刊》44卷5、6期（2006年2月），頁4-14。

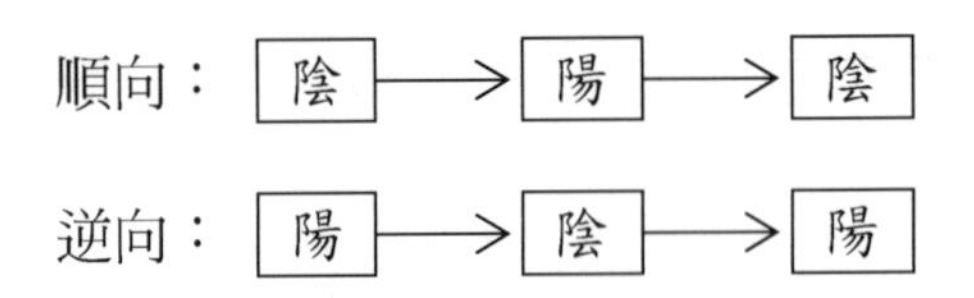

這種互動之「循環系統」，由陰陽、剛柔的相摩相推，太儀而兩儀，兩儀而四象，四象而八卦，八卦而六十四卦；再由六十四卦的位位互移、反轉，運動變化到達極點，形成「大位移」、「大反轉」，反本而回復其根，使萬物生生而無窮。因此，《周易》講「生生之德」的「生生」，即不絕之意，也深具新陳代謝之意。說明了由「陰陽二元」互動而轉化，宇宙萬物就在一次又一次的大小「移位」、「轉位」中，循環反復，永無止境。其中以「轉位」來說，產生「陰→陽→陰」（順向）與「陽→陰→陽」（逆向）的變化，如：

1. 「正反」法：「正（陰）→反（陽）→正（陰）」（順向）、「反（陽）→正（陰）→反（陽）」（逆向）
2. 「因果」法：「因（陰）→果（陽）→因（陰）」（順向）、「果（陽）→因（陰）→果（陽）」（逆向）

而由此呈現「變化律」。

再以「聯貫」而言，這種「轉化」主要有兩種：「對比」與「調和」。以「對比」而言，也稱「異類相應的聯繫」，如上引〈雜卦〉所謂的「剛」與「柔」、「樂」與「憂」、「與」與「求」、「起」與「止」、「衰」與「盛」、「時」與「災」、「見」與「伏」、「速」與「久」、「離」與「止」、「否」與「泰」……等都是，對此，戴璉璋說：「以上各卦所標示的特性或要義：剛和柔、樂和憂、與和求、起和止、盛和衰等等，都是異類相應的聯繫。」[14]。以「調和」而言，是由史伯、晏嬰「同」的觀念發展出來的。原來的「同」，指「同一物的加多或重複」，到了《周易》，則指同類事物的「相從」，〈雜卦〉云：「屯，見而不失其居；蒙，雜而著。……大壯，則止；遯，則退也。大有，眾也；同人，親也。……小畜，寡也；履，不處也。需，不進也；訟，不親也。……歸妹，女之終也；漸，女歸待男行也。」這是以「止」和「退」、「眾」和「親」、「寡」和「不處」、「不進」和「不親」、「女之終」和「女歸待男行」等的相類而形成「同類相從的聯繫」（調和），對此，戴璉璋說：「依〈序卦傳〉，屯與蒙都是代表事物始生、幼稚時期的情況，〈雜卦傳〉作者用『見而不失其居』、『雜而著』來描述屯、蒙兩掛的特性，也都是就始生的事物而言。此外引〈大壯〉以下各卦的『止』和『退』、『眾』和『親』、『寡』和『不處』、『不進』和『不親』、『女之終』和『女歸待男行』，都是同類相從的聯繫。」[15]。而這所謂的「對比」、「調和」，是對應於「剛柔」來說的[16]。如說得徹底一點，即一切「對比」與「調和」，都是由於陰（柔）陽（剛）相對、相交、相和的結果，如單以「章法類型」來說，「正反」法為「對比」、「因果」法為「調和」[17]。這樣結構由單一而系統、下徹而上徹，以凸顯了相反相成的互動作用，而趨於「統一」的「雙螺旋層次邏輯結構」；「聯貫律」即由此呈現。

---

14 戴璉璋：《易傳之形成及其思想》（臺北市：文津出版社，1988年11月臺灣初版），頁196。

15 戴璉璋：《易傳之形成及其思想》，頁195。

16 歐陽周、顧建華、宋凡聖編著：《美學新編》（杭州市：浙江大學出版社，2001年5月一版九刷），頁81。又，仇小屏：《古典詩詞時空設計美學》（臺北市：文津出版社，2002年11月初版一刷），頁332。

17 仇小屏：〈論辭章章法的對比與調和之美〉，《章法學論文集》上冊（福州市：海潮攝影藝術出版社，2002年12月第一版），頁78-97。

終以「統一」而言，主要涉及「包孕」。在《周易》六十四卦中，除「乾」、「坤」兩卦，一為「陽之元」，一為「陰之元」外，其他的六十二卦，全是由「陰陽二元」互動而含融、聯貫而統一的。《周易‧繫辭下》說：「陽卦多陰，陰卦多陽。其故何也？陽卦奇，陰卦偶。」對此，清焦循注云：「陽卦之中多陰，則陰卦之中多陽。兩相孚合捊多益寡之義也。如〈萃〉陽卦也，而有四陰，是陰多於陽，則以〈大畜〉孚之。〈大有〉陰卦也，而有五陽，是陽多於陰，則以〈比〉孚之。設陽卦多陽，則陰卦必多陰，以旁通之；如〈姤〉與〈復〉、〈遯〉與〈臨〉是也。聖人之辭，每舉一隅而已。……奇偶指五，奇在五則為陽卦，宜變通於陰；偶在五則為陰卦，宜進為陽。」[18] 可見《周易》六十四卦，有陽卦與陰卦之分，而要分辨陽卦與陰卦，照焦循的意思，是要看「奇在五」或「偶在五」來決定，意即每卦以第五爻分陰陽，如是陽爻則為陽卦，如為陰爻則是陰卦[19]。如此卦卦都產生「陰陽包孕」之作用。這種作用，如鎖定單一結構，擴及全面，以「陽／陰或陽」而言，則可形成下列三種不同的包孕式結構：

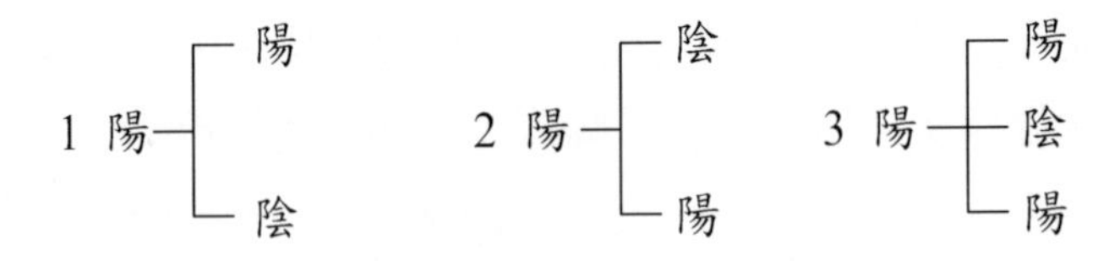

其中1、2兩種，如：

18 陳居淵：《易章句導讀》（濟南市：齊魯書社，2002年12月一版一刷），頁209。

19 陽卦與陰卦之分，或以為要看每一卦之爻畫線段的總數來決定，如為奇數屬陽，如是偶數則為陰。見鄧球柏：《帛書周易校釋》（長沙市：湖南人民出版社，2002年6月三版一刷），頁536。

1.「正反」法：「反（陽）／反（陽）→正（陰）」、「反（陽）／正（陰）→反（陽）」
2.「因果」法：「果（陽）／果（陽）→因（陰）」、「果（陽）／因（陰）→果（陽）」

這些都可形成「移位」結構外，3又可合而形成「轉位」結構，如：

1.「正反」法：「反（陽）／反（陽）→正（陰）→反（陽）」
2.「因果」法：「果（陽）／果（陽）→因（陰）→果（陽）」

以「陰／陽或陰」而言，則可形成下列三種不同的包孕式結構：

1 陰─┬ 陽
　　　└ 陰

2 陰─┬ 陰
　　　└ 陽

3 陽─┬ 陰
　　　├ 陽
　　　└ 陰

其中1、2兩種，如：

1.「正反」法：「正（陰）／反（陽）→正（陰）」、「正（陰）／正（陰）→反（陽）」
2.「因果」法：「因（陰）／果（陽）→因（陰）」、「因（陰）／因（陰）→果（陽）」

這些都一樣可形成「移位」結構外，3又可合而形成「轉位」結構[20]，

20 其中有關於《易傳》的論述，詳見陳滿銘：〈章法包孕式結構論——以「多、二、一（0）」螺旋結構切入作考察〉，《江南大學學報・人文社會科學版》5卷4期（2006

如：

1.「正反」法：「反（陽）／正（陰）→反（陽）→正（陰）」
2.「因果」法：「果（陽）／因（陰）→果（陽）→因（陰）」

於是就在這種作用下，結構由單一而系統，以產生下徹的作用，統合了「秩序、變化、聯貫」的轉化運動，而由此呈現「統一律」。

可見這四大「章法規律」，對「章法類型（結構）」來說，有「概括」作用，都可從《周易》（《老子》）裡尋得其哲理源泉，成為「章法學」中屬於「中觀」層面之「方法論原則」。對此，王希杰說：「陳滿銘教授……把章法變成一門科學——可以把握，有規律規則可以遵循的學問。這是一個了不起的貢獻。……但是……法則太多，可能顯得繁瑣、瑣碎，使人難以把握的。可貴的是，陳滿銘教授……力圖建立統率這些比較具體的法則的更高的原則。……創建了四大原則：（1）秩序律（2）變化律（3）聯貫律（4）統一律……這符合科學的最簡單性原則，而且也是變化無窮的。這其實就是《周易》的『方法論原則』，乾坤兩卦，生成六十四卦。所以他的章法學是一個具有生成轉化潛能的體系，或者說是具有生成性。因此是具有生命力的。」[21]

可見這些由「章法類型（結構）」所形成之「章法規律」，能在《周易》中尋得其哲理根源，成為「章法學」中屬於「微觀」層面之「方法論」；而由此呈現「中觀」層面之「跨界章法學」。

年8月），頁85-90。又，陳滿銘：〈論章法包孕結構之陰陽變化——以蘇辛詞為例作觀察〉，臺北大學《中文學報》15期〔特稿〕（2014年3月），頁1-24。

21 王希杰：〈陳滿銘教授和章法學〉，頁1-5。又，陳滿銘：〈論章法四大律之方法論原則——以「多、二、一（0）」螺旋結構作系統探討〉，頁87-118。

三　宏觀層面的跨界章法學

這主要是就「雙螺旋層次邏輯系統」而言的。從根本來看，「陰陽二元」互動乃一切「轉化」之根源，就拿八卦與由八卦重疊而成的六十四卦來說，即全由「陰陽」二爻所構成，以象徵並概括宇宙人生的各種變化，〈說卦〉說的「觀變於陰陽而立卦」，就是這個意思。《易傳》以為就在這種「陰陽」的相對、相交、相和之「互動」作用下，變而通之，通而久之，於是創造了天地萬物（含人類），達於「統一」的境地[22]。而《易傳》這種「互動」的「轉化」思想，也可推源到「和」的觀念，它始於春秋時之史伯，他從四支（肢）、五味、六律、七體（竅）、八索（體）、九紀（臟）到十數、百體、千品、萬方、億事、兆物、經入、姟極，提出「和」的觀點[23]，「作為對事物的多樣性、多元性衝突融合的體認」[24]，而後到了晏子，則作進一步之論述，認為「和」是指兩種相對事物之融而為一，即所謂「清濁、小大、短長、疾徐、哀樂、剛柔、遲速、高下、出入、周疏，以相濟也」[25]。如此由「多樣的和（統一）」（史伯）進展到「兩樣（對待）的和（統一）」（晏子），再進一層從對待多數的「兩樣」

---

22 陳望衡：「《周易》中的陰陽理論強調的不是相反事物的對立，而是相反事務的相交、相和。《周易》認為，陰陽相交是生命之源，新生命的產生不在於陰陽的對立，而在陰陽的交感、統一。因此陰陽的相合不是量的增加，而是新質的產生，是創造。因此，陰陽相交、相合的規律就是創造的規律。」見《中國古典美學史》，頁182。

23 《國語·鄭語》，易中天注譯、侯迺慧校閱：《新譯國語讀本》（臺北市：三民書局，1995年11月初版），頁707-708。

24 張立文：《中國哲學邏輯結構論》（北京市：中國社會科學出版社，2002年1月一版一刷），頁22。

25 《左傳·昭公二十年》，楊伯俊：《春秋左傳注》（臺北市：源流文化公司，1982年4月再版），頁1419-1420。

中提煉出源頭的「剛（陽）柔（陰）」，而成為「剛（陽）柔（陰）的統一」（《易傳》），形成了「『多』（多樣事物、多樣對待）→『二』（剛柔、陰陽）→『一』（統一）」的順序，進程逐漸是由「委」（有象）而追溯到「源」（無象），很合於歷史發展的軌跡。而這種結構，如對應於「三易」（《易緯・乾鑿度》）而言，則「多」說的是「變易」、「二」說的是「簡易」，而「一」說的是「不易」。因此「三易」不但可概括《周易》之內容與特色，也可藉以呈現「多⟷二⟷一」的雙螺旋層次邏輯系統[26]。

以順向而言，其結構為「多→二→一」，若倒過來，由「源」而「委」地來說，就成為「一→二→多」[27]了。在《老子》、《易傳》中就可找到這種說法，如：

> 道生一，一生二，二生三，三生萬物。萬物負陰抱陽，沖氣以為和。（《老子・四十二章》）
> 易有太極，是生兩儀，兩儀生四象，四象生八卦。（《周易・繫辭上》）

這樣，結合《周易》和《老子》來看，它們所主張的「道」，如僅著

26 《周易》六十四卦，由第一卦〈乾〉至第六十三卦〈既濟〉為一循環，而由第六十四卦〈未濟〉倒回〈乾卦〉開始為又一循環，如此不斷循環就有「螺旋」意涵在內。見陳滿銘：〈論「多」、「二」、「一（0）」的螺旋結構——以《周易》與《老子》為考察重心〉，臺灣師大《師大學報・人文與社會類》48卷1期（2003年7月），頁1-21。

27 就由「無」而「有」而「無」的整個循環過程而言，可以形成「（0）一、、二、三（多）」（正）與「三（多）、二、一（0）」（反）的螺旋關係。此種螺旋關係，涉及哲學、文學、美學……等，見陳滿銘：〈意象「多、二、一（0）」螺旋結構論——以哲學、文學、美學作對應考察〉，《濟南大學學報・社會科學版》17卷3期（2007年5月），頁47-53。

眼於其「同」，則它們主要透過「相反相成」、「返本復初」而循環不已的螺旋作用，不但將「一→多」的順向歷程與「多→一」的逆向歷程前後銜接起來，更使它們層層推展，「循環、往復而提高」不已，而形成了螺旋式結構，以呈現宇宙創生、含容而轉化的萬物基本動態規律。

而最值得注意的是：就在這「由一而多」(順)、「多而一」(逆)的過程中，是有「二」介於中間，以產生承「一」啟「多」的作用的。而這個「二」，從「道生一，一生二，二生三，三生萬物」等句來看，該就是「一生二，二生三」的「二」。雖然對這個「二」，歷代學者有不同的說法，大致說來，以為「二」是指「陰陽二（兩）氣」[28]。而這種「陰陽二氣」的說法，其實也照樣可包含「天地」在內，因為「天」為「乾」為「陽」，而「地」則為「坤」為「陰」；所不同的，「天地」說的是偏於時空之形式，用於持載萬物[29]；而「陰陽」指的則是偏於「二氣之良能」[30]，用於創生萬物。這樣看來，老子的「一」該等同於《易傳》之「太極」、「二」該等同於《易傳》之「兩儀」(陰陽)，因此所呈現的，和《周易》(含《易傳》)一樣，是「一→二→多」與「多→二→一」之原始結構。不過，值得一提的是：(一)即使這「一」、「二」、「多」之內容，和《周易》(含《易傳》)有所不同，也無損於這種結構的存在。(二)「道生一」的「道」，既是「創生宇宙萬物的一種基本動力」，而它「本身又體現了無（无）」[31]，那麼正如王弼所注「欲言無（无）耶，而物由以成；欲

28 以上諸家之說與引證，見黃釗：《帛書老子校注析》(臺北市：臺灣學生書局，1991年10月初版)，頁231。

29 徐復觀：《中國人性論史．先秦篇》，頁335。

30 朱熹：《四書集注》(臺北市：學海出版社，1984年9月初版)，頁31。

31 林啟彥：《中國學術思想史》(臺北市：書林出版社，1999年9月一版四刷)，頁34。

言有耶，而不見其形」[32]，老子的「道」可以說是「无」，卻不等於實際之「無」（實零）[33]，而是「恍惚」的「无」（虛零），以指在「一」之前的「虛理」[34]。這種「虛理」，如勉強以「數」來表示，則可以是「（0）」。這樣，順、逆向的結構，就可調整為「（0）一→二→多」（順）與「多→二→一（0）」（逆），以補《周易》（含《易傳》）之不足，這就使得宇宙萬物創生、含容的順、逆向歷程，更趨於完整而周延了[35]。而順、逆向的統合，可用「0一二多」來表示 其關係可用如下簡圖加以呈現：

（一）單層結構系統圖：

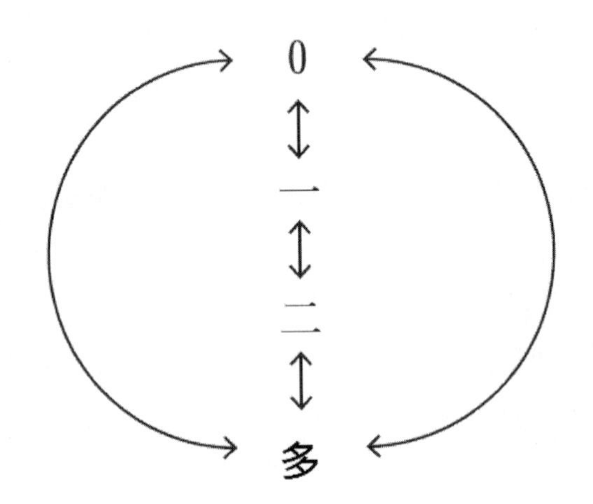

32 王弼：《老子王弼注》（臺北市：河洛圖書出版社，1974年10月臺景印初版），頁16。

33 馮友蘭：《馮友蘭選集》上卷（北京市：北京大學出版社，2000年7月一版一刷），頁84。

34 唐君毅：《中國哲學原論．導論篇》（香港：新亞研究所，1966年3月出版），頁350-351。

35 陳滿銘：〈論「多、二、一（0）」的螺旋結構——以《周易》與《老子》為考察重心〉，頁1-21。

（二）多層結構系統圖：

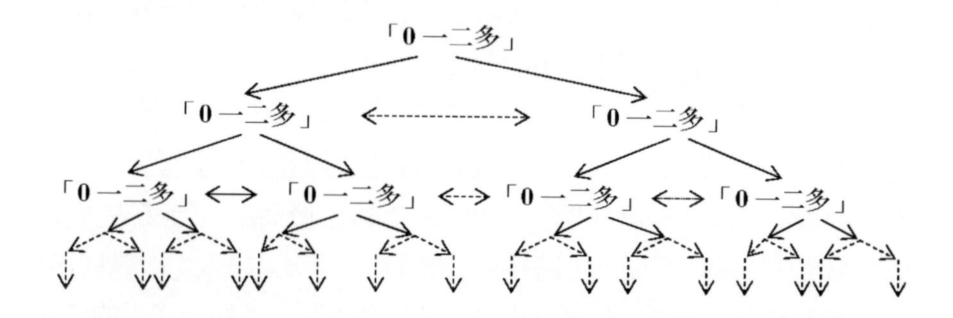

而此「層次邏輯」每一層的的內容或意象雖可以萬變、億變，但其雙螺旋結構卻不變，都以「陰陽二元」之互動為「二」，「秩序（移位）、變化（轉位），聯貫（包孕、對比與調和：下徹）為「多」，「統一」（包孕、對比、調和：上徹）為「一0」。

如此配合「章法類型（含「章法結構」）」（微觀）與「四大規律」（中觀）來看，它們的關係可表示如下簡圖：

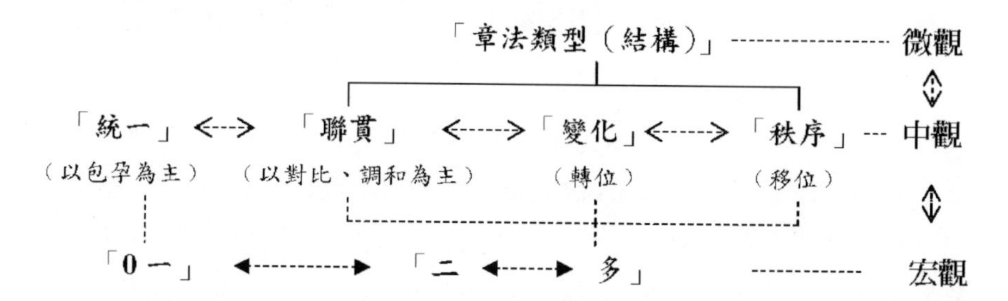

由此可見「宏觀」層的「0一二多」雙螺旋層次邏輯系統──「方法論系統」[36]，是可統合「微觀」層的「章法類型（結構）」、「中觀」層的「四大規律」（「秩序（移位）」或「變化（轉位）」、「聯貫」（以對

36 陳滿銘：〈論章法結構之方法論系統──歸本於《周易》與《老子》作考察〉，臺灣師大《國文學報》46期（2009年12月），頁61-94。

比、調和為主）與「統一（以包孕為主）」，而形成其章法學「方法論」之「三觀」體系的。而這些動態的層次邏輯理則，都同樣源出於《周易》與《老子》，清晰可辨。

可見這些由「章法類型（結構）」與「章法規律」為基礎所形成之「0一二多」雙螺旋層次邏輯系統，能在《周易》、《老子》中尋得其哲理根源，成為「章法學」中屬於「宏觀」層面之「方法論」；而由此呈現「宏觀」層面之「跨界章法學」。

綜上所述，可知「跨界章法學」是可形成其「三觀」體系的。而這一體系之確立，與「章法學」相關的研究有「雙螺旋互動」之密切關係，從四十餘年前開始，個人帶動博、碩士團隊，經由「歸納（果→因）⟷ 演繹（因→果）」的雙螺旋互動，先從各體辭章作品之解析中，歸納為「模式」，再以演繹，歸根於《周易》與《老子》，為「模式」尋出哲理依據，如此不斷地「求異 ⟷ 求同」，作「互動、循環、往復而提升」之研討，才逐漸地使「章法學」研究方法形成「方法論」體系，以呈現其「三觀」的「雙螺旋層次邏輯系統」。

對此，「三一語言學」的創始人王希杰，先論「章法學體系」時說：「章法學作為一門學問，不是有關部門章法的個別的知識，而是章法知識的總和，是一種概念的系統。章法學是一門實用性很強的學問，也有極高的學術價值。它同文章學、修辭學、語用學、文藝學、美學、邏輯學等都具有密切關係。章法學已經初步形成了一門科學。陳滿銘教授初步建立了科學的章法學體系。」[37] 再論「章法的客觀性」時就說：「凡存在的事物，都有是『章』有『法』的。德國哲學家黑格爾說：凡存在的，都是合理的。這個『理』，其實就是『章』和『法』。」然後論臺灣「章法學的方法論原則」時說：「有一篇論

37 王希杰：〈章法學門外閑談〉，《國文天地》18卷5期（2003年6月），頁53-57。

文，題目叫做〈談詞章學的兩種基本作法：歸納與演繹〉(《中等教育》27卷3、4期，1976年6月)，歸納法和演繹法其實也就是章法學的基本方法。……章法學的成功，是歸納法的成功，這近四十種章法規則是從大量的文章中歸納出來的，一律具有巨大的解釋力，覆蓋面很強。同時也是演繹法的成功的運用，例如《章法學綜論》中的『變化律』的十五種結構，很明顯是邏輯演繹出來的，當然也是得到許多文章的驗證的。……值得一提的是，……大量運用模式化手法。這本是很好的方法，但是……可能顯得繁瑣、瑣碎，使人難以把握的。可貴的是，……並不滿足於單純地『歸納（歸納 ⟷ 演繹）法則』，他們力圖建立統率這些比較具體的法則的更高的原則。」[38]

而辭章學大家鄭頤壽，先論「臺灣辭章學研究的哲學思辨」時說：「章法學……涉及文章學、修辭學、語體學、邏輯學以及美學等諸多方面。綜合研究這諸多方面的章法現象及其理論體系的學問……臺灣學者陳滿銘教授，在研究這一方面具有突出的成就，雖非絕後，實屬空前。……新的學科建設必須站在哲學的高度，並以之作指導，才能高瞻遠矚，不斷開拓，建構科學的理論體系。中國古老的哲學多門，其中最有影響的是樸素的辯證法思想，……它具有濃厚的文化底蘊，融進了我國的許多學科、各個領域和生活，至今仍有強盛的生命力。臺灣辭章章法研究，能充分運用我國傳統（《周易》、《老子》）的辯證法。陳滿銘教授的《章法學新裁》一書，談篇章結構，就用了辯證法的觀點，……仇小屏博士的《篇章結構類型論》(上、下）也是全書用辯證法來建構體系的。」[39]又論「三觀體系」時說：「篇章辭章學的『三觀』理論建構了科學的、體系嚴密的學科理論大廈，是『篇

38 王希杰：〈陳滿銘教授和章法學〉，頁1-5。

39 鄭頤壽：〈臺灣辭章學研究述評〉，《國文天地》17卷10期（2001年3月），頁99-107。

章辭章學』藝術之所以能夠成『學』的最主要依據。分清這『三觀』、『大廈』的建構就有了層次性、邏輯性；抓住這『三觀』，就抓住了學科體系的『綱』和『目』。我們用『三觀』理論所作的概括、評價，應該基本上描寫了篇章辭章學的理論體系。……是從具體的『方法』到概括的『規律』，……從一個個的『章法』入手，一個、兩個、十個、三十幾個、四十幾個……『集樹成林』（微觀）之後，又由博返約，把它們分別類聚於秩序律、變化律、聯貫律、統一律之中，有總有分，形成四個章法的『族系』（中觀）。這就把章法條理化、系統化了。……（又）從分別的『章法』、『規律』到統領『全軍』的理論框架『（0）一、二、多（「多、二、一（0）」）』（宏觀）。這是認識的又一個飛躍、昇華，它加強了學科的哲學性、科學性。」[40]

又，語言風格學大家黎運漢，在論「章法學方法論體系」時說；「一門學科的建立與研究方法密切相關，學科的進步與發展有時也要依靠新的方法來解決。因此，『漢語辭章章法』要成為獨立的學科，也跟其他學科一樣，要有自己的『方法論體系』。陳滿銘教授的章法學論著中雖然沒有專章講述『方法論』，但其幾部論著中無處不散發著他在『方法論』上的自覺。……體現出其章法學具有了較為完備的『方法論體系』。」[41]

四十餘年來，臺灣章法學的研究就這樣在許多學者的支持與鼓勵下，由「章法類型（結構）」（微觀：個別）而「章法規律」（中觀：概括）而「0一二多」（宏觀：體系），形成完整的「跨界章法學」之雙螺旋層次邏輯系統，這樣由「清醒自覺」（自然）而「認知確定」

40 鄭頤壽：〈陳滿銘創建篇章辭章學——代序〉，見《陳滿銘與辭章章法學》（臺北市：文津出版社，2007年12月一版一刷），頁（7）-（12）。

41 黎運漢：〈陳滿銘對辭章法學的貢獻〉，《陳滿銘與辭章章法學》，頁52-70。

（人為），一路摸索，步步辛苦爬高，而在今天危然臨下，深深嘆幾口氣的同時，卻有「卻顧所來徑，蒼蒼橫翠薇」（李白〈下終南山過斛斯山人宿置酒〉詩）的感動。所謂「辛苦必有收穫」，真希望研究團隊能繼續不畏辛苦，以此為基礎，加倍努力，靈活運用具有原始性、普遍性之「章法學三觀方法論體系」，繼續多方研討，從各個角度找出「事事物物」逐層「轉化」作「雙螺旋互動」的「層次邏輯系統」，一面加深對「辭章章法學」之研究，一面擴大推出「跨界章法學」，並儘量將成果化深為淺、轉繁為簡，作積極之推廣，以期獲得各界更多的支持與鼓勵。

四　本叢書的推出

本叢書就是在這樣的期許與努力下，決定由章法學研究團隊積極陸續推出成果。本輯所呈現者即其初步成果，含如下六冊：

（一）顏智英的《辭章章法變化律研究》：「變化律」，是宇宙運動的規律，萬事萬物由於陰陽二元的互動而發生運動變化，變化的歷程之中又形成了「移位」、「轉位」等現象，中、西方哲人都觀察到了這些自然界運動變化的規律，而有「變化哲學」的著述產生。「變化律」，也是人心共有的心理反映，人們抽繹出自然界移位及轉位的「變化之理」，透過人之「心」，可以投射到哲學、文學、藝術等的領域，應用的範圍十分廣泛。本書即為「變化律」在文學辭章章法分析的應用，先從中、西方的哲學典籍探討變化律的哲學義涵，再落實至文學作品（以古典詩詞為考察文本）材料間關係的實際分析，歸納梳理出章法變化律會形成「移位」及「轉位」等兩大類型的章法結構，而且可以涵蓋章法所有的結構現象，最後，尋繹章法變化律的心理基礎與美學特色，完整地呈現章法變化律的理論體系，也有效凸顯出「變化律」在章法規律系統中的重要地位。

（二）黃淑貞的《辭章章法四大律》：所有形式的存有，顯示了動態性、聯繫性、整體性等三種基調。在「動」的歷程中，它會產生不斷的變化；而其歷程，必然形成秩序，也必然經由局部和局部的聯貫，逐步趨於整體的統一。章法四大律，根植於這些邏輯規律。本書以《周易》《老子》為核心文獻，探討秩序與變化的移位轉位，探討陰陽二元對待與對比、調和，掌握宇宙萬物由「多」而「二」而「統一」的運行規律。在章法層面，卯榫理論和實踐，探究四大律的原則、範圍和內容。至此，哲學的意味和章法的內涵，終有了動態的整體的聯繫。

（三）陳滿銘的《唐宋詞章法學》：早在二〇〇七年就有學者認為本書作者「在當代詞學史上首要的貢獻是開創了『詞學章法學』這一新的研究領域。」又說他：「以章法學方法來剖析唐宋詞人創作的實踐來看。『章法學』的確能解此急。」且說：「在完成『章法學』全部體系建構的同時，也就開創了『詞學章法學』這一研究領域。」（曹辛華〈論陳滿銘先生的詞學貢獻〉）過了將近十年之後，終於推出本書，而縮小範圍，僅聚焦於「唐宋詞」，安排如下十章來探討：依序是：章法學「三觀」系統、時空虛實、包孕邏輯、多層解析、辭章評賞、篇章思維、篇章意象、創新潛能、潛顯互動、章法風格。這十章，除第一章為總論，藉理論體系以統合其他九章外，其餘九章都從不同層面或角度切入，用章法對「唐宋詞」作兼顧「求異 ⟷ 求同」、「直覺表現 ⟷ 模式探索」雙螺旋互動之探討，以見「唐宋詞章法學」之重要內涵，供研究者參考。

（四）蒲基維的《辭章風格教學新論》：「風格教學」是語文教學中重要的一環，也是訓練學生培育鑑賞能力、提升美感素養所必備的學習範疇。歷來對於辭章風格的分析，多偏於印象式、直覺式的批評，對於學生而言，仍舊是霧裡看花，終隔一層。本書從辭章學的意象、修辭、章法、主題等領域切入，探討風格形成的內在規律，建構具體的的理論。並以中學一綱多本的詩歌教材為分析對象，不僅理論與實務兼備，更提供教師具體可尋的風格鑑賞原則，有助於引導學生領略辭章的風格之美。

（五）陳滿銘的《陰陽雙螺旋互動論——以「0一二多」層次邏輯系統作通貫觀察》：「陰⟷陽」雙螺旋互動，主要以「0一二多」雙螺旋層次邏輯系統、大自然「轉化」四律（秩序：移位、變化：轉位、聯貫：對比與調和、統一：包孕）與方法論等三大內涵形成其系統。而就由此系統貫通「歸納（陽）⟷演繹（陰）」、「異（陽）⟷同（陰）」、「包孕（合：陰）⟷包孕（分：陽）」、「意（陰）⟷象（陽）」、「意（陰）⟷象（陽）」、「有法（陽）⟷無法（陰）」、完形「形（陽）⟷質（陰）」、《老子》「二（陰陽分）⟷三（陰陽轉化）」、《中庸》「誠（陰）⟷明（陽）」等內容，以見「陰⟷陽」雙螺旋互動於一斑。

（六）陳滿銘的《中庸天人雙螺旋互動思想研究》：本書作者早在民國六十九（1980）年三月就寫成《中庸思想研究》一書，由文津出版社出版。當時雖以「天人」互動為「鍵軸」來通貫全書脈絡，卻不僅未用「雙螺旋」一詞強調其「往復、提升」之互動作用，也還沒建構成「0一二多」雙螺旋層次邏輯的完整體系來作一統合，更何況又已絕版多年。因此希望本書能在《中庸思想研究》一書之基礎上，藉近年所開創的「陰陽雙螺旋互動」與「0一二多層次邏輯系統」進行梳理、融貫，以新面貌和讀者見面。全書共八章：前七章所論，或「分」」或「合」，對《中庸》「天⟷人」雙螺旋互動思想須作全面性之統整，並作相關探討；而第八章則為「綜（結）論」， 針對全書主要內容，先著眼於「思想體系」，以「中和」為核心融通相關的論點，如「仁性⟷知（智）性」、「誠⟷明」、「成己⟷成物」、「三知⟷三行」與「誠⟷至誠」等，以見其完整之思想體系；其次著眼於「義理邏輯」，舉最基本之「歸納（實證性科學）⟷演繹（假設性哲學）」與「偏（曲）⟷全（化）」的層次螺輯類型作說明，並以西方心理學派之「完形論」:「部分相加」≠（＜）「整體」的主要論點加以統合；然後用「0一二多」將思想體系與義理邏輯予以融通，繪製簡圖加以表示，以收一目了然的效果。希望千慮一得，能稍稍有助於《中庸》天人雙螺旋互動思想之研究與發揚，以供學者參考。

以上六冊，就「三觀系統」來說，前三冊比較偏於「中觀」，卻下徹於「微觀」，也上徹於「宏觀」；而後三冊則比較偏於「宏觀」，卻下徹於「中觀」與「微觀」。因為「三觀系統」本身形成的就是「雙螺旋互動」的關係，是無法斷然拆開的。殷切地希望繼本套叢書之後，能一輯一輯地陸續推出，以增進大眾對「跨界章法學」的了解，從而參與研究之行列。

還有，必須一提的是：本套叢書是「章法學研究系列叢書」中的第二套，與二〇一四年出版的第一套《辭章章法學體系建構叢書》有著「雙螺旋互動」的關係。因此，閱讀時能兼顧這兩套叢書，是最為理想的。

值此出版前夕，念及這本叢書之所以能在極短時間內順利出版，完全要歸功於萬卷樓圖書公司總經理梁錦興先生、副總經理兼副總編輯張晏瑞先生的辛勤設計，與主編吳家嘉小姐、校對林秋芬小姐的編排與校對；為此，誠摯地向他（她）們致上萬分的謝意！

陳滿銘

序於國文天地雜誌社

2016年10月9日

目次

總序 …… 陳滿銘 1
自序　蒼蒼，橫翠微 …… 1

第一章　緒論 …… 1

一　圖底類章法 …… 4
二　因果類章法 …… 7
三　虛實類章法 …… 8
四　映襯類章法 …… 12

第二章　章法秩序律 …… 17

一　就哲學意涵而言 …… 17
二　就章法層面而言 …… 40

第三章　章法變化律 …… 63

一　就哲學意涵而言 …… 63
二　就章法層面而言 …… 74

第四章　章法聯貫律 …… 121

一　就哲學意涵而言 …… 122
二　就章法層面而言 …… 134

第五章　章法統一律……167

一　就哲學意涵而言……167

二　就章法層面而言……178

第六章　四大律的心理及美感意涵……301

一　就心理層面而言……302

二　就美感意涵而言……327

重要參考文獻……385

自序
蒼蒼，橫翠微

Koerner Library 窗外的冊頁，翻過了葉綠，翻過了葉黃，隨著松鼠和烏鴉跳深了 Main Mall 兩旁長林落葉的色階，此次來 UBC 研究訪問所蒐集的文獻也日漸豐盈。

此地人告訴我，這是溫哥華最好的季節。Indian Summer，陽光燦爛。Koerner 前方的 Barber Learning Centre 的石建築及鐘塔，冷靜，收斂，在藍天下閃耀著理性和意志之魂的光澤。這光澤，多麼不同於我所熟悉的合院木構架建築。正如西方的文章結構理論，也多麼不同於我所熟悉的屬於中國語文的篇章結構學。而那是建構我整個學術思維體系的本源。

第一次從師大圖書館五樓書架上抽取出唐君毅徐復觀等前人的書籍，指間彈落的懸浮粒子隨光束的流動化為嗅覺符碼而搔出的希微。摩托車在劍潭與師大之間的每一個路口，和成百車龍接踵合流而後又分馳的煙塵。剛讀小學一年級的桓順坐在阿公的腳踏車後座，欣然嚮然從屋外傳回三樓書房的「媽媽我回來了！」的童心。博士學位取得後隨鴻銘移居蘇州，五十年未見的華東大雪雪落陽光嘉業小區，雪落留園華步小築明瑟樓和可亭的靜寂⋯⋯

聲音的腳印，一點，一點，滴落在不同的時空裡。移位著，也轉位著。

後來，移到了後山花蓮，又轉到了這異國的林子。當時因為諸多不成熟而未能及時善逝的遺憾，也開始無法隱諱的閃現在心底。

靜中，方識己心。

於是，就在另一種文化的差異空間裡，精敏沉靜的呼吸，引我清楚面對中英文化符碼的歧異，面對中英文章結構理論應如何比較又如何會通的議題。那就是，唯有先走回本源，再次銳化母體文化的形與神，才能啟動下一步的創新。

於是，我決定轉身，回頭重修我的博士論文。

一個夠大的開始

《周易》乾卦有元亨利貞四個特性。元，是一個夠大的開始。亨，是整個生命過程。利，就是善。這個夠大的開始，這個對周遭有益的通暢的整體，它就是一個正道。所以真正的正（貞），必須具備前面這三者。

一切藝術最深的根源，乃是真與誠。而真誠不息，正是一切事物形成秩序、變化、聯貫，以致統一的原動力。它若透過人之心，投射在章法上，那就是「四大律」之理了。

例如，本指兩種繪畫手法的「點染」一詞，若就其理論部分加以延伸與定義，可以援引來稱呼類似畫法的一種文章作法。點，指時空的一個落足點，用作敘事寫景抒情或說理的引子橋梁或收尾。染，指真正用來敘事寫景抒情或說理的主體。因為創作的人總會選取時空中最能抒發情理的景事物作為切入點，然後予以擴散渲染，統合各種時空材料，形成秩序性或變化性的層次邏輯。再藉由情感力勢的流動，而聯貫，而統一，而形成其風格韻律。

確立了原則、範圍，和主要內容。兼顧了理論，和應用。進而，尋求其哲學及美感意涵。形成較完整體系的章法四大律，具足一個原生的夠大的開始，對辭章學研究領域的生發有益，終而拓植成一個通暢貞固的整體。

而這，不僅應合了乾卦的四個特性，也飽醞著我何以調整修改博士論文為四大律的決斷和意念。

真心而做

只是當時的企圖心雖大，也在陳滿銘教授所奠立的基礎，完成〈論辭章章法四大律〉(《中國學術年刊》，2005：105-142)；然，理論建構和文獻駕馭的能力，仍透出許多的不完善。

如何改正？瑪麗亞．蒙特梭利說，唯有面對，反省，澄清，與調整。

所以，我毅然重新擬定章節次序，刪修舛誤，剔除虛榮的材料堆砌，並從近幾年發表的期刊論文中擇取適宜的例證，榫合理論和實踐。

往者，屈也；來者，信也。雖然戮力修訂後，書中一定還留有因個人才膽識力不足所造成的缺憾，但絕無剪刀漿糊的剽掠。

我傾慕荀子〈勸學〉所指向的「入乎耳，著乎心，布乎四體，形乎動靜」的為己之學，也一直深信「學術」是個聯合式複詞。術，和方法技巧有關。學，覺也，則和生命感通有關。《周易》頤卦，指觀頤以養德。養德，在實踐。所以任何學問之道，必通向主體（德與道，心本身和生命本身）的學習成長。

我很珍惜整整四個月的修改歷程，和緩緩流過其間的種種心情。

博大，在精微。故而順隨本心，讓每個晨夕，木窗下的每一次呼吸，都專注，大氣，輕盈。

真誠面對每個章節，每個字句。真誠面對情感注入後，汩汩湧現的自明的心光。如實沁潤在無垢舞蹈劇場藝術總監林麗珍女士所說，「撿紙屑也好、跳舞也好，都是一種工作，認真地去做，都會在過程中得到很多的啟示。一定不能貪心，從基礎一點一點慢慢累積，每天認真地、無心地練……」。

跳舞，要真心。學術，要真心。

當我們為自己真心而做，內心開始擁有。

哲學的意味，章法的內涵

其實《周易》也好，《老子》也好，古代哲人早已道盡了文學的哲學意味。早已告訴我們有陰就有陽，有後就有前，有左就有右，有往外就有往內。

《周易》主在抒發宇宙「動」的大義。言萬有之動，有其會通之理，有其一定的規律。它把天道、地道、人道，一統於乾坤陰陽剛柔的交感作用。經由剛性質之力和柔性質之力的摩盪，產生一連串的推移，運動，變化。終合成六十四卦物物對待，事事交感的旁通系統。

我在《周易》、《老子》、前人研究成果中，探討秩序與變化、移位、轉位的哲學意涵。待掌握到具有一定的成熟度時，發表了〈《周易》「移位」、「轉位」論〉(《孔孟月刊》，2006：4-14)。至於《老子》移位、轉位的部分，由於某些無法言說的因素，未來得及發表。此次，也幾度踟躕在或刪或留的意念之間，終因顧及哲理的完整性，稍作修改後把它保留了下來。

宇宙，是一個動態性的連續體。它具有內在聯繫性，相互依存性，和無限的發展潛能。人，也唯有在事物具有普遍聯繫的基礎上，才能有意識地進行聯想、想像等創造性思維活動。同時因此種兩相對待的律則，而使人、事物、自然之間，發生剛或柔（對比或調和）的聯繫。

我據此尋出了章法二元對待的哲學根源，發表〈論章法「二元對待」的哲學意涵〉(《先秦兩漢學術學報》，2005：1-26)。也由此見到了它和中國傳統建築隱而不顯的內在連結的紐帶，發表〈中國建築二元對待空間語法哲學意涵析論——以《周易》為考察核心〉(《國立臺灣大學建築與城鄉研究學報》，2012：27-42)、〈從「內外」探討傳統合院建築之空間意涵〉(《建築學報》，2013：99-112）等論文。

所有形式的存有，顯示了動態性、聯繫性、整體性等三種基調。在「動」的歷程中，它會產生不斷的變化。而其歷程，也必然形成秩序，必然不斷地由局部和局部的聯貫，逐步趨於整體的統一。

章法四大律，同樣根植於這些邏輯規律。

而作者藉由具體客觀的「象」來寄寓抽象主觀的「意」所凸顯的由本而末的順向結構，和讀者藉由「象」向上探索作者之「意」所凸顯的由末而本的逆向結構，使語文能力的創作（順）和辭章研究的鑑賞（逆）合為一軌，形成互動、循環、提升的螺旋結構。

有時，存在事物和觀感所得的心象之間、心象和表達之間、表達和接受之間，存在許多罅隙，形成一道空白，而有象外、意外等美學疆域的產生。關乎此，辭章與意象、意象與意境、象不盡意等議題的探討，也就成為勢之必然。

美感的產生，離不開作者在審美過程中的心理感受。美學上所說的氣韻生動，就是生命的節奏。它能帶給造形以生命感，速度感。也會伴隨著層次的造形，反復的安排，連續的動態，轉移的趨勢，出現如漸進、重複、回旋、流動、疏密、方向等現象。而讀者，唯有調動先天悟性和後天學養，發揮藝術的想像力和創造力，才得以在填補、超越空白的轉化過程中，深入生命節奏的核心，遊於物之所不得遯而皆存。

至此，哲學的意味和章法的內涵，終有了動態的整體的聯繫。

往前創生，也在後凝聚

Koerner Library 再往前幾步，就是 Rose Garden 了，絕好的夕照觀賞處。一日將盡未盡時，我也喜歡和大部分學子一樣，佇此，靜看落日暉光涓涓映照在峽灣前的人類學博物館及其周圍的林梢。

林梢那個油然明亮如心光的新綠，就是天地間一股乾的力量。它不斷的往前創生，而在後面凝聚起來的枝葉及其他，就是坤。

乾，因作為動力的主導地位而顯得凸出；但坤，作為在後凝聚的力量，也不容忽視。兩者構成一個兩相對待的動態發展序列，又不二分。因為生命的往前開展，就是往內心溯源的一個過程。就像辭章學研究，異質性的激活，是往前創新；而本體文化的內溯，是凝聚在後。

又像李白下了終南山後的回頭一望。蒼蒼山色，其上，是翠微橫抹。*

* 論文修改期間，我也一邊閱讀王鎮華老師的《道不遠人，德在人心》這本書，作為性靈的調劑。許多意念，因而觸發，因此成形。

第一章
緒論

章法是一種客觀的存在，[1]它所探求的主要是「情意」（內容）的深層結構。[2]歷來評論家對它的注意極早。[3]如劉勰《文心雕龍・章句》，有篇法、章法、句法、字法之說。劉熙載《藝概》的「賦以象形，按實肖象易，憑虛構象難」，「寫景述事，宜實而不泥乎實」；[4]及曹冕《修辭學》的「實處正意，先從虛處透出，則入題不突；闡發實處，仍迴抱虛處，則通篇首尾一氣，章法渾成」，[5]指「虛實」法。許恂儒《作文百法》的「文章之有主客，猶五行之有陰陽也，用兵之有虛實」；[6]及唐彪《讀書作文譜》的「文不以賓形主，多不能醒，且不能暢」，[7]談論的是「賓主」法。「遠近」法也常出現詩文中，如杜甫〈曲江三章章五句〉其一，「前後四句寫景，將自己一句插在中間，章法錯落」，[8]有節奏地轉換空間的遠近。或「從後面而推原其來

1 「章法」是文章之法，可分兩種。一種是一種客觀存在的章法，它顯然是與文章同時出現的。另一種章法，是研究者的認識或主張，是知識和理論，是文章的研究者的辛勤勞動的成果，它是文章出現後的事情。見王希杰：〈章法學門外閑談〉，《國文天地》18卷5期（2002年10月），頁92-95。

2 陳滿銘：〈論章法與情意的關係〉，《國文天地》17卷6期（2001年11月），頁104。

3 鄭韶風：漢語辭章學，是道道地地的中國貨，其理論已有三千多年的歷史，積澱深蘊，精華耀目。見〈漢語辭章學四十年述評〉，《國文天地》17卷2期（2001年7月），頁93-97。

4 〔清〕劉熙載：《藝概》（臺北市：金楓出版社，1998年7月革新1版），頁160。

5 曹冕：《修辭學》（上海市：商務印書館，1934年4月），頁95。

6 許恂儒：《作文百法》（臺北市：廣文書局，1985年5月再版），頁26。

7 唐彪：《讀書作文譜》（臺北市：偉文圖書出版社，1976年11月），頁85。

8 〔唐〕杜甫〈曲江三章章五句〉其一：「曲江蕭條秋氣高，菱荷枯折隨風濤。游子

歷」，或「因行事而推原其用心」，或「因疑似而推原其所以然」[9]的「因果」法，通過分析問題、剖析事理、揭示論點和論據之間的因果結構，顯豁題旨。[10]而《詩經．小雅．采薇》的「昔我往矣，楊柳依依。今我來思，雨雪霏霏」，是「雅人深致，正在借景言情」[11]的「情景」法。

章法所探求的既是內容的深層結構，其條理必也深蘊於文章之中。劉熙載《藝概》即指：「詞以鍊章法為隱，煉字句為秀。秀而不隱是猶百琲明珠而無一線穿也。」[12]因此，一篇文章若只鍊「表現於外」的「字句」，而不鍊「蘊藏於內」的「章法」以貫穿情意，使前後串成條理（秩序、變化、聯貫、統一），必雜亂無章。歷代評論家對章法的留意雖早，但兼顧理論與應用，確定它的原則、範圍和主要內容（含類別與模式），整理了近四十種章法類型，進而歸納出四大律加以統合，並尋其哲學及美感意涵，形成較完整的體系，則是晚近之事。[13]

章法是結合「形象思維」、「邏輯思維」與「綜合思維」而成。[14]它所探討的主要是篇章內容的深層條理，這一「條理」乃源自於人之

空嗟垂二毛。白石素沙亦相蕩，哀鴻獨叫求其曹。」〔清〕楊倫：《杜詩鏡銓》（臺北市：藝文印書館，1998年12月初版3刷），頁184-185。

9 唐彪：《讀書作文譜》，頁86-87。

10 王守勛：《寫作大觀》（瀋陽市：對外貿易育出版社，1987年5月1版），頁299。

11 〔清〕劉熙載：《藝概》，頁114。

12 〔清〕劉熙載：《藝概》，頁156。

13 王希杰明言：章法學已經初步形成了一門科學。若說唐鉞、王易、陳望道等人轉變了中國修辭學，建立了學科的中國現代修辭學；則陳滿銘及其弟子轉變了中國章法學的研究大方向，把漢語章法學的研究轉向科學的道路。〈章法學門外閑談〉，頁92-95。

14 吳應天：《文章結構學》（北京市：中國人民大學出版社，1989年8月初版），頁345-353。

心理，從內在應接萬事萬物所呈顯的共通理則。若落到章法上，便形成「秩序」、「變化」、「聯貫」、「統一」四大規律。陳滿銘指出，「秩序」、「變化」與「聯貫」三者，主要是就「材料之運用」來說，著重於個別材料（景與事）的布置，以疏理各種章法結構，重在分析思維；「統一」主要是就「情意之表出」來說，著眼於核心情理（主旨），或統合材料形成綱領，以貫穿全篇，重在綜合思維。[15]

現今可以清楚掌握的章法，有：今昔、久暫、問答、遠近、內外、高低、大小、左右、圖底、視角變換、感覺轉換、狀態變化、本末、淺深、因果、縱收、泛具、點染、凡目、情景、敘論、詳略、抑揚、立破、正反、眾寡、貴賤、親疏、張弛、虛實（時間、空間、設想、願望、夢境、虛構）、時空交錯、賓主、並列、平側、偏全、天人、敲擊等。[16]每一種章法有其個別的「特性」（異），也都有獨立的必要，以適應千變萬化的文學作品。然，若將「往下分析深入」的瑣細與「往上融貫提升」的統整，形成互動之關係，[17]則可求得「共性」（同），整合為「圖底」、「因果」、「虛實」、「映襯」等四大類。[18]

---

15 陳滿銘：《章法學新裁》（臺北市：萬卷樓圖書公司，2001年1月初版），頁319-419；《章法學論粹》（臺北市：萬卷樓圖書公司，2002年7月初版），頁3-18。

16 近四十種章法的定義，俱見陳滿銘《章法學新裁》、《國文教學論叢》、《國文教學論叢．續編》、《文章結構分析》、《章法學論粹》、《詞林散步》，仇小屏《篇章結構類型論》（臺北市：萬卷樓圖書公司出版）等書。

17 陳滿銘：《章法學新裁》，頁10。

18 家族的「共性」（同），即「族性」，指某些章法所共同具有的特色。陳佳君：〈論章法之族性〉（收入鄭頤壽主編：《辭章學論文集》，福州市：海潮攝影藝術出版社，2002年12月1刷，頁145-163）依近四十種章法的族性，歸納其主要內涵，並釐清各族的共性及美感，分為圖底、因果、虛實、映襯等四大章法家族。本文據此分類。

一　圖底類章法

圖底類章法，包含了時間類的今昔、久暫、問答，空間類的遠近、內外、高低、大小、左右、視角變換、知覺轉換、狀態變化等。創作時，作者多會運用背景材料來凸出焦點材料，使「圖」與「底」之間，具有某種程度的主從關係。大體而言，時間類的「焦點」多凸顯在「今」、「暫」、「答」的內容中，空間類則多出現在「近」、「小」、「內」、「低」的空間中。至於「背景」，常出現在較外圍的內容中，如時間類的「昔」、「久」、「問」等部分，空間類的「遠」、「大」、「外」、「高」等部分。不過，仍須落實到個別的辭章作品，才能真正確定其圖底關係。

（一）時間類

1 今昔法

今昔法是將時間中的「今」（現在）與「昔」（過去），依篇章需求作適當安排。在時間上構成短暫的今昔關係的「先後」法，也屬今昔法的範疇。如辛棄疾〈醜奴兒〉（書博山道中壁），通過回顧少年時（昔）的不知愁苦，襯托「而今」說不出的愁苦滋味。

2 久暫法

久暫法是將作品中的長、短時間作適當的安排，以產生映照效果的文章作法。如李商隱〈嫦娥〉，首句點出夜已深沉，時間距離較短；次句寫長夜將盡，時間距離較長；第三句追溯嫦娥偷靈藥的神話傳說，將時間宕得極遠；末句再以「夜夜心」，暗示時間之無窮。

3 問答法

問答法是以「提問」和「回答」來組織篇章的一種方式。「連問不答」或「對話」形式，因「問」與「問」之間有通貫全篇的內在意脈，可達成整體的呼應，故也一併歸入問答法。如賈島〈尋隱者不遇〉，問者是賈島，答者是童子；問句在松樹下，答句已在松樹外。由一個明確的「定點」（松下），推向無限的空間（不知處）。

（二）空間類

1 遠近法

遠近法主要是以空間中「長」那一維所造成的遠近變化為條理的謀篇方式。如李益〈同崔邠登鸛雀樓〉，起首四句，就遠處的危檣、沙渚、雲樹與宮闕起筆，視線繼而拉回詩人身上，再追隨風煙的腳步飄向遠方。

2 內外法

表達內外空間轉換的內外法，強調的是以門窗牆帷等建築物分隔成內、外兩個空間的謀篇方式。如歐陽脩〈蝶戀花〉，上片摹寫怯對春殘的深閨少婦（內），繼寫雨打杏花的春殘景象（外），下片再度拉回屋內（內），經由空間的內外轉換，道出少婦傷春而醉酒的心境變化。

3 高低法

高低法主要是以空間中「高」那一維所造成的高低變化為條理的章法。如李益〈夜上受降城聞笛〉，首句俯視夜景，先就低處寫起；次句再將視線拉高，仰視夜景，營造空間的層次變化。

4 大小法

大小法，在章法中指的是空間「面」的大小。如許渾〈秋日赴闕題潼關驛樓〉，首聯寫長亭送別的情景，焦點是詩人自己（小）；中間兩聯，視點向四方呈輻射狀拉開，寫華山、中條山、潼關和大海（大），末聯再將視點拉回到詩人身上（小）。

5 左右法

將空間在左、右之間移動所形成的橫向變化紀錄下來，就是左右法。當視覺向左右兩側延展時，易推拓出遼闊的空間感，予人均衡、安定、靜穆的審美感受。如郁永河〈臺灣竹枝詞〉的「臺灣西向俯汪洋，東望層巒千里長」即是。

6 圖底法

「圖」，是產生聚焦功能的焦點；「底」，是背景，為主旨作出最有力的烘托與凸顯。如漢樂府〈江南可採蓮〉以一大片荷田為「底」，凸出戲於蓮葉間的魚兒這一個「圖」來。

7 視角變換法

視角變換法，就是將屬於「長」的變化的遠近法與內外法、屬於「寬」的變化的左右法、屬於「高」的變化的高低法、及屬於「面」的變化的大小法，複合搭配，表現空間景物。如張繼〈楓橋夜泊〉，一、二兩句是近景，寫俯仰之間的所見、所聞、所感；三、四句，由遠而近，將空間推移至姑蘇城外的寒山寺，再透過聽覺帶出鐘聲，凸顯旅人「愁」的況味，形成由「高低」而「遠近」的變化。

8 知覺轉換法

知覺轉換法，是綜合運用視、聽、嗅、觸、味、心等各種知覺來組織篇章的作法。如黃庭堅〈鄂州南樓書事〉（四顧山光接水光），先從視覺寫山水景色，次從嗅覺寫芰荷飄香，再道出自在逍遙的心境，末以「一味涼」的觸覺，總收山光水色、十里荷香與清風明月。

9 狀態變化法

狀態變化法指的是將萬事萬物某一狀態本身的變化（如動靜、甜鹹、貴賤、親疏、睡醒等），呈現在文章中的作法。如〈王風・葛藟〉三章，一章說「謂他人父」，二章說「謂他人母」，三章說「謂他人昆」，先父、後母、後昆，由親而疏，次序井然。

二　因果類章法

章法的因果家族，包含本末法、淺深法、因果法、縱收法。它們主要是根據事（情）、理的展演來組織篇章，因此都具有因果邏輯條理，幫助讀者全面認識事物的本質，作出正確的判斷。就族性來說的「因果」，是廣義的，指的是因果章法家族中所各自具有的主客關係。有「源」（本），才有「流」（末）；有「淺」為基礎，才能推向「深」；有「縱」為手段，才能達「收」的目的。若就單一章法而言的「因果」，是狹義的，它會形成原因與結果相對的結構成分。

1 本末法

本末法就是將事理的原始本末，依序層層推進的謀篇方式。如《禮記・中庸》首章，先由「天命」、「率性」（本）順推至「修道」

（末），再由後天的「修道」、「率性」逆推至先天的「天命」（本），指明修道的要領與終極目標。

2 淺深法

淺深法是因文意（境）有淺有深而形成層次的章法，它合乎事物的發展規律，及美感情緒的跳躍與轉換這一特點。如杜牧〈罪言〉，承接平藩的主張，提出「上、中、下」三策，由淺入深，通貫血脈。

3 因果法

因果法是以題意為中心，推論其因果關係，或推尋事理之本原，然後言其得失的謀篇技巧。如張炎〈高陽臺〉（接葉巢鶯），前十三句，寫西泠橋畔的暮春殘景（果）；繼而拈出「見說新愁」三句，道出春逝的哀愁（因）；「掩重門」四句，再將春逝之愁推至極處（果）。

4 縱收法

「縱」是放開，「收」是拉回；表現在詞章上，就是在時、空、情、理各方面縱離主軸，再將遠放的文勢一股兜攬、拍回主軸的謀篇方法。如《史記・燕召公世家贊》，先將文勢推展出去（縱），一頓之後，又將它收回（收）；繼而再一起，將時間拉長八、九百年（縱），增強美感情緒波動的密度與感染力。

三　虛實類章法

虛實家族範圍廣泛，包含具體與抽象類的泛具法、點染法、凡目法、情景法、敘論法、詳略法；也包含具有虛實性質的時空類章法，如時間的虛實、空間的虛實、時空交錯的虛實；及真實與虛假類中的設想與事實的虛實、願望與實際的虛實、夢境與現實的虛實、虛構與真實的虛實。其中，具、染、目、景、敘、詳，是具體的「實」；可觸發想像，暗示、象徵非直觀的內容。泛、點、凡、情、論、略，是抽象的「虛」；可通過想像，藉助譬喻、暗示、象徵等作用，對「實」進行延伸、補充和發展。

（一）具體與抽象類

1 泛具法

專事描述具體的事件、景物或特殊狀況的，是「具寫」；泛泛敘寫抽象情意或一般狀況的，是「泛寫」。如韋應物〈秋夜寄邱二十二員外〉，起句泛寫「懷君」，直接拈出主旨；次藉秋夜散步的動作，與「松子落」、「幽人應未眠」的設想，將「懷君」具象化。

2 點染法

「點」，指時空的落足點，僅用作敘事、寫景、抒情或說理的引子、橋樑或收尾；「染」，指真正用來敘事、寫景、抒情或說理的主體。如《列子．愚公移山》，開端四句是「引子」，交代故事發生的地點、原因；結尾兩句是「收尾」，交代故事結局；中間則是用來敘事的主體，具體呈現故事發生的經過。

3 凡目法

「凡」，是總括；「目」，是條分。如蘇軾〈留侯論〉，首段即提明一個「忍」字作為綱領，以統攝下文（凡）；其後以圯上老人授書、論高祖致勝之因、引太史公之語，條分縷析，把「留侯之所以就大謀在於能忍」的一篇主旨，表達得深刻而明白。

4 情景法

情景法，是藉外在具體的景物，來襯托內在抽象的情思。如陶淵明〈飲酒〉其五，起首四句先提明「心遠自偏」之情，繼而敘寫東籬採菊、南山遙望等自然之景，最後再次抒發「得意而忘言」的真趣。

5 敘論法

敘論法，是在敘事的過程中，對所敘事件有所觸動、有所感發，因而產生出相應的感想，並發為議論。如文天祥〈正氣歌〉，開篇三十六句，先論述地（河嶽）、天（日星）、人，拈出「三綱實繫命，道義為之根」作為一篇主旨；再就倉促被囚、獄中景況，敘述自己的遭遇。

6 詳略法

詳略法就是對與中心思想關係緊密的材料，作比較具體、詳細的敘述；與中心思想關係疏遠的材料，則僅作概括、簡略敘述。如賈誼〈過秦論〉，作者以近四分之三的篇幅，詳敘秦國由「始」而「漸」而「最」的三個壯大階段，凸顯秦強之難；繼而以極簡之筆，寫秦亡之速。

（二）時空類

1 時間的虛實

將「實」時間（今、昔）與「虛」時間（未來）雜揉於篇章之中，以求敘事（寫景）、抒情（論理）為一體的文章作法。如李商隱〈夜雨寄北〉，前二句實寫今夜聽雨之景，後二句則是對未來的設想。

2 空間的虛實

就空間來說，凡窮盡目力，寫眼前所見的，是「實」；透過設想，寫遠處情況的，是「虛」。如王維〈九月九日憶山東兄弟〉，首二句實寫詩人作客的異鄉，三、四句設想遠處的兄弟登高念己的情景。

3 時空交錯的虛實

「時」與「空」、「虛」與「實」，也會交互運用，形成豐富多變的章法現象。如蘇軾〈浣溪沙〉（軟草平莎過雨新），「軟草」兩句由實空間切入，寫「道上」的雨後清景；「何時」句，由實轉虛，將時間推向未來，抒發隱退之意；「日暖」兩句又回到實空間，續寫道上所見；結句更著眼於實時間，抒寫自己原是田野中人。

（三）真實與虛假類

1 設想與事實的虛實

事實，是指在過去的時光中確實已發生過的事，是「實」；設想，是推翻已存在的事實，或是逆溯推翻前人已有的定論，是「虛」。如馬致遠〈四塊玉〉（馬嵬坡），「睡海棠」四句，描寫貴妃的嬌美與專寵的事實；「不因這玉環」三句，透過設想，提出對這段歷史的批判與嘲諷。

2 願望與實際的虛實

願望，是心中尚未實現的想望，是「虛」；實際情況的部分，是「實」。因為人面對所失去或所力求的對象，多會生發強烈的想望與期盼，然後「執於一念」，化為詩文，添深情蘊。如王昌齡〈出塞〉，首句以關塞明月點題，次句寫征人未還，三、四句道出國有良將的願望。

3 夢境與現實的虛實

夢境不是真實的存在，是「虛」；現實世界，則是「實」。如韋莊〈女冠子〉（昨夜夜半），首二句從實境寫起（實）；自「語多時」至「欲去又依依」，以極大篇幅抒寫夢境（虛）；結尾二句，再次回到現實世界（實）。夢中之樂與醒後之悲，形成強烈對照，拈出相思之情。

4 虛構與真實的虛實

真實，指作品中所駕馭的物材、事材，全是真實的人、事、景、物；虛構，指作品中出現的神話、寓言、幻想等材料，全是憑空想像得來。如李白〈古風〉其十九，「西上蓮花山」十句，以虛構之筆寫神仙世界和追隨仙人御風之趣；後半則從幻想跌回現實，實寫胡兵在洛陽橫行、百姓離亂的景況。

四　映襯類章法

映襯家族的最大特色，在於各個章法單元間有明顯的映襯關係。它常運用性質相反或相似的人事物，作為組織篇章的內容材料；因此會呈現映照、對比的關係，或襯托、調和的關係。偏近於對比關係的映照類章法，不論是貶抑與褒揚的對應、立與破的針鋒相對、一正一反的比較、眾多與寡少的相映、緊張與鬆弛的反差、貴賤或親疏的相襯，都可達成鮮明凸出、矛盾對立、比較衡量的效果。偏近於調和關係的襯托類章法，不論是建立在接近、類似聯想的賓主法，或是事理協調的天人法，局部與整體、特例與通例相互襯托的平側法、偏全法，或藉「敲」加以引渡、旁推來呼應「擊」的敲擊法，多會因性質形象的類同，予人融洽、沉靜與優美感。

（一）映照類

1 抑揚法

抑揚法，是運用貶抑與頌揚的筆法來論人議事；或將同一人事物的優劣提出並列，令論述更客觀、公正、明白。如司馬遷《史記・蕭相國世家贊》，金聖嘆《才子古文讀本》指開篇兩句是「抑」，「及漢興」以下是「揚」。[19]

2 立破法

立破法，是先「立案」，然後加以「掀翻」、「辨」、「駁」，使一己的正面主張得以成立、伸張的謀篇作法。「立」，多是積非成是的觀念或習以為常的成見，在「破」中舉例予以反駁、揭明。如歐陽脩〈縱囚論〉，首段提出論點、論據來破唐太宗縱囚之「不近人情」，是「破」；次段，虛擬「或曰」的說法來立案；三、四段，再分從「上下交相賊」的荒謬來破前文，雄辯而犀利。

3 正反法

正反法就是將兩種（或兩種以上）極度不同的材料並列起來，形成強烈對比，獲得勁健、醒目的美感效果。如李文炤〈儉訓〉，先從正面點出「儉」的美德，次從反面寫「奢」的害處，末段再從正面論說，使立論完備充足。

4 眾寡法

眾寡法，就是利用多數與少數的相映關係來謀篇布局的方法。如

19 〔清〕金聖嘆：《才子古文讀本》（上海市：廣益書局，1936年1月1版1刷），頁170。

《史記．孔子世家贊》，依太史公自己、孔門學者、天子王侯、言六藝者的次序，由「寡」而「眾」而「最眾」，寫人們對孔子的嚮往之情，拈出一篇主旨「至聖」。

5 張弛法

「張」是緊張，「弛」是鬆弛。張弛法就是使文章呈現張、弛、疾、徐等不同節奏，營造一種特殊韻味與情致的謀篇作法。如張祜〈宮詞〉，起首兩句，將時、空推拓得極遠（弛）；結尾兩句，再將時間拉回目前，將空間凝聚「君前」，給予最大的特寫（張）。

6 貴賤法

貴賤，是指人之地位或物之珍貴的程度。如蘇軾〈記先夫人不殘鳥雀〉，入題後分兩層，一寫尋常的鳥雀，一寫珍異的桐花鳳。一賤一貴，正彰顯其母的慈德。

7 親疏法

親疏法，是運用關係的親近與否來安排布局的文章作法。如李東陽〈記女醫〉的「且傳引譽之於鄰里而不足，則譽之鄉黨；而不足，則又譽之婣戚識之人」等句，由親而疏，分「鄰里、鄉黨、婣戚」三層書寫。

（二）襯托類

1 賓主法

直接運用主要材料的，是「主」；間接運用輔助材料的，是「賓」。如蘇軾〈放鶴亭記〉，以鶴對酒，鶴是「主」，酒是「賓」，逼出「南面之樂，豈足以易隱居之樂」的主旨。

2 平側法

平提側注法，就是以同等的地位將所要論說或敘述的重點加以提明，然後側重於其中一點或兩點來收結的作法。如柳宗元〈登柳州城樓寄漳汀封連四州刺史〉，首聯平提五人所居之處，頷、頸聯側注到柳宗元所在的柳州，末聯再次平提五人的際遇。

3 並列法

並列法，就是以平等的關係從各個角度來闡發主旨的各部分內容，而不具主從性質的謀篇方法。如〈木蘭辭〉的「東市買駿馬，西市買鞍韉。南市買轡頭，北市買長鞭。」以重複的句式形成並列結構，生動描繪從軍裝備的添購。

4 偏全法

「偏」指局部或特例，「全」指整體或通則。偏全法是運用局部與整體、特例與通則的相應條理來組合材料的章法。如杜甫〈八陣圖〉，首聯藉三分國、八陣圖，從整體性的豐功偉業（全）與局部性的軍事貢獻（偏），歌頌諸葛亮一生的功業。

5 天人法

「天」指自然，「人」指人事。若就寫景而言，「天」是自然之景，「人」是人事之景；就說理而言，「天」屬於天道，「人」屬於人道。如吳文英〈浣溪沙〉，自「夕陽無語」句至篇末，依夕陽與歸燕（天）、纖手捲簾（人事）、絮落、月羞、風臨（天）的次序，推深懷舊之情。

6 敲擊法

「擊」指一般的「打」，「敲」專指從旁而來的「打」。若移用於章法，「敲」，專指側寫；「擊」，專指正寫。如韓愈〈送董邵南遊河北序〉，一、二段直扣董生「遊河北」事，是「擊」；末段筆鋒一轉，旁注於燕趙之士，要董生傳達天子在上、燕趙之士可來仕之意，暗示董生不當前往，是「敲」。

第二章
章法秩序律

章法所探討的主要是內容的深層邏輯，也就是篇章的「條理」。這一「條理」乃是源自於人之心理，從內在應接萬事萬物所呈顯的共通理則。此共通的理則，若落到章法之上，便形成「秩序」、「變化」、「聯貫」、「統一」等四大規律，以反映作者的邏輯思維。「秩序」、「變化」與「聯貫」，主要是就材料的運用而言，著重於個別材料（景、物與事）的布置，重在分析；「統一」，主要是就情意的表出而言，著眼於核心主旨或統合材料形成綱領，重在通貫。[1]在章法上，不但以此四者為原則，呈現「善」；在心理上，也以它們為基礎，呈現「真」；在美感上，更以它們為效果，呈現「美」。因此，從根源上探討，辭章章法四大律可說貫通了人我、物我，完全合於天理人情。[2]

一　就哲學意涵而言

文學的「哲學意味」，早為亞里斯多德（Aristotle，前384－前322年）的「詩學」所發現。[3]章法四大律的哲學意涵，也可從《周易》、

1　陳滿銘：《章法學新裁》（臺北市：萬卷樓圖書公司，2001年1月初版），頁319-360、364-419。

2　陳滿銘：《章法學新裁》，頁319-419；《章法學論粹》（臺北市：萬卷樓圖書公司，2002年7月初版），頁3-18。

3　〔古希臘〕亞里斯多德（Aristotle）著，羅念生譯：《詩學》（北京市：中國戲劇出版社，1986年1月1版1刷），頁1-90；顧祖釗：《文學原理新釋》（北京市：人民文學出版社，2002年7月1版3刷），頁116-117。

《老子》等典籍中尋出與之相應的邏輯結構。[4]

〈繫辭上〉:「一陰一陽之謂道。」由於陰陽二種勢力在對待往來中相起伏、互消長，因此萬物在變化歷程所呈現的現象，常是此動則彼靜，靜極則動來；[5]故《周易》以陰陽為其一對基本概念，由此衍為四象，由四象再衍為八卦、六十四卦。[6]由於陰陽兩力的消息、往來，才能成萬物，才能生生不息。動力，即生源；「動」義，即生生義。[7]力，是運動的主因，[8]除了在《周易》、《老子》可尋得印證，《中庸・三一章》裡連結天人的「誠」，不只是心態，也是股動能，無時無刻在轉化萬物、完成萬物，將天人連結到同一的文化之流中：[9]

---

4 黃淑貞:〈論辭章章法四大律〉,《中國學術年刊》第二十七期秋季號（2005年9月）,頁105-142。

5 曾春海:《易經哲學的宇宙與人生》(臺北市：文津出版社，1997年4月初版1刷),頁182。

6 在《易傳》中，陰陽概念運用得很多,〈說卦傳〉:「觀變於陰陽而立卦」,八卦、六十四卦是以陰陽的各種變化為基本建立起來的。陳望衡:《中國古典美學史》(長沙市：湖南教育出版社，1998年8月1版1刷),頁179-180。

7 熊十力:《十力語要》(臺北市：明文書局，1989年8月初版),頁13。吳怡也指出：天道的生生不已，是由於陰陽的變化，而陰陽之所以能相推、交感，創生萬物，顯然是有宇宙的動能的支配，其實陰陽本身就是一種動能，後代易學家把陰陽解作氣，指的也是動能（《中庸誠的哲學》,臺北市：三民書局，1993年10月5版，頁61)。另外，葉繼業也提及類似的論點（《易理述要》,臺北市：黎明文化公司，1990年6月再版，頁36-38)。

8 陳俊輝:《墨經》認為時間具有變遷性，而可由空間角度來記載，至於空間本身，它亦是運動性的，且可由其內產生的時間來記述。論到宇宙本身的運動,《墨經》則認為,「力」是運動的主因。《新哲學概論》(臺北市：水牛圖書公司，1991年10月初版),頁91。

9 陳榮捷:《中國哲學文獻選編》(臺北市：巨流圖書公司，1993年6月1版1刷),上冊，頁180。陳立夫曾借物理現象，以證「誠」是一種動能，可供參考:「誠既為動能，動能之表現為波，如光波、聲波、電波、力波等，波可集中，光波之集中於一點，謂之焦點，為最明亮。故曰:『誠則明』。聲波之集中於一點復轉換成電波，則可廣播至無遠弗屆，故至誠能成其大，能及其遠，由『不息則久』以達『悠久無

「誠則形，形則著，著則明，明則動，動則變，變則化：惟天下之至誠為能化。」它明示「誠」為道德創化的真幾，由「形」而「著」而「明」而「動」而「變」而「化」；也就是誠於中、形於外，而起創生、改變、轉化等作用的運動變化歷程。[10]然後在造成「變化」、形成「秩序」的過程中，不斷地由局部與局部的「聯貫」（對比或調和），逐步趨於整體的「統一」。[11]

（一）唯變為常

「變」，作為傳統哲學體系中重要的組成部分，歷來研究成果甚多。如向世陵即歸納「變為更改、改變」、「變為化，合稱變化」、「變為易，合稱變易」、「變為革，合稱變革」、「變，非常又為常」、「變為對立互反之象」、「變為生成和發現」、「變為體、用，又由體達用」、「變為天道」、「變為進化」等十種基本意涵。若再進一步，則又可提煉出「變與生生和合」、「變與常的互動」、「變恆向對待面轉化」等三個特點。[12]

1 「變」與「生生」和合

宇宙是一個「變」、「動」不息的大流，無動而不變，無時而不

疆』。電波聚集與透過極細微之電路，可以生熱。故曰：『熱誠』。用之以解析物質，謂之電化，故曰：『唯天下之至誠為能化』。力波集中於一點，則力大可以推動他物，且銳不可當，無堅不催，故曰：『至誠而不動者，未之有也；不誠，未有能動者也』。」見《四書道貫》（臺北市：世界出版社，1966年10月初版），頁251。

10 牟宗三：《心體與性體》（臺北市：正中書局，1968年5月臺初版），頁324。

11 陳滿銘：《章法學綜論》（臺北市：萬卷樓圖書公司，2003年6月初版），頁82。

12 自先秦以來，「變」有其發展歷程及意義之演進。本文的研究範圍主要鎖定在章法四大律的哲學意涵，故不深究「變」這一哲學範疇的歷史變化義。至於「變」的「變與生生和合」、「變恆向對待面轉化」、「變與常的互動」三個基本特點，則是參酌向世陵《變》（臺北市：七略出版社，2000年4月初版，頁2-27）的觀點加以發揮而成。

移，[13]故〈繫辭下〉云：「變動不居，周流六虛，上下無常，剛柔相易，不可為典要，唯變所適。」由於陰陽的相互感應，對待雙方始能結為統一體；兩者同時又相摩相盪產生推移，有了推移就產生「動」與「變」。[14]朱熹《朱子語類‧卷六十五》：「陰陽有箇流行底，有箇定位底。『一動一靜，互為其根』，更是流行底，寒暑往來是也；『分陰分陽，兩儀立焉』，便是定位底，天地上下四方是也。」[15]以此，《周易》把「天道」、「地道」、「人道」一統於「乾坤」、「陰陽」、「剛柔」的交感作用，[16]就是指兩種對待又互補力量的滲透、推移和運動。[17]〈繫辭下〉：「爻也者，效天下之動者。」〈繫辭上〉：「天地變化，聖人效之。」卦爻的變化，就是效法天地的變化，故《周易》以爻畫剛柔的變化，效法、反映客觀事物的「變」與「動」。

---

13 「宇」是空間觀念，「宙」是時間觀念，空間與時間都具有間斷性和不間斷性，這兩方面的統一就是運動、流行或變易。宋志明、向世陵、姜日天：《中國古代哲學研究》（北京市：中國人民大學出版社，1998年8月1版1刷），頁62。

14 「變」，是指事情在時間中的變化；「動」，是指物體在空間中的遷移、變易。在古代哲學中，「變」、「動」兩個詞很早就擴大其範疇，成為具有物理的、化學的、生物的和社會的運動變化的涵意。這兩個詞不僅相通，而且相互包含。徐志銳：《周易陰陽八卦說解》（臺北市：里仁書局，2000年3月初版4刷），頁58-105；方立天：《中國古代問題發展史》（臺北市：洪葉文化事業公司，1995年4月初版1刷），頁176。

15 〔宋〕朱熹著，黎靖德編：《朱子語類》（臺北市：文津出版社，1986年12月初版），頁1602。

16 宇宙的構成原素是陰陽，陰陽為兩儀，兩儀為乾坤。戴璉璋指出：陰陽是道生成萬物的兩種作用力，在本體宇宙論上，與乾坤是異名而同實，具現天地生化萬物的功能。在德性象徵中，剛柔的抽象程度高過健、順、動、入，而又低於陰陽。抽象程度越高，對於事物的概括性越大；所以在易學中，卦象的發展由「天地」而「健順」而「剛柔」而「陰陽」，這個程序是自然合理的（《易傳之形成及其思想》（臺北市：文津出版社，1997年2月2刷，頁65、76）。以此，本文多言「陰陽」而不言「剛柔」。

17 李澤厚：《中國古代思想史論》（臺北市：三民書局，1996年9月初版），頁128。

「變」，是宇宙的生成基礎。〈繫辭上〉：「《易》有太極，是生兩儀，兩儀生四象，四象生八卦。」太極分化為兩儀，兩儀陽變陰合而生四象，四象、八卦再相互作用，最終萬物生生而變化無窮。〈繫辭下〉：「天地之大德曰生。」以「變」來發揮「生」意，即凸出了「生」的從無到有、由一到萬、日新而富有的特色。[18]

關於「生」，羅光也歸結出「天地相交萬物化生」、「乾坤為化生之始」、「陰陽為天地變化之本質」、「天地變化之道：順、恆、復」等四點結論。[19]方東美則指「生生之謂易」具有「育種成性」、「開物成務」、「創進不息」、「變化通幾」、「綿延長存」等五種涵意，及「五相四義」：

> 五相：雌雄和會、男女構精、日月貞明、天地交泰、乾坤定位；四義：一曰睽通，……換言之，宇宙中事物的發展相反相成。二曰慕說，……性質相對待的陰陽兩性所以會相互吸引，係基於悅慕分享對方內在本質的活動傾向。三曰交泰，……天地和交，陰陽調和，萬物欣欣向榮以示福泰。四曰恆久，……剛柔相濟相應，必需能恆久持續，宇宙才能生生不息。[20]

以上，皆說明了宇宙萬有恆處於生成變化的歷程中。而生成變化的動力根源，皆源於陰陽交感，[21]皆來自蘊含陰陽二氣的太極自本自根的

---

18 馮友蘭指出：生成就是變化。變是宇宙精神的體現，它將生的抽象本性轉為現實並推動著宇宙向多樣化和豐富性方向發展。宇宙既是一個大生命，也是一個大變化，合而言之，即是「變生」。「變生」既生成形象，也生成本質。見《中國哲學史》（臺北市：藍燈文化公司，1990年10月初版），頁10-11。

19 羅光：《儒家哲學的體系》（臺北市：臺灣學生書局，1983年6月初版），頁187-191。

20 方東美：《生生之德》（臺北市：黎明文化公司，1982年12月4版），頁152-153。

21 如〈泰．象〉：「天地交而萬物通也。」〈咸．象〉：「柔上剛下，二氣感應以相

運化。[22]不論是道生一、或是太極生兩儀，「生生」實質上都是「變生」，都是以「變」為其內容。故自《周易》提出「天地之大德曰生」、「生生之謂易」以來，傳統哲學便以「生生」與「變易」的合和，來詮釋宇宙的生成發展。

2 「變」與「常」之互動

〈恆・彖〉:「天地之道，恆久而不已者也」;「觀其所恆而天地萬物之情可見矣。」宇宙若從靜態的形式觀之，是一秩序森然、有條有理的結構；若從動態的運行觀之，雖變化萬千卻有客觀規律可循。如〈豫・彖〉:「天地以順動，故日月不過，而四時不忒。」天地運行之所以「不過」、「不忒」，之所以沒有差錯，是因為「以順動」，「順」著一定的規律運動。因此，抓住了這一個運行規律，也就從總體上把握了宇宙。[23]

客觀規律的「道」，通過一陰一陽的往來變化，展開了一個無限發展的序列。唐君毅指出：

> 以道觀物，物之由未生而生，以再歸於無，即物之以其一生之歷程，分別體現道之能有能無之有相與無相，亦即由與道不分異，而分異，再歸於不分異者。……由是而物之一生，於其生壯老死之事中，表現更迭而呈之既有還無之二相，所成之變化歷程，便皆唯是道體之自身，求自同自是，以常久存在之所

與。」〈恆・彖〉:「剛上而柔下，雷風相與，巽而動，剛柔相應。」〈姤・彖〉:「天地相遇，品物咸章。」〈歸妹・彖〉:「天地不交，而萬物不興。」〈繫辭下〉:「天地絪縕，萬物化醇，男女構精，萬物化生。」

22 曾春海：《易經哲學的宇宙與人生》，頁293。

23 朱長超：《思維的歷程》（福州市：福建教育出版社，1996年5月1版4刷），頁17。

顯；而物之一生之變化歷程之真實內容，即唯是此道之常久。[24]

「道」為宇宙間陰陽推移變化的一種自然歷程、規律，所以事物「由未生而生，以再歸於無」的變化常則，體現了宇宙萬物生成變化的「有序性」，也體現了「變」與「常」的互動，於是《周易》明確提出了「常」這一哲學範疇。[25]

「常」，是有序之「變」。〈繫辭上〉：「動靜曰常，剛柔斷矣。」動靜，就是變化，變化中又蘊含著相對不變的常則；有了常則，變化才有規律可循。[26]因此《周易》以六十四卦、三百八十四爻的相互衍變，來象徵、反映宇宙人生的變化；然後在種種變化中，尋出一種規律，建構一種秩序圖式，以成立吉凶悔吝的判斷，漸漸找出人生行為的規律。[27]《老子・四十章》：「天下萬物生於有，有生於無。」《老子》以「有」、「無」來表示「道」向下開展而生成萬物的一個具有先後性、持續性的活動歷程。它觀「變」而思「常」，以「道」為變化根本，以「二」為變化元素，以「次序」為變化程序；故《老子》在變化意義的界定上，與《周易》實無二致。[28]

---

24 唐君毅：《中國哲學原論・導論篇》（香港：東方人文學會，1974年7月修訂再版），頁388。

25 向世陵：《變》，頁12-24。

26 剛為動，柔為靜，剛柔相推，即動靜有常。動靜在《周易》中有別名，如「相盪」，〈繫辭上〉：「八卦相盪。」如「進退」，〈繫辭上〉：「變化者，進退之象也。」如「參」，〈繫辭上〉：「參伍以變。」如「錯綜」，〈繫辭上〉：「錯綜其變。」如「化裁」，〈繫辭上〉：「化而裁之謂之變。」如「相易」，〈繫辭下〉：「剛柔相易。」如「反復」，〈乾・象〉：「終日乾乾，反復其道也。」如「來往」，〈泰・象〉：「小往大來。」如「交」，〈泰・象〉：「天地不交而萬物不通也。」

27 徐復觀：《中國人性論史・先秦篇》（臺北市：臺灣商務印書館，1978年10月4版），頁202；王新華：《周易繫辭傳研究》（臺北市：文津出版社，1998年4月初版1刷），頁13。

28 陳鼓應：《老子今註今譯及評介》（臺北市：臺灣商務印書館，1970年5月初版），頁6-7；羅光：《儒家哲學的體系》，頁191-192。

《朱子語類．卷七十二》：「能常而後能變，能常而不已，所以能變；及其變也，常亦只在其中。」「變」由「常」而來，能「常」才能「變」。天道「變」而有「常」，這種秩序與規律相聯繫，以合乎時序、節度，以穩定和諧的整體。張載《正蒙．動物》：

> 生有先後，所以為天序；小大、高下相並而相形焉，是謂天秩。天之生物也有序，物之既形也有秩。知序然後經正，知秩然後禮行。[29]

事物雖千變萬化，卻依其固有的規律而運動、發展。〈繫辭上〉：「聖人有以見天下之動而觀其會通」，「言天下之動而不可亂也」。《周易》主在闡發宇宙「動」之大義，言萬有之動，常而不亂。[30]就如唐君毅所言：「種子之能發芽、茂盛、開花、結實而言，此同為種子之性。然此性卻並非一時全部實現，而只能依序而現，方成一歷程。」[31]又如方東美所言：

> 何謂時間？蓋時間之為物，語其本質，則在於變異；語其法式，則後先遞承，賡續不絕；語其效能，則綿綿不盡，垂諸久遠而薪向無窮。時序變化，呈律動性，推移轉進，趨於無限，倏生忽滅，盈虛消長，斯乃時間在創化歷程之中、綿綿不絕之賡續性也。時間創進不息，生生不已，挾萬物而一體俱化，復

---

29 〔宋〕張載：《張載集》（嶄新編校本）（臺北市：里仁書局，1979年12月初版），頁19。

30 胡自逢：〈論周易「動」之大義〉，《易學識小》（臺北市：文史哲出版社，2000年3月初版），頁80-84。

31 唐君毅：《哲學概論》（臺北市：臺灣學生書局，1975年9月4版），頁731。

又「統之有宗，會之有元」，是為宇宙化育過程中之理性秩序。[32]

宇宙化育過程中的時序變化呈律動性，又能統之有宗、會之有元，終而形成一「理性秩序」，故「其為理也順而不妄」（張載《正蒙．太和》）。順而不妄，即反映了宇宙萬有「變」與「常」的互動性。

3 「變」恆向對待面轉化

〈繫辭下〉：「易，窮則變，變則通，通則久。」事物發展到極點，就轉變為其反面。「通」，是變為反面以後的新發展；「久」，是新發展所經的時間。然而這個「久」並非久遠，在不久的時間內，它也會達到「窮」的階段，即所謂的「往來」、「屈伸」。「陽極變為陰，陰極變為陽，陽剛而陰柔，故剛柔共相切摩，更遞變化也」。[33]陰陽剛柔相摩相盪而更遞變化，這一個變化也稱之為「反」。孔穎達「亢龍有悔」疏：「上居天位，久而亢極，物極則反，故有悔之。」[34]萬物通過「變」而成立，也通過「變」而相互過渡。所以「極」是前一個歷程的完成，也是後一個歷程的開始，而「變」就在其中。

方東美指出，若透過長遠的時間流變，從事物變化的整個歷程來審視，則可發現「生命之創進，其營育成化，其進退得喪，更迭相酬，其動靜闢翕，展轉比合，其蕤痿盛衰，錯綜互變，皆有週期，協然中律，正若循環，窮則返本」。[35]事物的變化依循一定的規律，依循

---

32 方東美：《生生之德》，頁290。

33 〔清〕阮元：《十三經注疏．周易》（嘉慶二十年江西南昌府學開雕，臺北市：藝文印書館，1985年12月10版），卷七，孔穎達疏，頁144。

34 〔清〕阮元：《十三經注疏．周易》，頁10。

35 方東美：《生生之德》，頁439-444。

潛伏、顯現、生長、興盛、成熟、沒落與再生等諸階段，窮則返本，故「道」的運動發展恆向對待面轉化。〈繫辭上〉:「剛柔相摩，八卦相盪。」韓康伯注:「相切摩也，言陰陽之交感也。相推盪也，言運化之推移。」[36]宇宙萬有在陰陽剛柔兩力運動推移下，恆向對待面轉化而循環往復。

〈復・彖〉:「復，其見天地之心乎？」《老子・十六章》:「夫物芸芸，各復歸其根。」任何事物都有它的對待面，其運動變化也莫不依循著某些規律，恆向對待的方向運動發展。《周易》、《老子》認為這一個「復歸其根」的總規律，就是「反」。「反」，說明「大道」運行，蘊含了「相反對待」與「返本復初」兩個概念。

《呂氏春秋・仲夏季》也指宇宙生成的序列，是「太一出兩儀，兩儀出陰陽，陰陽變化，一上一下，合而成章」;反之，則是「萬物所出，造於太一，化於陰陽」。[37]因此，變化的範疇在宇宙生成序列中，扮演著陰陽相互作用與化生萬物的重要角色，而「物極必反」是天道運行的客觀規律。[38]終則復始，極則復反，宇宙一切事物在一定條件下，超過了一定的極限，就會向相反的方向轉化。如〈季春紀・圜道〉:

> 物動則萌，萌而生，生而長，長而大，大而成，成乃衰，衰乃殺，殺乃藏，圜道也。……日夜不休，宣通下究，瀸於民心，遂於四方，還周復歸，至於主所，圜道也。[39]

---

36 〔魏〕王弼、〔晉〕韓康伯注:《周易》(臺北市:大安出版社，1999年7月1版1刷)，頁213。

37 許維遹撰，蔣維喬輯:《呂氏春秋集釋》(臺北市:世界書局，1962年4月初版)，頁216-217。

38 向世陵:《變》，頁76-80。

39 許維遹撰，蔣維喬輯:《呂氏春秋集釋》，頁172。

「圜」，就是圓。「圜道」，就是「動而不窮，則往且來」（張載《正蒙・乾稱》）的循環。由「動」→「萌」→「生」→「長」→「大」→「成」→「衰」→「殺」→「藏」，就是恆向其對待面推移、轉化，由順向移位轉為逆向移位，終而形成轉位的變動歷程。

（二）《周易》中的移位

宇宙萬物的發展變化，是統一物分裂為兩相對待而相互作用的過程。關於對待面的相互作用，《周易》以相互推移（剛柔相推）、相互摩擦（剛柔相摩）與相互衝擊（八卦相盪）等各種表現形式，為「順向移位」與「逆向移位」提出了最精微的論證。[40]徐志銳的研究指出，從乾、坤兩卦六爻的發展變化來探討運動變化的開展，可揭示陰陽如何向對待面推移變化的過程。[41]先以乾卦六爻的變化為例說明：

> 初九，潛龍勿用。
> 象曰：潛龍勿用，陽在下也。
> 九二，見龍在田，利見大人。
> 象曰：見龍在田，德施普也。
> 九三，君子終日乾乾，夕惕若，厲无咎。
> 象曰：終日乾乾，反覆道也。
> 九四，或躍在淵，无咎。
> 象曰：或躍在淵，進无咎也。

---

40 曾春海：《儒家哲學論集》（臺北市：文津出版社，1989年5月初版），頁431；馮友蘭：《中國哲學史新編》（臺北市：藍燈文化公司，1991年12月初版），冊二，頁376。

41 關於乾坤二卦的推移變化，乃參酌徐志銳《周易陰陽八卦說解》（臺北市：里仁書局，2000年3月初版4刷，頁127-134）的觀點。又本節的主要論點，曾發表於期刊。見黃淑貞：〈《周易》「移位」、「轉位」論〉，《孔孟月刊》第44卷第5-6期（2006年2月），頁4-14。

九五，飛龍在天，利見大人。

象曰：飛龍在天，大人造也。

上九，亢龍有悔。

象曰：亢龍有悔，盈不可久也。[42]

《周易》講爻的變化，常依爻在卦中的「位」來解釋。位，是空間，有上下，有內外。爻位由下而上依序排列，而有初、二、三、四、五、上等不同的稱謂。它是一個發展序列，每一個位，即代表事物發展的每一個階段。因此，爻位的變換可以導致卦的變化，爻位的升降同時也象徵事物的發展變化，卦象因而蘊含一個上升的發展過程和物極必反的思想。[43]

乾卦，由初九的「潛龍勿用」，移向九二的「見龍在田，利見大人」，移向九三的「君子終日乾乾，夕惕若，厲无咎」，再移向九四的「或躍在淵，無咎」，復移向九五的「飛龍在天，利見大人」，形成一連串的順向移位。上九，因已到達極限、頂點，由吉變凶，漸次形成逆向移位，開始向對待面轉化，故說是「亢龍有悔」。

爻變，是易學的中心，它象徵著事物本身的變。以此，乾卦六爻，通過龍的由「潛」→「見」→「惕」→「躍」→「飛」→「亢」，表述了乾陽發展變化的升降歷程，說明一切事物皆是由初而高、由微而顯、由順向而逆向移位的變化過程。[44]再看坤卦六爻的變化：

---

42 本書所引《周易》原文，以〔清〕阮元：《十三經注疏．周易》（嘉慶二十年江西南昌府學開雕，臺北市：藝文印書館，1985年12月10版）為準，底下不再贅述。

43 〈象傳〉中所見的「爻位」觀念，大致可區分為：上中下位、剛柔位、同位、反轉位、比鄰位、內外位等六種。戴璉璋：《易傳之形成及其思想》，頁80-86。

44 羅光：《儒家生命哲學》（臺北市：臺灣學生書局，1995年9月初版），頁105-109；姜國柱：《中國歷代思想史．先秦卷》（臺北市：文津出版社，1993年12月初版1刷），頁432。

初六，履霜，堅冰至。

象曰：履霜堅冰，陰始凝也。馴致其道，至堅冰也。

六二，直方大，不習无不利。

象曰：六二之動，直以方也。不習无不利，地道光也。

六三，含章可貞，或從王事，无成有終。

象曰：含章可貞，以時發也。或從王事，知光大也。

六四，括囊，无咎无譽。

象曰：括囊无咎，慎不害也。

六五，黃裳元吉。

象曰：黃裳元吉，文在中也。

上六，龍戰于野，其血玄黃。

象曰：龍戰于野，其道窮也。

坤卦由初六的「陰始凝」、六二的「動」與「直」、六三的待時而後動、六四的審慎無咎，發展到第五爻的「文在中」，形成一連串的順向移位。此時，陰勢力已漸漸強盛，坤陰之中也摻雜著乾陽而成文采。上六「龍戰于野」，陰與陽的爭戰發生在一卦終了的上爻。「其道窮也」，又與乾上九「盈不可久」相呼應，指明乾、坤兩卦發展到上爻終了時，因已到達窮盡之地，而漸次形成逆向移位，甚而向對待面轉化。

另一方面，坤卦初六的「陰始凝」與乾卦初九的「陽在下」，也緊相對應。凝，朱熹指「此爻陰始生於下，其端甚微，而其勢必盛，故其象如履霜」[45]。順著走下去，經過坤六爻的「積」累與「漸」進，由量的積累而產生質的轉化，終而「馴致其道，至堅冰也」，完

45 〔宋〕朱熹：《周易本義》（臺北市：大安出版社，1999年1版1刷），頁41。

成順、逆向移位。「夫陰陽者，造化之本，不能相无」。[46]當陰的勢力發展到與陽相似或等同時，必然發生爭戰，故〈文言傳〉說「陰疑於陽必戰」，坤陰也必然轉化為乾陽，陰陽相互轉化，形成轉位。

〈繫辭上〉:「聖人有以見天下之動，而觀其會通，以行其典禮，繫辭焉以斷其吉凶，是故謂之爻。」聖人體察天下事物之動而觀其會通之處，思其必然的共同規律，然後繫辭以斷吉凶，稱之為「爻」。〈繫辭上〉:「道有變動，故曰爻。」又〈繫辭下〉:「爻也者，效天下之動者也。」明確指出「六爻」是用來仿效陰陽對待統一規律在具體事物中的運動、變化。[47]而「六爻」之所以能用來模擬事物的運動變化，正是因為「六位」能體現出「道」的陰陽對待統一規律性。[48]

因為「六位」體現著陰陽運動變化過程的原理，故〈說卦傳〉說「分陰分陽，迭用柔剛，故易六位而成章」。「六位」原則一確立，就反映了整個自然界與人類社會的基本規律。內外卦之間、六個爻畫之間可以相互往來升降，並通過這種往來升降的相互作用，完成了順、逆向移位。如：

> 有孚，窒惕，中吉，剛來而得中也。終凶。(〈訟・彖〉)
> 傾否，先否後喜。(〈否・上九〉)
> 同人，先號咷而後笑。(〈同人・九五〉)
> 无初有終。(〈睽・六三〉)

---

46 〔宋〕朱熹:《周易本義》，頁41。

47 三百八十四爻皆是模擬事物的運動變化，故《周易》哲學以「變動」為主。張善文:《象數與義理》(臺北市：洪葉文化事業公司，1997年1月初版1刷)，頁126。

48 「六爻」體現著事物在一定規律支配下的發展運動過程，從時間性上可劃分為潛在的與暴露出來兩大階段。徐志銳:《周易陰陽八卦說解》，頁60-134。

「有」、「中」、「終」，「先」、「後」，「初」、「終」等，談的就是隨著時間的推移而改變吉凶斷占的情形。[49]戴璉璋指〈彖傳〉中有三十一卦，[50]是從「順時而行」這一主題來闡釋天地與人文的對應關係。如〈豫‧彖〉的「天地以順動」、〈恆‧彖〉的「日月得天而能久照，四時變化而能久成」、〈革‧彖〉的「天地革而四時成」、〈豐‧彖〉的「日中則昃，月盈則食，天地盈虛，與時消息」等，都可明白見出天地的運行、四季的變換，順隨時序而產生移位。以此可知，《周易》哲學發展了一個開放的序列，這一序列不僅體現在乾、坤兩卦，更為其他六十二卦發其通例。六十四卦每一卦的六爻，由初→二→三→四→五→上，也都存有順、逆向移位現象。[51]

以上，是就每一卦中爻位的移動來說。若就卦與卦之間的位移來看，則可從序列上見出端倪。如〈說卦傳〉：

> 天地定位，山澤通氣，雷風相薄，水火不相射，八卦相錯。數往者順，知來者逆，是故易逆數也。

它可畫成伏羲八卦方位。邵雍指出：「乾南，坤北，離東，坎西，震東北，兌東南，巽西南，艮西北。自震至乾為順，自巽至坤為

---

49 戴璉璋：《易傳之形成及其思想》，頁25。

50 三十一卦為：乾、蒙、泰、否、大有、豫、隨、蠱、臨、觀、剝、復、无妄、頤、大過、坎、恆、遯、睽、蹇、解、損、益、姤、升、革、艮、豐、旅、節、小過等。戴璉璋：《易傳之形成及其思想》，頁100。

51 白金銑以為：「每一卦中之六爻，由陽爻之初九→（移變成）九二→九三→九四→九五→上九→用九；以及陰爻之初六→六二→六三→六四→六五→上六。箭頭符號，所顯示的正是《周易》所自存之「位移」現象，任一爻無不是一種動態之『-being』能，無一『位』不移，無一『位』不對其自身與周遭時空產生重要之刺激與影響。」見〈《周易》「位移性格」哲學初詮〉，《中國學術年刊》23期（2002年4月），頁7。

逆。」[52]故由乾向西「順向移位」，形成「乾1」→「兌2」→「離3」→「震4」的序列；由乾向東「逆向移位」，形成「巽5」→「坎6」→「艮7」→「坤8」的序列。又如伏羲六十四卦方位圖中，[53]「圓於外者為陽，方於中者為陰；圓者動而為天，方者靜而為地」。方圖表空間，為方位、方向；圓圖表時間，為宇宙的運行法則。而且，「陽生於子中，極於午中；陰生於午中，極於子中」。[54]因先天卦的數字，是乾一、兌二、離三、震四、巽五、坎六、艮七、坤八，故就圓圖而言，它形成了由「乾→夬→大有→大壯→小畜→需→大畜→泰→履→兌→睽→歸妹→中孚→節→損→臨→同人→革→離→豐→家人→既濟→賁→明夷→无妄→隨→噬嗑→震→益→屯→頤→復」的順向移位序列；繼而形成由「姤→大過→鼎→恆→巽→井→蠱→升→訟→困→未濟→解→渙→坎→蒙→師→遯→咸→旅→小過→漸→蹇→艮→謙→否→萃→晉→豫→觀→比→剝→坤」的逆向移位序列。

勞思光論「《易經》中的宇宙秩序觀念」指出，卦爻的組織，原為占卜之用。就其本身而言，僅為一種符號，本無深遠意義可說；但組成六十四重卦後，予以一定排列，而又各定一名，代表一個特殊意義，便含有宇宙秩序觀念。[55]其中又以《周易・序卦傳》最能說明這種周流變易的秩序，自「乾」天「坤」地，萬物為「屯」開始：

有天地，然後萬物生焉。盈天地之間者唯萬物，故受之以

52 〔宋〕朱熹：《周易本義》，頁18。

53 〔宋〕朱熹《周易本義》：「伏羲四圖，其說皆出邵氏。」頁20。

54 〔宋〕朱熹：《周易本義》，頁20-21。

55 勞思光：《新編中國哲學史》（臺北市：三民書局，1981年1月初版），冊一，頁85-86。

> 屯；……履而泰然後安，故受之以泰，泰者通也。物不可以終通，故受之以否。

〈序卦傳〉的作者借卦序的排列順序，寄託其哲學觀點。他以「……故受之以……」的句式，聯繫起前後兩卦，以明其「相成」的二元對待關係；前後兩卦之間，又因爻位的「反轉」形成「相反」的二元對待關係，如屯與蒙、需與訟、師與比、小畜與履、泰與否等。這種「相反相成」的變化，在《周易》中可推展開來，涵蓋「正變正」、「正變反」、「反變反」、「反變正」等變化而形成循環不已的邏輯結構。從乾、坤至泰、否，計十二卦，從天地生萬物說起直至天下大亂，形成一小循環。繼泰、否之後，又十二卦為剝、復，構成一個循環發展的序列：

> 物不可以終否，故受之以同人。……剝者剝也。物不可以終盡，剝窮上反下，故受之以復。復則不妄矣，故受之以无妄。

繼剝、復之後又六卦為坎、離，一入一出，一反一正，又是一個向對待面轉化的過程：

> 有无妄然後可畜，故受之以大畜。……物不可以終過，故受之以坎；坎者陷也。陷必有所麗，故受之以離；離者麗也。

黃慶萱指出，四時周流所呈顯的天道律則主要有三：一是「順」，順著軌道運行，如〈豫・彖〉的「天地以順動，故日月不過，而四時不忒」；二是「節」，有一定的節度，如〈節・彖〉的「天地節而四時成」；三是「革」，到了某種階段便有所改革，如〈革・彖〉的「天地革而四時成」。遵循這一定的軌道作階段性的改革，正是四時所以能終而復始的天則；[56]故〈序卦傳〉下篇以咸為首，續言之：

> 有天地，然後有萬物；有萬物，然後有男女；……物不可以終壯，故受之以晉；晉者進也。進必有所傷，故受之以明夷；夷者傷也。

由咸、恆至明夷共六卦，以進退升降為對待面，一正一反，又是形成一個小循環。從家人至夬又七卦，經過分合損益，又是另一個發展變化的循環過程：

> 傷於外者必反其家，故受之以家人。家道窮必乖，故受之以睽；……損而不已必益，故受之以益。益而不已必決，故受之以夬。

從姤的陰陽相遇結合成一體到井窮上反下而不窮，再至革，此六卦又是形成一個發展變化的小循環：

> 決必有所遇，故受之以姤；姤者遇也。物相遇而後聚，故受之以萃；……困乎上者必反下，故受之以井。井道不可不革，故受之以革。

從革的去故取新開始，繼之以震的新生發展，繼之以艮的進止相因，繼之以漸進，漸進而有歸宿，有歸宿而豐大可觀。大極則主客易位發

---

56 黃慶萱：《周易縱橫談》（臺北市：東大圖書公司，1995年3月初版），頁112。

生反轉，再繼以巽，尋求新的結合，結合即大有作為，又必然有離散。於是在這強調事物總是向對待面發展，總是處在不停運動變化中的認識基礎上，提出了節制的問題：

> 革物者莫若鼎，故受之以鼎。……說而後散之，故受之以渙；渙者離也。物不可以終離，故受之以節。

「節而信之，故受之以中孚。有其信者必行之，故受之以小過」。中孚、小過繼節之後則為節「中」、信「中」，而又行「中」。「中」，為陰陽保持調和、均衡的狀態。過「中」，即意味著陰陽打破了這種穩定狀態而向其終極方面發展轉化，完成其運動過程，故言「有過物者必濟，故受之以既濟」。然因「物不可窮也」，事物的發展永無止境，舊的過程終結了，新的循環又開始，仍然按照陰陽相互轉化的固有規律發展下去，故言「受之以未濟終焉」。以此可知，由乾、坤至既濟，卦與卦之間，也因「移位」而產生有秩序的變化歷程。到了未濟，則形成大反轉，開啟另一個全新的變化歷程。[57]

（三）《老子》中的移位

陰陽二種動力在對待中往來消息、迭相推盪而產生移位，在《老

57 它一方面指宇宙歷程，另一方面也可應用於人生歷程。張立文以為中國哲學邏輯結構，具有「範疇的排列在時間上與空間上的有序性」與「範疇排列的邏輯次序」兩種含義。就前者而言，《周易・序卦傳》便是人類對有序性的自覺，從天地自然到人類社會以至倫理道德演化過程，構成了從天道到地道到人道的整體結構次序；即使從六十四卦的卦象來看，也是互相聯結，相互作用，構成「和合體」化結構。就後者而言，從天高地低比附為天尊地卑，或從經驗中發現某事與某事的必然聯繫。見《中國哲學邏輯結構論》（北京市：中國社會科學出版社，2002年1月1版1刷），頁73-75。

子》中也可以找到諸多對應。如〈四十章〉:「反者道之動。」道的作用是自然的動力、母力，天地萬物的產生、運動與變化，不是來自外力的推動，而是「道」的驅使。[58]所以《老子》以「反」為中心，建構起對待面相互依賴、相互轉化的思想；也因「反」的作用，恆向其對待面轉化而產生移位。[59]

《老子》從「反」、「復」、「復歸」的角度切入，發現事物變化的最大通則，是發展至極點必一變為其反面。馮友蘭指其：

> 惟「反」為道之動，故「禍兮福之所倚，福兮禍之所伏」，「正復為奇，善復為妖」(五十八章)。惟其如此，故「曲則全，枉則直，漥則盈，敝則新，少則得，多則惑」(二十二章)。……惟其如此，故「物或損而益之，或益之而損」(四十二章)。凡此皆事物變化自然之通則，《老子》特發現而敘述之，並非故為奇論異說。[60]

事物發展至極點，必一變而為其反面；故在向對待面轉化的歷程中，「有無」可以「相生」，「難易」可以「相成」，「長短」可以「相較」，「高下」可以「相傾」，「音聲」可以「相和」，「前後」可以「相隨」，相反而相成，相轉而相生。[61]以此，產生了「美→惡」或「惡

58 道，乃創生宇宙萬物的一種基本動力，故道的作用是自然的動力、母力。徐復觀：《中國人性論史．先秦篇》(上海市：三聯書店，2001年9月1版1刷)，頁290-298。

59 李澤厚：《中國古代思想史論》，頁93；姜國柱：《中國歷代思想史．先秦卷》，頁60。

60 馮友蘭：《馮友蘭選集》(北京市：北京大學出版社，2000年7月1版1刷)，上冊，頁88。

61 就階段性歷程而言，相生，為順向移位；相轉，為逆向移位。若綜合整個歷程來看，則是一個「大轉位」。

→美」、「善→不善」或「不善→善」、「有→無」或「無→有」、「難→易」或「易→難」、「長→短」或「短→長」、「上→下」或「下→上」、「前→後」或「後→前」、「寵→辱」或「辱→寵」、「得→失」或「失→得」、「曲→全」或「全→曲」、「枉→直」或「直→枉」、「漥→盈」或「盈→漥」、「敝→新」或「新→敝」、「少→多」或「多→少」、「重→輕」或「輕→重」、「靜→躁」或「躁→靜」、「雄→雌」或「雌→雄」、「白→黑」或「黑→白」、「左→右」或「右→左」、「歙→張」或「張→歙」、「弱（柔）→強（剛）」或「強（剛）→弱（柔）」、「廢→興」或「興→廢」、「奪→與」或「與→奪」、「厚→薄」或「薄→厚」、「實→華」或「華→實」、「彼→此」或「此→彼」、「貴→賤」或「賤→貴」、「明→昧」或「昧→明」、「進→退」或「退→進」、「夷（平）→纇（不平）」或「纇（不平）→夷（平）」、「陰→陽」或「陽→陰」、「損→益」或「益→損」、「巧→拙」或「拙→巧」、「辯→訥」或「訥→辯」、「寒→熱」或「熱→寒」、「生→死」或「死→生」、「親→疏」或「疏→親」、「利→害」或「害→利」、「正→奇（反）」或「奇（反）→正」、「禍→福」或「福→禍」、「大→細」或「細→大」、「治→亂」或「亂→治」、「成→敗」或「敗→成」、「終→始」或「始→終」等順向或逆向移位。而這都是由於「反」的作用，使一方向另一方推移產生移位。[62]

「相反相成」講的即是「變化」，「變化」的結果就是返回「道」本身，這可說是變化中有秩序、秩序中有變化的歷程。唐君毅言：

以道觀物，物之由未生而生，以再歸於無，及物之以其一生之

62 方立天：《中國古代問題發展史》，頁183。

> 歷程，分別體現道之能有能無之有相與無相，亦即由與道不分異，而分異，再歸於不分異者。……由是而物之一生，以其生壯老死之事中，表現更迭而呈現之既有還無之二相，所成之變化歷程，便皆唯是道體之自身，求自同自是，以常久存在之所顯；而物之一生之變化歷程之真實內容，即唯是此道之常久。[63]

他把「道」之「有」、「無」依次更迭（秩序）的變化歷程，解說得十分明白。《管子．樞言》：「惡者，美之充也。卑者，尊之充也。賤者，貴之充也。」事物發展到一定限度就會轉向其反面：「夫道之數，至則反，盛則衰」（〈重令〉），故「日極則仄，月滿則虧。極之徒仄，滿之徒虧，巨之徒滅」（〈白心〉）。[64]無論是由美而惡或由惡而美、由尊而卑或由卑而尊、由貴而賤或由賤而貴、由滿則虧或虧則滿，兩相對待之間也因順向或逆向移位而互為補充，可說對《老子》對待轉化思想做出了更具體的說明。「對待之義，自太極生兩儀以後，無事無物不然。日月、寒暑、晝夜，以及人事之萬有，生死、貴賤，貧富、高卑，上下、長短，遠近、新舊，大小、香臭，深淺、明暗，種種兩端，不可枚舉」（葉燮〈原詩．內篇上〉）。[65]「道」既有「周流」、「復反始」的特性，天地間一切對待的事物皆相轉相生，也皆因「相生」而產生順向移位關係，因「相轉」產生逆向移位甚至轉位關係。

總言之，事物之所以能不斷地運動變化而產生移位，是由於陰陽

---

63 唐君毅：《中國哲學原論．導論篇》，頁387-388。

64 〔春秋〕管仲：《管子》（北京市：燕山出版社，1996年5月1版2刷），頁109、131、292。

65 〔清〕王夫之等撰，丁福保編：《清詩話》（臺北市：明倫出版社，1971年12月初版），頁591。

兩種動力的相互作用，促使事物運動不息，變化不止。張載《正蒙・太和》：

> 虛實、動靜之機，陰陽、剛柔之始。浮而上者陽之清，降而下者陰之濁，其感遇聚散，為風雨，為雪霜，萬品之流形，山川之融結，糟粕煨燼，無非教也。[66]

陽氣，浮、升、動；陰氣，沉、降、靜。雙方在對待統一中，相互激盪又相互滲透連結：「太和所謂道，中涵浮沉、升降、動靜、相感之性，是生絪緼、相盪、勝負、屈伸之始」(《正蒙・太和》)。[67]或勝負，或伸屈，或分合，使事物不斷發生、發展、運動、變化。「凡圜轉之物，動必有機；既謂之機，則動非自外也」(《正蒙・參兩》)。[68]因「動非自外」，故〈繫辭下〉云：「吉凶者，貞勝者也；天地之道，貞觀者也；日月之道，貞明者也；天下之動，貞夫一者也。」朱熹《朱子語錄・卷七十六》進一步說明：

> 吉凶常相勝，不是吉勝凶，便是凶勝吉，二者常相勝，故曰「貞勝」。天地之道則常示，日月之道則常明，「天下之動，貞夫一者也」。天下之動雖不齊，常有一箇是底，故曰「貞夫一」。[69]

---

66 〔宋〕張載著，章錫琛點校：《張載集》(北京市：中華書局，2006年12月1版3刷)，頁8。

67 〔宋〕張載著，章錫琛點校：《張載集》，頁7。

68 〔宋〕張載著，章錫琛點校：《張載集》，頁11。

69 〔宋〕朱熹著，黎靖德編：《朱子語類》，頁1941。

由於陰陽相互爭勝而「貞夫一」，事物變動不居。以此，吉與凶、禍與福、生與死、治與亂、新與舊、興與衰、正與反等對待的兩方，無不在一定條件下相互「移位」與「轉位」。[70]而《周易》、《老子》對這一個哲學觀點的闡釋，可說相當深刻。

二　就章法層面而言

若對應於《周易》、《老子》有關「秩序」的論述，任何章法都可依循此律，將文章材料加以安排，經由順向或逆向移位，形成其先後順序。

「言有序」的見解，《周易・艮・六五》早已提出：「艮其輔，言有序，悔亡。」「言有倫序，能亡其悔」[71]的觀點，方望溪〈史記貨殖傳後〉援引評論文章義法：「義，即《易》之所謂『言有物也』；法，即《易》之所謂『言有序也』。義以為經而法緯之，然後為成體之文。」[72]義法，強調重視內容與秩序原則。「蓋文之盛者，其言有物；文之成者，其言有序」，故「治古文者，唯求其言有序而已」。[73]也因為「有序者可以學而致，是以善文者，必盡心於法以為言，而不敢縱其所欲」。[74]

70 徐志銳：《周易陰陽八卦說解》，頁110。

71 〔清〕阮元：《十三經注疏・周易》（嘉慶二十年江西南昌府學開雕，臺北市：藝文印書館，1985年12月10版），卷五，孔穎達疏，頁116。

72 曹冕：《修辭學》（上海市：商務印書館，1934年4月1版），頁102-103。

73 包世臣：〈雲都宋月臺古文鈔序〉，收入朱任生：《古文法纂要》（臺北市：臺灣商務印書館，1984年9月初版），頁239。

74 包慎伯〈樂山堂文鈔序〉：「文之所以精者，曰義、曰法，故義勝則言有物，法文則言有序。然以有物之言，而言之無序，則不辭。故有物者不可襲而取，有序者可以學而致。是以善文者，必盡心於法以為言，而不敢縱其所欲也。」收入朱任生：《古文法纂要》，頁239。

如劉熙載《藝概·賦概》談《離騷》:「東一句，西一句，天上一句，地下一句，極開闔抑揚之變，而其中自有不變者存。」[75]其中「不變者」，指的就是以主旨或綱領統貫全篇所形成的秩序。「言有序」法則，是作者安排材料以表達思想情感的步驟，故張會恩、曾祥芹指唯有著重行文秩序，或以順敘、倒敘、插敘、補敘的時間推移為序來安排層次；或以前後、左右、上下、表裡的空間轉換為序來安排層次；或以時空交錯為序來安排層次；或以歸納、演繹的邏輯原理為序來安排層次；或由片面到全面、由現象到本質、由褒揚到貶斥、由貶斥到褒揚、由歡喜到悲哀、由悲哀到歡喜的軌跡為序來安排層次，無含糊淩亂之病，才是好文章。[76]以此，文章內容的表現次序、組織結構一定要能符合客觀事物發展的規律，才能反映出和各個側面之間的內在聯繫，體現人們認識的思維過程。[77]

若就圖底家族的「時間類」章法而言，依時間推移的自然過程作適當的安排，可形成「由昔及今」或「由今及昔」、「由暫而久」或「由久而暫」、「由問而答」或「由答而問」等秩序結構。

「由昔及今」，是以時間的次第為線，按事物本身發展的進程組織材料，為最常見的一種作法。「蓋自上古以及近代，自前日以至今日，其勢皆縱，故追溯古事以證今事，順序歷陳以為議論，皆縱論之法也」；[78]其特點是敘事有頭有尾，來龍去脈清楚明白，易為讀者所把握。[79]「由今及昔」，則是顛倒事物發展過程的自然順序，先將美感情

75 〔清〕劉熙載：《藝概》（臺北市：金楓出版社，1998年7月革新1版），頁124。

76 張會恩、曾祥芹：《文章學教程·層次律》（上海市：上海教育出版社，1995年5月1版1刷），頁317-318。

77 鄭文貞：《篇章修辭學》（廈門市：廈門大學出版社，1991年6月1版1刷），頁177-178。

78 許悔儒：《作文百法》（臺北市：廣文書局，1985年5月再版），卷二，頁5。

79 魏飴：《散文鑑賞入門》（臺北市：萬卷樓圖書公司，1999年6月再版），頁85。

緒波動最急促、最激烈、最密集的部分顯現出來，予人因果倒置、不可磨滅的印象。[80]「由暫而久」，是由一段極有限的時間，漸趨悠長，乃至無限，引發餘音嫋嫋、悠遠不盡的韻致。「由久而暫」，隨著時間的漸行漸蹙，心弦愈扣愈緊，終至忽然斷截，升起意猶未盡卻戛然收束的興味。[81]由於「問」、「答」之間會形成「刺激－反應」的關係，不論「由問而答」或「由答而問」，都會引起人們對已有問題想求得解答的興趣，製造懸疑、緊張的氣氛，與一旦獲得解答的輕鬆感，進而使內在的意脈連結成和諧的統一體。[82]

至於圖底家族的「空間類」章法，可形成「由近及遠」或「由遠及近」、「由大而小」或「由小而大」、「由高而低」或「由低而高」、「由左而右」或「由右而左」、「由內而外」或「由外而內」、「由底而圖」或「由圖而底」等秩序結構。

「由近及遠」，是利用視覺由近而遠逐層移動，令空間視野愈來愈擴張，營生無窮意趣。先遠景而近景而特寫鏡頭，使鏡頭底下的畫面漸次移動、漸次對焦，最後在一個特意的空間上凝聚，給予特寫，可產生凸出之美。[83]「由小而大」，由小景物擴張至大景物，呈輻射式的擴散，表現奔放感；「由大而小」，則是包孕式，包孕至極處會形成密集的份外凸出的點。[84]視線的轉移「由低而高」，予人鬆弛、解放、

80 張紅雨：《寫作美學》（高雄市：復文圖書出版社，1996年10月初版1刷），頁351；吳應天：《文章結構學》，頁206。

81 黃永武：《中國詩學．設計篇》（臺北市：巨流圖書公司，1978年6月1版4刷），頁44-46。

82 仇小屏：《篇章結構類型論》（臺北市：萬卷樓圖書公司，2000年2月初版），頁501。

83 黃永武：《中國詩學．設計篇》，頁56-58。

84 楊辛、甘霖：《美學原理》（臺北市：曉園出版社，1991年5月1版1刷），頁167；仇小屏：《篇章結構類型論》，頁120。

自由的想像；由「由高而低」，或「上中下順勢寫起」，[85]除了顯得密集、沉重、束縛，也可藉由形相的高大，使審美主體由靜觀、融合，達致崇高的意境。[86]因為眼球左右運動比上下運動容易，故「由左而右」或「由右而左」，不僅能產生對稱、鎮定、沉靜感，也極易形成寬闊的空間感。[87]「由內而外」，是由室內轉移到室外的空間安排；「由外而內」，則是由外在景物引起聯想，再轉回來描寫室內。此種利用視線或足跡作一內一外的景物轉換，可增強空間深度與主人翁的心境變化，別有曲折幽深的效果。[88]「圖」作為藝術造型經營布局的重要關鍵，因具有明確之「形」容易被凸顯出來，所以格外引人注目；但它仍須透過「底」的陪襯與烘托才得以浮現，使我們的視覺有所知覺。在透過背景的烘托、凸出焦點的同時，「底」又具有從「圖」之位置往後退縮的特點，因而極易產生一種躍升的立體感。[89]

若以因果家族而言，可形成「由本及末」或「由末及本」、「由淺及深」或「由深及淺」、「先因後果」或「先果後因」、「先縱後收」或「先收後縱」等秩序結構。

「由本及末」的思維方式，合乎客觀事物的發展順序，容易產生規律美；「由末及本」，有逆溯的變化美。「由淺及深」，是由一意推出三四層，先作淺淺說，再作深深說，終而揭示更深刻的事實或真理，

---

85 劉錫慶、齊大衛：「以空間的變換安排層次，可以大及小，可因小擴大，或依東西南北，或按前後左右，或點、線、面依次展開，或上中下順勢寫起，筆筆敘來，絲毫不亂。」見《寫作》（北京市：北京師範大學出版社，1994年3月1版4刷），頁78。

86 康丁斯基（Kandinsky）著，吳瑪悧譯：《點線面》（臺北市：藝術家出版社，2000年3月再版），頁105；仇小屏：《篇章結構類型論》，頁102。

87 陳望道：《美學概論》（臺北市：文鏡文化事業公司，1984年12月重排），頁42-43。

88 陳滿銘：《詩詞新論》（臺北市：萬卷樓圖書公司，1999年8月再版），頁13；仇小屏：《篇章結構類型論》，頁72-83。

89 王秀雄：《美術心理學》（臺北市：臺北市立美術館，1991年11月初版），頁121-139。

形成層次感；[90]至於「由深及淺」，雖較罕見，仍具逆溯的層次美。「先因後果」，可就「本題之義，相度其層次，順序寫去，如順風使帆，不涉波折，如按拍歌曲，自然成聲」，[91]使讀者自然掌握行文的脈理；「先果後因」，則因其真理性尚未得到證明，有待於作者用論據來加以證明，極易產生懸疑性、期待欲。[92]「先縱後收」，是將縱橫的審美情緒收束、拍回主軸，從而增加情緒波動的密度；「先收後縱」，是馳騁情思、渲染文章的一種表現形式，雖較罕見，然姿態搖曳，自有其特殊的效果。[93]

若就虛實家族的「具體與抽象類」而言，可形成「先泛後具」或「先具後泛」、「先點後染」或「先染後點」、「先凡後目」或「先目後凡」、「先情後景」或「先景後情」、「先論後敘」或「先敘後論」、「先略後詳」或「先詳後略」等秩序結構。

「先泛後具」，先泛寫抽象情意，再鋪寫具體景事物，具具象美；因事而生情、因景而明理的「先具後泛」，形成靈活的抽象美。「先點後染」，先點簇後以水墨渲染，具有一定秩序的漸移，會產生層次性的律動感；「先染後點」，形成先奔放再收束的焦點美。[94]「先凡後目」，先總括，再依次敘寫，既對全文做出歸納，又能深入剖析問題，可增強讀者的整體認識。「先目後凡」，先條分、後總括，有逐

90 唐彪：《讀書作文譜》（臺北市：偉文圖書出版社，1976年11月），頁93；金聖嘆批、王之績評註：《才子古文讀本》（臺北市：老古文化事業公司，1981年8月臺2版），下冊，頁17。

91 許恂儒：《作文百法》，頁22。

92 周明：《中國古代散文藝術》（南京市：江蘇教育出版社，1994年12月1版1刷），頁251。

93 張紅雨：《寫作美學》，頁224；仇小屏：《篇章結構類型論》，頁538。

94 黃淑貞：〈論章法的「四點染」——以東坡詞為例〉，《中國學術年刊》第二十七期春季號（2005年3月），頁189-214。

步引人入勝、畫龍點睛的優點。[95]「先情後景」，詩人的靈感在面對自然時最容易得到觸發與成全，獲致一種形而上的超越性；「先景後情」，自具象實景逼出抽象感懷，脈絡鮮明，又可帶出思考的深度與廣度。[96]「先發議論，而後以引據證明之者」的「先論後敘」法，是經由推理、證明等邏輯手法，對客觀事物進行分析，以探索真理；[97]「載事之文，有後事而斷」的「先敘後論」法，可進一步凸出文章主題，拓延文章內涵，讀後餘味無窮。[98]與中心思想關係密切的材料須詳寫，其餘則略寫；因此，無論「先略後詳」或「先詳後略」，多具備有新鮮、強烈、深刻的特性，使人留下深刻的印象。[99]

若就虛實家族的「時空類」、「真實與虛假類」而言，無論是空間、時間、時空交錯、設想與事實、願望與實際、夢境與現實、虛構與真實等虛實法，皆可形成「先虛後實」或「先實後虛」的秩序結構。

「先虛後實」，可將抽象的思想情感轉化為具體生動的藝術形象，予人含蓄美。[100]「先實後虛」，可以不受時空的限制，放縱情思和想像，從而在象外構成一個虛的境界，產生自由美。不管是化虛為實、或化實為虛，藉助於藝術的借喻、象徵，必能引發聯想，[101]激起

95 成偉鈞、唐仲揚、向宏業：《修辭通鑑》（臺北市：建宏出版社，1996年1月初版1刷），頁698；陳滿銘：《詩詞新論》，頁195。

96 張春榮：《修辭萬花筒》（臺北市：駱駝出版社，1986年9月初版），頁3-8；張法：《中西美學與文化精神》（臺北市：淑馨出版社，1998年10月1刷），頁268。

97 成偉鈞、唐仲揚、向宏業：《修辭通鑑》，頁1049、1308。

98 劉勵操：《寫作方法一百例》（臺北市：萬卷樓圖書公司，1993年4月初版4刷），頁125。

99 仇小屏：《篇章結構類型論》，頁371。

100 曾祖蔭：《中國古代文藝美學範疇》（臺北市：文津出版社，1987年8月初版），頁172。

101 關於借喻與象徵的暗示藝術，見張春榮：《修辭新思維》（臺北市：萬卷樓圖書公司，2001年9月初版），頁83-88；張少康：《中國古代文學創作論》（北京市：北京大學出版社，1983年12月初版），頁233。

美感情緒的騰飛，從而創造出時間、空間、假設、願望、夢境、虛構等種種虛的意境及藝術形象，傳達不盡之意。[102]

若就映襯家族的「映照類」而言，可形成「先正後反」或「先反後正」、「先立後破」或「先破後立」、「先抑後揚」或「先揚後抑」、「先寡後眾」或「先眾後寡」、「先弛後張」或「先張後弛」等秩序結構。

正反法建立在對比基礎上，易因比較、衡量而使審美對象的特點更凸出、姿態更優美；[103]因此，無論「先正後反」或「先反後正」，均在兩極的框架中形成對照，洋溢出華美、鮮活、健強、闊達等情趣。[104]先立案再掀翻、辨駁的「先立後破」，是最常見的結構類型，可打破思維的慣性與惰性，全面啟迪思維的昇華，促使讀者理解上的飛躍。[105]先辨、駁再立案的「先破後立」，分從觀察、歸納、演繹等法則，一層一層推理詰難，神完氣足。[106]抑、揚相互映照，符合對比原理。無論是「先抑後揚」或「先揚後抑」，會因向前、向上或外揚，與向後、向下或向內兩種不同方向的張力，產生截然不同的情感、力勢，形成一起一伏的波瀾，令人耳目一新。[107]寡眾法與大小法一樣，都會形成包孕式或輻射式的關係，取得凸出或放大的效果。[108]

---

102 張紅雨：《寫作美學》，頁129-131；陳佳君：《虛實章法析論》（臺北市：國立臺灣師範大學國文研究所碩士論文，2001年5月），頁252-270。

103 陳望道：《美學概論》，頁70-72；古田敬一著，李淼譯：《中國文學的對句藝術》（臺北縣：祺齡出版社，1994年9月初版1刷），頁41。

104 吳功正：《小說美學》（南京市：江蘇人民出版社，1985年6月1版1刷），頁369。

105 錢谷融、魯樞元：《文學心理學》（臺北市：新學識文教出版中心，1990年9月初版），頁221。

106 吳闓生批註：《桐城吳氏古文法》（臺北市：文津出版社，1979年4月初版），頁2、265-279。

107 錢谷融、魯樞元：《文學心理學》，頁209-210；仇小屏：《篇章結構類型論》，頁481。

108 仇小屏：《篇章結構類型論》，頁234。

由於情緒波動的規律有強弱、疏密、緩急，形成有張有弛的結構特色，故「先弛後張」強調的是最末的「張」，「先張後弛」強調的則是緊張之後的放鬆，兩者彰顯了不同的韻律與節奏。[109]

若就映襯家族的「襯托類」而言，可形成「先主後賓」或「先賓後主」、「先平後側」或「先側後平」、「先天後人」或「先人後天」、「先偏後全」或「先全後偏」、「先擊後敲」或「先敲後擊」等秩序結構。

「文不以賓形主，多不能醒，且不能暢」，[110]但「專說主體，則題之簡單，一說便完」，[111]毫無引人興味之處。因此，有主筆，又有賓筆相互映照的「先主後賓」，可生發關此顧彼、沆瀣映帶之妙；「先賓後主」，則可在人、事、物的鋪寫過程中，凸出主體。[112]「側」，是文章重心所在，有回繳整體、收束凸出的功效。「先平後側」能使作品更顯精煉、含蓄，揭示「側重」的藝術美；「先側後平」，收束在「平」的部分，有開拓文意的作用。[113]天人法比較著眼於寫景、敘事、或說理，頗類近於泛具法。因此，若同指人道、天道之理，則深具抽象美；若同指人事之景或自然之景，則易形成具象美；若景、事、理交錯互用，則易形成虛實交錯美。偏全法與本末、大小等法，有一點類似，只不過它比較著眼於事、理、時、空的部分與全部、特殊與一般。以用力之方向而言，「擊」可指正（前後）面，也可指側面，「敲」則專指側面；[114]「先擊後敲」或「先敲後擊」，可產生近似

109 張紅雨：《寫作美學》，頁219-220；仇小屏：《篇章結構類型論》，頁567。

110 唐彪：《讀書作文譜》卷七，頁85。

111 許恂儒：《作文百法》，頁34。

112 林東海：《詩法舉隅》（上海市：上海文藝出版社，1984年11月1版3刷），頁79。

113 史塵封：《漢語古今修辭格通編》（天津市：天津古籍出版社，1995年12月初版4刷），頁21-22；陳滿銘：《章法學新裁》，頁455。

114 陳滿銘：《章法學論粹》，頁69。

於平側、賓主法的擴大美或側重美。

由於章法是「客觀的存在」，且建立在「二元（陰陽、剛柔）對待」的基礎之上，[115]藉以安排一篇辭章的情、理、景（物）、事，以對應於自然規律，合乎秩序、變化、聯貫、統一的要求。《周易・繫辭上》:「天尊地卑，乾坤定矣。卑高以陳，貴賤位矣。」《周易》中的剛柔，常用以象徵或概括天地、日月、晝夜、君臣、父子等相對待的事物，也常與許多相對待的事物性質相連屬，如動靜、進退、高低、本末、先後、內外、小大、近遠……等。大抵而言，屬於靜、退、低、本、先、內、小、近等，為「陰」為「柔」；屬於動、進、高、末、後、外、大、遠等，為「陽」為「剛」。[116]力（勢）由「陰」向「陽」移動（陰→陽），可形成「順向移位」；力（勢）由「陽」向「陰」移動（陽→陰），則形成「逆向移位」。秩序律即依循此律，經由順向或逆向「移位」，形成順向結構或逆向結構。[117]以此，近四十種章法中，除了「並列法」具有可順可逆的規律，「視角轉換」、「知覺轉換」與「狀態變化」具變化性外；餘者，皆可因「移位」而形成順向或逆向結構：

1 今昔法:「先昔後今」(順)、或「先今後昔」(逆)。
2 久暫法:「先暫後久」(順)、或「先久後暫」(逆)。
3 問答法:「先問後答」(順)、或「先答後問」(逆)。
4 遠近法:「先近後遠」(順)、或「先遠後近」(逆)。
5 大小法:「先小後大」(順)、或「先大後小」(逆)。
6 內外法:「先內後外」(順)、或「先外後內」(逆)。

115王希杰:〈章法學門外閑談〉,《國文天地》18卷5期（2002年10月），頁92-101。
116陳望衡:《中國古典美學史》，頁184。
117陳滿銘:〈論章法的哲學基礎〉,《國文學報》第三十二期（2002年12月），頁116。

7 左右法：「先左後右」[118]（順）、或「先右後左」（逆）。
8 高低法：「先低後高」（順）、或「先高後低」（逆）。
9 圖底法：「先底後圖」（順）、或「先圖後底」（逆）。
10 本末法：「先本後末」（順）、或「先末後本」（逆）。
11 淺深法：「先淺後深」（順）、或「先深後淺」（逆）。
12 因果法：「先因後果」（順）、或「先果後因」（逆）。
13 縱收法：「先收後縱」（順）、或「先縱後收」（逆）。
14 泛具法：「先泛後具」（順）、或「先具後泛」（逆）。
15 點染法：「先點後染」（順）、或「先染後點」（逆）。
16 凡目法：「先凡後目」（順）、或「先目後凡」（逆）。
17 情景法：「先情後景」（順）、或「先景後情」（逆）。
18 敘論法：「先論後敘」（順）、或「先敘後論」（逆）。
19 詳略法：「先略後詳」（順）、或「先詳後略」（逆）。
20 虛實法：「先虛後實」（順）、或「先實後虛」（逆）。
21 正反法：「先正後反」（順）、或「先反後正」（逆）。
22 立破法：「先立後破」（順）、或「先破後立」（逆）。
23 抑揚法：「先抑後揚」（順）、或「先揚後抑」（逆）。
24 眾寡法：「先寡後眾」（順）、或「先眾後寡」（逆）。
25 張弛法：「先弛後張」（順）、或「先張後弛」（逆）。
26 貴賤法：「先賤後貴」（順）、或「先貴後賤」（逆）。
27 親疏法：「先親後疏」（順）、或「先疏後親」（逆）。

---

118 劉思量指「張力向右之形，都有『冒險』的感覺，這些形之「運動」愈來愈密愈快」（《藝術心理學．藝術與創造》，臺北市：藝術家出版社，2002年10月4版，頁83）；康丁斯基（Kandinsky, 1866-1944）也指「面上的左使人覺得『鬆弛』、『輕鬆』、『解放』和『自由』」，「『右』……張力的衝突性卻比『左』還大還密還硬些。」（《點線面》，頁107-108）；以此可知，由左向右的力勢較為陽剛。

28 賓主法：「先主後賓」（順）、或「先賓後主」（逆）。
29 平側法：「先平後側」（順）、或「先側後平」（逆）。
30 天人法：「先天後人」（順）、或「先人後天」（逆）。
31 偏全法：「先偏後全」（順）、或「先全後偏」（逆）。
32 敲擊法：「先擊後敲」（順）、或「先敲後擊」（逆）。

秩序，是材料的外在形式上部分與部分、整體與部分之間有規律的排列組合，也是形式因素內部關係有秩序的變化，可構成一種「不變」與「變」和諧交叉的形式美。[119]如杜甫〈曲江二首〉其一，就篇而言，即形成「先目後凡」逆向結構：

> 一片花飛減卻春，風飄萬點正愁人。且看欲盡花經眼，莫厭傷多酒入脣。江上小堂巢翡翠，苑邊高塚臥麒麟。細推物理須行樂，何用浮名絆此身。[120]

本詩當作於肅宗乾元元年（758）暮春。詩人的眼睛隨滿天飛舞的落花上下流轉，轉出了滿腔的憂悶與愁煩。這是因為花予人的生命感最深切也最完整，它一方面足以喚起親切的共感，一方面又足以觸發一種想像。[121]而風，是一種動態意象，可以起強化詩中景物立體感的作用，使人全方位感受到景物的存在與變化；[122]故「只一落花，連寫三句，極反覆層折之妙，接入第四句，魂消欲絕」[123]而愁懷滿襟。《爾

119 張涵主編：《美學大觀》（鄭州市：河南人民出版社，1988年1月1版1刷），頁246。
120 〔清〕楊倫：《杜詩鏡銓》（臺北市：藝文印書館，1998年12月初版3刷），頁353。
121 葉嘉瑩：《迦陵談詩》（臺北市：三民書局，1970年4月初版），頁291-292。
122 梁德林：〈古代詩歌中的「風」意象〉，《社會科學輯刊》1996年2期，頁129。
123 〔清〕楊倫：《杜詩鏡銓》，頁353。

雅・釋鳥》:「翠，鷸。」郭璞注:「似燕，紺色，出鬱林。」[124]許慎《說文・麒》:「麒麟，仁獸也，麋身牛尾一角。」[125]在此指鎮守壙前的石獸。小堂無主，故鳥巢；高塚無主，故獸仆。「巢」字和「臥」字，道盡了安史亂後曲江荒蕪的景象。「花飛春盡，一時之物理也；空堂荒冢，一身之物理也」。[126]詩人從中「細推」出物極必反、盛極而衰的天道運行法則，進而以「物理」總括上文，歸結出人唯「及時行樂」而毋須受「浮名」羈絆之意。

「先目後凡」逆向結構，屬於歸納式思考，是針對主旨或綱領先條分為若干部分，依次敘寫於前，然後以畫龍點睛法將主旨或綱領提明於後的文章作法。[127]歸有光《文章指南》指「凡文章前面散散鋪敘，後宜總括大意，與前相應，方見收拾處」。[128]以其具有逐步引人入勝、豁然開朗的優點，常見於今古文人作品。如劉基〈說虎〉，首段說「虎之猛」，次段說「虎之無能」，末段說「人若如虎有力而無智，則無異於虎，亦必為人所獲」。「虎之猛」、「虎之無能」，是分說；「人若如虎有力而無智」，則是總而論之。[129]又如《左氏傳》記載子產計數公孫黑的罪狀：「爾有亂心無厭，國不汝堪，專伐伯有，而

124 〔清〕阮元：《十三經注疏・爾雅》（嘉慶二十年江西南昌府學開雕，臺北市：藝文印書館，1985年12月10版），卷十，頁186。

125 〔東漢〕許慎著，〔清〕段玉裁注：《說文解字注》（臺北市：黎明文化事業公司，1985年9月增訂1版），頁475。

126 〔清〕吳瞻泰：《杜詩提要》（臺北市：大通書局，1974年10月初版），第二冊，頁585。

127 一般而言，一篇辭章的主旨或綱領多安排在「凡」的部位，以統括「目」。至於捨「凡」而就「目」，或在「凡」「目」之外（篇外）安置主旨、綱領，則是較少見的變例。陳滿銘：《國文教學論叢・續編》（臺北市：萬卷樓圖書公司，1998年3月初版），頁191、223；仇小屏：《文章章法論》（臺北市：萬卷樓圖書公司，1998年11月初版），頁342。

128 〔明〕歸有光：《文章指南》（臺北市：廣文書局，1985年10月再版），頁12。

129 林景亮：《評註古文讀本》（臺北市：臺灣中華書局，1969年11月臺1版），頁43。

罪一也；昆弟爭室，而罪二也；董隧之盟，汝矯君位，而罪三也。有死罪三，何以堪之。」[130]先數其罪狀一、罪狀二、罪狀三，再下「有死罪三，何以堪之」的結論。又如杜甫此詩，「落落酣暢，如不經意而首尾圓活，生意自然，有不可名言之妙」。[131]其結構表為：

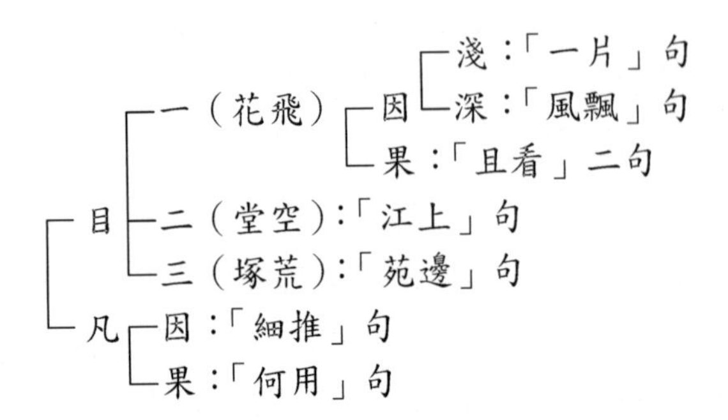

岑參〈與高適薛據登慈恩寺浮圖〉，就篇而言，也是形成「先具後泛」逆向結構：

> 塔勢如湧出，孤高聳天宮。登臨出世界，磴道盤虛空。突兀壓神州，崢嶸如鬼工。四角礙白日，七層摩蒼穹。下窺指高鳥，俯聽聞驚風。連山若波濤，奔走似朝東。青松夾馳道，宮觀何玲瓏？秋色從西來，蒼然滿關中。五陵北原上，萬古青濛濛。淨理了可悟，勝因夙所宗。誓將挂冠去，覺道資無窮。[132]

岑參與友人同登長安慈恩寺塔有感，寫下此詩。「塔勢」等八句是仰觀，寫塔的高大。以其高，七層寶塔聳入了雲霄；以其大，四個簷角遮蔽了白日。「湧出」、「崢嶸」等形容性語彙，賦塔勢以動態感。「聳

130 王葆心：《古文辭通義》（臺北市：臺灣中華書局，1984年4月臺2版），卷十，頁31。
131 〔清〕楊倫：《杜詩鏡銓》，頁353。
132 高步瀛：《唐宋詩舉要》（臺北市：明倫出版社，1971年10月初版），頁83。

天宮」、「出世界」、「盤虛空」、「壓神州」等高度及體積上的夸飾語彙，使其所表達的形象益發凸顯，直接予人一種雄偉的壓迫性。當人面對「雄偉」事物時，第一步是驚，第二步是喜。驚，就是康德（Immanuel Kant, 1724-1804）所說的「霎時的抗拒」，它帶有幾分痛感；第二步的心情本已欣喜，又加上霎時痛感的搏擊，心靈因而得以躍升。最後，經由「事物的無邊廣大」與「人的感官與理解能力」激盪而起的快感，把人的精神從客體形式的局限中解放出來，以證入「絕對的整體」（totality）與「無限」（infinity）的境界。[133]「賴有高樓能聚遠，一時收拾與閑人」（蘇軾〈單同年求德興俞氏聚遠樓詩〉其一）。當人一登上高塔，目光又會很自然地「下窺」高鳥，「俯聽」驚風，然後由這一個視點向四方輻射而出。此一延伸，是順著一個人的視覺，不期然而然的轉移到想像上面；再由這一轉移，而使山水的形質，由有限直接通向無限。其中「連山」兩句為遠觀，寫東方而寓春景；「青松」兩句為近觀，寫南面以寓夏景；「秋色」兩句，寫西方而明點時令；「五陵」兩句，寫北方地勢而寓冬景。「春山豔冶，夏山蒼翠，秋山明淨，冬山慘淡，此四時之氣象也。」[134]顧亭鑑《學詩指南》指其「於登臨之景，兼上下四方言之，雄渾悲壯，層次井然不紊」，[135]為全詩最出色處。因為「節變」往往連帶「物化」，直接刺激人的空間感知，於是透過「觀」、「睹」、「瞻」、「臨」的親身參與，引出對四季推移的清楚認識。人在視覺與想像的統一中，可以明確掌握

---

133 朱光潛：《文藝心理學》（臺北市：臺灣開明書店，1999年1月新排1版），頁279-280；王建元：《現象詮釋學與中西雄渾觀》（臺北市：東大圖書公司，1988年2月初版），頁16-17。

134 〔宋〕韓拙：〈山水純全集〉，收入俞崑：《中國畫論類編》（臺北市：華正書局，1984年10月初版），頁662。

135 顧亭鑑、葉葆銓輯注：《學詩指南》（臺北市：廣文書局，1979年5月初版），頁109。

到從現實中超越上去的意境；而在此意境中，作為宇宙根源的生意，也在漠漠中作若隱若現地躍動，人故而可在仰觀俯察、左窺右探、遠近往返的遊目中，體悟與宇宙相通相感的一片化機。[136]以此，「淨理」四句，詩人化用了《維摩詰經・佛國品》「始在佛樹力降魔，得甘露滅覺道成」的語典，及《後漢書・逸民列傳》逢萌「解冠掛東都城門，歸將家屬浮海，客於遼東」的事典，[137]即景而抒「淨理」，表達「覺道」而擬「卦冠去」之意。

劉大槐《論文偶記》指「理不可以直指也，故即物以明理；情不可以顯出也，故即事以寓情」。[138]「先具後泛」逆向結構，就是通過對同一個審美形象的描繪和敘述，因物（景）而明理或即事而寓情，深刻揭示作品的主題，達成前後相互照應的效果。而人對客觀世界物體的形狀、大小、方位等所形成的空間知覺，也會經由審美情感的滲透，映照出藝術化的心理時空。心理時空具流動性、聯想性、跳躍性，可打破現實的限制；審美主體無限的創造力，也由此騰飛，[139]令四方及四季氣象，盡收眼底。這同時也說明了中國人的審美特點是在「觀象」「取象」的思維過程中，注重整體的直觀與體悟。如此，人才得以藉助聯想力、想像力，從一點把握整體的全息性；也才得以從任何一種全息的、動態的、在對待中相互轉換的物象中，與宇宙自然溝通，從而在精神上把握永恆與無限。[140]這或許也就是高步瀛讚美岑

136 徐復觀：《中國藝術精神》（臺北市：臺灣學生書局，1974年5月4版），頁345-346。

137 〔後秦〕鳩摩羅什譯：《維摩詰經》（北京市：大眾文藝出版社，2004年10月1版1刷），頁10；〔劉宋〕范曄撰，〔唐〕李賢注：《後漢書》（中華書局據武英殿本校刊，未著年），卷一百十三，頁4。

138 〔清〕劉大櫆：《論文偶記》（北京市：人民文學出版社，1998年5月1版1刷），頁12。

139 彭聃齡：《普通心理學》（北京市：北京師範大學出版社，1990年10月1版3刷），頁277-278。

140 梁一儒、戶曉輝、宮承波：《中國人審美心理研究》（濟南市：山東人民出版社，2002年3月1版1刷），頁61-64。

參此詩，「氣象闊大，幾與少陵一篇並立千古」的原因吧。[141]其結構表為：

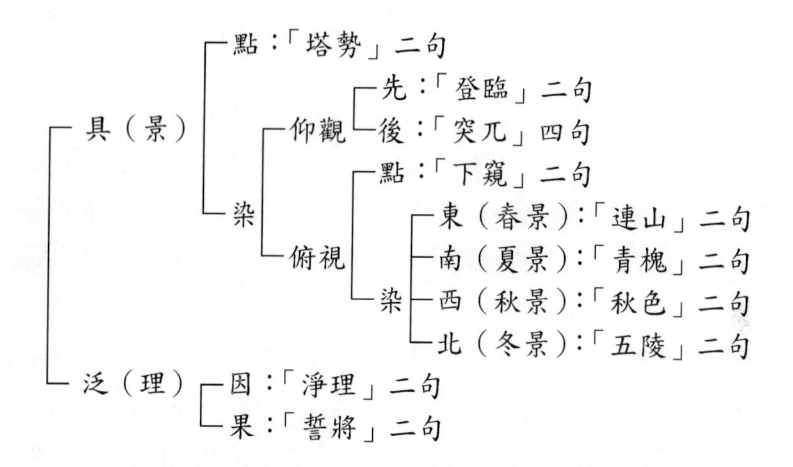

熙寧九年丙辰（1076）春，[142]蘇軾作於密州的〈望江南〉，就篇而言，則是形成「先點後染」順向結構：

> 春未老，風細柳斜斜。試上超然臺上看，半壕春水一城花。煙雨暗千家。　　寒食後，酒醒卻咨嗟。休對故人思故國，且將新火試新茶。詩酒趁年華。[143]

「點染」本指繪畫手法，[144]指先點簇，而後以水墨或色彩潤刷烘染物

141 高步瀛：《唐宋詩舉要》，頁83。

142 鄒同慶、王宗堂：「蘇軾于熙寧七年十一月至密，據其〈超然臺記〉，『處之期年』即八年底，對園北舊臺『稍葺而新之』，並由蘇轍命名為『超然臺』。此詞寫超然臺春景，當作於九年春。」見《蘇軾詞編年校註》（北京市：中華書局，2002年9月1版1刷），頁164。

143 《蘇軾詞編年校註》，頁164。

144 如周振甫即指「點染是畫家手法，有些處加點，有些處渲染」。《詩詞例話》（臺北市：學海出版社，1984年1月初版），頁284-285。

象，分出陰陽與向背，增添立體與質感。劉熙載《藝概》始移以稱文章作法。[145]此詞首二句是「點」，點出春雖暮而猶未老的景象，作為寫景、抒情的引子。因為「風細」，所以「柳斜」。疊字形容詞「斜斜」，具動態感及「沾衣欲溼杏花雨」的美好聯想。此詞題為「超然臺作」，故「試上」句呼應題目，底下再敘寫東坡於「雨雪之朝，風月之夕」，登「高而安，深而明，夏涼而冬溫」（蘇軾〈超然臺記〉）的超然臺遊目時的所見所感。江山無限景，都聚一臺中。人在四面皆空的超然臺上慢慢移動、慢慢觀看，帶有四面遊目的興味。人的視覺又具有選擇性的分辨功能，總是會情不自禁地選擇春柳、春水、春花、春雨與人家等最引人注目的部分去進行重點觀察，將空間由近處推向遠方。而情感和聯想，則是人在審美活動過程中的一對「中介」，所以煙雨等令視覺受阻的意象，是「隔」心態的物化，意味著時空上的阻隔。「情」與「景」之間，也依靠著由此及彼的「聯覺想像」溝通，令「景⟷聯想（中介）⟷景」所組成的動態審美心理結構，激發著人的感知，從而成為詞人「去冬節一百五日，即有疾風甚雨，謂之寒食」（宗懍《荊楚歲時記》）、「三見清明改新火」（蘇軾〈徐使君分新火〉）等心象的觸發。末三句，以疏雋之筆，宕開家國之思，情寄新火新茶與詩酒，[146]以見「無所往而不樂者，蓋游於物之外也」（蘇軾〈超然臺記〉）。

---

145 劉熙載：「詞有點、有染。柳耆卿〈雨淋鈴〉云：『多情自古傷離別，更那堪冷落清秋節。今宵酒醒何處？楊柳岸，曉風殘月。』上二句點出離別冷落，『今宵』二句乃就上二句意染之。點染之間，不得有他語相隔，隔則警句亦成死灰矣。」《藝概》，頁161。然而劉熙載所謂的「點染」，指的乃是「情」（「點」）與「景」（「染」），恰與「虛實」類章法中的「情景」法重疊。於是陳滿銘借用「點染」一詞，就其理論部分加以延伸與定義，來稱呼類似畫法的一種章法。見〈論幾種特殊的章法〉，《章法學論粹》，頁75-76。

146 唐宋習俗，寒食節禁火三日，節後再舉火，謂之新火。胡仔《苕溪漁隱叢話．前集》卷四六引《學林新編》：「茶之佳品，造在社前；其次則火前，謂寒食前也；其下則雨前，謂谷雨前也。」鄒同慶、王宗堂：《蘇軾詞編年校註》，頁165。

「點」，作為時空切入的一點，猶如繪畫裡從無到有的引子與橋梁，雖不含「情」與「理」，但整個畫面卻因它而開展。「染」，則是真正用來敘事、寫景、抒情或說理的內容主體，因「藉筆力以助其色澤丰韻」，「藉色墨以助其氣勢精神」[147]，故氣韻鮮活動人。[148]如柳宗元〈愚溪詩序〉，全篇「從題中愚字著筆」，「前路記溝池泉亭之勝，疊用愚字點染。中間用智字、睿字，陪出愚字，兼引到自己。後路借愚溪二字寫意，發抒胸臆，此修辭點染法也」。[149]如岑參〈磧中作〉的「今夜不知何處宿，平沙萬里絕人煙」兩句，點明無處投宿，用平沙萬里來渲染。[150]又如此詞，先選取最能抒發情感的暮春超然臺作為時空切入點，然後「逐漸烘染，由澹入濃，由淺入深，自然結構完密」。[151]其結構表為：

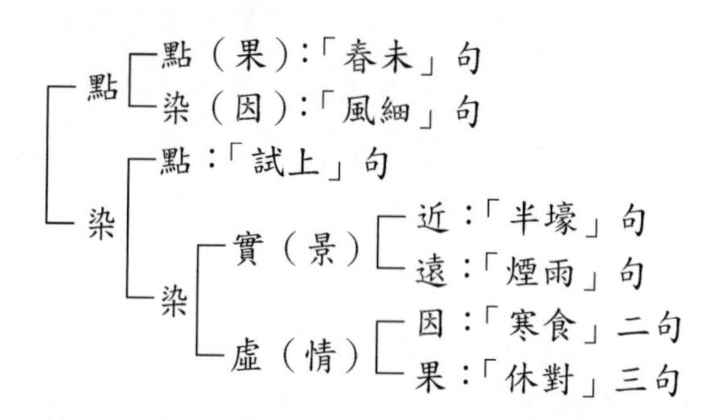

歐陽脩〈相州晝錦堂記〉，就篇而言，也是形成「先立後破」順向結構：

---

147 〔清〕松年：〈頤園論畫〉，收入俞崑：《中國畫論類編》，頁325。

148 陳滿銘：〈論篇章的點染結構〉，《國文天地》17卷11期（2002年4月），頁100；黃淑貞：〈論章法的「四點染」——以東坡詞為例〉，頁189-214。

149 宋文蔚：《評註文法津梁》（高雄市：復文圖書出版社，1983年2月修訂2版），頁260-261。

150 周振甫：《詩詞例話・點染》，頁285。

151 〔清〕盛大士：〈谿山臥遊錄〉，收入俞崑：《中國畫論類編》，頁267。

仕宦而至將相，富貴而歸故鄉，此人情之所榮，而今昔之所同也。蓋士方窮時，困厄閭里，庸人孺子，皆得易而侮之。若季子不禮於其嫂，買臣見棄於其妻。一旦高車駟馬，旗旄導前，而騎卒擁後，夾道之人，相與駢肩累迹，瞻望咨嗟；而所謂庸夫愚婦者，奔走駭汗，羞愧俯伏，以自悔罪於車塵馬足之間。此一介之士，得志於當時，而意氣之盛，昔人比之衣錦之榮者也。

惟大丞相魏國公則不然。公，相人也。世有令德，為時名卿。自公少時，已擢高科，登顯仕；海內之士，聞下風而望餘光者，蓋亦有年矣。所謂將相而富貴，皆公所宜素有，非如窮厄之人，僥倖得志於一時，出於庸夫愚婦之不意，以驚駭而夸耀之也。然則高牙大纛，不足為公榮；桓圭袞冕，不足為公貴；惟德被生民，而功施社稷，勒之金石，播之聲詩，以耀後世而垂無窮；此公之志，而士亦以此望於公也，豈止夸一時而榮一鄉哉！

公在至和中，嘗以武康之節，來治於相。乃作晝錦之堂於後圃；既又刻詩於石，以遺相人。其言以快恩讎、矜名譽為可薄。蓋不以昔人所夸者為榮，而以為戒。於此見公之視富貴為如何，而其志豈易量哉！故能出入將相，勤勞王家，而夷險一節。至於臨大事，決大議，垂紳正笏，不動聲色，而措天下於泰山之安，可謂社稷之臣矣！其豐功盛烈，所以銘彝鼎而被絃歌者，乃邦家之光，非閭里之榮也。余雖不獲登公之堂，幸嘗竊誦公之詩，樂公之志有成，而喜為天下道也，於是乎書。[152]

152 〔清〕吳楚材注，王文濡評校：《古文觀止》（臺北市：華正書局，1998年8月初版），頁442-444。

立破法，須「攻守兼施」，一面「破壞」敵方的論證，一面又要從「建設」方面著手，使正面的主張能夠成立，然後才能「攻擊敵方之非，而證明正面之是」。[153]如本文，首段是「立」。「仕宦」四句，取《史記・項羽本紀》「富貴不歸故鄉，如衣繡夜行。誰知之者」的事典，[154]點出富貴而歸故里乃「今昔所同」的世俗人情，總結上文，又為下文奠立翻案的根基。「仕宦而至將相，富貴而歸故鄉」的兩個「而」字，令聲音所表現的神情在承轉之間見出，意思也因多一個轉折而深一層。「蓋士方窮時」底下，則舉游說秦惠王失利，「歸至家，妻不下紝，嫂不為炊，父母不與言」（《戰國策・秦策》）的蘇秦，及「家貧，好讀書，不治產業，常艾薪樵，賣以給食」，「妻羞之，求去」（《漢書・朱買臣傳》）[155]的朱買臣為例，說明士子窮阨時遭鄉人侮慢、顯達時受庸夫瞻仰的景況。以此之故，「一介之士」大都存有「得志」則「衣錦」榮歸故里的觀念，呼應題目的「晝錦」二字。

二、三段是「破」。先以「惟大丞相魏國公則不然」一句，撇過上文，闡明一代名相韓琦不從世俗、反以此為戒的心志。「公，相人也」等九句，指韓公弱冠即登高科，「蚤有盛名，識量英偉，臨事喜慍不見于色，論者以重厚比周勃，政事比姚崇」，[156]有令德於當世，故能不受限於一時榮貴。《宋史》記載，韓琦「凡事有不便，未嘗不言，每以明得失、正紀綱、親忠直、遠邪佞為急，前後七十餘

153 曹冕：《修辭學》，頁265。

154 〔漢〕司馬遷著，瀧川龜太郎注：《史記會注考證》（臺北市：洪氏出版社，1985年9月初版），頁149。

155 〔西漢〕劉向集錄：《戰國策・秦策》（上海市：上海古籍出版社，1978年5月1版1刷），卷三，頁85；〔東漢〕班固撰，〔唐〕顏師古注：《漢書・朱買臣傳》（北京市：中華書局，1964年11月1版2刷），卷六十四上，頁2791。

156 〔元〕脫脫等撰：《宋史・韓琦傳》（臺北市：鼎文書局，1983年11月3版），卷三一二，頁10229。

疏」。[157]及為相，勸英宗早定皇嗣，以安天下，故「所謂將相而富貴」等七句，掀翻一般人得志則夸耀的世俗觀點，以證「惟德被生民，而功施社稷，勒之金石，播之聲詩，以耀後世而垂無窮」，才是韓琦「平生之志」，迥異於蘇秦、朱買臣的「夸一時而榮一鄉」。「公在至和中」等七句，敘寫晝錦堂興建原由。再以「蓋不以昔人」等十七句，續論「琦相三朝，立二帝，厥功大矣。當治平危疑之際，兩宮幾成嫌隙，琦處之裕如，卒安社稷，人服其量」，[158]豈是貪閭里之榮或一時之夸者所能企及，故林雲銘稱美其「功在天下，可以傳後世，其為榮原不在歸鄉不歸鄉。如此收束，方結得本題住，且稱得韓魏公本領」。[159]篇末五句，則是補敘作記之意。

本文旨在抒寫韓琦的心志德業。「魏公、永叔，豈皆以晝錦為榮者，起手便一筆撇開，以後俱是從第一層立議」，[160]形成「先立後破」順向結構。由於立破法中的「立」，大多是積非成是的觀念或習以為常的成見；因此在「破」中，有心的文人一向善於組接「異常的材料」，或舉例加以反駁，或設詞加以為難，或直接揭明錯誤處，構成重力以傾斜讀者的心理天平，打破思維慣性，促使讀者理解上的飛躍。立與破之間又常有針鋒相對的特質，易形成「質的張而弓矢至」的關係。逐層分析，步步深入，論辯透闢，有真理愈辯愈明的淋漓快感。[161]如歐陽脩〈樊侯廟災記〉，宋文蔚評其「起手即將人言『侯怒而為之』一句，敘明立案。次段言侯之功德，宜在祀典，而其聰明正直又如此，可知必不妄作威福以禍民。第三段又承次段說來，層層詰

157 〔元〕脫脫等撰：《宋史・韓琦傳》，頁10221-10222。

158 〔元〕脫脫等撰：《宋史・韓琦傳》，頁10232。

159 〔清〕林雲銘：《古文析義合編》（臺北市：廣文書局，1997年9月8版），頁288。

160 〔清〕吳楚材選注，王文濡評校：《古文觀止》，頁444。

161 錢谷融、魯樞元：《文學心理學》，頁221。

難，則人言之不足據，不攻自破。末始揭醒己意，所謂圖窮而匕首見也，更以反掉之筆，繳足己意，神完氣足，最擅勝場」。[162]如吳闓生評《韓非子・將與楚人戰》：「以上乃立案，以下乃韓非難語。」評韓愈〈答呂毉山人書〉：「破其立論之非」，「乘勢將本意揭出，文筆奇縱，如風起水湧」，[163]破立互用，是非明晰。又如本文，「先就晝錦之榮翻起，倒入魏公之志，然後敘其平昔功業，以其榮歸之邦國」，[164]一筆撇開世俗所重的晝錦之榮。「以永叔之藻采，著魏公之光烈，正所謂天下莫大之文章」。[165]其結構表為：

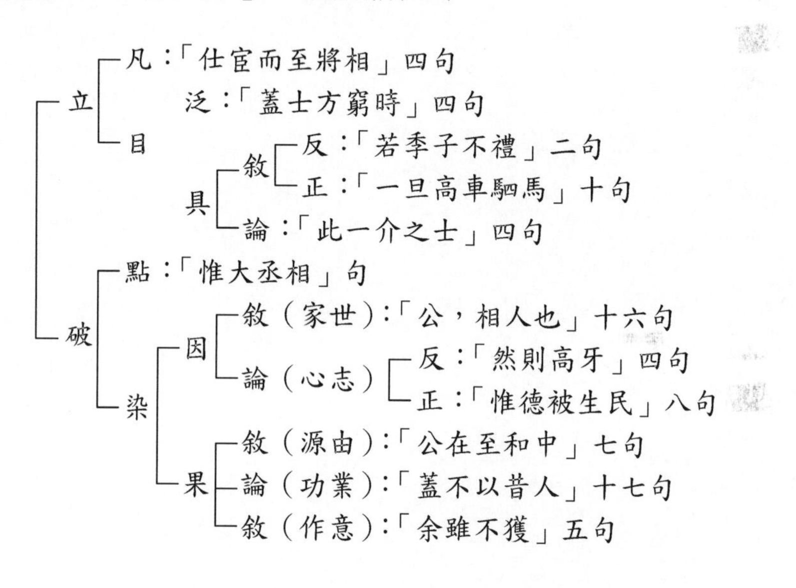

162 宋文蔚：《評註文法津梁》，頁26-27。

163 吳闓生：《桐城吳氏古文法》，頁2、90。

164 〔清〕林雲銘：《古文析義合編》，頁288。

165 〔清〕吳楚材選注，王文濡評校：《古文觀止》，頁445。

第三章
章法變化律

秩序與變化，實是一而二、二而一的關係，差別只在於秩序比較著眼於「先後」，變化比較著眼於「移動」。也就是說，秩序與變化兩者皆離不開「動」，有「動」就有不斷的「變化」，其歷程也必然形成「秩序」。在造成「變化」、形成「秩序」的過程中，也一定會不斷地由局部與局部的「聯貫」（對比或調和），逐步趨於整體的「統一」。[1]

一　就哲學意涵而言

由於陰陽剛柔兩種動力在對待中往來消息，「剛推柔生變，柔推剛生化也」（虞翻）[2]，「變化者，存乎運行也」[3]，隨時位而變易，故萬物恆處於易道本體無限動能之運動變化中。[4]此動則彼靜、彼動則此靜，靜極則動來、動極則靜來，此顯則彼潛、彼顯則此潛，恆向其對待面推移、轉化，由順向移位漸次轉為逆向移位，最後形成「轉位」。[5]《老子．四十章》：「反者道之動。」由於「反」的作用，整個

1　陳滿銘：《章法學綜論》（臺北市：萬卷樓圖書公司，2003年6月初版），頁82。

2　〔唐〕李鼎祚：《周易集解》（臺北市：臺灣商務印書館，1996年12月1版2刷），頁314。

3　〔清〕孫星衍：《周易集解》（上海市：商務印書館，1936年6月初版），頁539。

4　曾春海：《儒家哲學論集》（臺北市：文津出版社，1989年5月初版），頁431。

5　有關《周易》的「移位」性格，一般學者多稱為「位移」，如戴璉璋即是。「轉位」語出黃永武《中國詩學——設計篇》（臺北市：巨流圖書公司，1978年6月1版4刷，頁28），是指「詩行之間、意象之間，利用形、聲、義某一點共通性，作為媒介，觸類衍伸，使二個彷彿是不連續的意象，相互引接。」唯本文意涵所指，已有所變異。

變動歷程發展到極點，必發生大反轉。於是，由乾、坤至既濟、未濟，由「無」（道）→「有」（萬物）→「無」（道），形成「大轉位」，然後「復歸其根」，循環往復，產生無窮的變化。[6]

（一）《周易》中的轉位

作為對待統一體的乾、坤兩卦，以六爻的變化反映一序列的變化發展歷程，產生了順、逆向移位。另一方面，乾主「統」，居於剛健主導的地位；坤主「承」，居於含容順從的地位。通過六爻運動變化的開展，經由剛性質之力與柔性質之力的相摩，產生一連串的運動變化，終合成《周易》六十四卦物物對待、事事交感的旁通系統。[7]同時也揭示了陰陽（乾坤）可由順移漸次轉為逆移，最後向對待面轉化，形成「轉位」。

〈繫辭下〉:「化而裁之謂之變。」「變，言其著；化，言其漸」，「變化者，進退之著也」。[8]凡事物久居其所則窮，窮則變。「化」，以漸而移，形成順、逆向移位；「變」，則通身改易，形成轉位。徐志銳指《周易》六十四卦，每卦皆設六個爻位；唯乾、坤二卦，於六爻之上，特設「用九」、「用六」兩爻，就是用來論述陰陽向對待面轉化的原理。[9]如乾卦：

---

6 關於《周易》中的轉位論觀點，曾發表於期刊。見黃淑貞:〈《周易》「移位」、「轉位」論〉,《孔孟月刊》44卷5-6期（2006年2月），頁4-14。

7 「旁通」，形成了異類相應，也形成了位移。曾春海:《儒家哲學論集》，頁438。

8 〔宋〕張載:《張子全書．易說》（中華書局據高安朱氏藏書本校刊，未著年），卷十一，頁3。

9 徐志銳:「物衰則老，老則變。九為老陽，六為老陰，衰老則發生質變，所以九、六可互變。九變六，是由陽而變為陰；六變九，是由陰而變為陽。命爻用九、六而不用七、八，以此表明陰陽剛柔在一定條件下都可以發生對立轉化，這就叫作以變動為占。為了闡明這一道理，乾、坤兩卦的六爻之上特設『用九』、『用六』兩爻，以發其通例。」見《周易陰陽八卦說解》（臺北市：里仁書局，2000年3月初版4刷），頁15-36。

> 用九，見群龍无首，吉。
>
> 象曰：用九，天德不可為首也。

唐君毅指出：「王弼之言初上無位，其理由是：『初上者，體之終始，事之先後也。故位無常分，事無常所，非可以陰陽定也。卑尊有常序，終始無常主』。此言之理趣，是事物之于其始時及終時，不可言有一定的尊卑之位，此所表示者，乃是事物之始生，其位尚定；其終則化為他物，而亦自變其位。」[10]以此可知，乾陽發展到上九，已成「亢龍」而「盈不可久」，只有發揮九變六的作用，才可「見群龍无首」。因為數變，爻必變；爻變，卦亦變。六爻的六個九變成六個六，乾卦就變成了坤卦。與此同時，坤卦則變成了乾卦。乾、坤互調其位，乾卦「六龍」仍能繼續存在，故言「見群龍无首」、「天德不可為首」，天道循環沒有終了之時。

「用九」，則九、六互變，陰陽對轉。乾陽就在由初九→九二→九三→九四→九五→上九，一序列的順、逆向移位中，漸次向對待面轉化。然後九六互變，乾坤易位，完成了「轉位」的變動歷程。再看坤卦的「用六」：

> 用六，利永貞。
>
> 象曰：用六永貞，以大終也。

六之大用，在於可變為九。坤卦六爻的六個六皆變為九，坤卦變成了乾卦，所以「利永貞」。乾、坤兩卦發展到上爻，乾為「亢龍」而

---

10 唐君毅：《中國哲學原論・原道篇》（臺北市：臺灣學生書局，1976年8月修訂再版），卷二，頁335。

「盈不可久」，坤又與「龍戰」而「其道窮」；因此，對待統一體既不正固又不能長久，唯有「用六」發揮六變九的作用，六、九互變，乾變坤，坤變乾，乾坤易位，再重新組成一個對待統一體，才有利於正固長久。所以〈象傳〉云：「用六永貞，以大終也」。「以大終」，說的就是坤卦之終終以乾。唯有坤卦之終終以乾，才能「群龍无所終」，才有利於對待統一體的正固與長久。在九、六互變，重新組成對待統一體的變動歷程中，也漸次由順移轉為逆移，最後完成轉位。[11]

《周易》通過乾、坤兩卦的六爻與用九、用六，論述了陰陽的對待轉化，揭示了萬事萬物的存在，其自身都有一個發生、發展、衰亡與轉化的過程。〈繫辭上〉將這種變化歷程概括為「生生之謂易」。如韓康伯注：「陰陽轉易，以成化生。」孔穎達疏：「生生，不絕之辭。陰陽變轉，後生次於前生，是萬物恆生謂之易也。」[12]此一事物的終結，正是另一事物的開始、發展，形成無窮盡的運動變化。而這也正是《周易》陰陽變化學說的總結。

陰陽相易、生生而一，《周易》哲學發展了一個開放的序列，「用九」、「用六」並不局限於乾、坤兩卦，而是為六十四卦發其通例。每一卦位在九、六互變中，也都可一一尋出因「移位」而形成「轉位」的變動歷程。爻辭在論各爻的吉凶時，也常有「物極必反」的觀念。具體地說，就是卦象吉者，最後一爻反而不吉；卦象凶者，最後一爻反而吉。如〈復．上六〉的「迷復凶。有災眚，用行，終有大敗，以其國君凶，至于十年不克征」；〈益．上九〉的「莫益之，或擊之。立心勿恆，凶」；〈豐．上六〉的「豐其屋，蔀其家。闚其戶，闃其無人。三歲不覿，凶」。又如〈否．上九〉的「傾否，先否後喜」；

---

11 有關用九、用六的論述，乃採用徐志銳《周易陰陽八卦說解》（頁127-138）的觀點。

12 〔清〕阮元：《十三經注疏．周易》（嘉慶二十年江西南昌府學開雕，臺北市：藝文印書館，1985年12月10版），頁149。

〈蹇・上六〉的「往蹇來碩，吉。利見大人」;〈損・上九〉的「弗損益之。无咎，貞吉。利有攸往，得臣无家」，皆申明了物極必反的觀點。[13]由此，《周易》六十四卦、三百八十四爻，皆在陰陽剛柔相摩相推的對待往來中，因移位、轉位而變化無窮。

無論一爻變或數爻變，都必轉化為另一卦。[14]「爻變」，含順、逆向移位，然後在整體的變動過程中，完成了「轉位」。因此，繼乾、坤兩卦之後，其餘六十二卦的排列順序，在奇偶對比的符號結構上，多可以找出「反轉成偶」或「相對成偶」(非反即對）的關係。[15]孔穎達疏：

> 今驗六十四卦，二二相耦，非覆即變。覆者，表裏視之，遂成兩卦，屯蒙、需訟、師比之類是也；變者，反覆唯成一卦，則變以對之，乾坤、坎離、大過頤、中孚小過之類是也。[16]

孔氏所謂的「覆」，即「反轉成偶」；所謂的「變」，即「相對成偶」。今本《周易》的卦序排列，就是以「非反即對」、「非覆即變」的配卦觀念為基礎，進行編排，體現事物在運動變化歷程中的聯繫規律。[17]

其中，形成「反轉成偶」者，如〈屯〉與〈蒙〉,〈屯〉的初、二、三、四、五、上等六爻，反轉過來，依次成為〈蒙〉的上、五、四、三、二、初等六爻。其餘如：

---

13 徐志銳：《周易陰陽八卦說解》，頁127-138；勞思光：《中國哲學史》(臺北市：三民書局，1981年1月初版)，第一冊，頁85-86。

14 導致「卦變」的某一卦中具體爻象的變化，是「爻變」。王新華：《周易繫辭傳研究》(臺北市：文津出版社，1998年4月1刷初版)，頁246。

15 戴璉璋：《易傳之形成及其思想》(臺北市：文津出版社，1997年2月2刷)，頁21-22。

16 〔清〕阮元：《十三經注疏・周易》，頁186-187。

17 徐志銳：《周易陰陽八卦說解》，頁60。

需　訟、　師　比、　小畜　履、
泰　否、　同人　大有、　謙　豫、
隨　蠱、　臨　觀、　噬嗑　賁、
剝　復、　无妄　大畜、　咸　恆、
遯　大壯、　晉　明夷、　家人　睽、
蹇　解、　損　益、　夬　姤、
萃　升、　困　井、　革　鼎、
震　艮、　漸　歸妹、　豐　旅、
巽　兌、　渙　節、　既濟　未濟

以上五十四卦，都是因「反轉成偶」形成兩相對待的關係。至於乾與坤、坎與離、大過與頤、中孚與小過等八個卦，爻序反轉不能變成另一卦，於是從「奇偶相對」上著眼，配成「以異相明」的對待關係：

乾　坤、　坎　離、　大過　頤、
中孚　小過

賴貴三引焦循的觀點指出，《易》卦之序，不以旁通，而以反對；用反對者，正所以用旁通。反對為正，旁通為奇，奇所以濟正之窮，而往復生成者也。[18]所以「非反即對」的配卦方式，體現的正是每一卦爻位的往來上下。而卦爻的往來上下，正是藉由卦爻之動，以明萬事萬物變化之象，以明兩兩相互轉位的變動歷程。[19]

〈繫辭下〉：「日往則月來，月往則日來，日月相推而明生焉。寒往則暑來，暑往則寒來，寒暑相推而歲成焉。」「一往一來曰推，剛推柔生變，柔推剛生化，故剛柔相推而生變化」，[20]而有日月更迭，寒暑變化。朱熹《朱子語類》卷七十五：

> 化是漸化，如自子至亥，漸漸消化，以至於無。如自今日至來日，則謂之變，變是頓斷有可見處。[21]

自子至亥，幾無形跡可見，是「化」、是「移」；自亥至子，始見形跡，是「變」、是「轉」。「老陽變陰，老陰變陽，故謂九六相變」。[22]因此，老陰變少陽，老陽變少陰，晝夜、寒暑之變，指的都是由「移位」而「轉位」的變化。

《周易》談盛衰之道，不是採一正一反的直線行徑，而是兼採螺旋循環的行徑，盛衰相繼。[23]其中，以〈序卦傳〉最能說明這種周流變易的秩序。自「乾」天「坤」地、萬物為「屯」開始，說明終始窮

---

18 戴璉璋：《易傳之形成及其思想》，頁22。焦循以為《易》重旁通，卦之序，不以旁通，而以反對；用反對者，正所以用旁通。反對為正，旁通為奇，奇所以濟正之窮，而往復生成者也。賴貴三：《焦循雕菰樓易學研究》（臺北市：里仁書局，1994年7月初版），頁66-67。

19 胡自逢：《易學識小》（臺北市：文史哲出版社，2000年3月初版），頁82-84。

20 〔清〕李道平：《周易集解纂疏》（上海市：商務印書館，1936年12月初版），頁419。

21 〔宋〕朱熹著，黎靖德編：《朱子語類》（臺北市：文津出版社，1986年12月初版），頁1937。

22 〔清〕李道平：《周易集解纂疏》，頁419。

23 陳滿銘：《章法學綜論》，頁459-506。

變的道理，繼而締造「既濟」的完滿世界，終而復歸於「未濟」的渾沌狀態。終止，正是萬物的另一種開始。〈蠱・彖〉的「終則有始，天行也」;〈恆・彖〉的「終則有始也。日月得天而能久照，四時變化而能久成，聖人久於其道，而天下化成」，都明白指出，「終始」，正是「終則有始」，[24]故《周易》以「元亨利貞」為天地產生萬物的變化過程。元，是萬物之「始」；亨，是萬物之「長」；利，是萬物之「遂」；貞，是萬物之「成」。而這個「始」、「長」、「遂」、「成」的過程，又總是終則有始，無有止境。

天地萬物的發展要歷經萌芽生成、運動變化到完成的過程，而「氣無始無終，且從元處說起，元之前又是貞了」，故「元亨利貞無斷處，貞了又元」。[25]舊事物的完成就是新事物的開始，新舊相互聯繫轉化。以此，《周易》講「生生之德」的「生生」，即不絕之意，也深具新陳代謝意。[26]總言之，易道因「窮」而「變」，因「變」而「通」，因「通」而「久」。也就是陰生陽，陽生陰，陰陽變轉，窮通變化，循環不已。事物運動變化到達極度，必轉向反面。程頤《周易程氏傳》即指明這一個觀點：

> 否終則必傾泰，豈有長否之理。極而必反，理之常也（〈否卦〉）。
>
> 物理極必反也，……如升高，高極矣，動則下也。既極，則動而必反也（〈睽卦〉）。
>
> 物極則反，事極則變，困既極矣，理當變也（〈困卦〉）。[27]

---

24 黃慶萱：《周易縱橫談》（臺北市：東大圖書公司，1995年3月初版），頁106、236。

25 〔宋〕朱熹著，黎靖德編：《朱子語類》，卷六十八，頁1689。

26 徐志銳：《周易大傳新注》（臺北市：里仁書局，1995年10月初版），頁22。

27 此三則，依次見〔宋〕程頤：《周易程氏傳》（臺北市：成文出版社，據清光緒十年古逸叢書景元至正九年積德堂刊本影印，未著年），頁77、189、233。

因此，通曉了九、六之大用與「非反即對」互變的道理，也就通曉了因剛柔相推、陰陽對轉，而在順、逆向移位的運行中形成「轉位」的變動歷程。

（二）《老子》中的轉位

《老子》不僅提出了曲全、枉直、窪盈、敝新、少多、歙張、弱強、廢興、奪與、損益、成缺、巧拙、辯訥、正奇、善妖、美醜、有無、難易、高下、剛柔、禍福、生死、勝敗、貴賤等七、八十對的對待概念；也再三申明「相反相成」與「每一事物或性質皆可變至其反面」之理。[28]《老子・四十章》:「反者道之動。」在「反」的作用下，一切事物的發展變化到了極點，必然向對待的一方轉化與發展。[29]

反，包含「反本歸根」、「循環交變」之意。[30]因為萬有變逝無常，唯「道」為「常」。《老子》:

> 夫物芸芸，各復歸其根（十六章）。
>
> 吾不知其名，字之曰道，強為之名曰大，大曰逝，逝曰遠，遠曰反（二十五章）。

---

28 如《老子・二十二章》:「曲則全，枉則直，窪則盈，敝則新，少則得，多則惑。」〈三十六章〉:「將欲歙之，必固張之。將欲弱之，必固強之。將欲廢之，必固興之。將欲奪之，必固與之。」〈四十二章〉:「物或損之而益，或益之而損。」〈四十五章〉:「大成若缺，其用不弊。大盈若沖，其用不窮。大直若屈，大巧若拙，大辯若訥。」〈五十八章〉:「禍兮福兮之所倚，福兮禍兮之所伏，孰知其極？其無正。正復為奇，善復為妖。」談的即是事物相反相成之理。勞思光:《中國哲學史》，第一冊，頁186。

29 張立文論「老子哲學的邏輯結構」，指《老子》認為矛盾雙方的一個方面是可以向其相反的方向轉化。《中國哲學邏輯結構論》（北京市：中國社會科學出版社，2002年1月1版1刷），頁147。

30 勞思光:《中國哲學史》，第一冊，頁186。

> 常德乃足，復歸於樸（二十八章）。

「根」、「樸」，指的都是萬物經過運動變化又復歸於「道」。逝而能反，故能確保其「常」。《老子》認為道之有「常」，是因為「反」、「復」與「周行而不殆」，由此得出「物壯則老」、「兵強則滅，木強則折」、「甚愛必大費，多藏必厚亡」、「物極必反」的觀點；也唯有「不盈」、「去泰」，始能持盈保泰。[31]

「道」之動，既以「反」為原則，周而復始，生一，生二，生三，生萬物；發展到極端、窮途，必會發生轉化。這轉化在現象上好像是走向反面，實質上是向更高的境界前進，呈現出互動、循環、提升的螺旋式進程。[32]於是，萬物得以再復歸於「道」、復歸於「一」，然後再生二生三生萬物。如此循環變化，常久而不息。唐君毅指出：

> 老子之道體為一混成者，……此混成之道之常久，亦惟賴由萬物之終必返於此混成以見。夫然，老子之天道，實以混成始，亦以混成終。[33]

以混成始，以混成終，故而形成了由「無」（道）而「有」（萬物）而「無」（道）的運動變化歷程。

舉凡天地間一切相反相對的事物，彼此之間都存有相轉相生的關係。如《太平經．守三實法》：「夫陽極者能生陰，陰極者能生陽，此

31 黃沛榮：《易學乾坤》（臺北市：大安出版社，1998年8月1版1刷），頁232。

32 陳望衡：《中國古典美學史》（長沙市：湖南教育出版社，1998年8月1版1刷），頁190；羅光：《中國哲學大綱》（臺北市：臺灣商務印書館，1999年11月1版1刷），頁286-287。

33 唐君毅：《中國哲學原論．導論篇》，頁417。

兩者相傳，……自然之術也，故能長相生也，世世不絕天地統也。」當它們之間的相轉相生是以一盛則一衰、復由衰而盛，一長則一消、復由消而長的輪替形態出現時，就形成了「轉位」的變動歷程。陽極生陰，陰極生陽，同時也指明「道」有「極則反」、「復反始」的特性。「夫末窮者宜反本，行極者當還歸，天之道也。……極上者當反下，極外者當反內，故陽極當反陰；極於下者當反上，故陰極反陽，極於末者當反本」(《太平經・四行本末訣》)。[34]大道運行，以「反」為終究。出而反，反而出，周流不止，故其變化，極大極遠。[35]

「凡圜轉之物，動必有機；既謂之機，即動非自外也」(張載《正蒙・參兩》)。[36]宇宙萬物不斷移動變化的基源，不是外來的動力，而是陰陽本身具有的活動性與自動力，從使一切事物產生變動。然後，在此歷程中，形成「美→惡→美」或「惡→美→惡」、「有→無→有」或「無→有→無」、「難→易→難」或「易→難→易」、「長→短→長」或「短→長→短」、「高→下→高」或「下→高→下」、「音→聲→音」或「聲→音→聲」、「前→後→前」或「後→前→後」、「寵→辱→寵」或「辱→寵→辱」、「得→失→得」或「失→得→失」、「曲→全→曲」或「全→曲→全」、「枉→直→枉」或「直→枉→直」、「窪→盈→窪」或「盈→窪→盈」、「敝→新→敝」或「新→敝→新」、「少→多→少」或「多→少→多」、「重→輕→重」或「輕→重→輕」、「靜→躁→靜」或「躁→靜→躁」、「雄→雌→雄」或「雌→雄→雌」、「白→黑

---

34 此二則，見王明編：《太平經合校》(北京市：中華書局，1992年3月1版4刷)，頁44、95-96。

35 以其模擬了「道」化生萬物的程序，故這個觀點，結合了《易經》與道家的觀點。羅光：《中國哲學大綱》，頁283-284；陳俊輝：《中國哲學思想之古今》(臺北市：水牛圖書公司，1992年8月初版)，頁28。

36 〔宋〕張載：《張載集》(臺北市：里仁書局，1979年12月初版)，頁11。

→白」或「黑→白→黑」、「左→右→左」或「右→左→右」、「歙→張→歙」或「張→歙→張」、「弱→強→弱」或「強→弱→強」、「柔→剛→柔」或「剛→柔→剛」、「廢→興→廢」或「興→廢→興」、「奪→與→奪」或「與→奪→與」、「厚→薄→厚」或「薄→厚→薄」、「實→華→實」或「華→實→華」、「彼→此→彼」或「此→彼→此」、「貴→賤→貴」或「賤→貴→賤」、「明→昧→明」或「昧→明→昧」、「進→退→進」或「退→進→退」、「夷→纇→夷」或「纇→夷→纇」、「陰→陽→陰」或「陽→陰→陽」、「損→益→損」或「益→損→益」、「巧→拙→巧」或「拙→巧→拙」、「辯→訥→辯」或「訥→辯→訥」、「寒→熱→寒」或「熱→寒→熱」、「生→死→生」或「死→生→死」、「親→疏→親」或「疏→親→疏」、「利→害→利」或「害→利→害」、「正→奇→正」或「奇→正→奇」、「禍→福→禍」或「福→禍→福」、「大→細→大」或「細→大→細」、「治→亂→治」或「亂→治→亂」、「成→敗→成」或「敗→成→敗」、「終→始→終」或「始→終→始」等轉位變化。[37]

二　就章法層面而言

若對應於《周易》、《老子》有關轉位的論述，則章法「變化律」所形成的拗向陰（陰→陽→陰）或拗向陽（陽→陰→陽）變化結構，章法單元、結構單元移位轉位所形成的「原型」與「變型」結構，也都可呈現這種條理。

37 此據陳滿銘：〈論章法的哲學基礎〉的觀點，加以延伸拓展而成。見《國文學報》第32期（2002年12月），頁109-116。

（一）變化律形成的轉位結構

所謂「變化」，是把材料的次序加以參差安排。任何章法依循此律，都可經由「轉位」[38]而造成順、逆交錯的效果。[39]一如秩序律，《周易．繫辭下》早已提出「變易」思想，直言一陰一陽之「道」總是不斷變化，一切變化也都因具體的形勢、條件而轉移。[40]曹冕《修辭學》據此提出「變化律」，以為「文章之道主乎變」。凡藝術之事，貴在意匠新穎，若僅墨守老法，陳陳相因，何足以動人眼目？「故文者，變之謂也。一集之中篇篇變，一篇之中段段變，一段之中句句變，神變，氣變，境變，音節變，字句變」，[41]才不會千篇一律，板滯而無趣。

「法之所在，守其常不可不知其變，明其一不可不會其通」，[42]故文章宜活潑、生動、有變化。[43]如「七言長篇，不過一敘、一議、一寫三法耳；即太史公亦不過用此三法耳，而顛倒順逆、變化迷離而用之，遂使百世下目眩神搖，莫測其妙，所以獨掩千古也」。[44]因為人類心理愛好變化，一切藝術也多依「異性」結構法則而產生。有時全從一個角度一個定點取景，有時或內外、或左右、或遠近、或俯仰，複

---

38 針對「秩序律」而言，其力的變化是「移位」。針對「變化律」而言，之所以會造成變化，則是「參差安排」的關係，會形成「往復」的現象，造成的是較大幅度的差異；因此其力的變化較為顯著，所以可以用「轉位」來說明。陳滿銘：〈章法風格中剛柔成分的量化〉，頁89；仇小屏：〈論章法的移位、轉位及其美感〉，頁100-101。

39 關於變化律的論述觀點，曾發表於期刊。見黃淑貞：〈論辭章章法四大律〉，《中國學術年刊》第27期秋季號（2005年9月），頁105-142。

40 徐志銳：《周易大傳新注》，頁586、614。

41 〔清〕劉大櫆：《論文偶記》（北京市：人民文學出版社，1998年5月1版1刷），頁8。

42 吳曾祺：《涵芬樓文談》（臺北市：臺灣商務印書館，1980年9月4版），頁16。

43 鄭文貞：《篇章修辭學》（廈門市：廈門大學出版社，1991年6月1版1刷），頁12-13。

44 〔清〕方東樹：《昭昧詹言》（北京市：人民文學出版社，2006年6月1版5刷），卷十一，頁233。

合多角視點於作品中，形成順逆交互的變化美感。[45]

順逆間錯的變化律，若就圖底家族的「時間類」而言，可形成「今、昔、今」或「昔、今、昔」、「久、暫、久」或「暫、久、暫」、「問、答、問」或「答、問、答」等變化結構。若就圖底家族的「空間類」而言，可形成「底、圖、底」或「圖、底、圖」、「近、遠、近」或「遠、近、遠」、「小、大、小」或「大、小、大」、「內、外、內」或「外、內、外」、「左、右、左」或「右、左、右」、「低、高、低」或「高、低、高」等變化結構。

若以因果家族而言，則可形成「本、末、本」或「末、本、末」、「淺、深、淺」或「深、淺、深」、「因、果、因」或「果、因、果」、「收、縱、收」或「縱、收、縱」等變化結構。

若就虛實家族的「具體與抽象類」而言，可形成「泛、具、泛」或「具、泛、具」、「點、染、點」或「染、點、染」、「凡、目、凡」或「目、凡、目」、「情、景、情」或「景、情、景」、「論、敘、論」或「敘、論、敘」、「略、詳、略」或「詳、略、詳」等變化結構。若就虛實家族的「時空類」、「真實與虛假類」而言，皆可形成「虛、實、虛」或「實、虛、實」等變化結構。

若就映襯家族的「映照類」而言，則可形成「正、反、正」或「反、正、反」、「立、破、立」或「破、立、破」、「抑、揚、抑」或「揚、抑、揚」、「寡、眾、寡」或「眾、寡、眾」、「弛、張、弛」或「張、弛、張」、「賤、貴、賤」或「貴、賤、貴」、「親、疏、親」或「疏、親、疏」等變化結構。若就映襯家族的「襯托類」而言，則可形成「主、賓、主」或「賓、主、賓」、「平、側、平」或「側、平、

45 陳望道：《美學概論》（臺北市：文鏡文化事業公司，1984年12月重排），頁61-63；黃永武：《中國詩學——設計篇》，頁60。

側」、「天、人、天」或「人、天、人」、「偏、全、偏」或「全、偏、全」、「擊、敲、擊」或「敲、擊、敲」等變化結構。

值得注意的是，變化結構多具有居於中（高）而前後顧盼的特色，所以會造成凸出與對稱的美感。位於中心凸出的兩端，[46]如目與目、賓與賓、因與因、果與果、景與景等之間，多形成均衡對稱的形式美。這種均衡對稱的形式美，來自人類心智的需求。[47]當對稱的兩端形成「對比」效果，這一個中心凸出處多以「陽剛」形態呈現；當並列的兩者間形成「調和」效果，這一個中心凸出處又多以「陰柔」形態呈現。對比，形成極大的反差，給人健強、闊達感，所以趨向於「陽剛」；調和，是性質之相類，給人優美、輕柔、風致之感，所以趨向於「陰柔」。至於居於中心凸出處的「主」、「凡」、「虛」、「實」、「果」、「因」、「近」、「情」等，若是作為統貫全文的主旨（或綱領），則會產生凸出（就主旨或綱領而言）的美感效果；凸出的部分，又起著統一兩側的作用，故就全文而言，它也具備了和諧、統一的美感效果。[48]

文忌直，轉則曲；文忌散，轉則健；文忌淺，轉則深。由「秩序」而求「變化」，源自於人類要求變化的心理。將「順」、「逆」結合在一起所形成的「順、逆、順」或「逆、順、逆」轉位結構，比起單「順」或單「逆」更富有變化性，可使讀者在心理上也生出一張一弛又一張或一起一伏又一起的節奏感。[49]當力（勢）由陽向陰流動再

---

46 陳滿銘：〈主旨或綱領安置於篇腹的結構類型——以蘇辛詞為例〉，收入《章法學新裁》（臺北市：萬卷樓圖書公司，2001年1月初版），頁488。

47 Rudolf Arnheim著、李長俊譯：《藝術與視覺心理學》（臺北市：雄獅圖書公司，1982年9月再版），頁37-39。

48 關於凸出與對稱的心理與美感，乃參酌黃淑貞：《篇章對比與調和結構論》（臺北市：萬卷樓圖書公司，2005年6月初版），頁33-295。

49 陳望道：《美學概論》，頁280。

回到陽（陽→陰→陽），形成的是「拗向陽的轉位」；當力（勢）由陰向陽流動再回到陰（陰→陽→陰），形成的則是「拗向陰的轉位」。依循此律，三十幾種章法中，除了「並列法」可順可逆，「視角轉換」、「知覺轉換」與「狀態變化」本身即具變化性外；餘者，皆可形成拗向陰或拗向陽的轉位結構：

1. 今昔法：「昔、今、昔」（拗向陰）、「今、昔、今」（拗向陽）。
2. 久暫法：「暫、久、暫」（拗向陰）、「久、暫、久」（拗向陽）。
3. 問答法：「問、答、問」（拗向陰）、「答、問、答」（拗向陽）。
4. 底圖法：「底、圖、底」（拗向陰）、「圖、底、圖」（拗向陽）。
5. 遠近法：「近、遠、近」（拗向陰）、「遠、近、遠」（拗向陽）。
6. 大小法：「小、大、小」（拗向陰）、「大、小、大」（拗向陽）。
7. 內外法：「內、外、內」（拗向陰）、「外、內、外」（拗向陽）。
8. 左右法：「左、右、左」（拗向陰）、「右、左、右」（拗向陽）。
9. 高低法：「低、高、低」（拗向陰）、「高、低、高」（拗向陽）。
10. 本末法：「本、末、本」（拗向陰）、「末、本、末」（拗向陽）。
11. 淺深法：「淺、深、淺」（拗向陰）、「深、淺、深」（拗向陽）。
12. 因果法：「因、果、因」（拗向陰）、「果、因、果」（拗向陽）。
13. 縱收法：「收、縱、收」（拗向陰）、「縱、收、縱」（拗向陽）。
14. 泛具法：「泛、具、泛」（拗向陰）、「具、泛、具」（拗向陽）。
15. 點染法：「點、染、點」（拗向陰）、「染、點、染」（拗向陽）。
16. 凡目法：「凡、目、凡」（拗向陰）、「目、凡、目」（拗向陽）。
17. 情景法：「情、景、情」（拗向陰）、「景、情、景」（拗向陽）。
18. 敘論法：「論、敘、論」（拗向陰）、「敘、論、敘」（拗向陽）。
19. 詳略法：「略、詳、略」（拗向陰）、「詳、略、詳」（拗向陽）。
20. 虛實法：「虛、實、虛」（拗向陰）、「實、虛、實」（拗向陽）。

21. 正反法：「正、反、正」（拗向陰）、「反、正、反」（拗向陽）。
22. 立破法：「立、破、立」（拗向陰）、「破、立、破」（拗向陽）。
23. 抑揚法：「抑、揚、抑」（拗向陰）、「揚、抑、揚」（拗向陽）。
24. 眾寡法：「寡、眾、寡」（拗向陰）、「眾、寡、眾」（拗向陽）。
25. 張弛法：「弛、張、弛」（拗向陰）、「張、弛、張」（拗向陽）。
26. 貴賤法：「賤、貴、賤」（拗向陰）、「貴、賤、貴」（拗向陽）。
27. 親疏法：「親、疏、親」（拗向陰）、「疏、親、疏」（拗向陽）。
28. 賓主法：「主、賓、主」（拗向陰）、「賓、主、賓」（拗向陽）。
29. 平側法：「平、側、平」（拗向陰）、「側、平、側」（拗向陽）。
30. 天人法：「天、人、天」（拗向陰）、「人、天、人」（拗向陽）。
31. 偏全法：「偏、全、偏」（拗向陰）、「全、偏、全」（拗向陽）。
32. 敲擊法：「擊、敲、擊」（拗向陰）、「敲、擊、敲」（拗向陽）。

如杜甫〈哀江頭〉，就篇而言，即形成「今、昔、今」拗向陽的轉位結構：

> 少陵野老吞聲哭，春日潛行曲江曲。江頭宮殿鎖千門，細柳新蒲為誰綠。憶昔霓旌下南苑，苑中景物生顏色。昭陽殿裏第一人，同輦隨君侍君側。輦前才人帶弓箭，白馬嚼齧黃金勒。翻身向天仰射雲，一笑正墜雙飛翼。明眸皓齒今何在，血污遊魂歸不得，清渭東流劍閣深，去住彼此無消息。人生有情淚沾臆，江水江花豈終極。黃昏胡騎塵滿城，欲往城南望城北。[50]

50 〔清〕楊倫：《杜詩鏡銓》（臺北市：藝文印書館，1998年12月初版3刷），頁279-280。

此詩當作於肅宗至德二年（757）。少陵其東即杜曲，其西即子美舊宅。安史亂後，「公在賊中時覩江水江花哀思而作。因帝與貴妃嘗遊幸曲江，故以哀江頭為名」。[51]「吞聲」與「潛行」，聲調短促，其情淒苦。曲江之「曲」和冷僻，也點出長安城「國破山河在，城春草木深」（杜甫〈春望〉）的蕭寂景象。「千門」以夸飾語彙極言宮殿的森然，而一「鎖」字，令筆鋒自然的連結起昔日「閶闔晴開詄蕩蕩，曲江翠幙排銀牓」（杜甫〈樂遊園歌〉）的盛景與今日宮門緊鎖的荒冷，對比強烈。《詩經・小雅・采薇》：「昔我往矣，楊柳依依。」江頭逢春即抽出新綠的柳樹和菖蒲，本已易予人別離、飄泊、人生短暫的聯想，[52]「為誰綠」三字又陡然一轉，以榮景反襯哀思。這是「今一」的部分。

在「憶昔」的部分，先借皇帝儀仗中綴滿五色羽毛的虹霓旌旗，極寫當年芙蓉苑「生顏色」及「三月三日天氣新，長安水邊多麗人」（杜甫〈樂遊園歌〉）的遊幸盛事。詩的理想在於試圖「躍出詩外」，透澈到讀者看不見之處。若要見著詩「外」的「境」，必在詩之「指向」。[53]所以「昭陽殿」二句，以「第一人」借代楊貴妃，張戒《歲寒堂詩話》指其「不待云嬌侍夜醉和春，而太真之專寵可知；不待云玉容梨花，而太真之絕色可想也」。詩人在此，選取輦前才人所騎的「勒」黃金白馬及翻身射獵一事作細節描繪，以賓顯主。「不斥言太真，而但言輦前才人，此意不可及」；[54]而遊苑行樂的盛時之事，筆端畫出，宛在眼前。由天而墜的「雙飛翼」，同時也靈妙指向楊貴妃後

---

51 〔清〕楊倫：《杜詩鏡銓》，頁280。

52 黃淑貞：《以石傳情：談廟宇石雕意象及其美感》（臺北市：國立臺灣藝術教育館，2006年12月初版），頁36。

53 葉維廉：《比較詩學》（臺北市：東大圖書公司，1983年2月初版），頁207。

54 〔清〕楊倫：《杜詩鏡銓》，頁282。

來的命運。於是詩人的筆調一轉，直接抒寫玄宗幸蜀馬嵬驛，縊貴妃於佛堂前梨樹這件事。劍閣深深，渭水悠悠，昔日的「明眸皓齒」已成了「血污遊魂」，而今徒然留下一別音容兩茫茫的傷情。人生有情，悱惻纏綿；唯江水滔滔，向東流逝，令人尋味無盡。黃昏已近，胡人的車騎所揚起的煙塵滿布整個長安城，惹得詩人目亂心迷；而「若即若離、可以說明而猶未說明」的語法，也把「說明」含孕在「景物繼起的出現和演出」裡，[55]寄無窮的黍離麥秀之悲於言外，故王西樵云：「亂離事只敘得兩句，清渭以下純以唱嘆出之，筆力高不可及。」[56]

善用「今昔」的交互錯綜變化來組織篇章，是文人常用手法。如王文濡評蘇軾〈方山子傳〉：「前幅自其少而壯而晚，一一順敘出來。中間『獨念方山子』一轉，由後追前，寫得十分豪縱，並不見得與前重複，筆墨高絕。末言舍富貴而甘隱遁，為有得而然，乃可稱為真隱人。」[57]如林雲銘評蘇軾〈表忠觀碑〉：「先提出蕪廢，再攷事實、分斷功德，然後區畫久遠之策，布置詳明。」[58]提出蕪廢，是現在；考事實、斷功德，是追敘；籌畫遠策，回到現在。又如杜甫此詩，視角由眼前回憶往昔再拉回現實，「結出心迷目亂，與起潛行意關照」（沈德潛），[59]結構跌宕有致。今昔一同比較、衡量，時空流變感增強，其審美特點和藝術變化也鮮明凸出，更具橫斷面的寬度和歷史的縱深

55 葉維廉：《歷史、傳釋與美學》（臺北市：東大圖書公司，1988年3月初版），頁84-87。

56 〔清〕楊倫：《杜詩鏡銓》，頁281。

57 〔清〕吳楚材選注，王文濡評校：《古文觀止》（臺北市：華正書局，1998年8月1版），頁515。

58 〔清〕林雲銘：《古文析義合編》（臺北市：廣文書局，1997年9月8版），頁305。

59 高步瀛：《唐宋詩舉要》（臺北市：明倫出版社，1971年10月初版），頁215。

感，[60]故張戒指「其詞婉而雅，其意微而有禮，真可謂得風人之旨者」。[61]其結構表為：

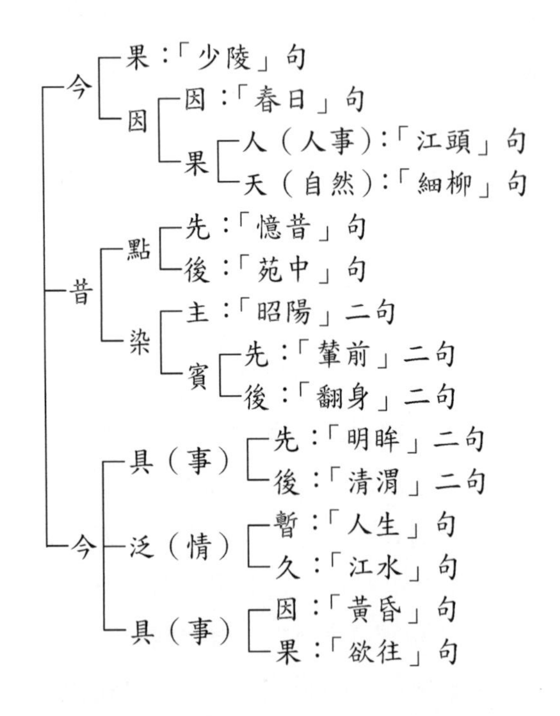

杜牧〈題宣州開元寺水閣閣下宛溪夾溪居人〉，就篇而言，則是形成時空交錯的「虛、實、虛」拗向陰轉位結構：

> 六朝文物草連空，天澹雲閒今古同。鳥去鳥來山色裡，人歌人哭水聲中。深秋簾幕千家雨，落日樓臺一笛風。惆悵無因見范蠡，參差煙樹五湖東。[62]

---

60 張紅雨：《寫作美學》（高雄市：復文圖書出版社，1996年10月初版1刷），頁128。

61 〔清〕楊倫：《杜詩鏡銓》，頁282。

62 高步瀛：《唐宋詩舉要》，頁617。

此詩是唐文宗開成三年（838），杜牧任宣州團練判官時所作。開篇四句，是「虛一」的部分。「六朝文物」寫時間，「草連空」則帶有空間的意味；「天澹雲閒」寫空間，「今古同」則帶有時間的意味。這兩句詩在時空交錯的處理上極為靈活，或以空間承接時間，或以時間承接空間，打破了時空交換的習慣，產生耐人尋味的興味。據杜牧〈自宣州赴官入京路逢裴坦判官歸宣州因題贈〉一詩所吐露「我初到此未三十，頭腦釤利筋骨輕」、「重遊鬢白事皆改，唯見東流春水平」的喟嘆看來，詩人是以時空交錯手法來鋪陳人事已非的傷感。

頷聯的「鳥去鳥來山色裡」寫空間，旨在表現自在自得的自然世界；「人歌人哭水聲中」典出《禮記．檀弓》的晉獻文子：「武也得歌於斯，哭於斯，聚國族於斯，是全要領以從先大夫於九京也」，[63]主要寫時間。一歌又一哭，道盡了人事滄桑變幻。頸聯是「實」的部分，寫詩人眼前所見景色，也是時空交溶。「深秋」點出了季節（時間），「簾幕千家雨」寫籠罩細雨下的千郭人家（空間）；「落日」點出了時間，「樓臺一笛風」送到了詩人所佇立的樓臺，是空間。

末聯是「虛二」的部分，詩人心中充滿了千古興亡的感觸，因而轉出「惆悵無因見范蠡」這種前不見古人的惆悵意，這是從時間上著眼。李商隱〈安定城樓〉：「永憶江湖歸白髮，欲回天地入扁舟。」「江湖」、「扁舟」用的就是范蠡功成身退、遊於江湖的典故，見於《史記．貨殖列傳》：「范蠡既雪會稽之恥，乃喟然而嘆曰：『計然之策七，越用其五而得意。既已施於國，吾欲用之家。』乃乘扁舟浮於江湖。」[64]既想起了助越王句踐興復家國的范蠡，自然也會聯想起范

63 〔清〕阮元：《十三經注疏．禮記》（嘉慶二十年江西南昌府學開雕，臺北市：藝文印書館，1985年12月10版），頁197。

64 〔漢〕司馬遷著，瀧川龜太郎注：《史記會注考證》（臺北市：洪氏出版社，1985年9月初版），頁1355。

蠡歸隱山林後所泛遊的五湖煙樹；因此，「參差煙樹五湖東」主要是從虛空間上著眼。黃永武指出，就空間而言，六朝文物僅剩荒草，風流的范蠡僅剩煙樹。就時間而言，深秋為一年晚景，落日為一日晚景，時間的遲暮與空間的荒涼，交叉成一個眾感所集的坐標，遂令小小開元寺水閣上，所見的不只是天光山色、鳥飛人影，尚有古往今來、或歌或哭、或興或廢的歷史縱深感。[65]毋須多言，身世之慨，已在其中。

如同一切物質形態都存於時空之中，文學藝術也離不開與時空的聯繫。這是由於視覺之移動，會打破原先靜止不動的空間，生發一種流動感，變成具有時間進程的「四度空間」。如王安石〈蕭然〉首聯，「蕭蕭三月」是時間，「閉柴荊」指空間；「綠葉陰陰忽滿城」，很自然地將空間景物的變化融合至時間推移之中，再從時間之推移中顯現出空間的節奏感，形成時空交溶的意味。如杜甫在夔州巫江舟中，追憶長安所作的〈洞房〉詩，詩中地點包含夔州和長安兩地，時間上又有今夜和往昔的不同，「時」、「空」交溶得十分自然，[66]語不迫切，而意獨到；且「意思沉鬱，詞旨淒涼，讀之令人感傷欲絕」。[67]如杜牧此詩，以「虛、實、虛」時空交錯的變化結構，形成其條理。這種手法，也往往能造成情思綿邈、錯綜幻化的意趣。[68]其結構表為：

65 黃永武：《中國詩學——鑑賞篇》（臺北市：巨流圖書公司，1999年9月初版13印），頁76-77。

66 黃永武：《中國詩學——鑑賞篇》，頁75-76。

67 〔清〕楊倫：《杜詩鏡銓》，頁1145。

68 黃永武：《中國詩學——設計篇》，頁74；黃淑貞：《篇章對比與調和結構論》，頁230-232。

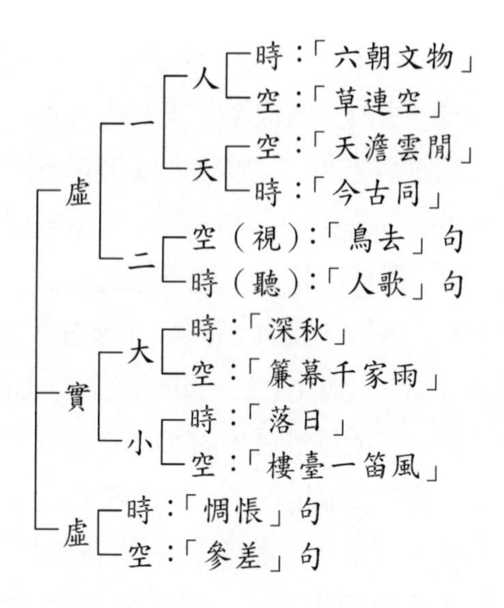

元豐六年（1083）五月，蘇軾作於黃州的〈滿庭芳〉，題作：「有王長官者，棄官三十三年，黃人謂之王先生。因送陳慥來過余，因賦此。」就篇而言，形成了「染、點、染」拗向陽的轉位結構：

> 三十三年，今誰存者？算只君與長江。凜然蒼檜，霜幹苦難雙。聞道司州古縣，雲溪上、竹塢松窗。江南岸，不因送子，寧肯過吾邦。　摐摐，疏雨過，風林舞破，煙蓋雲幢。願持此邀君，一飲空缸。居士先生老矣，真夢裏、相對殘釭。歌舞斷，行人未起，船鼓已逢逢。[69]

蘇軾謫貶黃州，與陳慥時相往來，因而結識了王長官。開篇自問自答，把棄官隱居三十三年的王先生和人性化的長江對舉，呼應題目，

69 鄒同慶、王宗堂：《蘇軾詞編年校註》（北京市：中華書局，2002年9月北京1版1刷），頁471。

烘染其高士形象。《爾雅・釋木》：「檜，柏葉，松身。」[70]松柏，可明君子之奇節，又協幽人之雅趣，劉楨〈贈從弟〉美其「風霜正慘悽，終歲恆端正。豈不羅霜雪，松柏有本性」；故詞人以經霜不凋的蒼檜為喻，頌美其凜然無雙的風骨。「聞道」二句，寫王先生居室之幽與交往之疏。沈約〈高松賦〉指「鬱彼高松」，「經千霜而得拱，仰百仞而成枝」；虞羲〈江邊見竹詩〉指竹「挺此貞堅性，來樹朝夕池」，「含風自颯颯，負雪亦猗猗」。[71]「惟竹生長於旬日之間，而干霄入雲，其挺特堅貞，乃與松柏等」。[72]所以雲溪、竹塢、松窗等意象，又為王先生增添幾許高潔的人品風格。這是「染一」的部分。

「江南岸」三句，是「點」的部分，直接從王長官隨陳慥來訪這件事切入，作為引子與橋梁，帶出前後文。下闋緊承上闋而來。「摐摐」四句，分從聽覺與視覺兩方面摹寫疏雨過、風舞林梢、雲煙繚繞的自然景象。陶弘景〈詔問山中何所有賦詩以答〉：「山中何所有？嶺上多白雲。只可自怡悅，不堪持贈君。」蘇軾在此反用典故，「持此」象徵超塵出世意境的白雲，邀王先生對坐共飲。語雖簡淡，然暗寓其清曠人品。元豐二年（1079），因「烏臺詩案」被貶為黃州團練副使的蘇軾，初寓定惠院，元豐五年（1082）築雪堂於東坡，始自號東坡居士。至元豐六年（1083）雖漸趨穩定，然終究宦海浮沉，「夜闌更秉燭，相對如夢寐」（杜甫〈羌村〉其一），而有兩人俱老矣、人生短暫的感歎。末三句寫天明分別，情未盡而「逢逢」的船鼓聲已陣陣催人離去。這是「染二」的部分。

---

70 〔清〕阮元：《十三經注疏・爾雅》（嘉慶二十年江西南昌府學開雕，臺北市：藝文印書館，1985年12月10版），卷九，頁160。

71 以上三則引文，依次見〔唐〕歐陽詢撰，汪紹楹校：《藝文類聚》（北京市：中華書局，1965年11月1版1刷），卷八十八，頁1513、1514；卷八十九，頁1552。

72 〔宋〕羅大經撰，王瑞來點校：《鶴林玉露・卷之四・乙編》（北京市：中華書局，1997年12月1版湖北2刷），頁184。

「點染」，作為中國重要的繪畫手法，歷代畫論討論者極多。如笪重光〈畫筌〉:「點分多種，用在合宜。圓多用攢，側多用疊；禿鋒用屻，破筆用鬆；擲筆者芒，按筆者銳；含潤若滴，帶渴為焦；細等纖塵，粗同墜石。」以圓攢、側疊、禿屻、破鬆、擲芒、按銳、潤滴、渴焦、細纖、粗墜等不同筆法，豐富了「點」的造形與特色。郭熙〈林泉高致〉:「以水墨再三而淋之，謂之渲。」輕染可生其韻，重染可發其華，故「染法極變化莫測，等一樹石而形色氣韻迥殊，等一雲水而淺深態度各異」(高秉〈指頭畫說〉)；終使「書畫盤礴點染，有神明不測之妙」(張式〈畫譚〉)。[73]

值得探討的是，此詞在篇的部分，以「染、點、染」扐向陽變化結構形成其條理；在章的部分，又形成第二層點染結構。觀「古人用筆之妙，無有不乾濕互用者」(華翼綸〈畫說〉)，無有不點染互用者。[74]「點」的重複[75]與「染」的濃淡漸移，[76]構成了具有層級關係的

---

73 〔清〕笪重光〈畫筌〉、〔宋〕郭熙〈林泉高致〉、〔清〕高秉〈指頭畫說〉、〔清〕張式〈畫譚〉等，依次見俞崑:《中國畫論類編》(臺北市：華正書局，1984年10月初版)，頁811、643、338、305。

74 〔清〕華翼綸〈畫說〉，見俞崑:《中國畫論類編》，頁312。此外，〔清〕錢杜〈松壺畫憶〉:「夫渲染可以救枯瘠，生雲煙。……寫雲運筆須圓，用筆宜斷。多縈洄交互處，或再以澹墨水渲染之，胸中先具飛動之意，自然筆勢靈活流走，望而知非庸手也。」(頁933) 王概等撰〈學畫淺說〉:「凡打遠山，必先以香朽其勢，然後以青以墨一一染出。初一層色澹，後一層略深，最後一層又深，蓋愈遠者得雲氣愈深，故色愈重也。畫橋梁及屋宇，須用澹墨潤一二次，無論著色與水墨，不潤即淺薄。」(頁182) 也都論及了「點」、「染」疊用的技法。

75 〔清〕奚岡〈樹木山石畫法冊〉:「點苔有宜扁點者，有宜直點者，稱乘勢也。有單點，有重點，有三五七點，以樹葉之疏密為疏密，疏密之淺深為淺深。」見傅抱石:《中國繪畫理論》(臺北市：華正書局，1988年8月初版)，頁262-263。

76 〔明〕唐志契〈繪事微言〉:「蓋幹者以淡墨重疊六七次加而成深厚也。渲者，有意無意，再三用細筆細擦而淋漓，使人不知數十次點染者也。」見俞崑:《中國畫論類編》，頁739。

「點中有點」、「點中有染」、「染中有染」、「染中有點」的「四點染」現象。[77]「四點染」現象，因「凡染一次點一次，漸漸積深」（蔣驥〈傳神祕要〉）而產生漸層性、韻律性及整體性張力。且以其「逐漸烘染，由澹入濃，由淺入深，自然結構完密」（盛大士〈谿山臥遊錄〉），[78]令王先生的傲岸品格、此次的相遇之歡和離別之苦，淋漓躍乎紙面。全詞以「健句入詞，而奇峰特出」，「不飾雕琢，字字蒼寒，如空巖霜幹，天風吹墮頗黎地上，鏗然作碎玉聲」。[79]其結構表為：

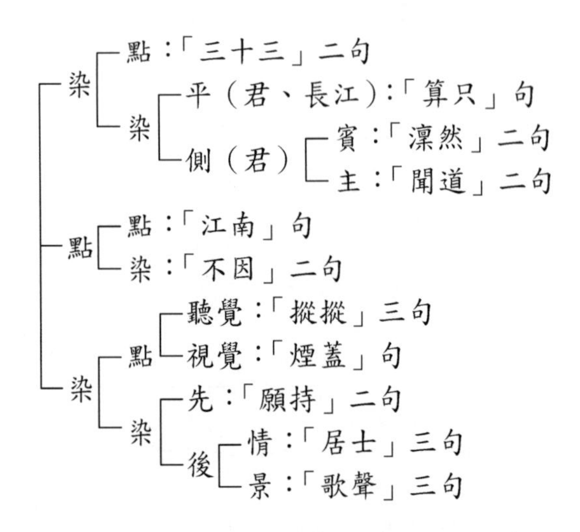

「應係淳熙二年（1175）正月稼軒尚在健康之日，為慶祝葉氏五十四歲壽辰而作」[80]的〈洞仙歌〉，就篇而言，則形成「賓、主、賓」拗向陽轉位結構：

---

77 有關章法的「四點染」現象，見黃淑貞：〈論章法的「四點染」——以東坡詞為例〉，《中國學術年刊》27期春季號（2005年3月），頁189-214。

78 〔清〕蔣驥〈傳神祕要〉、〔清〕盛大士〈谿山臥遊錄〉等，見俞崑：《中國畫論類編》，頁509、267。

79 鄭文焯：《手批東坡樂府》，見鄒同慶、王宗堂：《蘇軾詞編年校註》，頁473。

80 鄧廣銘：《稼軒詞編年箋注》（臺北市：華正書局，2003年9月2版1刷），頁38。

> 江頭父老，說新來朝野，都道今年太平也。見朱顏綠鬢，玉帶金魚，相公是，舊日中朝司馬。　　遙知宣勸處：東閤華燈，別賜仙韶接元夜。問天上幾多春，只似人間，但長見精神如畫。好都取山河獻君王；看父子貂蟬，玉京迎駕。[81]

此詞題作「壽葉丞相」。據《宋史》記載，司馬光「凡居洛陽十五年，天下以為真宰相，田夫野老皆號為司馬相公，婦人孺子亦知其為君實也。帝崩，赴闕臨，衛士望見，皆以手加額曰：『此司馬相公也。』所至民遮道聚觀，馬至不得行。」[82]故開篇三句，以司馬光為喻，以江頭父老稱道今年朝野太平的話語，為賀壽葉丞相預鋪一層暖性底色。又取「綠鬢朱顏，道家裝束，長似少年時」（晏殊〈少年游〉）的「朱顏」意，頌美其容顏之好。宋代三品以上服玉帶，四品以上服金帶，故取「吾皇喜。光寵無貳。玉帶金魚榮貴」（史浩〈採蓮・煞衮〉）的「玉帶」意象，形容其品秩之高。這是「賓一」的部分。

下片「遙知」七句，是「主」的部分。詞人引用《漢書》中「數年至宰相封侯，於是起客館，開東閣以延賢人，與參謀議」的公孫弘，及《唐書》的「文宗詔太常卿馮定采開元雅樂製雲韶法曲……。樂成，改法曲為仙韶曲」事典，[83]敘說天子賜樂以祝壽葉丞相這件事，與上片遙相呼應。再以天上人間、精神長春等語，申述祝賀之意。《宋史・輿服志》記載，「朝服一曰進賢冠二曰貂蟬冠三曰獬豸

---

81 鄧廣銘：《稼軒詞編年箋注》，頁37。

82 〔元〕脫脫等撰：《宋史下・列傳第九十五・司馬光》（上海市：上海古籍出版社，1989年8月1版6刷），頁1214。

83 此二則，依次見〔東漢〕班固撰，楊家駱主編：《新校本漢書并附編二種・卷五十八・公孫弘傳》（臺北市：鼎文書局，1986年10月6版），頁2621；〔北宋〕歐陽脩等撰，楊家駱主編：《新校本新唐書附索引・志第十二・禮樂》（臺北市：鼎文書局，1989年12月5版），頁478。

冠，皆朱衣朱裳。宋初之制，……一品、二品侍祠朝會則服之，中書門下則冠加籠巾貂蟬」。[84]插以貂尾、附蟬為飾的帽冠，因而常借指達官顯貴。「好都取」三句，則是設想葉丞相來日收復山河以獻君王的功蹟，再次強調賀壽之意。

「文章之有主客，猶五行之有陰陽也，用兵之有虛實」。[85]如宋文蔚評韓愈〈送高閑上人序〉:「因高閑上人善草書，前段即從治天下推到各種治藝術之人，以襯起草書；次復借張旭之善草書，以襯起高閑上人；次始拍到本題正面。」[86]如王安石〈張良〉，以「洛陽賈誼才能薄」作陪（賓），反襯張良（主）「遇猜忌之主，而能以功名終」，佐高祖成霸業，「自是高人一著」。[87]於是行文「或以目之所見襯，或以耳之所聞襯，或以經史襯，或以古人往事襯，或以對面襯，或以旁觀襯，或牽引上文襯，或逆取下意襯」的賓主法，[88]時有變化，布滿光彩。如稼軒此詞，以「今之顯貴」（賓一）與「未來之顯貴」（賓二）為襯，丹葩吐豔，綠葉扶持，而後全體精神得以凝聚，凸出葉丞相（主）的既壽而樂且貴。[89]其結構表為：

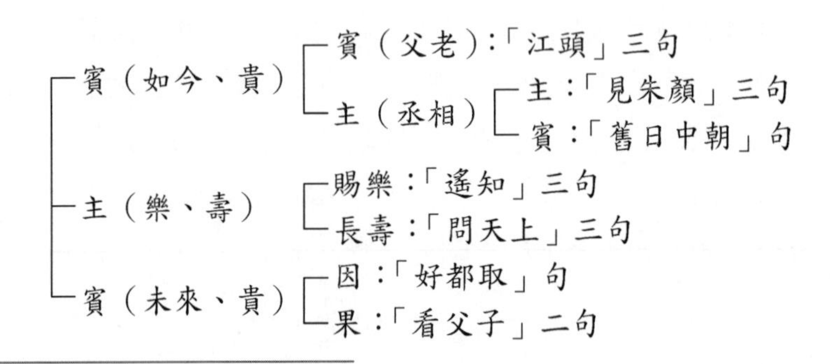

84 〔元〕脫脫等撰:《宋史・輿服志第一百五》，頁461。

85 許恂儒:《作文百法》（臺北市：廣文書局，1985年5月再版），頁26。

86 宋文蔚:《評註文法津梁》（高雄市：復文圖書出版社，1993年2月修訂2版），頁147。

87 王文濡:《評註宋元明詩》（臺北市：廣文書局，1981年12月初版），頁62。

88 唐彪:《讀書作文譜》（臺北市：偉文圖書出版社，1976年11月），卷七，頁83。

89 陳滿銘:《章法學新裁》，頁478-479；黃淑貞:《篇章對比與調和結構論》，頁146-155。

（二）章法結構的原型與變型

秩序律所形成的順向結構，屬於章法結構的原型。秩序律所形成的逆向結構和變化律所形成的抝向陰、抝向陽結構，則屬於章法結構的變型。[90]

1 章法結構的原型

「原型」意象是人類最深層最古老而又最普遍的思想。[91]原型藝術的復現思維，主要包含兩個層面。一是文化人類學、原始思維學上的神話原型複製，如李白〈北風行〉「燭龍棲寒門，光耀猶旦開」的神話原型，出自《淮南子．墬形訓》的「燭龍在雁門北，蔽於委羽之山，不見日，其神人面龍身而無足」。[92]二是將「原型」加以泛化，稱本初意義上的意象為「原型」，[93]如應用於陶器上的長形、圓形、菱形等樣式，可說是造型藝術中最原始的形式原理。[94]

傳統文學的藝術思維有一個重要特徵，就是「原型」復現的頻率高、密度大、範圍廣。[95]原型，增強了審美的厚度，使個人的抒情具有歷史的回音與民族的共鳴。如李商隱〈聖女祠〉的「寡鵠迷蒼壑，

---

90 關於章法的原型與變型，乃採用仇小屏〈論章法結構的原型與變型〉的定義（《第五屆中國修辭學論文集》，臺北市：洪葉文化事業公司，2003年10月）。

91 勞承萬等：《康德美學論》（北京市：中國社會科學出版社，2002年12月1版1刷），頁15。

92 劉文典：《淮南鴻烈集解》（臺北市：文史哲出版社，1985年9月再版），卷四，頁14。

93 吳功正：《中國文學美學》（南京市：江蘇教育出版社，2001年9月1版1刷），頁341。

94 這種形式原理最明顯集中應用在陶器上，由不整齊的進步為整齊的，由非對稱的進步為對稱的，由簡單的樣式到複雜的形體。人們就是在這樣的生產活動中，逐步形成了「形」的概念與規律。張光福：《中國美術史》（臺北市：華正書局，1986年5月初版），頁28-29。

95 吳功正：《中國文學美學》，頁341-343。

鸝凰怨翠梧」、〈鸞鳳〉的「舊鏡鸞何處？衰桐鳳不棲」等詩，對鳳凰、梧桐的反覆咏嘆，追溯其文化原型，乃出自《詩經．大雅．卷阿》的「鳳皇鳴矣，於彼高岡。梧桐生矣，於彼朝陽。菶菶萋萋，雝雝喈喈」。[96]由此，伴隨「原型」意象而來的藝術思維，具深厚的文化意識。

若落到章法結構而言，雖然「秩序」比較著眼於「先後」，「變化」比較著眼於「移動」，但兩者皆離不開「動」。有「動」，就會產生不斷的「變化」，並由此開展多樣的章法結構型態。原型，是章法所開展出來的較為初始的結構，它最貼合邏輯思維的原始樣貌。因為章法構成的形態，雖不免隨創作者設計經營手法的不同，而呈現多樣的變化；但作者在謀篇布局之際，無疑地會不自覺地受到人類共通理則的支配，以至於在各式各樣的枝葉底下，都藏有一些基本的、共通的幹身。[97]這些基本的、共通的幹身，就是章法結構的原型。如杜甫作於乾元元（758）的〈曲江對雨〉，就篇而言，即形成順向移位的「先凡後目」原型結構：

> 城上春雲覆苑牆，江亭晚色靜年芳。林花著雨燕支溼，水荇牽風翠帶長。龍武新軍深駐輦，芙蓉別殿謾焚香。何時詔此金錢會，暫醉佳人錦瑟旁。[98]

自然景物雖美，如不著意組織，則雜亂無章，無美可言；故「城上」四句，有心的詩人依高低遠近的次序流動視線，帶出日暮春晚的江邊

96 〔清〕阮元：《十三經注疏．詩經》（嘉慶二十年江西南昌府學開雕，臺北市：藝文印書館，1985年12月10版），頁629。
97 陳滿銘：《國文教學論叢》（臺北市：萬卷樓圖書公司，1994年9月初版3刷），頁27。
98 〔清〕楊倫：《杜詩鏡銓》，頁355。

景致，既符合人類視覺觀察的順序，又令春雲、江色、林花與水荇的位序分明。筆筆敘來，絲毫不亂。雲雨晚色等意象易予人視覺的障蔽感，形成心理上的「不隔」之「隔」。雨，是寄託生平境遇及人生感悟的素材；落花與風，則予人年華不再的傷感。所以雨打林花的「溼」字，風吹藻荇的「牽」字、「長」字，暗暗點出曲江對雨的詩人內心似無還有的悵惘，浦起龍評其「對雨則景益寂寥，故回首繁華，不堪俯仰」。[99]

「龍武」二句，詩人的視線轉向與曲江相接的芙蓉苑，仇兆鰲指其有「懷上皇之在南內也」之意。玄宗當年「以萬騎平韋氏，改龍武軍，出則扈從，入則宿衛」的英武事蹟，恰反襯今日「迴鑾深居，南內不出」的傷情，故說「深駐輦」。當年芙蓉殿宮人焚香以待玄宗遊幸的盛景，而今也只能以一個「謾」字道出。《舊唐書》記載開元元年九月，玄宗「宴王公百僚於承天門，令左右於樓下撒金錢，許中書門下五品已上及諸司三品已上官爭拾之，仍賜物有差」。[100]所以詩末藉由「何時」二句，想像來日再現「金錢會」、於曲江再賜教坊聲樂的開元盛景。全祖望云：「肅宗惑於悍婦，承歡缺如。詩有感於此，而含毫邈然，真溫柔敦厚之遺。」[101]全詩以麗句寫哀思，無限低徊。其結構表為：

99 〔清〕楊倫：《杜詩鏡銓》，頁355。

100 〔後晉〕劉昫等撰、楊家駱主編：《新校本舊唐書附索引一・本紀第八・玄宗上》（臺北市：鼎文書局，1989年12月5版），頁171。

101 〔清〕楊倫：《杜詩鏡銓》，頁355。

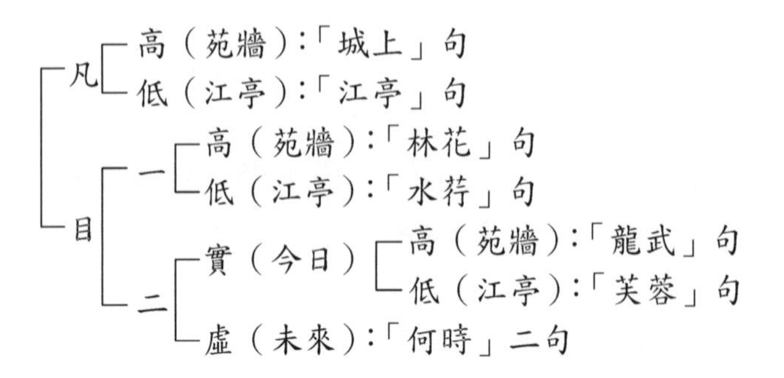

楊仲弘《杜律心法》指首聯為「一篇之綱領」，形成「苑牆」、「江亭」雙軌，統貫下文。次聯，「林花乃苑牆所見，水荇乃江亭所見，應起聯也」；頸聯，「上貼苑牆一句，下貼江亭一句」；[102]末聯，上承雙軌，以設想之筆作結。就篇而言，上層的「先凡後目」順移結構，可統合各層結構，再由接二連三反覆呈現的「高低」及「實虛」結構形成齊一的簡單節奏。[103]然後在節奏的基礎上賦予一定的韻律，貫串全詩，形成完整的結構，凸出寓於篇外的「家國之悲」主旨。

吳文英〈浣溪沙〉，依「夢中」（虛）、「夢醒」（實）的次序抒寫懷情。[104]就篇而言，也是形成順向移位的「先虛後實」原型結構：

> 門隔花深夢舊遊，夕陽無語燕歸愁。玉纖香動小簾鉤。　落絮無聲春墮淚，行雲有影月含羞。東風臨夜冷於秋。[105]

---

102 顧龍振：《詩學指南》（臺北市：廣文書局，1972年4月再版），頁222。

103 韻律是節奏的較高型態，是多種節奏的巧妙、複雜的結合，具有使人產生審美心理變化。章利國：《造型藝術美學導論》（石家莊市：河北美術出版社，1997年7月1版1刷），頁195。

104 陳洵《海綃說詞》指此詞全為夢中所見（見唐圭璋編：《詞話叢編》（北京市：中華書局，2012年11月2版6刷，冊五，頁4849）；然筆者採陳滿銘教授的觀點，首句為「夢中」所見，「夕陽」句底下，則為「夢醒」所見。見陳滿銘：《詞林散步・唐宋詞結構分析》（臺北市：萬卷樓圖書公司，2000年元月初版），頁360-361。

105 周篤文、馬興榮主編：《全宋詞評注》（北京市：學苑出版社，2011年6月1版1刷），頁353。

首句，點出「夢中」所見。門之「隔」與花之「深」，豐富了空間層次而得含蓄、幽深感，也強化了不得而入的悵惘。夢醒後，自夕陽餘暉中送來的「燕燕于飛，差池其羽」，「頡之頏之」，「下上其音」（《詩經・邶風・燕燕》）[106]的雙語燕，勾起了更深一層的愁緒。簾內女子觸動簾鉤的聲響及嗅覺帶來的溫香，呈現了婉約詞特有的「吐屬香豔，多涉閨襜」[107]情調。自《詩經》以來，思婦念遠與閨中幽怨在抒情文學的大系統中互相滲透與補充，使暮春和黃昏意象活躍於詩人筆下。宋詞中「男子而作閨音」的思婦閨怨也承此傳統。日暮時的濕度、溫度與明暗度，又影響著人的生理變化及情緒，因而使人對黃昏這一安靜和諧朦朧的時刻，極為敏感，易被落絮和清冷月色勾出無從傾訴的怨情。[108]對於善咀嚼日常細節和內心些微意趣的宋人而言，「影」也帶來極大的魅惑力及幻滅感。結句以東風為底色，凸出一個「冷」字，透過生理和心理上的感受，形成淒清、冷寂的氛圍，情餘言外，予人不盡的想像。

此詞雖取自張泌〈寄人〉:「別夢依依到謝家，小廊回合曲欄斜。多情只有春庭月，猶為離人照落花」的詩意，然詞人又機杼獨出，唯有「須看其遊思縹緲、纏綿往復處」，[109]才能窺探寓於篇外的閑愁。閑愁，異於因宦海浮沉、政治風波而生的貶謫之愁，也不同於因異族入侵、社會動盪而生的傷亂之愁，是詞人特有的一種夾雜悲哀滋味的精神狀態和情感活動，[110]含蓄而纏綿。「含蓄者意不淺露，語不窮

106 〔清〕阮元校勘:《十三經注疏・詩經》，頁77-78。

107 〔清〕況周頤:《蕙風詞話》（上海市：上海古籍出版社，2009年8月1版1刷），頁20。

108 王立:《心靈的圖景──文學意象的主題史研究》（上海市：學林出版社，1999年2月1版1刷），頁274-276。

109 陳洵《海綃說詞》，收入唐圭璋編:《詞話叢編》，冊五，頁4849。

110 宋代詞人的怨嗟之音，有四種情況：寒士詞人的怨嗟、貶官詞人的怨嗟、兩次遭

盡，句中有餘味，篇中有餘意，其妙不外寄言而已」。[111]其結構表為：

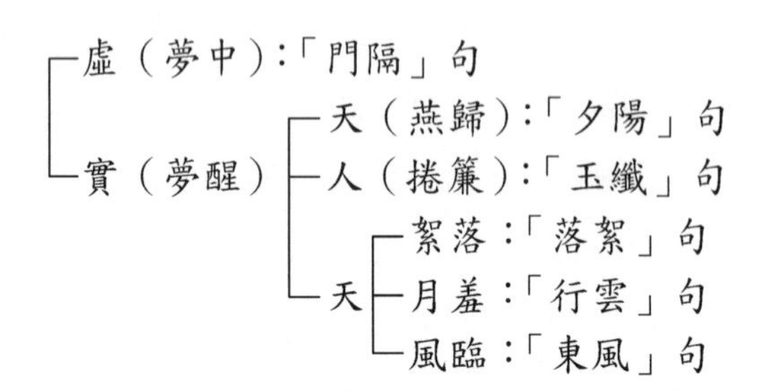

就篇而言，上層的「先虛後實」順移結構，可統合「天、人、天」拗向陰轉位結構與節奏，由章而篇，形成完整的結構。東風臨夜，回睇夕陽，移情化的「春墮淚」、「月含羞」等意象，指向那些看不見的、不能直接感受到的部分，傳達某種細膩幽微朦朧的一脈情思，寄「閑愁」於篇外。而這種將寫作材料訴諸人類追求「秩序」的心理，經過邏輯思維與移位原型結構對應，形式簡單，深具簡純美。

司馬遷《史記．項羽本紀贊》，就篇而言，也是形成順向移位的「先點後染」原型結構：

> 太史公曰：吾聞之周生，曰：舜目蓋重瞳子。又聞項羽亦重瞳子。羽豈其苗裔邪？何興之暴也。夫秦失其政，陳涉首難，豪傑蠭起，相與竝爭，不可勝數。然羽非有尺寸，乘勢起隴畝之中，三年遂將五諸侯滅秦。分裂天下而封王侯，政由羽出，號為霸王。位雖不終，近古以來未嘗有也。及羽背關懷楚，放逐義帝而自立，怨王侯叛己，難矣。自矜功伐，奮其私智而不師古。謂霸王之業，欲以力征經營天下，五年卒亡其國。身死東

受亡國之災的全民怨嗟、某種特殊的怨嗟情緒——閑愁或閑情。楊海明：《唐宋詞與人生》（鎮江市：江蘇大學出版社，2010年10月1版1刷），頁260-261、293-294。

111 沈祥龍：《論詞隨筆》，收入唐圭璋編：《詞話叢編》，冊五，頁4055。

> 城，尚不覺寤，而不自責過矣。乃引天亡我非用兵之罪也，豈不謬哉。[112]

郭熙〈林泉高致〉：「以筆端而注之謂之點，點施於人物亦施於木葉。」[113]所以「太史公曰」句，是「點」的部分，作為下文的引子。「吾聞」四句，史公以過人的見識、生花的妙筆，補述「舜兩眸子」這件軼事，順勢連結起項羽和舜，極有丰神。「史公好以帝王將相為古聖賢苗裔，若以秦為伯翳後，以英布為皋陶後」，[114]以項羽為舜之後，為「興之暴」找出合理的原因，寓憐惜之意。而喝出「暴」字，是項羽一生定評，也是統貫全文的綱領。

「夫秦」五句，寫秦二世元年七月，陳涉起兵，當時「相與爭天下者，不可勝數，而欲崛起定霸，蓋亦甚難」。復以轉折連詞「然」字，順勢承起「然羽」八句，正面直寫項羽的「興之暴」，讚揚他率領齊、燕、韓、趙、魏等五國諸侯，鉅鹿一役剿滅秦軍主力，封王侯，自號西楚霸王，為古今「未嘗有」的事蹟。寥寥數語，明其所以列入〈本紀〉之意，行筆極其有勢。「及羽」四句，是一貶，寫項羽屠咸陽、燒秦宮，捨關中形勝之地而都彭城，擊殺楚懷王於江中，終而落得親離眾叛的地步。「自矜」八句，是二貶，點出「亡」字，從反面呼應「興」字。「乃引」二句，是三貶。三年滅秦，五年亡其霸業，以「暴興」者，終以「暴亡」，斷得十分警策。[115]其結構表為：

112　〔漢〕司馬遷著，瀧川龜太郎注：《史記會注考證》，頁158-159。

113　俞崑：《中國畫論類編》，頁643。

114　〔漢〕司馬遷著，瀧川龜太郎注：《史記會注考證》，頁158。

115　〔清〕林雲銘：《古文析義合編》，頁156-156；〔清〕吳楚材選注，王文濡評校：《古文觀止》，頁177。

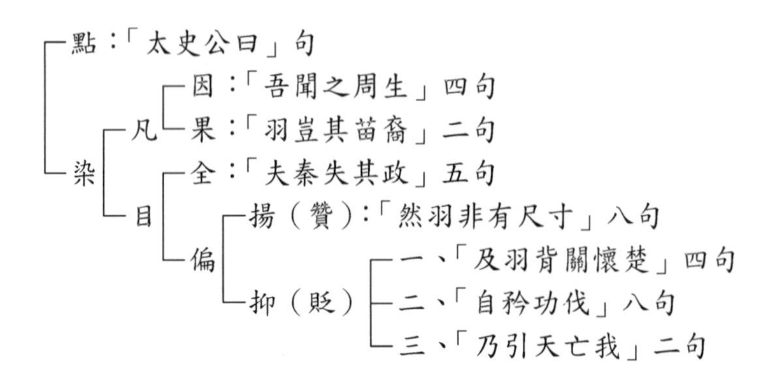

全文從「太史公曰」點起，然後以「暴」為一篇綱領，再三渲染舜羽重瞳、項羽滅秦分封天下、背關懷楚、放逐義帝、身死垓下等歷史事材。「藉色墨以助其氣勢精神」，「藉筆力以助其色澤丰韻」，[116]令項羽「興之暴」也「亡之暴」的形象，鮮活動人。就篇而言，上層的「先點後染」原型結構，統合了各層結構（「凡目」、「因果」、「全偏」、「揚抑」）與節奏，形成完整的結構。

2 章法結構的變型

人類具有追逐新奇的心理，審美知覺又遠比普通感官知覺多樣而複雜，因此思維模式的重複出現，易形成思維的疲勞而無法生發新感受。阿恩海姆（Rudolf Arnheim, 1904-2007）也指出，知覺認識不是一種簡單、直接、純粹感性的反射活動，而是一種多樣性交織的創造活動；故審美變形合乎人類心理流動性的要求，既打破了心理平衡，更體現了審美主體對審美對象的馴化、征服、超越與更高層次的藝術占有。[117]

打破知覺定型，也可調動讀者的審美期待心理。當某種變形事物

---

116 〔清〕松年：〈頤園論畫〉，收入俞崑：《中國畫論類編》，頁325。

117 〔美〕魯道夫．阿恩海姆（Rudolf Arnheim）著，滕守堯、朱疆源譯：《藝術與視知覺》（成都市：四川人民出版社，2001年3月1版1刷），頁583-586。

與原有的心理圖式產生錯置時，就會產生迷惑、緊張，而迷惑、緊張正是探究的心理動力與潛在創造力的槓桿。以此，審美變形含有兩個層面的意涵。一是審美對象的物理結構沒有變化，只是審美主體視角的變化形成審美效應的差異，而差異性正是審美風貌產生不同的本質所在。第二個層面，也是最主要的層面，是審美知覺在審美觀照過程中有意地上下、左右、內外、遠近參差交錯，使審美對象產生變形。[118]所以審美變形就是知覺變形，是對既成知覺定勢的「逆向移位」與「轉位」。它或在原型的基礎上加以伸縮、重組、推衍，或是原型的交錯、轉換。而這在藝術創作手法中的表現，最為凸出。[119]

人的知覺完成趨勢是從「非完形」發展到「完形」，包含「重構」與「創造」的審美變形正介於這個中介地帶，故能促使讀者經由補充與再創造，把握對象的整體系統，將審美變形完形化。也就是說，在「客觀物象」→「心理表象」→「審美意象」→「文學形象」的發展過程中，每一階段的轉換都歷經審美變形。[120]審美變形是對事物完形的能動、征服與超越，同時具有向審美完形的導向作用；因此，從知覺的審美變形到知覺的審美完形，構成一個完整的、包含創作（作者）與接受（讀者）的動力整合系統，深具彌散力與審美力。[121]如辛棄疾作於淳熙十三年（1186）的〈鷓鴣天・鵝湖寺道

118 吳功正：《中國文學美學》，頁262-275。

119 如常見的時空變型：一是原型的伸縮，其中，以藝術時空對現實時空的凝縮最為常見。二是原型的交錯，即打破現實時空所具有的連續性和延伸性，將其切割成若干獨立的部分，交錯而出，從而造成特殊的表現效果。傳統文學中常用的倒敘、插敘、補敘、分敘，都包含這種時空交錯的因素。三是原型的重組，將不同時空的事物集中在同一時空出現，從而造成一種特殊的時空。胡有清：《文藝學論綱》（南京市：南京大學出版社，2002年7月1版6刷），頁185-186。

120 胡有清：《文藝學論綱》，頁182。

121 邱明正談格式塔心理學時指出，「完形趨向律」就是在一定條件下，心理結構經過神經系統的組織作用，總是盡可能趨向完善化、整體化。見《審美心理學》（上海市：復旦大學出版社，1993年4月1版1刷），頁29。

中〉，就篇而言，即形成逆向移位的「先目後凡」變型結構：

> 一榻清風殿影涼，涓涓流水響回廊。千章雲木鉤輈叫，十里溪風穲稏香。　　衝急雨，趁斜陽，山園細路轉微茫。倦途却被行人笑：只為林泉有底忙！[122]

上片，寫鵝湖寺所見。中國傳統佛寺「如鳥斯革，如翬斯飛」（《詩經・小雅・斯干》）的屋頂，因房檐伸出很高很深而形成陰影。這陰影，介乎內與外之間，是建築賜予大地的一個灰，一種美，兼具心理的精神的審美的諸多功能。鵝湖寺因山而得名，「鵝湖山，在（鉛山）縣北十五里。三峯特秀。其巔有瀑布泉」，[123]流經寺旁的涓涓泉水聲，賦予空間深度和廣度。高且密的林木裡有鷓鴣「鉤輈」的啼叫聲，聲中寄有溪風送來的十里稻花香。上片，由內而外，由近及遠，風清、影涼、水澈，加上溪風與雲木，分從視、觸、聽、嗅等各種知覺角度，為寺內榻上人帶來清雅感，故而有「五月人間正炎熱，清涼一覺北窗眠」（喻良能〈鵝湖寺〉）的舒適意。

下片，「衝急雨」三句，寫詞人自鵝湖寺出行，在斜陽下、急雨中趕路尋找林間泉水。一個「衝」字、一個「趁」字，道盡詞人之「忙」。山園小路因日暮而「轉微茫」的迷離景象，使原先靜止的空間產生一種流動感，轉變為具有時間進程的四度空間。而「流動」，正是「連續」律動最深刻的特徵。終以「倦途」二句，借行人的「笑」拈出為「林泉」而「忙」的興致，總括文意，醒豁全詞。[124]其

---

122 鄧廣銘：《稼軒詞編年箋注》，頁186。

123 〔宋〕樂史撰、王文楚等點校：《太平寰宇記・卷之一百七・江南西道五・信州》（北京市：中華書局，2007年11月1版1刷），第五冊，頁2159。

124 此詞的結構表，乃參酌陳滿銘：《蘇辛詞論稿》（臺北市：文津出版社，2003年8月初版1刷），頁101。

結構表為：

- 目
  - 一（林泉）
    - 內：「一榻」句
    - 外
      - 近：「涓涓」句
      - 遠：「千章」二句
  - 二（忙）：「衝急雨」三句
- 凡
  - 點：「倦途」句
  - 染
    - 一（林泉）：「只為林泉」
    - 二（忙）：「有底忙」

此篇記遊寫景，詞意清新自然。上層的「先目後凡」逆移結構，統合各層結構（「點染」、「內外」、「近遠」）不同的力勢變化，達成一篇節奏；又以「林泉」、「忙」二軌為綱領，由章而篇，貫串全篇的意象群，形成完整的變型結構，凸出「逸致閑情」主旨。次如柳宗元〈箕子碑〉，就篇而言，也是形成逆向移位的「先染後點」變型結構：

> 凡大人之道有三：一曰正蒙難，二曰法授聖，三曰化及民。殷有仁人曰箕子，實具茲道，以立於世，故孔子述六經之旨，尤殷勤焉。當紂之時，大道悖亂。天威之動不能戒，聖人之言無所用。進死以併命，誠仁矣，無益吾祀，故不為。委身以存祀，誠仁矣，與去吾國，故不忍。具是二道，有行之者矣。是用保其明哲，與之俯仰，晦是謩範，辱於囚奴，昏而無邪，隤而不息。故在《易》曰「箕子之明夷」，正蒙難也。及天命既改，生人以正，乃出大法，用為聖師，周人得以序彝倫而立大典。故在《書》曰「以箕子歸，作《洪範》」，法授聖也。及封朝鮮，推道訓俗，惟德無陋，惟人無遠，用廣殷祀，俾夷為華，化及民也。率是大道，藂於厥躬，天地變化，我得其正，其大人歟？

> 於虖！當其周時未至，殷祀未殄，比干已死，微子已去，向使紂惡未稔而自斃，武庚念亂以圖存，國無其人，誰與興理？是固人事之或然者也。然則先生隱忍而為此，其有志於斯乎？唐某年作廟汲郡，歲時致祀。嘉先生獨列於易象，作是頌云。[125]

本文旨在歌頌箕子之德。篇末「唐某年」四句，是「點」的部分，作為敘事、說理的收束。「染」的部分，才是敘事、說理的主體。開篇四句，「總提三柱立論」，[126]說明有道的大人應具備的條件，形成「正蒙難」、「法授聖」、「化及民」三軌，貫串全文。「殷有」五句，再就本題之義，相度其層次，順序寫去，使讀者自然而然掌握行文脈理。「當紂」十四句，典出《論語・微子》：「孔子曰：殷有三仁焉：微子去之，箕子為之奴，比干諫而死。」柳宗元舉勸諫不成反被紂王所殺的比干和選擇離去以存殷祀的微子，兩賓以顯主，凸出箕子的「不忍」與「不為」：

> 箕子曰：「知不用而言，愚也。殺身以彰君之惡，而自說於民，吾不忍為也。二者不可，然且為之，不祥莫大焉。」乃解衣披髮佯狂，遂隱而鼓琴以自悲。[127]

「是用」九句，呼應「正蒙難」，描述佯狂屈辱於囚奴，暫隨世人浮沉以待時用的箕子。「箕子之明夷」句，則典出《易經》。〈明夷・彖〉：「明入地中，明夷。內文明而外柔順，以蒙大難，文王以之。利

---

125 〔唐〕柳宗元撰，尹占華、韓文奇校注：《柳宗元集校注》（北京市：中華書局，2013年10月1版1刷），第二冊，頁365-366。

126 〔清〕吳楚材選注，王文濡評校：《古文觀止》，頁392。

127 〔唐〕柳宗元撰，尹占華、韓文奇校注：《柳宗元集校注》，第二冊，頁367。

艱貞，晦其明也。內難而能正其志，箕子以之。」以此，凡是賢者不得志，憂讒畏譏之際，都可稱為「明夷」。「箕子之貞，明不可息也」（〈明夷・六五・象〉）。也唯有以宗臣而居暗地，以接近君主，才能正其志。

「及天命」八句，呼應「法授聖」。記敘殷商滅亡，周室興起，天下步入正軌，於是箕子傳〈洪範〉聖法於周武王，使周人立典章、序倫常。事見《周書・洪範》，箕子告武王以治天下的大法：

> 惟十有三祀，王訪于箕子。……箕子乃言曰：我聞在昔，鯀陻洪水，汨陳其五行；帝乃震怒，不畀洪範九疇，彝倫攸斁。鯀則殛死，禹乃嗣興，天乃錫禹洪範九疇，彝倫攸敘。[128]

「及封朝鮮」七句，呼應「化及民」。記箕子受封於朝鮮而能推廣大道，「教其人民以禮義、田蠶織作、民犯禁八條，其民終不相盜，無門戶之閉，婦人貞信不淫辟」。[129]普施教化於老百姓，雖夷狄之邦而得以濡染華夏文明。「率是大道」五句，則是呼應「大人之道」，承上文的三軌線索，作一個總結。「於虖」十二句，再次敘說箕子能正蒙難、法授聖、化及民的原因。吳楚材評「前立三柱，真如天外三峰，卓然峭峙；『於虖』以下，忽然換筆，一往更有深情」；「別起波浪，語極淋漓感慨，使人失聲長慟」。[130]其結構表為：

---

128 吳璵註譯：《新譯尚書讀本》（臺北市：三民書局，1988年3月5版），頁78。

129 〔唐〕柳宗元撰，尹占華、韓文奇校注：《柳宗元集校注》，第二冊，頁369。

130 吳楚材選注，王文濡評校：《古文觀止》，頁393。

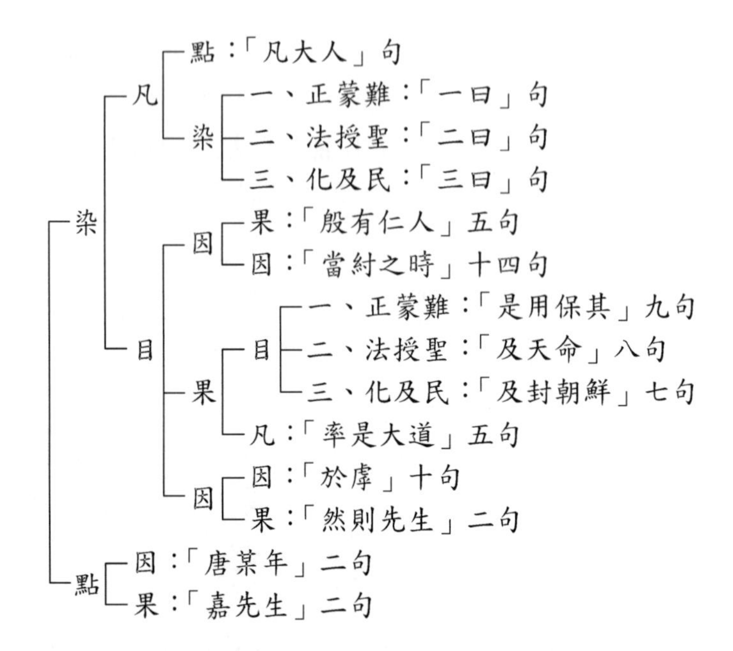

上層的「先染後點」逆移結構，由下而上地藉陰陽的流動與呼應，統合「順向移位」(「因果」二疊、「點染」、「凡目)、「逆向移位」(「染點」、「目凡」、「果因」) 及「拗向陰的轉位」(「因、果、因」) 等各層結構，達成一篇節奏。又以「正蒙難」、「法授聖」、「化及民」三軌為綱領，由章而篇，貫串《易經．明夷．六五》爻辭、《周書．洪範》(語典) 等歷史類事材，箕子、孔子、比干、微子、商紂、武庚、武王等角色性物材，形成完整的結構，凸出「歌頌箕子之德」主旨。

蘇軾〈行香子．過七里灘〉，就篇而言，則是形成拗向陽的「實、虛、實」變型結構：

> 一葉舟輕。雙槳鴻驚。水天清、影湛波平。魚翻藻鑑，鷺點煙汀。過沙溪急，霜溪冷，月溪明。　　重重似畫，曲曲如屏。

算當年、虛老嚴陵。君臣一夢，今古虛名。但遠山長，雲山亂，曉山青。[131]

熙寧六年（1073）癸丑二月，東坡任杭州通判，自富陽、新城放船富春江至浙江桐廬，經過嚴陵瀨有感而作此詞。七里灘兩山聳起壁立，水流湍急，故開篇五句依由「小」而「大」而「小」的次序，變換視域；並化用韓愈〈湘中酬張十一功曹〉的「共泛清湘一葉舟」、可朋〈賦洞庭〉的「水涵天影闊，山拔地形高」等詩意，寫一葉小舟下七里灘時所見的水天景致。驚、翻、點等字，賦予鴻、魚、鷺等水間生物極其輕靈的動態感。因水清、波平而見水中倒影和水藻，也翻出一「鑑」字及詞人此刻心情之「輕」。繼而以「過」字領出「沙溪急」三句。沙溪，為白天所見；霜溪，是晚來所感；月溪，乃月下所視。類疊手法串起的由「急」而「冷」而「明」等不同舟行景色，點出了輕而快的節奏，也點出了澹澹寒遠的詞境，並由此引出一種人生況味。

桐廬有嚴陵山，境尤勝麗，夾岸是錦峰繡嶺，「曲屏橫遠翠」（毛滂〈小重山・春雪小醉〉），宜畫又宜詞；故詞人的視線由江水之清移轉為夾岸屏山，整個托出七里灘一帶的山形變化，豐富了旅途景色。「算當年」三句，即景抒情，取東漢光武帝禮聘「披羊裘釣澤中」的嚴光，「乃備安車玄纁，遣使聘之。三反而後至。舍於北軍，給牀褥，太官朝夕進膳」的事典，[132]隱含自己懷才不遇的喟歎。但旋即又以「虛」字、「夢」字，明言無論嚴光垂釣、劉秀禮聘是真抑或假，皆為浮生一夢。「惟江上之清風，與山間之明月，耳得之而為聲，目遇之而成色」（蘇軾〈前赤壁賦〉）。「南山低小而水多，江湖景秀而華

131 鄒同慶、王宗堂：《蘇軾詞編年校註》，頁24。

132 〔劉宋〕范曄撰、楊家駱主編：《新校本後漢書并附編十三種四・逸民列傳第七十三・嚴光傳》（臺北市：鼎文書局，1987年元月5版），頁2763。

麗」，「凡雲霧煙靄之氣，為嵐光山色」；[133]故詞人以一個「但」字領起三個跳躍短句，分三層敘寫舟過嚴陵瀨時所見的山景。山的由「遠」而「雲」而「曉」，寫時間的推移和船行之速；再把人生的感慨、歷史的沉思，寄託在由「長」而「亂」而「青」的山色變換中。其結構表為：

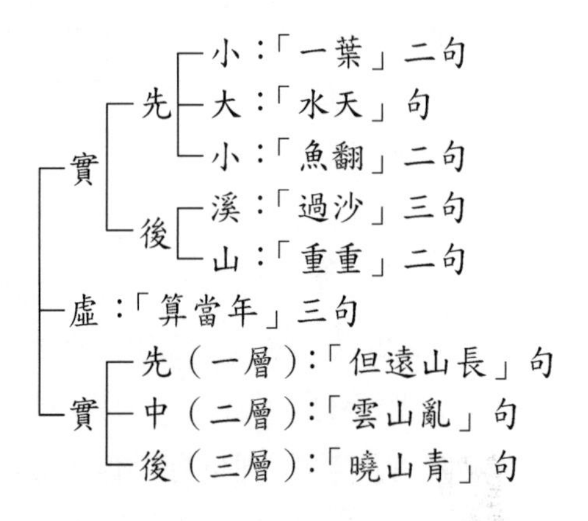

此詞上半闋寫「水瀰漫。小舟輕，去又遠」（丘崈〈江城梅花引・枕屏〉）的江南水鄉氛圍。下半闋以山起，中間插入議論感慨，以「虛老」黏上文，「但」字轉下意，自然體現江上舟中觀察景物近則精細、遠則粗略的變化章法。就「篇」而言，最上層順、逆並用的「實、虛、實」變型結構，統合二疊「先後」、一疊「小、大、小」結構，貫串全篇的意象群，形成完整的變型結構，寫七里瀨一帶清麗的江南山水景色，隱含今古功名虛無的人生哲思。

次如《左傳・陰飴甥對秦伯》，就篇而言，形成拗向陰的「點、染、點」變型結構：

十月，晉陰飴甥會秦伯盟于王城。秦伯曰：「晉國和乎？」對

133 〔宋〕韓拙：〈山水純全集〉，頁663、664。

> 曰：「不和。小人恥失其君，而悼喪其親，不憚征繕，以立圉也。曰：『必報讎，寧事戎狄』。君子愛其君，而知其罪，不憚征繕，以待秦命。曰：『必報德，有死無二。』以此不和。」秦伯曰：「國謂君何？」對曰：「小人慼謂之不免，君子恕以為必歸。小人曰：『我毒秦，秦豈歸君？』君子曰：『我知罪矣，秦必歸君。』貳而執之，服而舍之，德莫厚焉，刑莫威焉。服者懷德，貳者畏刑。此一役也，秦可以霸。納而不定，廢而不立，以德為怨，秦不其然。」秦伯曰：「是吾心也。」改館晉侯，饋七牢焉。[134]

魯僖公十四年（前646），「冬秦饑，使乞糴于晉，晉人弗與」，閉而不糴。十五年（前645）五月，「故秦伯代晉」。九月，「晉侯逆秦師」，結果「秦獲晉侯以歸」。[135]十月，秦伯與晉惠公之甥陰飴會於秦地王城。故「十月」二句，為「點」，交代會盟的時間、地點，作為下文敘事、說理的橋梁。

「染」是內容主體，採秦伯問、陰飴甥答，秦伯再問、陰飴甥再答的對答形式，加以鋪染而成。陰飴甥分從君子（在上位者）、小人（在下位者）兩軌，闡述晉國上下對秦國的觀感。秦伯先問其「和乎」，陰飴甥答以小人恥其君為秦所執，痛其親為秦所殺，不忌憚征賦治兵以立太子，所以必報「秦仇」；君子愛其君，且知晉國有罪，不忌憚征賦治兵，等待秦伯送回晉君，所以必報「秦德」。陰飴甥以君子、小人「不和」兩字破題，再以「不和」兩字收束，筆法嚴整。以此，竹光添鴻箋注：「就秦伯口中『和』字，翻作『不和』，將君子

134 〔日〕竹添光鴻：《左傳會箋・僖公十五年》（臺北市：漢京文化事業公司，1984年1月初版），僖公上第五，頁87-88。

135 〔日〕竹添光鴻：《左傳會箋・僖公十四年》，頁69-79。

小人分作兩路，忿語歸之小人以示威，厚語歸之君子以求情，辭令之妙，無一著不老到圓密。」[136]

秦伯接著問「晉君」。陰飴甥先答以「小人慼」、「君子恕」，再說明由於晉國背棄盟約閉而不糴，不明事理的小人徒然憂慮，認為晉人「毒秦」，所以秦伯必然不肯「歸君」；君子則以己之心度人，認為晉人已「知罪」，所以秦伯必然「歸君」。在此，陰飴甥仍分從君子、小人兩軌加以答辯，文意明顯上承君子小人而來，「並述君子小人意中事」，「雙開雙合，章法極整、又極變」。[137]「貳而執之」等十二句，則側重於「君子」一軌，採「懷德畏刑」或「以德為怨」、一正一反的觀點，侃侃而論，鼓動秦伯的心。末了，秦伯終於接受陰飴甥之言，厚饋晉侯。其結構表為：

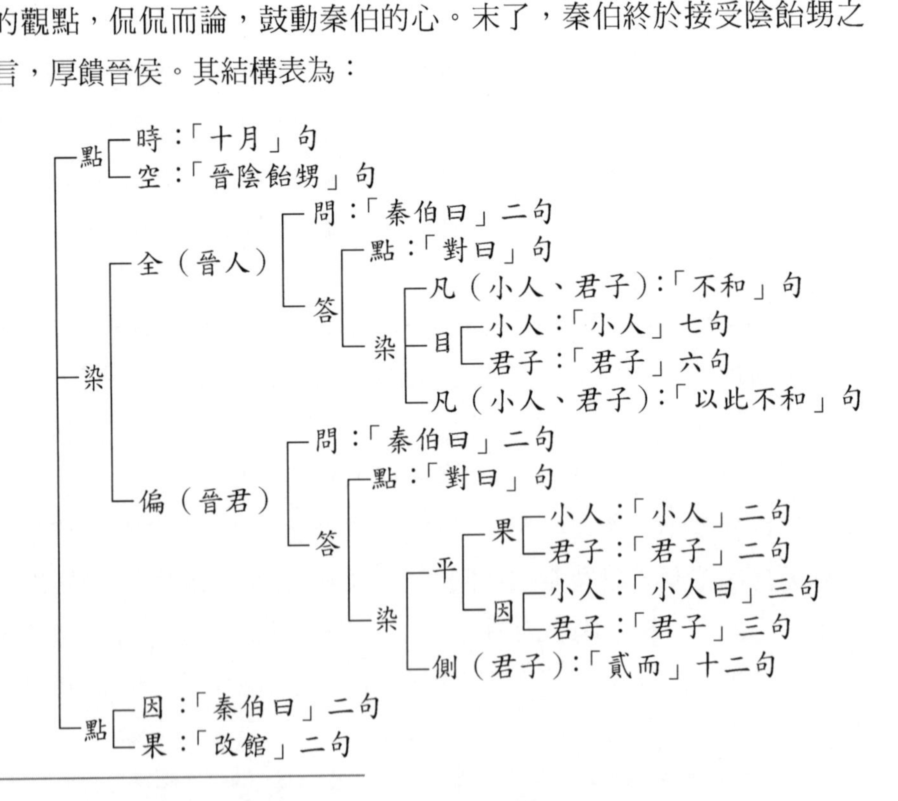

136 〔日〕竹添光鴻：《左傳會箋．僖公十五年》，頁88。

137 本詩所引評點原文，皆見〔清〕吳楚材選注、王文濡評校：《古文觀止》，頁26-27。

最上層順逆並用的「點、染、點」結構，由下而上地藉陰陽的流動與呼應，統合一疊「全偏」、二疊「問答」、二疊「點染」、二疊「因果」、「平側」、「凡、目、凡」等不同力勢變化的結構，鋪展論敘，善借君子、小人之言說己之意，反正開合，形成雙軌以貫串全文，凸出「勸諫秦伯宜厚饋晉侯」之意。結合順、逆的轉位變型結構，比起單一的順移更富變化性，可消除因過於同一所帶來的滯頓，形成較複雜的節奏。如小說中的「三顧」、「三打」、「三調」、「七擒」、「七探」、「九伐」等，就是以事物的變化形成刺激強度，使觀者在心理體驗上也生出張弛起伏的節奏感。而這種由「變化」、「節奏」所引起的心理上的喜悅，正是美感效果的展現。

（三）章法單元、結構單元的移位與轉位

「移位」、「轉位」若落到章法單元、結構單元，會因力勢變化的不同而產生不同的韻律節奏與美感。一般而言，藝術創作者會把一切藝術表現對象理解為不斷運動變化的存在，甚且與自己的心靈相通，進而企求體察、反映出存在於物態中的這種靈動之「勢」。而「勢」，又有「順」、「逆」、「拗」的不同。「順勢」，指運動的方式和取向與審美主體的心理傾向或思維習慣協調一致，易使欣賞者產生宏壯暢快的感受。「逆勢」，指運動的方式和取向與審美主體的心理傾向或思維習慣相違背，易使欣賞者產生波瀾陡起的感受。「拗勢」，則是結合順、逆兩種，其力勢自是更騷動與搏擊。[138]陳滿銘指出，這些「勢」的本身，雖然也有其陰陽（以弱、小者為陰，強、大者為陽），卻不能藉以確定章法結構之「陰」、「陽」，它完全要依據結構內的運動而定。

---

138 涂光社：《因動成勢》（南昌市：百花洲文藝出版社，2001年10月1版1刷），頁256、265。

若結構向「陰」流動，加強的是陰柔之「勢」；若「結構」向「陽」流動，加強的則是陽剛之「勢」。[139]

先就章法單元來說。所謂「移位」，是指章法二元本身所形成的順向或逆向運動。力（勢）由陰向陽移動，形成「順向移位」；力（勢）由陽向陰移動，形成「逆向移位」。如「正（陰）→反（陽）」為「順移」，「反（陽）→正（陰）」為「逆移」；「凡（陰）→目（陽）」為「順移」，「目（陽）→凡（陰）」為「逆移」。「轉位」，則是章法二元本身所形成的往復（合順、逆為一）運動，產生拗向陰、或拗向陽的轉位。如「正（陰）→反（陽）→正（陰）」為「拗向陰」，「反（陽）→正（陰）→反（陽）」為「拗向陽」；「凡（陰）→目（陽）→凡（陰）」為「拗向陰」，「目（陽）→凡（陰）→目（陽）」為「拗向陽」。其餘以此類推。四者所造成的「力」（勢）變化，若由弱而強排列，則依次為「順向移位」、「逆向移位」、「拗向陽的轉位」、「拗向陰的轉位」。力勢變化不同，風格與美感自也有所不同。[140]

再就結構單元來說。「移位」，是指章法結構所形成的順向或逆向運動；如「先凡後目→先因後果」、「先立後破→先正後反」、「先今後昔→先抑後揚」。「轉位」，是指章法結構所形成的往復（合順、逆為一）運動；如「凡→目」與「凡→目」、「正→反」與「反→正」、「昔→今」與「今→昔」等。其餘以此類推。

合乎秩序的移位，可從「單一結構單元」、「兩個以上的結構單元」兩部分來討論，它可產生「反覆」的節奏感。[141]至於造成變化的

139 陳滿銘：《章法學綜論》，頁298-307。

140 關於「章法單元、結構單元之移位與轉位」，乃採用陳滿銘：〈章法風格中剛柔成分的量化〉（《國文天地》19卷6期，2003年11月，頁89）的觀點。

141 王菊生：《藝術造型原理》（哈爾濱市：黑龍江美術出版社，2000年3月1版1刷），頁287。

轉位，也可形成「單一結構單元」、或「兩個以上的結構單元」的轉位，以產生參差往復、變化較鮮明的節奏感。而且，無論是就時間的延續或力的變化而言，造成結構上「往復」變化的轉位，比起單純「反覆」的移位，力勢較強，節奏也較為明顯。如方苞〈左忠毅公軼事〉，作者始終針對「忠毅」二字而寫。其中，寫左公「忠毅」的部分，是「主」；寫史公「忠毅」的部分，是「賓」。也就是說，寫史公的「忠毅」，即等於在寫左公的「忠毅」，借賓以定主。所以就篇而言，形成「先主後賓」結構。「主」的部分，又形成一層賓主關係：「主中主」指左公（光斗），「主中賓」指史公（可法）。「賓」的部分，也是形成一層賓主關係：「賓中主」指史公（可法），「賓中賓」則指「健卒」。以此，形成了「四賓主」（「主中主」、「主中賓」、「賓中主」、「賓中賓」）。因「主」與「賓」參差往復多次，節奏感極強，易引人領略。[142]又如約成於天寶九、十年間（750-751）的杜甫〈兵車行〉：

> 車轔轔，馬蕭蕭，行人弓箭各在腰。耶孃妻子走相送，塵埃不見咸陽橋。牽衣頓足攔道哭，哭聲直上干雲霄。道旁過者問行人，行人但云點行頻。或從十五北防河，便至四十西營田。去時里正與裹頭，歸來頭白還戍邊。邊庭流血成海水，武皇開邊意未已。君不聞漢家山東二百州，千村萬落生荊杞。縱有健婦把鋤犁，禾生隴畝無東西。況復秦兵耐苦戰，被驅不異犬與雞。長者雖有問，役夫敢申恨？且如今年冬，未休關西卒。縣官急索租，租稅從何出？信知生男惡，反是生女好。生女猶得

---

142 仇小屏：〈論章法的移位、轉位及其美感〉，收入《辭章學論文集》（福州市：海潮攝影藝術出版社，2002年12月1版1刷），頁102-110。

嫁比鄰，生男埋沒隨百草。君不見青海頭，古來白骨無人收。新鬼煩冤舊鬼哭，天陰雨濕聲啾啾。[143]

杜甫善陳時事，律切精深，千言而不少衰，而有「詩史」之稱。如〈兵車行〉，通篇設為役夫問答之詞，諷諭時事，乃小雅遺音。天寶十年（751）四月，劍南節度使鮮于仲通率領八萬士兵征討南蠻，結果大敗於瀘南，「士卒死者六萬人，仲通僅以身免。楊國忠掩其敗狀，仍敘其戰功」。「制大募兩京及河南、北兵以擊南詔；人聞雲南多瘴癘，未戰士卒死者什八九，莫肯應募。楊國忠遣御史分道捕人，連枷送詣軍所」。「於是行者愁怨，父母妻子送之，所在哭聲振野」。[144]緣此，開篇七句是「因」的部分，詩人的視點聚焦於征士腰間的弓箭，以狀聲疊字形容詞「轔轔」、「蕭蕭」為表語，敘起一片慘景。然後透過鏡頭推移帶出塵埃滾滾的咸陽古橋頭，父母妻子哭奔送行，生離幾乎等同死別的悲壯場景，並經由聽覺帶出噴薄直沖雲霄的生命吶喊聲。在漢魏六朝樂府詩的基礎上建立起來的歌行體，疏而不滯，可放情長言，而且愈淺愈切，故杜甫引「耶孃妻子」、「牽衣頓足」等通俗語彙入詩，寫得行色匆匆，筆勢洶湧，如風潮驟至而不可逼視，深具穿透力、感染力，惹得一旁觀看的路人也為之慘然。「攔道哭／哭聲」、「行人／行人」等頂真手法的運用，音韻累累如貫珠，串起流動在上下詩句間的情感意識，逼出送別時的悲楚。

「道旁」句以下，是「果」的部分。藉由路人、征夫的一問一答，正說時事，寫國家長年征戰而百姓「點行頻」的無言之苦。「或從」二句，鏡頭一跳，北方「便至」了西方，十五「便至」了四十，

---

143 高步瀛：《唐宋詩舉要》，頁198；〔清〕楊倫：《杜詩鏡銓》，頁171-173。

144 〔北宋〕司馬光撰，胡三省注，章鈺校記：《資治通鑑．卷第二百一十六．唐紀三十二》（臺北：舜逸出版社，未著年），頁6906-6907。

苦於戰場空間的迅疾轉移，也悲於人生最青壯的年光具耗損於無情的征役。去時猶年少，歸來已白頭，全因君王連年「開邊意未已」。所以，位於篇腹的「邊庭」二句，是「一篇微旨」。

「君不聞」底下，敘述年年徵調役男的結果，是田園廢耕，千萬個村落長滿荊杞。最耐苦戰的敵兵如雞犬，驅而復來。年冬雖至，百姓無法好好休養生息，又如何應付強索催逼稅糧的縣官？男丁戰死於沙場，成了荒野中無人收埋的白骨，故而有「反是生女好」的喟歎。「君不聞」、「君不見」等在敘事中用來作為過渡的語彙，避開了冗長平板，具提示、警醒讀者的作用，[145]致使「結與起對看悲慘之極，見目中之行人皆異日之鬼隊也」（方植之）。詩末寓情於敘事之中，以「天陰雨濕」為慘淡底色，凸出舊鬼新鬼一起發出哭喊的陰極又慘極的啾啾聲，逸出詩外。

因果法，是開化最早，直可上溯至甲骨文獻的謀篇技巧。[146]不管是先因後果，或由果溯因，均符合人們認識活動和思想發展的邏輯。因為宇宙所有現象或事實，並非偶然發生，必有所以然之理。人類依據此種因果律，用以推求事物所以然之理，其推論自是健全可靠。[147]用於記事或議論，可以引起閱讀興趣，可以幫助讀者全面了解事情的原委，更好地對事情的本質作出正確的判斷。[148]如杜甫此詩，以「人哭」起，以「鬼哭」終。方植之嘆「此篇真《史》、《漢》大文，合

---

145 阮堂明：〈論杜甫新樂府詩的產生——以《兵車行》的探討為中心〉，《杜甫研究學刊》，2004年01期，頁19-26；張冬云：〈「君不見」、「君不聞」句式及杜甫《兵車行》的敘事方式〉，四川省杜甫研究會《杜甫研究學刊》，2005年03期，頁52-58。

146 黃淑貞：〈從「因果」法談蘇軾〈稼說送張琥〉〉，《國文天地》20卷12期（2005年5月），頁82-85。

147 曹冕：《修辭學》（上海市：商務印書館，1934年4月），頁255。

148 成偉鈞、唐仲揚、向宏業：《修辭通鑑》（臺北市：建宏出版社，1996年1月初版1刷），頁949。

《詩》、《書》六經相表裏，不可以尋常目之」，實乃天地商聲。全詩韻腳，平仄相間，頓挫抑揚。交錯運用的三言、五言、七言句式，長者掩抑，短者迫促。句式音韻的變化和情節的發展，結合緊密，振蕩了沉鬱悲壯的詩風，故張廉卿讚美「杜公歌行妙處，與漢、魏古詩異曲同工，如此篇可謂絕詣矣」。[149]其結構表為：

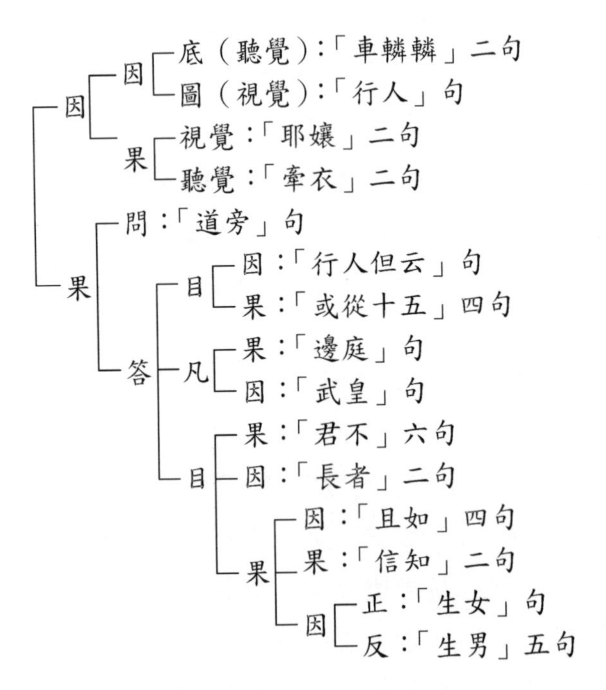

就「篇」而言，上層以「先因後果」（陰→陽）結構，形成順向移位的條理。就「章」而言，「因」的部分，有規律地組合「先底後圖」（逆移）和「先視後聽」（順移）結構單元形成節奏，以支撐上一層的「先因後果」（順移）結構單元；「果」的部分，則以「先問後答」（順移）結構統攝第三層的「目、凡、目」拗向陽轉位結構單元、第四層的「先因後果」順移結構單元→「先果後因」逆移結構單

149 本詩所引的評點原文，皆見高步瀛：《唐宋詩舉要》，頁198-199。

元→「果、因、果」拗向陽轉位結構單元、第五層的「因、果、因」拗向陰轉位結構單元、底層的「先正後反」順移結構單元，形成張翕變化有序的節奏，寓情於諷諭時事中。

又如辛棄疾作於淳熙六年（1179）的〈摸魚兒・淳熙己亥，自湖北漕移湖南，同官王正之置酒小山亭，為賦〉：

> 更能消幾番風雨？匆匆春又歸去。惜春長怕花開早，何況落紅無數。春且住。見說道天涯芳草無歸路。怨春不語。算只有殷勤，畫簷蛛網，盡日惹飛絮。　　長門事，準擬佳期又誤。蛾眉曾有人妬。千金縱買相如賦，脈脈此情誰訴？君莫舞。君不見玉環飛燕皆塵土！閑愁最苦。休去倚危欄，斜陽正在，煙柳斷腸處。[150]

「生平剛拙自信，年來不為眾人所容」（〈論盜賊劄子〉）的稼軒，淳熙己亥前的兩三年間，轉徙頻繁，常常不能久任其所，遂賦〈摸魚兒〉。[151]「實一」的部分，分從「景」（天）、「事」（人）這兩條線索寫起。上片，以設問法起筆，泛寫怕花開早而春光早逝的惜春心理。詞人的視線由近處「紛紛一陣紅去」（趙無咎〈摸魚兒・和辛幼安韻〉）的落花，飄向遠方的芳草，再拉回畫簷下的蛛網及懸垂在蛛網上的飛絮，思緒也在由近及遠而近的闌珊春色中變換跳躍，為全詞鋪染一層「怨春不語」的冷色色調。「殷勤」、「惹」等動詞語彙，人性化佇守簷間試圖留春住的蜘蛛。撩人情思的落紅、飛絮，和常見於「青青河畔草，綿綿思遠道」（〈飲馬長城窟行〉）、「離恨恰如春草，

150 鄧廣銘：《稼軒詞編年箋注》，頁66。

151 謝疊山注李涉〈春晚游鶴林寺〉詩，指「辛稼軒中年被劾凡一十六章，不堪讒諂，遂賦〈摸魚兒〉」。鄧廣銘：《稼軒詞編年箋注》，頁68。

更行更遠還生」(李煜〈清平樂〉)等詩詞中的綠草,又形象化悲涼動古今的傷春情,故陳廷焯指其「是從千回萬轉後倒折出來」,「詞意殊怨。然姿態飛動,極沉鬱頓挫之致」。[152]

下片,「長門事」五句,援引漢代陳皇后愁悶悲思長門宮,司馬相如為她作賦以感漢武帝的典故,[153]抒發自己遭「眾女嫉予之蛾眉兮,謠諑謂予以善淫」(〈離騷〉)的身世怨憤。梁啟超指「先生兩年來,由江陵帥、隆興帥轉任漕司,雖非左遷,然先生本功名之士,惟專閫庶足展其驥足,碌碌錢穀,當非所樂。此次去湖北任,謂當有新除,然仍移漕湖南,殊乖本望」,所以說「本擬佳期又誤」,「語幾露骨矣」。[154]「君莫舞」兩句,則援引了漢后趙飛燕與唐妃楊玉環的事典,有效地表現挫折與悲憤等複雜情感,予人得寵諂佞小人終歸塵土的聯想,再順勢拈出一篇主旨「閒愁最苦」,統攝全詞。[155]結尾三句,化用「誰見危欄外,斜陽盡眼平」(蘇舜欽〈春日晚晴〉)的詩意,取易予人視覺及心理障蔽感的危欄、斜陽、煙柳等物材,呼應上片的風雨、落紅等自然節氣意象,象徵作者對小人蔽塞賢路而國事日非的「斷腸」憂思。詞意鋪展至此,於雄莽中別饒雋味,「多少曲折。驚雷怒濤中,時見和風暖日。所以獨絕古今,不容人學步」。[156]
其結構表為:

---

152 〔清〕陳廷焯:《白雨齋詞話》,卷一,見唐圭璋編:《詞話叢編》(北京市:中華書局,2012年11月2版6刷),第四冊,頁3793。

153 《昭明文選・長門賦・序》:「孝武皇帝陳皇后,時得幸,頗妒。別在長門宮,愁悶悲思。聞蜀郡成都司馬相如,天下工為文。奉黃金百斤為相如、文君取酒,因于解悲愁之辭。而相如為文以悟主上,陳皇后復得親幸。」周啟成等:《新譯昭明文選》(臺北市:三民書局,2001年2月初版2刷),頁627。

154 梁啟超:〈辛稼軒先生年譜〉,《梁啟超學術論叢・史學類》(臺北市:南嶽出版社,1978年3月初版),第二冊,頁2296。

155 陳滿銘:《詞林散步・唐宋詞結構分析》,頁290。

156 〔清〕陳廷焯:《白雨齋詞話》,卷六,見唐圭璋編:《詞話叢編》,頁3916。

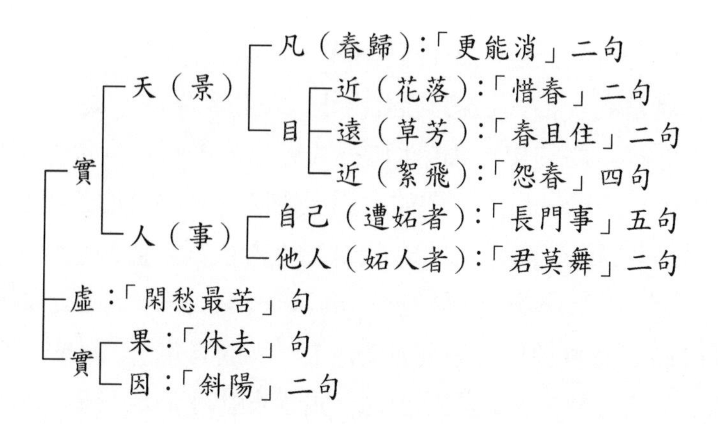

就「篇」而言，上層以對比中有調和的「實→虛→實」（陽→陰→陽）結構，形成拗向陽轉位的條理。就「章」而言，「實一」的部分，以第二層的「先天後人」順向移位結構，有規律地組合第三層的「先凡後目」和「先自後人」順向移位結構單元、底層的「近、遠、近」拗向陰轉位結構單元，形成往復變化的節奏；「實二」的部分，則以「先果後因」逆向移位結構單元形成簡單節奏。統合了「實一」、「實二」兩部分所形成的力勢，即統合了上片的惜春、怨春、留春之情和下片無處傾吐的愛國深情，然後逼出最苦的「閑愁」主旨。章法井然，結構嚴密。

末如辛棄疾〈八聲甘州〉：

> 故將軍飲罷夜歸來，長亭解雕鞍。恨灞陵醉尉，匆匆未識，桃李無言。射虎山橫一騎，裂石響驚弦。落魄封侯事，歲晚田園。　　誰向桑麻杜曲，要短衣匹馬，移住南山。看風流慷慨，譚笑過殘年。漢開邊功名萬里。甚當時健者也曾閑。紗窗外，斜風細雨，一陣輕寒。[157]

157 鄧廣銘：《稼軒詞編年箋注》，頁205。

此詞當作於稼軒首次退居上饒帶湖期間，題作「夜讀〈李廣傳〉，不能寐，因念晁楚老、楊民瞻約同居山間，戲用李廣事，賦以寄之」。因此，全篇圍繞李廣的史事鋪染而成。《史記．李將軍列傳》記載，李廣「嘗夜從一騎出，從人田閒飲。還至霸陵亭。霸陵尉醉呵止廣。廣騎曰：『故李將軍。』尉曰：『今將軍尚不得夜行。何乃故也。』止廣宿亭下」。[158]紀事之詞，莫妙於「寄深於淺，寄厚於輕，寄勁於婉，寄直於曲，寄實於虛，寄正於餘」；[159]「故將軍」的「故」字，與「今將軍」的「今」字，兩相對照，鮮明凸出李廣的形象，收今昔比較衡量之效。再以「解」字、「恨」字，寫征討匈奴失利的李廣退居藍田南山所遭受的境遇。詞人有意地以「桃李無言」一句，借太史公對李廣「桃李不言，下自成蹊」的贊賞，表達如此英才卻見辱於小小亭尉的抑憤。「射虎」二句，則是指「廣出獵。見草中石，以為虎而射之，中石沒鏃。視之石也」[160]這一件事。在此，詞人以「山橫一騎」、「裂石」、「驚弦」等英姿態式，成功塑造出臂力驚人的英雄形象來。然，可歎如此英雄卻得面對「諸部校尉以下，才能不及中人」的軍吏、士卒，「或取封侯」，「而廣不為後人，然無尺寸之功以得封邑者，何也」，[161]甚至被罷黜而家居的境地。

下片「誰向」五句，化用了杜甫〈曲江三章〉其三：「自斷此生休問天。杜曲幸有桑麻田，故將移往南山邊。短衣匹馬隨李廣。看射猛虎終殘年」的詩意。杜詩首句，反用《楚辭．天問》的語典，再道出欲歸隱南山、植桑麻以終老的念頭；四、五句，則是藉李廣典故，續申自己不得志的感慨。由於李廣後來又受詔復起，頗建立了一番功業：

---

158 〔漢〕司馬遷著，瀧川龜太郎注：《史記會注考證》，頁1180。

159 劉坡公：《學詞百法》（臺北市：仁愛書局，1985年5月初版），頁45。

160 〔漢〕司馬遷著，瀧川龜太郎注：《史記會注考證》，頁1180。

161 〔漢〕司馬遷著，瀧川龜太郎注：《史記會注考證》，頁1181。

> 居無何，匈奴入殺遼西太守，敗韓將軍。韓將軍徙右北平，死。於是天子乃召拜廣為右北平太守。廣即請霸陵尉與俱，至軍而斬之。廣居右北平。匈奴聞之，號曰漢之飛將軍，避之數歲，不敢入右北平（《史記・李將軍列傳》）。[162]

故詞人取典杜詩而冠以「誰向」兩字，隱然透出自己目前雖暫時退居帶湖，卻仍心繫恢復中原的志業。「漢開邊」二句，借古諷今，如李廣一般邊塞立功的「健者」也曾遭閑置。這和一向以氣節自負、以功業自許，卻屢遭排擠的稼軒，境遇十分類似，詞人自然要發出最深沉的喟息了。「紗窗外」二句，化用蘇軾〈和劉道原詠史〉：「獨掩陳編弔興廢，窗前山雨夜浪浪」詩意，由視覺、聽覺帶出紗窗外的斜風細雨，在輕寒的觸覺中收束全詞，並暗暗指向「弔興廢」的旨意。即景生情，令意在言外，留下不盡的韻外之致。其結構表為：

- 具（事）
  - 昔（李廣事、主）
    - 目
      - 夜宿長亭：「故將軍」五句
      - 射虎裂石：「射虎」二句
    - 凡
      - 因（不得志）：「落魄」句
      - 果（遭閒置）：「歲晚」句
  - 今（杜甫事、賓）
    - 點（欲歸隱）：「誰向」句
    - 染（過殘年）
      - 先：「要短」二句
      - 後：「看風」二句
- 泛（理）
  - 正（功名萬里）：「漢開邊」句
  - 反（反遭閒置）：「甚當時」句
- 具（景）
  - 點（視覺）：「紗窗外」
  - 染（視、心）：「斜風」二句

162 〔漢〕司馬遷著，瀧川龜太郎注：《史記會注考證》，頁1180。

此詞「通篇鋪陳抗擊匈奴名將李廣之故實，而特取其野居南山及不得封侯二事，當是有意借以澽胸中塊磊不平氣，而非出於偶然也」。[163]詞人又善於結合風雨等天候氣象類物材、事典語典等歷史事材，豐富內涵，擴大意境，精煉的表達出更多的思想與情感，並喚起讀者許多言說之外的聯想。就篇而言，上層的「具、泛、具」(陽→陰→陽）結構，形成拗向陽轉位的條理。「具（事)」的部分，以「先昔後今」(順移，陰→陽）結構單元有規律地組合第三層的「先目後凡」(逆移，陽→陰）和「先點後染」(順移，陰→陽)、底層的「先先後後」(順移，陰→陽）等結構單元形成齊一、反覆的節奏；「泛（理)」的部分，以「先正後反」(順移，陰→陽）結構單元形成節奏；「具（景)」的部分，以「先點後染」(順移，陰→陽）結構單元形成節奏。統合了章結構的「具（事)」、「泛（理)」、「具（景)」三部分所形成的陰陽力勢，支撐上層的「具→泛→具」結構以貫串全篇的意象群，寄「健者雖遭閑置，猶心繫恢復中原大事」之「意」於篇外，留下一道空白，供讀者騰飛想像。

163 陳滿銘：《蘇辛詞論稿》，頁136。

第四章
章法聯貫律

《周易》將三畫的八卦相互重疊而變成六十四卦，反映事物與事物之間發生的聯繫，揭示事物內在陰陽的推移與消長，從而展現出種種的運動和變化。[1]也就是說，宇宙是個動態性的連續體，具有內在聯繫性、相互依存性和無限的發展潛能，然後在「動」的歷程中，造成「變化」、形成「秩序」，不斷地經由局部與局部的「聯繫」，逐步趨於整體的「統一」。

所有形式的存有，顯示了「動態性」、「聯繫性」與「整體性」三種基調，[2]承認唯有在事物具有普遍聯繫的基礎上，人才能有意識地或自覺地進行類比、聯想、想像等創造性思維活動。[3]其中，最明顯的「聯繫」，陳滿銘以為就是使對待雙方以「對比」（剛）或「調和」（柔）的方式連結在一起。以「陰陽二元對待」為基礎的章法結構，故而也會經由局部的聯貫、呼應，形成「調和」或「對比」的關係。[4]而且，無論是形成「調和」或「對比」，都可在形成秩序、變化

---

1 徐志銳：《周易陰陽八卦說解》（臺北市：里仁書局，2000年3月20日初版4刷），頁59。

2 杜維明：《儒家思想——以創造轉化為自我認同》（臺北市：東大圖書公司，1997年11月初版），頁38-41。

3 黃順基、蘇越、黃展驥：《邏輯與知識創新》（北京市：中國人民大學出版社，2002年4月1版1刷），頁413。

4 陳滿銘：《章法學綜論》，頁505-506。鄭頤壽指出，這種通則雖然早已受到文論家的注意，但一直未形成系統。唯陳滿銘在這基礎上加以發展，使之系統化，並用大量的簡要圖表把它顯示出來，始鮮明地體現了這種辯證的哲學觀點。見〈中華文化沃土，辭章學圃奇葩——讀陳滿銘《章法學新裁》及其相關著作〉，《海峽兩岸中華傳統文化與現代化研討會文集》，2002年5月，頁134。

與統一之「美」時，充當必要的中介與橋梁。此外，「調和」與「對比」並非永遠固定不變。所謂的「調和」，在某個層面來看，指的乃是「對比」前的一種「統一」；而「對比」，如著眼於前一層面來看，形成的又是「調和」或「統一」的狀態。兩者，可說是一再的互動、循環、提升而形成「螺旋結構」。[5]

一　就哲學意涵而言

章法學研究，始終貫串著「二元對待」的方法論原則。[6]章法既以「陰陽二元對待」為基礎，以對應於自然規律，自也會形成偏近於「對比性」或「調和性」的對待關係；然後經由運動而轉化而聯貫，由局部而擴展到整體，形成統一。[7]因此從「二元對待」的角度切入，凸出「調和」與「對比」，最能掌握章法結構在徹上（主旨風格）和徹下（各層結構單元）時所起的關鍵性之聯貫作用。[8]

(一) 陰陽二元對待與對比調和

〈繫辭上〉:「一陰一陽之謂道。」《周易》以陰陽為其一對基本概念，由此陰陽二爻進而衍為四象，由四象再衍為八卦、六十四

5　兩種對立的事物，往往會產生互動、循環而提昇的作用，而形成螺旋結構。陳滿銘：〈談儒家思想體系中的螺旋結構〉，《國文學報》29期（2000年6月），頁1-34。

6　王希杰指「陳滿銘教授及其弟子的章法學研究中，始終貫串著二元對立的觀念，或者說，二元對立是他們的章法研究中的方法論原則」（〈章法學門外閑談〉，《國文天地》18卷5期，2002年10月，頁96）。其實，「二元」除了具有「對立」關係，也可以是「調和」關係。所謂「對待」，係指陰陽性質上的對立相待，這也是萬物的普遍相。曾春海：《易經的哲學原理》（臺北市：文津出版社，2003年3月1刷），頁68。

7　陳滿銘：〈論章法的哲學基礎〉，《國文學報》第三十二期（2002年12月），頁120。

8　陳滿銘：《章法學綜論》（臺北市：萬卷樓圖書公司，2003年6月初版），頁249-250。

卦。[9]邵雍《皇極經世・觀物外篇》:「太極既分，兩儀立矣」,「是故一分為二，二分為四」;「合之斯為一，衍之斯為萬。」[10]它具有無限可分性，其分解又是對待的。《朱子語類・卷六十五》也指「易有兩義：一是變易，便是流行底；一是交易，便是對待底」。[11]「舉凡宇宙之一切實際現象，無不兩兩對待，以遂其化生之功用焉」。[12]故闔者，闢之反；陰者，陽之對。如就八卦而言，「乾（天)」與「坤（地)」、「震（雷)」與「艮（山)」、「離（火)」與「坎（水)」、「兌（澤)」與「巽（風)」，正好形成了四組兩相對待的二元關係，以呈現其簡單的邏輯結構。將此八卦重疊，推演為六十四卦，[13]雖更趨複雜，卻依然存有這種二元對待的關係。

「宇內萬有之變化，每有兩相對待之現象，使人、物、自然彼此之間，發生極密切之關聯；亦因此對待之律則，而變化不息，生生不已」。[14]二元對待的概念或結構，構成中國特有的思維習慣，反映了宇宙人生事類物類基本的邏輯關係。美學範疇的構成，必也是一個「對待型」結構。[15]「太極兩儀，文法之源。文之主意，太極也；主意必析

9 《易傳》中，陰陽概念運用得很多，〈說卦傳〉:「觀變於陰陽而立卦。」八卦、六十四卦是以陰陽的各種變化為基本建立起來的。陳望衡：《中國古典美學史》(長沙市：湖南教育出版社，1998年8月1版1刷)，頁179-180。

10 〔宋〕邵雍：《皇極經世書》(臺北市：中國子學名著集成編印基金會，1978年12月初版)，頁320-321。

11 〔宋〕朱熹著，黎靖德編：《朱子語類》(臺北市：文津出版社，1986年12月初版)，頁1602。

12 〔唐〕周鼎珩：《易經講話》(臺北市：榮泰印書館，1964年2月臺初版)，頁192。

13 除了這一說法，戴璉璋也引張政烺的論點，說明尚有或為三字卦、四字卦、六字卦的「數字卦」。然「數字卦」不在探討範疇，故本文不予討論。見《易傳之形成及其思想》(臺北市：文津出版社，1997年2月2刷)，頁234-243。

14 胡自逢：〈伊川論周易對待之原理〉,《孔孟學報》第三十五期（1978年4月)，頁75。

15 吳功正：《中國文學美學》(南京市：江蘇教育出版社，2001年9月1版1刷)，頁344。

數意以明之，或反正，或高低，或前後，兩兩對待，是謂陰陽。」[16]故正與反、低與高、虛與實、因與果、淺與深、本與末、主與賓等章法結構，基本上都未超脫「陰陽二元對待」的通則。

對待的「陰」、「陽」，[17]之所以能相互聯繫，《周易》哲學認為是交相感應的結果。[18]感，包括事物間的相互聯繫與刺激；應，則有相互引發、相輔相成之意。所以在聯繫的過程中，主動的一方稱為「感」，被動的一方稱為「應」；而整個過程，就是「感應」、「聯繫」。[19]〈泰．彖〉:「天地交而萬物通也，上下交而其志同也。」〈咸．彖〉:「天地感而萬物化生，聖人感人心而天下和平。」所謂天地交感，是一種「天施地生」的方式，所以方東美指「乾道變化，首出庶物，坤厚載物，含夕光大，天地交而萬物通，其用也泰，天地感而萬物化生，其用也咸，……莫不有妙用流寓其中焉」；[20]而宇宙任何成對事物之間，也莫不可以發現一種感應、聯繫。如胡自逢即以為：

> 天地萬物，均有感應、感通之理；不感，則不能相與（親和）。〈睽．彖〉:「男女睽，而其志通也。」物類聲氣之相合，則感應之力有以致之也。……日月、寒暑、天地，同基於有

---

16 王葆心:《古文辭通義》（臺北市：臺灣中華書局，1984年4月臺2版），卷九，頁45。

17 「陰」、「陽」二字的廣泛流行，並被賦予以「氣」的新含意，是東西周之交及春秋時代。「陰」、「陽」觀念的演進歷程。敏澤:《中國美學思想史》（濟南市：齊魯書社，1987年7月1版1刷），第一卷，頁89-91；戴璉璋:《易傳之形成及其思想》，頁55-69。

18 姜國柱:《中國歷代思想史．先秦卷》（臺北市：文津出版社，1993年12月初版1刷），頁434；徐志銳:《周易陰陽八卦說解》，頁105。

19 馮友蘭:《中國哲學史新編》（臺北市：藍燈文化公司，1991年12月初版），第四冊，頁67。

20 方東美:《生生之德》（臺北市：黎明文化公司，1982年12月4版），頁128。

> 「相互感引」之理，感之而後動，動因於相感之理，而不得不動也。[21]

天地萬物，均有感通之理；不感，則不能相親。「交感」是事物生成變化的內在根據，它推動著宇宙的新陳代謝，生生而不息。[22]方東美指出：

> 生為元體，化育乃其行相。元體是一而不局於一，故判為乾坤，一動一靜，相並俱生，盡性而萬象成焉。元體攝相以顯用，故流為陰陽。一翕一闢，相薄交會，成和而萬類出焉。生者，貫通天、地、人之道也，乾元引發坤元，體天地人之道，攝之以行，動無死地，是乃化育之大義也。[23]

由此可知，「陰陽」作為萬物所以生、所以成的首要依據，與「乾坤」二元實是二而一、一而二的關係。顯示在宇宙間，就是天地的交感；顯示在人文界，就是心志的相通；若顯示在卦爻結構上，就是「剛」、「柔」的相應。〈咸・彖〉：「柔上而剛下，二氣感應以相與」，「天地感，而萬物化生。」一切事物的生成變化，全是陰陽、動靜、剛柔、進退與上下的聯繫、感應。只要掌握了陰陽二元對待統一的總規律，也就掌握了繁多而複雜、變動而不居的天地萬物。[24]

---

21 胡自逢：《易學識小》（臺北市：文史哲出版社，2000年3月初版），頁88。

22 《周易》認為，新生命的產生不在於陰陽的對立，而在陰陽的交感、統一。因此陰陽的相合不是量的增加，而是新質的產生，是創造。陳望衡：《中國古典美學史》，頁182；陳滿銘：《章法學綜論》，頁99-100。

23 方東美：《生生之德》，頁153。

24 夏甄陶：《中國認識論思想史論》（北京市：中國人民大學出版社，1996年8月1版2刷），頁228-229。另外，項退結也提出：八卦或六十四卦已發現世間的一切變化都

《周易》既以「陰陽」為中心而展開，故「觀變於陰陽而立卦，發揮於剛柔而生爻」(〈說卦〉)。而「剛柔者，立本者也」(〈繫辭下〉)，並賦予它們以「健」、「順」的哲學意涵。「夫乾，天下之至健也」;「夫坤，天下之至順也」(〈繫辭下〉)。凡發揚、剛健之物，皆屬陽性；凡收縮、柔和之物，皆屬陰性。[25]由此「引而伸之，觸類而長之，天下之能事畢矣」(〈繫辭上〉)。當主動力量的乾、陽、剛、動，與從屬力量的坤、陰、柔、靜，[26]在「相摩」、「相推」之中，陽進而陰退、陽盛而息陰，呈顯的是陽剛性質；若陰進而陽退、陰盛而消陽，呈顯的是陰柔性質。一般而言，陰柔偏近於調和，陽剛偏近於對比。換言之，一切「調和」與「對比」，都是由於陰（柔）陽（剛）相對、相交、相和的結果。

《周易》強調一切運動、功能、關係，都建立在陰陽對待雙方相互作用所達到的滲透、推移與平衡之中，同時也建立在陽剛陰柔、陽動陰靜、陽實陰虛、陽施陰受等既對待又統一的動態關係之中，所以它也是「樂從和」的「相雜」、「相濟」原理的開展與發展。[27]若就其發用的性質而言，「陽卦多陰，陰卦多陽」(〈繫辭下〉)，以致在「剛柔相易」(〈繫辭下〉)的變動歷程中，剛柔隨時會相互滲透與轉化，而產生「剛中寓柔」(偏剛、剛中)的「對比式統一」，或「柔中寓

可歸納成陰陽二個因素（兩儀），而一切變化又按陰陽相合及互相更迭的規律進行。《中國人的路》(臺北市：東大圖書公司，1988年1月初版)，頁88-89。

25 戴璉璋指出：「剛柔的抽象程度高過健、順、動、入，而又低於陰陽。抽象程度愈高，對於事物的概括性也越大。在易學中，卦象的發展由『天地』而『健順』，由『剛柔』而『陰陽』，這個程序是自然合理的。」《易傳之形成及其思想》，頁76。

26 《周易》重「剛」、行「健」、主「動」，賦予了「陰陽」這個變化總則以確定的經驗意涵。戴璉璋：《易傳之形成及其思想》，頁98。李澤厚對此，也有所闡釋，見《中國古代思想史論》(臺北市：三民書局，1996年9月初版)，頁131。

27 李澤厚：《華夏美學》(臺北市：時報文化出版公司，1989年4月初版)，頁78。

剛」（偏柔、柔中）的「調和式統一」。[28]深受《周易》陰陽剛柔之合思想影響的傳統文學與美學，也總是以此為最高的審美標準，[29]也都可經由局部的「對比」與「調和」，形成銜接或呼應，而達到聯貫、統一的效果。[30]

《老子》書中直接談到「陰陽」或「剛柔」的地方雖不多，卻有幾處值得注意。如：

> 萬物負陰而抱陽。（四十二章）
> 柔弱勝剛強。（三十六章）
> 弱者，道之用。（四十章）
> 堅強者，死之徒；柔弱者，生之徒。（七十六章）
> 強大處下，柔弱處上。（七十六章）
> 弱之勝強，柔之勝剛，天下莫不知、莫能行。（七十八章）

《老子》論及陰陽者，雖僅一見，而且是落到「萬物」（多）上來說，但宜推源到「一生二」以尋其根。論及「剛柔」的，雖也往往落到「多」（萬物）上加以發揮；但「剛」為「陽」、「柔」為「陰」，故也宜歸根「一生二」予以確認。老子從現象（萬物）中抽離出二元對待的基本範疇，又以「道」（无）為「體」，以「弱者，道之用」來說明「有生於无」，來明其「用」；[31]故《老子》的「二」，就「同」的觀

---

28 夏放：《美學——苦惱的追求》（福州市：海峽文藝出版社，1988年5月1版1刷），頁108。

29 如劉熙載《藝概》談文、詩、賦、詞、曲、書法等藝術領域，最推崇的藝術審美理想就是柔中寓剛或剛中寓柔的剛柔相濟。陳望衡：《中國古典美學史》，頁186-187。

30 陳滿銘：《章法學論粹》（臺北市：萬卷樓圖書公司，2002年7月初版），頁11。

31 陳鼓應：「『弱者道之用』：『道』創生萬物輔助萬物時，萬物自身並沒有外力降臨的感覺，『柔弱』即是形容『道』在運作時並不帶有壓力感的意思。」見《老子今注今譯及評介》（臺北市：臺灣商務印書館，1970年5月初版），頁155。

點而言，方東美以為當指「乾坤」或「陰陽」：

> 原始統會之理：生之體是一，轉而為元。元之行孳多，散為萬殊。老子曰：「道生一，一生二，二生三，三生萬物」，道乃能生，能生又出所生，所生復是能生，如是生生不已，至於無窮。品類之分歧至於無窮可謂多矣。然窮其究竟，萬類含生以相待，渾淪而不離。《易大傳》所謂「天下之動貞夫一」，《道德經》所謂「抱一為天下式」，並屬此義。[32]

若再進一步討論，則「二元對待」又可形成「以異相明」或「以同相類」的二元對待關係，然後兩者彼此互動、循環、提升，形成所有變化的基礎。[33]這可從韓康伯〈雜卦傳〉注尋得印證：

> 雜卦者，雜糅眾卦，錯綜其義，或以同類，或以異相明也。[34]

〈雜卦傳〉的作者就是採用了「以同相類」與「以異相明」這兩種觀點，把六十四卦作兩兩相偶的分配以闡釋其要義與特性。[35]如王弼《周易》注：

---

32 方東美：《生生之德》，頁153。

33 「以異相明」和「以同相類」二元對待的相關論述，曾發表於期刊（黃淑貞：〈中國建築二元對待空間語法哲學義涵析論——以《周易》為考察核心〉，《國立臺灣大學建築與城鄉研究學報》第十九期，2012年6月，頁27-42）。

34 〔魏〕王弼、〔晉〕韓康伯注：《周易王韓注》（臺北市：大安出版社，1999年7月1版1刷），頁245。

35 宋志明、向世陵、姜日天：《中國古代哲學研究》，頁152；戴璉璋：《易傳之形成及其思想》，頁196。

> 凡感之為道，不能感非類者也。故引取女以明同類之義也。同類而不相感應，以其各亢所處也。故女雖應男之物，必下之而後取女乃吉也。[36]

宇宙事物處於相對待而又相互感應的歷程之中，在此歷程中，「復有物之作用功能之互相貫徹，而無遠弗屆，此即足以使萬物依此感應而相通，以互結為一體」，[37]形成「以同相類」的聯繫。又如張載《正蒙．太和》：

> 太和所謂道，中涵浮現、升降、動靜、相感之性，是生絪縕、相盪、勝負、屈伸之始。其來也幾微易簡，其究也廣大堅固。[38]

「道」中涵「相感」、「相盪」之性，以生升降、動靜、勝負、屈伸等對待概念，則形成「以異相明」的聯繫。

大體而言，「以同相類」較著眼於「調和性」，「以異相明」較著眼於「對比性」，兩者又可形成「二元對待」的關係。如見於〈雜卦〉的剛和柔、樂和憂、與和求、起和止、衰和盛、時和災、見和伏、速和久、外和內、否和泰、去故和取新、多故和親寡、上和下等。其中，除了起和止、速和久、外和內、上和下，未必形成「對比」而較偏於「調和」外；其餘，較偏向於「對比」。[39]因此，戴璉璋、張立文一致指出，在六十四卦的排序與變化裡，可看出「以異相

---

36 〔魏〕王弼、〔晉〕韓康伯注：《周易王韓注》，頁97。

37 唐君毅：《哲學概論》（臺北市：臺灣學生書局，1975年9月4版），頁725、834。

38 〔宋〕張載：《張載集》（臺北市：里仁書局，1979年12月初版），頁7。

39 陳滿銘：《章法學綜論》，頁99。

明」與「以同相類」兩種聯繫，[40]同時也凸顯了由局部的相互「聯貫」而形成「統一」的整體結構。[41]

（二）移位轉位與對比調和

事物的運動變化，都是在相互感應、聯繫中發生與實現。例如從「履霜」轉化為「堅冰」，中間有一個發展變化的過程，從時間順序上構成了一種聯繫。又如〈坎・九五〉：「坎不盈，祇既平。」〈泰・九三〉：「無平不陂，無往不復。」坎與盈、平與陂、往與復，都因向其對待面轉化而形成聯繫；故聖人立象設卦，「繫辭焉以盡其言」（〈繫辭上〉），通過卦和爻的排列組合、演變，表達概念與判斷，掌握天地萬物變化和聯繫的規律。[42]又如張載《正蒙・太和》：「天道不窮，寒暑（也）；眾動不窮，屈伸（也）；鬼神之實，不越二端而已矣。」[43]寒暑、往來與屈伸，事物運動變化的「二端」，因相互感應而產生聯繫。[44]

陰陽代表內在於宇宙萬物的二大作用力，就其清濁、虛實、大小之別而成為一系列對待性質。故「凡天下之事物，總不外乎陰陽。以

---

40 戴璉璋：《易傳之形成及其思想》，頁195；張立文：《中國哲學邏輯結構論》（北京市：中國社會科學出版社，2002年1月1版1刷），頁72-73。

41 關於「以異相明」與「以同相類」的詳細論述，請參見黃淑貞：〈中國建築二元對待空間語法哲學意涵析論——以《周易》為考察核心〉，《國立臺灣大學建築與城鄉研究學報》第十九期（2012年6月），頁27-42。

42 凡事物之間的聯繫，都有某些中介或環節。由於這些中介，才構成整體結構系統。事物的發展變化總是既包含必然性，又包含著偶然性，而這是由事物內部包含著互相聯繫、互相作用的諸多因素構成的。張立文：《中國哲學範疇發展史・天道篇》（臺北市：五南圖書公司，1996年7月初版1刷），頁119-122。

43 〔宋〕張載：《張載集》，頁9。

44 張立文：《中國哲學範疇導論》（臺北市：萬卷樓圖書公司，1993年4月初版1刷），頁237。

光而論，明曰陽，暗曰陰。以宇舍論，外曰陽，內曰陰。以物而論，高曰陽，低曰陰。以培塿論，凸曰陽，凹曰陰。豈人之面獨無然乎？惟其有陰有陽，故筆有虛有實」。[45]遍在萬物之中的陰陽，不只是具對待的性質而靜態地存在，而是具有互動及互補的關係。也因為陰陽的相互推移、聯繫，宇宙萬有也才得以構成、發展。[46]陰陽在《周易》中，經常與剛柔相連屬。剛柔，常用以象徵或概括天地、日月、晝夜、君臣、父子這些相對待的事物；也與許多成組相對立的事物性質相連屬，如動靜、進退、貴賤、高低等，剛為動、為進、為貴、為高；柔則為靜、為退、為賤、為低。[47]而這一系列兩相對待的事物，在相摩相推、形成移位或轉位的變動歷程中，使宇宙事物具有或剛或柔的特性，而形成或對比或調和的聯繫。[48]換言之，經由移位與轉位，兩相對待的元素，往往以「對比」（正反）或「調和」（正正、反反）的方式「聯貫」在一起。

八卦、六十四卦，也都是由陽爻與陰爻而成。陽，主動、活躍、剛強；陰，順從、含容、柔靜。所以卦的不同，是由於爻的變化；而爻的變化，在於位的變異。位，代表時、空。所以爻的變化，就是爻

---

45 〔清〕丁臯：〈寫真祕訣〉，收入俞崑：《中國畫論類編》（臺北市：華正書局，1984年10月初版），頁547。

46 曾春海：《易經哲學的宇宙與人生》（臺北市：文津出版社，1997年4月1刷初版），頁182。

47 在哲學領域內，陰陽概念比剛柔概念顯得重要些；在藝術領域內，剛柔的運用，則遠比陰陽概念普遍。陳望衡：《中國古典美學史》，頁183-184。

48 關於陽剛陰柔的相推相摩，葉繼業：《易理述要》（臺北市：黎明文化公司，1990年6月再版，頁37）、羅光：《儒家生命哲學》（臺北市：臺灣學生書局，1995年9月初版，頁167）、張立文：《中國哲學範疇導論》，頁247、楊憲邦：《中國哲學通史》（北京市：中國人民大學出版社，1995年2月1版3刷），冊一，頁339-340等，對此皆有詳實的論述。

在時空中的進退。[49]爻，既有「位之別」與「時之差」，自然也會因其時位、動靜與性質，而決其剛柔。[50]以此可知，剛柔可以決定卦位的性質，也可以決定爻位的性質。於是，所謂「六位時成」，就是指剛爻柔爻在六位的變動歷程中彰顯了卦的體性。所謂「得位」、「失位」，就是指剛柔的表現適不適宜情境；而剛健、柔順在種種情境中的表現，也彰顯了事物的體性。如此，剛柔不僅是乾坤二元內在於事物的表徵，同時也是決定事物體性的內在根據。[51]

張載《正蒙・太和》:「虛實，動靜之機；陰陽，剛柔之始。」[52]因此，無論是因剛與柔兩力的相推摩，在六個爻畫之間相互往來升降所產生的順向或逆向移位；或是《老子》從「復歸」(返回)的角度切入，發現事物變化的最大通則是事物發展至極點必一變而為其反面所形成的順向或逆向移位，兩者都說明了天地萬物會因其性質的或剛或柔，形成「對比」(剛)或「調和」(柔)的聯貫作用。至於《周易》中的「反轉成偶」所形成的轉位；六十四卦的位位互移、運動變化到達極點，因大反轉而形成另一個循環；《老子》中由「無」而「有」而「無」，反本復其根的整個變動歷程所形成的「大轉位」，也都會因其性質的或剛或柔，形成局部的「對比」或「調和」聯貫作用。

《周易》陰陽說的核心，包含了「一陰一陽的道是規律」、「陰陽互相爭勝負」、「陰陽的整體和諧」等三大議題。[53]以此可知，《周易》

---

49 卦變、爻變兩種概念的涵意，實互為關聯。凡「卦變」現象，必有「爻變」才能形成；凡「爻變」，也必然造成「卦變」。分而言之，有「卦變」、「爻變」之別；合而言之，「卦變」、「爻變」並具通同之理。張善文：《象數與義理》(臺北市：洪葉文化事業公司，1997年1月初版1刷)，頁126。

50 江弘毅：陽數順走，陰數逆走。陽數奇，陰數偶。故一、三、五為陽位，二、四、六為陰位。《周易津梁》(臺北市：文笙書局，1996年7月初版)，頁47-48。

51 戴璉璋：《易傳之形成及其思想》，頁94-95。

52 〔宋〕張載：《張載集》(嶄新編校本)，頁9。

53 徐志銳：《周易陰陽八卦說解》，頁101。

雖指出陰陽二元的普遍性，但重點應是在「中庸」、「中和」、殊途而同歸。[54]也就是說，化育萬物的「陰陽」二大動力，一方面「一動一靜，互為其根」（周敦頤《太極圖說》），運動到達極度，又向對待面轉化，循環無端；一方面，萬有之動又源於「一」。[55]如王夫之《張子正蒙注》明言：「自太和一氣而推之，陰陽之化自此而分；陰中有陽，陽中有陰，原本於太極之一，非陰陽判離，各自孳生其類。」[56]王新華也以為「宇宙之生成，乃一陰陽交迭消長，生生不已之變化過程。『易道之變化，皆不出乎一太極』。太極既分，而有陰陽二氣。此陰陽二氣代表宇宙發展過程中，任何事物不同之兩面，此不同之兩面，雖相對立，卻不可相離。」[57]

所以，就其發用的性質而言，「剛」雖為陽之質，但剛中並非無陰。同理，「柔」雖為陰之質，但柔中並不缺陽。陰陽交感，動靜交涵，恆處於動態之中，陽之動涵靜，陰之靜也涵動，故〈繫辭上〉云：「夫乾，其靜也專，其動也直，是以大生焉。夫坤，其靜也翕，其動也闢，是以廣生焉。」萬物產生、發展、運動變化的原因與動力，又可歸結為「太極之一」。[58]陰陽彼此迭相往來，彼此調節於「一（0）」，統一於「道」的規範之中。天地之化，皆是如此。

以此，若停留在某一個層面而言，陽剛、陰柔的相轉相生與相互推移，可形成「移位」、「轉位」的作用。其中，變化程度較和緩的順

---

54 項退結：《中國人的路》，頁90-91；方立天：《中國古代問題發展史》（臺北市：洪葉文化事業公司，1995年4月初版1刷），頁221。

55 胡自逢：《易學識小》，頁86。

56 〔宋〕張載撰，〔清〕王夫之注：《張子正蒙注》（臺北市：河洛圖書出版社，1975年10月臺景印初版），頁27。

57 王新華：《周易繫辭傳研究》（臺北市：文津出版社，1998年4月1刷初版），頁36。

58 方立天：《中國古代問題發展史》，頁209；曾春海：《儒家哲學論集》（臺北市：文津出版社，1989年5月初版），頁430-431。

逆向移位，會因其性質的或剛或柔，形成「對比」或「調和」；變化程度較顯著的「轉位」或「大轉位」，也會因其性質的或剛或柔，形成「對比」或「調和」。但若回到運動變化的整體規律而言，則沒有永遠的「一（0）」，也沒有永遠的對比或調和。因為「一（0）」、對比或調和，恆處於變動之中。調和向上一層移動會形成對比，對比也會向調和移動，而後形成整體的大和諧，再開啟另一個新的循環。

二　就章法層面而言

關於二元對待、相反相成的概念或結構，無論是出自《周易》或《老子》，都反映了宇宙人生、事類、物類一種基本的邏輯關係。若落到章法上，便形成了兩相對待的通則。自古以來，即受文評論家的注意，如常見的「起」與「結」、「伏」與「應」、「緩」與「急」、「開」與「合」、「擒」與「縱」、「抑」與「揚」、「直」與「曲」、「正」與「奇」、「詳」與「略」、「綱」與「目」等即是。只是一直見樹不見林，未曾形成系統。[59]

（一）陰陽二元對待形成的聯貫

一篇辭章中的各種材料，有賴於聯絡照應的意匠本領，始能穩密靈活的組成統一的整體，[60]故歷來傳統文評談論「聯貫」（聯絡）者甚多。如劉勰《文心雕龍．章句》：「啟行之辭，逆萌中篇之意；絕筆之言，追媵前句之旨；故能外文綺交，內義脈注，跗萼相銜，首尾一

59 鄭頤壽：〈中華文化沃土，辭章學圃奇葩——讀陳滿銘《章法學新裁》及其相關著作〉，《海峽兩岸中華傳統文化與現代化研討會論文集》（蘇州：海峽兩岸中華傳統文化與現代化研討會，2002年5月），頁132-134。

60 章微穎：《中學國文教學法》（臺北市：蘭臺書局，1973年10月再版），頁53。

體。」[61]又如倪士毅《作文要訣》：

> 要是下筆之時，說得首尾照應，串得針線細密，步步思量主意，句句挑得明緊，教他讀去順溜。……自此之外，又有一項法度；一篇之中，凡有改段接頭處，當教他轉得全不費力，而又有新體，此雖小節，亦看人手段。[62]

所謂「首尾照應」、「串」、「步步思量主意」、「改段接頭處」，講的就是字句、段落的「聯貫」。又如方苞〈書五代史安重誨傳後〉：

> 記事之文，惟《左傳》、《史記》各有義法。一篇之中，脈相灌輸，而不可增損。然其前後相應，或隱或顯，或偏或全，變化隨宜，不主一道。[63]

「脈相灌輸」、「前後相應」，指的就是隱、顯、偏、全運用得宜的「聯貫」法。王葆心《古文辭通義》更直言「教篇法入門之法有三，一文氣聯貫，二劃分段落，三反正分明」。[64]所以，行文最重「文氣聯貫」。劉師培也以為「古人文章之轉折最應研究」，「大抵魏晉以後之文，凡兩段相接處皆有轉折之跡可尋，而漢人之文，不論有韻無韻，皆能轉折自然，不著痕跡」。[65]「轉折自然」，就是聯貫得宜。

---

61 〔梁〕劉勰著，〔清〕黃叔琳校：《文心雕龍注》（臺北市：臺灣開明書店，1993年5月17版），卷七，頁22。

62 朱任生：《古文法纂要》（臺北市：臺灣商務印書館，1984年9月初版），頁232。

63 朱任生：《古文法纂要》，頁232。

64 王葆心：《古文辭通義》，卷九，頁46。

65 劉師培：《漢魏六朝專家文研究》（臺北市：臺灣中華書局，1982年3月臺5版），頁17。

然而，前人多著眼於字句、段落，也多局限在字句、段落間談「聯貫」照應。如曾祥芹談「綴言律」，指寫作活動經過「察物」、「創意」，實現從「物」到「意」的「內孕」之後，接著就要「綴言」成體，完成由「意」到「文」的外化工作。因此，掌握組句、連章、構篇的綴言規律，就可登臨「言意化一」的境界。[66]其他，如章微穎《中學國文教學法》、鄭文貞《篇章修辭學》、黃錦鋐《中學國文教材教法》、曾祥芹《文章學與語文教育》、張會恩、曾祥芹編《文章學教程》等，[67]也多跳不出聯詞、聯句、聯段等範圍談「基本聯絡」、[68]「藝術聯絡」，[69]談方法與材料[70]的聯絡照應。

---

66 曾祥芹：《現代文章學引論》，頁142-146。

67 章微穎：《中學國文教學法》，頁53-54；鄭文貞：《篇章修辭學》（廈門市：廈門大學出版社，1991年6月1版1刷），頁198-217；黃錦鋐：《中學國文教材教法》（臺北市：教育文物出版社，1981年2月初版），頁119-124；曾祥芹：《文章學與語文教育》（上海市：上海教育出版社，1995年4月1版1刷），頁176；張會恩、曾祥芹：《文章學教程》（上海市：上海教育出版社，1995年5月1版1刷），頁318-319。

68 所謂「基本聯絡」，各家講法大致相同，多指聯詞聯語，如承接，則用「是故」、「於是」之類；轉接，則用「然而」、「雖然」之類；推展，則用「若夫」、「講到」之類；總束，則用「總之」、「由此觀之」之類（見蔣伯潛《中學國文教學法》，臺北市：泰順書局，1972年5月再版，頁83-85）。鄭文貞則以為修辭方式，如比喻、借代、拈連、對比、設問等，也都可以作為銜接的手段（《篇章修辭學》，頁202）。黃錦鋐分基本聯絡為：「用聯詞作上下文的接榫」、「用聯語作上下文的接榫」、「用關聯的句子作上下文的接榫」、「用關聯的段落作上下文的接榫」（《中學國文教材教法》，頁120）。一般而言，「基本聯絡」表示的是比較明顯的、有跡可尋的聯絡線索。

69 蔣伯潛分「藝術聯絡」為六種：「呼應法」、「層遞法」、「分析法」、「綜合法」、「過渡法」、「問答法」。其中，「層遞法」、「分析法」、「綜合法」、「問答法」，應屬於秩序律的範疇；「過渡法」則比較接近於「基本聯絡」，只有「呼應法」指的是材料相互呼應所達成的藝術聯絡。可見他的分類並不十分精細（見《中學國文教學法》，頁83-85）。黃錦鋐分為：「首尾呼應法」、「暗伏明應法」、「一路照應法」、「層遞接應法」、「過渡聯絡法」、「聯絡的省略」等（《中學國文教材教法》，頁121-124）。一般而言，在文章中，無形而巧妙地使段與段之間具有銜接轉折作用，使前後段密切的聯繫起來的，多屬藝術聯絡。

不局限於「句與句相續而成段，段與段相續而成篇」等字句、段落的「銜接」，而能進一步談「言篇法而及銜接，則古人所謂血脈是也」的篇章「銜接」，當屬曹冕《修辭學》。他引呂東萊「有形者綱目，無形者血脈」的觀點，申論「血脈」與「銜接」的關係，「惟其無形，故伏處斷處，每為讀者所不覺，到後來照應處，方恍然一悟」，故「文之血脈，通篇亦無所不貫」。[71]

可惜，提出「綱目」、「血脈」之後，曹冕只引了「魏叔子論文脈，析而為四：曰伏、曰應、曰斷、曰續」談埋伏照應，談「有伏即有應，亦有斷必有續；伏處不必即應，斷處亦不必即續」[72]的作文要訣，並沒有再深入一層地探討篇章材料應如何銜接、如何呼應。直至陳滿銘為之申論與舉例，屬於章法的「聯貫律」始出現較為完整的定義：

> 所謂「聯貫」，是就材料先後的銜接或呼應來說的，也稱為「銜接」。無論是哪一種章法，都可以由局部的「調和」與「對比」，形成銜接或呼應，而達到聯貫的效果。[73]

結構，指的是系統內部各要素之間相互聯繫的方式，它是從整體上揭示系統內在聯繫的一個基本規定，也是系統保持整體性的內在根

70 陳滿銘分藝術聯絡為：「局部性的前呼後應」與「整體性的一路照應」。見《國文教學論叢》（臺北市：萬卷樓圖書公司，1994年9月初版3刷），頁427-437。關於字句、段落間的「基本聯絡」與「藝術聯絡」，見仇小屏：《文章章法論》（臺北市：萬卷樓圖書公司，1998年11月初版），頁151-412。

71 曹冕：《修辭學》（上海市：商務印書館，1934年4月初版），頁85-86。

72 曹冕：《修辭學》，頁104-114。

73 陳滿銘：《章法學論粹》，頁11。

據。[74]文章結構規律作為文章本質的關係，恰好跟人類的思維形式相對應，而思維形式又是客觀事物本質關係的反映。[75]故陳滿銘指出，同樣根植於宇宙人生邏輯規律的章法四大律，恰恰切合於「多、二、一（0）」的順序。其中，「秩序」與「變化」相當於「多」（多樣）；「聯貫」，以根本而言，相當於「二」（剛柔）；而「統一」，則相當於「一（0）」。由「多樣」而「二」而「統一」，正凸顯了章法四大律的「多、二、一（0）」邏輯結構。在「多、二、一（0）」邏輯原理的涵蓋下，章法結構正是取「二」（核心結構）以發揮徹上（「一（0）」）與徹下（「多」）的作用：[76]

> 「多、二、一（0）」落到章法結構來說，則核心以外的所有其他結構，都屬於「多」；而核心結構所形成之「二元對待」，自成陰與陽而「相反相成」，以徹上徹下，形成結構之「調和性」（陰）與「對比性」（陽）的，是屬於核心之「二」；至於辭章之「主旨」或由「統一」所形成之風格、韻味、氣象、境界等，則屬於「一（0）」。[77]

因此，從「二元對待」的角度切入，凸出「調和」與「對比」，最能掌握章法結構在徹上（「一（0）」）與徹下（「多」）時，所起的關鍵性之聯貫作用。

〈繫辭上〉：「天尊地卑，乾坤定矣；卑高以陳，貴賤位矣；動靜

74 張則幸、金福順：《科學思維的辯證模式》（臺北市：淑馨出版社，1994年12月初版1刷），頁21。
75 吳應天：《文章結構學》（北京市：中國人民大學出版社，1989年8月初版），頁9。
76 陳滿銘：〈章法「多、二、一（0）」結構的形成〉，《章法學綜論》，頁247-248。
77 陳滿銘：〈章法「多、二、一（0）」結構的形成〉，《章法學綜論》，頁249。

有常，剛柔斷矣。」從整個陰陽、剛柔學說來看，《周易》中的剛柔可用以象徵或概括一系列成組的相對待的事物，也可以和許多相對待的事物或性質相連屬。大抵而言，屬於本、先、靜、低、內、小、近等，為「陰」為「柔」；屬於末、後、動、高、外、大、遠等，為「陽」為「剛」。[78]若以此來探查章法，則所有以「陰陽二元」為基礎而形成的章法本身，也都因而具有或陽剛或陰柔的屬性。[79]近四十種章法中，凡屬於昔、暫、近、小、內、低、底、本、淺、因、縱、泛、先、靜、點、凡、情、論、詳、虛、正、立、揚、寡、張、賤、親、主、平、天、偏、敲等，多為「陰」為「柔」；凡屬於今、久、遠、大、外、高、圖、末、後、深、動、果、收、具、染、目、景、敘、略、實、反、破、抑、眾、弛、貴、疏、賓、側、人、全、擊等，多為「陽」為「剛」：

1. 今昔法：以「昔」為陰為柔、「今」為陽為剛。
2. 久暫法：以「暫」為陰為柔、「久」為陽為剛。
3. 問答法：以「問」為陰為柔、「答」為陽為剛。
4. 遠近法：以「近」為陰為柔、「遠」為陽為剛。
5. 大小法：以「小」為陰為柔、「大」為陽為剛。
6. 內外法：以「內」為陰為柔、「外」為陽為剛。
7. 左右法：以「左」為陰為柔、「右」為陽為剛。
8. 高低法：以「低」為陰為柔、「高」為陽為剛。
9. 底圖法：以「底」為陰為柔、「圖」為陽為剛。
10. 本末法：以「本」為陰為柔、「末」為陽為剛。

---

78 陳望衡：《中國古典美學史》，頁184。

79 關於章法或陽剛或陰柔的屬性，乃參酌陳滿銘（〈章法風格中剛柔成分的量化〉，《國文天地》19卷6期，2003年11月，頁88-90）的觀點。

11. 淺深法：以「淺」為陰為柔、「深」為陽為剛。
12. 因果法：以「因」為陰為柔、「果」為陽為剛。
13. 縱收法：以「收」為陰為柔、「縱」為陽為剛。
14. 泛具法：以「泛」為陰為柔、「具」為陽為剛。
15. 點染法：以「點」為陰為柔、「染」為陽為剛。
16. 凡目法：以「凡」為陰為柔、「目」為陽為剛。
17. 情景法：以「情」為陰為柔、「景」為陽為剛。
18. 敘論法：以「論」為陰為柔、「敘」為陽為剛。
19. 詳略法：以「略」為陰為柔、「詳」為陽為剛。
20. 虛實法：以「虛」為陰為柔、「實」為陽為剛。
21.正反法：以「正」為陰為柔、「反」為陽為剛。
22. 立破法：以「立」為陰為柔、「破」為陽為剛。
23. 抑揚法：以「抑」為陰為柔、「揚」為陽為剛。
24. 眾寡法：以「寡」為陰為柔、「眾」為陽為剛。
25. 張弛法：以「弛」為陰為柔、「張」為陽為剛。
26. 貴賤法：以「賤」為陰為柔、「貴」為陽為剛。
27. 親疏法：以「親」為陰為柔、「疏」為陽為剛。
28. 賓主法：以「主」為陰為柔、「賓」為陽為剛。
29. 平側法：以「平」為陰為柔、「側」為陽為剛。
30. 天人法：以「天」為陰為柔、「人」為陽為剛。
31. 偏全法：以「偏」為陰為柔、「全」為陽為剛。
32. 敲擊法：以「擊」為陰為柔、「敲」為陽為剛。

章法與章法結構，既是建立在「陰陽二元對待」、「剛柔」互動的基礎上，因此每一種章法都可經由局部的銜接、呼應，形成「調和性」或「對比性」的聯貫關係。其中，立與破、抑與揚、縱與收、正與反、張與弛等，比較容易形成「對比性」的聯貫律。本與末、淺與深、因與果、泛與具、凡與目、平與側、點與染、偏與全、賓與主、情與景、論與敘、敲與擊等，易形成「調和性」的聯貫律。今與昔、久與暫、遠與近、內與外、左與右、大與小、高與低、虛與實、詳與略、天與人、眾與寡、圖與底、問與答等，則屬於「中性類」，唯有進一步檢視所選用的材料，並落實到篇章結構中，才能判定其為「對比」或「調和」關係的聯貫律。[80]

大曆二年（767）秋，杜甫流寓夔州所作的〈登高〉，即因「景」與「情」之間的材料性質類近而形成調和性的聯貫關係：

> 風急天高猿嘯哀，渚清沙白鳥飛回。無邊落木蕭蕭下，不盡長江袞袞來。萬里悲秋常作客，百年多病獨登臺。艱難苦恨繁雙鬢，潦倒新停濁酒杯。[81]

詩人一站上四面皆空的高臺，視線很自然由高處向低處層層推移，經由飛鳥拉回後，又橫向平遠的無邊落木，再隨江水帶回到眼前。這種俯觀仰眎近睇遠覽的視覺審美節奏，複合高低、遠近、大小等多種視角的變換，可感知四周景物的層次關係，可得視聽之娛；轉換之際，又能產生「躍動性」空間美，豐富登高的意涵。[82]而蕭蕭、袞袞等疊詞，益見悲壯，故頸聯承之以「悲秋」意，總括開篇四句的景語。

「悲秋」的原型母題及其流衍變化潛藏在中國文人精神的最深底

---

80 關於章法「對比」、「調和」、「中性」的分類，陳滿銘：《章法學綜論》，頁455-458；黃淑貞：《篇章對比與調和結構論》（臺北市：萬卷樓圖書公司，2005年6月初版），頁1-297。

81 高步瀛：《唐宋詩舉要》（臺北市：明倫出版社，1971年10月初版），頁591。

82 黃淑貞：〈談園林的視角變換及其美感〉，《思辨集》第8卷（2005年3月），頁1-19。

層，成為「嘆逝」及「悲不遇」的文學主題。甚至形成一種情感定勢，一種「先結構」，成為人們感知世界的獨特傾向和介入現實的獨特角度。[83]所以詩人面對「風颯颯兮木蕭蕭」(〈山鬼〉) 的秋天，而有「竊獨悲此廩秋」(〈九辯〉)，功業無成的悲感。「悲」情緣「秋」而生，引出了後半篇的詩意。「百年」句，化用《莊子・盜跖》的「人上壽百歲，中壽八十，下壽六十，除病瘦（瘐）死喪憂患，其中開口而笑者，一月之中不過四五日而已矣」，[84]歎人生何其短而病苦何其多。羅大經評此聯，「蓋萬里，地之遠也。秋，時之慘悽也。作客，羈旅也。常作客，久旅也。百年，齒暮也。多病，衰疾也。臺，高迴處也。獨登臺，無親朋也。十四字之間，含八意，而對偶又精確。」[85]安史亂後，異鄉羈旅的無限悲涼意，溢於言外。加上詩人遠近俯仰的審美視線雖以目為主，實也包含著多種感官的配合，在具體有限的時空裡反映出宇宙況味，復從無限中回歸有限，終成一個迴旋的節奏；[86]故楊倫稱美其「高渾一氣，古今獨步，當為杜集七言律詩第一」。[87]其結構表為：

---

83 暢廣元：《中國文學的人文精神》(西安市：陝西人民出版社，1994年3月1版1刷)，頁75-76。

84 黃錦鋐：《新譯莊子讀本》(臺北市：三民書局，1988年3月8版)，頁340。

85 〔宋〕羅大經撰，王瑞來點校：《鶴林玉露・卷之五・乙編》(北京市：中華書局，1997年12月1版湖北2刷)，頁215。

86 張法：《中西美學與文化精神》(臺北市：淑馨出版社，1998年10月1刷)，頁324-325。

87 〔清〕楊倫：《杜詩鏡銓》(臺北市：藝文印書館，1998年12月初版3刷)，頁1169-1170。

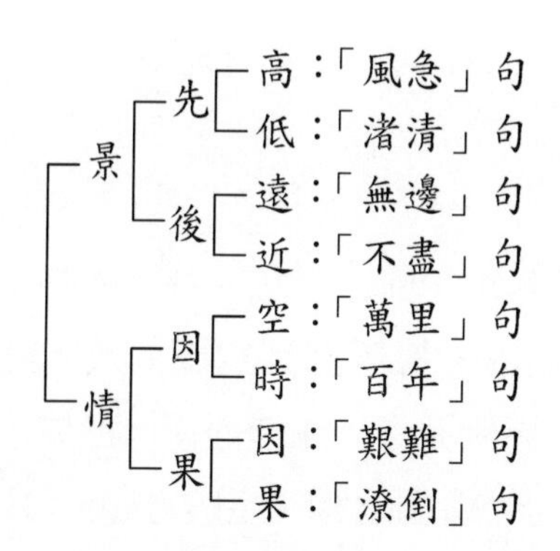

「四句景，後四句情，一二碎，三四整，筆法變化，五六接遞開合兼敘點，一氣噴薄而出，收不覺為對句，換筆換意，一定章法也」（方植之）。[88]全詩也善於結合風、天、猿、渚、沙、鳥、木、江、秋、臺、亭、酒杯等物材，《莊子》（語典）、嘯哀、飛回、蕭蕭下、滾滾來、悲秋、作客、登臺、苦恨、艱難、潦倒、停酒等事材，凸顯「悲秋」之意；並運用視聽心等知覺及視角變換法，呈現慘淡的深秋景象。筆勢雄駿奔放，若天馬之不可羈。次聯有疏宕氣，三聯有頓挫之神，首句又妙在押韻，押韻則聲長，所以通首作對而不覺其笨拙。同時利用力勢的流動與呼應形成節奏，支撐貫串最上層的「先景後情」核心結構。核心結構一面徹下以統合「多」（先→後、高→低、遠→近、空→時、因→果），一面又歸根於「一（0）」，凸顯身世家國悲感。「景」與「情」之間，則因內容材料的相類與時空的相近產生類似或接近聯想，[89]形成偏近於調和性的二元對待關係。又如辛棄疾〈酒泉子〉：

流水無情，潮到空城頭盡白。離歌一曲怨殘陽。斷人腸。

88 高步瀛：《唐宋詩舉要》，頁591-592。

89 李元洛：《詩美學》（臺北市：東大圖書公司，1990年2月初版），頁301。

東風官柳舞雕牆。三十六宮花濺淚，春聲何處說興亡。燕雙雙。[90]

此詞作年雖不可考，但鄧廣銘「據其感慨興亡之意，及『雕牆』、『三十六宮』等語，知必作於一都城之內。據『潮到空城』及『燕說興亡』句，可定為在金陵時所作」。[91]感慨興亡，由淺而深，形成「大小迭用」的結構。上片，「流水」二句，借劉禹錫〈金陵五題〉「山圍故國周遭在，潮打空城寂寞回」的詩意，摹寫潮打空城的景象。白頭的浪花、荒冷的空城、寂寞的回音，日復一日在離人耳畔迴響，為下片的興亡感慨鋪上一層黯然蕭索的底色。「離歌一曲」二句，凸出了賦離歌、斷人腸的場景。人因自己的離情無處可宣洩而怨起殘陽來，場景是縮小的。下片，首二句，寫的是金陵古城的無邊春色。由於人的視知覺對形體、光影和色彩具有選擇性和注意力，所以會很自然地把綠柳紅花飛燕等「圖象」從一定的背景（「底」）中分辨剝離出來以入詞。「感時花濺淚，恨別鳥驚心」（杜甫〈春望〉）。紅豔的宮花，飛舞的官柳，反襯「國破山河在」的興亡悲感。「春聲何處」二句，化用「燕子不知何世。入尋常巷陌人家，相對如說興亡，斜陽裡」（周邦彥〈西河．金陵懷古〉）的詞意，由棲居金陵城的小小雙燕的呢喃聲，道出「說興亡」的旨意，悲情倍增。

細觀全詞的空間安排，作者有意地將或大或小的場景和事物相互間錯起來，形成由「潮水」（大）而「人」（小）、由「花柳」（大）而「雙燕」（小）的場景變換。「大」與「小」的映照，會使「大」者更擴散，「小」者更集中，巧妙地延長或縮短各個空間的距離，在小小

90 鄧廣銘：《稼軒詞編年箋注》（臺北市：華正書局，2003年9月2版1刷），頁38。
91 鄧廣銘：《稼軒詞編年箋注》，頁38。

尺幅中顯豁一己胸中無盡的悲感。[92]其結構表為：

```
      ┌大（潮水）:「流水」二句
  ┌淺┤
  │   └小（人）:「離歌」二句
  │   ┌大（花柳）:「東風」二句
  └深┤
      └小（雙燕）:「春聲」二句
```

水、潮、太陽、風、柳、花、燕、城、牆、宮、歌等物材，劉禹錫〈金陵五題〉（語典）、周邦彥〈西河〉（語典）等事材，抒寫了城中戰後的荒涼景致。視覺、聽覺、擬人等修辭法，則描繪一片花紅柳綠燕鳴的景象。「淺深」、「大小」（二疊）等層次結構，藉由陰陽力勢的流動與呼應，達成一篇韻律節奏，形成完整的結構，凸出「興亡感慨」意。最上層的「先淺後深」核心結構雖屬中性，但由於詞中所運用的材料性質相類，故形成偏近於「調和性」的二元對待關係。

以對比性結構呈現二元對待者，如李商隱〈賈生〉：

> 宣室求賢訪逐臣，賈生才調更無倫。可憐夜半虛前席，不問蒼生問鬼神。

宣室，未央前殿正室，在此用來稱代漢文帝。據《史記・屈原賈生列傳》記載，「絳、灌、東陽侯、馮敬之屬」，離間賈生於漢文帝，「乃短賈生曰：雒陽之人，年少初學，專欲擅權紛亂諸事。於是天子後亦疏之，不用其議。乃以賈生為長沙王太傅」。[93]「逐臣」，指的就是長

92 「大小」，在章法中指的是空間的大小，它可以是由大空間凝聚至小空間的「包孕式」的空間變化，也可以是由小空間擴張至大空間的「輻射式」的空間變化。「大中取小，小中見大，巨細結合，點面相映」，顯示的正是「空間的大小映照」的美感效果。李元洛：《詩美學》，頁414；陳滿銘：《國文教學論叢》，頁28。

93 〔漢〕司馬遷著，瀧川龜太郎注：《史記會注考證》（臺北市：洪氏出版社，1985年9月版），頁1014。

沙王太傅賈誼。從首句的「訪」字，可以見出文帝當時「求賢」之切；詩人在此，也竭力振揚賈生之「賢」。「才調無倫」是文帝讚美賈生的話語，所以又是一揚。三、四句，引用了「賈生徵見，孝文帝方受釐，坐宣室。上因感鬼神事，而問鬼神之本。賈生因具道所以然之狀，至夜半，文帝前席。既罷，曰：吾久不見賈生，自以為過之，今不及也」[94]這一段史事來鋪陳詩意。詩人以「可憐」一詞轉折文意，由揚入貶，暗諷漢文帝徹夜不眠只為追問鬼神之事。故喻守貞批注「三句『可憐』一轉，是一抑；四句『不問』，又是一抑。揚賈生，即所以抑漢文，其諷刺之意自明」，[95]形成抑揚對照的對比美。[96]其結構表為：

```
┌揚┌底：「宣室」句
│  └圖：「賈生」句
└抑┌果：「可憐」句
   └因：「不問」句
```

宇宙間的人情物態，如剛柔、晦明、苦樂、藏露、潤燥、粗細、輕重、方圓、長短、疏密等，常須兩相比較，始能顯示明晰的概念，形成鮮明的反差，展現情致的多樣性和豐富性。[97]全詩善以賈生、孝文帝等角色性人物（物材），《史記．屈原賈生列傳》（事典）、鬼神之事等事材，借代、反襯、心覺等修辭法，彰顯賈生才調之高，寄託諷諭之意。「先揚後抑」核心結構，徹下以統合「多」（「底圖」、「果

94 〔漢〕司馬遷著，瀧川龜太郎注：《史記會注考證》，頁1014。

95 喻守貞：《唐詩三百首詳析》（臺北市：臺灣中華書局，1995年1月23版4刷），頁318。

96 黃淑貞：《篇章對比與調和結構論》，頁81-82。

97 黃永武：《中國詩學——設計篇》（臺北市：巨流圖書公司，1978年6月1版4刷），頁38。

因」)，由下而上地藉陰陽力勢的流動變化與呼應，達成一篇節奏；再經由邏輯思維，把各個個別意象排列在一起，貫串全篇的意象群，歸根於「一（0）」，凸出「諷刺」意。就「篇」結構而言，「抑」與「揚」之間，形成了「對比性」二元對待關係。

又如辛棄疾〈千年調〉：

> 巵酒向人時，和氣先傾倒。最要然然可可，萬事稱好。滑稽坐上，更對鴟夷笑。寒與熱，總隨人，甘國老。　少年使酒，出口人嫌拗。此箇和合道理，近日方曉。學人言語，未會十分巧。看他們，得人憐，秦吉了。[98]

此詞題作「蔗菴小閣名曰巵言，作此詞以嘲之」，當作於稼軒退隱帶湖時。因上饒鄉居的友人，名「蔗庵閣」為「巵言」，詞人有心藉題發揮，以寄嘲諷之意。上片「巵酒」三句，化用《莊子・寓言》「寓言十九，重言十七，巵言日出，和以天倪。……惡乎然？然於然。惡乎不然？不然於不然。惡乎可？可於可。惡乎不可？不可於不可。物固有所然，物固有所可，無物不然，無物不可」[99]的典故。「巵」是酒器，滿則傾，空則仰，隨物而變，不執一守故。若以之比喻語言，則是指隨人、物、時、空的不同而變，然然可可全無己見，故莊子稱之為「巵言」。「萬事稱好」句，是指「不談議時人，有以人物問徽者，初不辨其高下，每輒言佳」[100]的司馬徽。鴟夷、滑稽，兩種酒器，典

98 鄧廣銘：《稼軒詞編年箋注》，頁159。

99 黃錦鋐：《新譯莊子讀本》，頁317-318。

100 《世說新語・言語》劉孝標注引《司馬徽別傳》：「（司馬）徽字德操，潁川陽翟人。有人倫鑒識，居荊州。知劉表性暗，必害善人，乃括囊不談議時人。有以人物問徽者，初不辨其高下，每輒言佳。其婦諫曰：『人質所疑，君宜辯論，而一皆言佳，豈人所以諮君之意乎？』徽曰：『如君所言，亦復佳。』」〔南朝宋〕劉義慶

出揚雄〈酒賦〉：「鴟夷滑稽，腹大如壺。盡日盛酒，八腹借酤。」甘國老，指可調和諸藥的「甘草，國老，味甘平，無毒，主五臟六腑寒熱邪氣」（《本草綱目・草部》）。詞人在此採用擬人手法，以「卮」、「滑稽」、「鴟夷」等三種酒器，及寒熱總隨人的甘草藥材，辛辣、幽默地反諷趨炎阿諛的官僚小人。下片「少年」六句，先昔後今，表面上是寫昔日年少剛信拗直，而今始知和合的道理，然則實是不改剛直的秉性。「看他們」三句，筆勢一轉，復以反筆化用白居易〈秦吉了〉：「耳聰心慧舌端巧，鳥語人言無不通」的詩意，描寫形似鸚鵡、善學人言而討人喜愛的鳥，諷刺朝廷裡逢迎拍馬的官僚醜態。[101]其結構表為：

- 反
  - 一（卮）：「卮酒」四句
  - 二（滑稽、鴟夷）：「滑稽」二句
  - 三（甘國老）：「總隨人」二句
- 正
  - 昔：「少年」二句
  - 今：「此箇」四句
- 反：「看他們」三句

全詞結合了卮酒、滑稽、鴟夷、甘國老、秦吉了等物材，及《莊子》、《文選》、《世說》等事材（語典），引領讀者「因象悟意」，領會詞人溢於象外的味外之味。「反、正、反」、「昔今」等層次結構，對比中又有調和，並由下而上地藉陰陽力勢的流動變化與呼應，由章而篇，貫串了全篇的意象群，形成完整之結構，以凸出對朝中小人的「嘲諷」之意。就「篇」結構而言，「反」與「正」之間，形成「對比性」對待關係。「天下之理，有正言之不甚動聽，而反言之則其理

著，〔南朝梁〕劉孝標注，余嘉錫箋疏：《世說新語箋疏》（北京市：中華書局，2011年3月1版1刷），頁11。

101 陳滿銘：《章法學新裁》，頁480-481；鄧廣銘：《稼軒詞編年箋注》，頁160。

易正」。[102]因為行文若只說正面，即使盡力渲染，也難以產生特殊的效果；若能利用「卮」、「滑稽」、「鴟夷」、「甘國老」、「秦吉了」等反襯的賓位素材，「正面」彰顯主人翁的凜然風骨，可以增強主要事物的藝術力量，使其形神入微，鮮明其反諷意味，促使讀者產生更深刻的印象，更強烈的情感，並達成聯絡照應的效果。[103]

（二）移位轉位形成的聯貫

「詞之章法，不外相摩相盪，如奇正、空實、抑揚、開合、工易、寬緊之類是也」。[104]它可形成「對比性」或「調和性」關係。對比與調和，是美感的兩種基本類型。善用「將欲順之，必故逆之；將欲落之，必故起之；將欲轉之，必故折之；將欲掣之，必故頓之；將欲伸之，必故屈之；將欲拔之，必故擪之；將欲束之，必故拓之；將欲行之，必故停之」[105]的對比性原理，與人的視覺感官的運動規律相適應，並深具張力，可產生一種游離於語言表層意義之上的意境，喚起讀者的想像，進而馳騁於此新的意境中。調和，則源自於接近聯想和類似聯想。創作者所致力的，乃是將自己抽象的情感思想，由聯想化為具體的意象，使讀者能自具體的意象中，對抽象的情思得到一個鮮明而生動的感受，然後由聯想再引發聯想，在彼此內心最真切的感受中，覓取和享受一種相互的觸發，[106]強化美的層次性和豐富性。

對應於上文有關陰陽二元對待與聯貫的論述，章法單元、結構單

---

102 許恂儒：《作文百法》（臺北市：廣文書局，1985年5月再版），卷一，頁14。

103 黃淑貞：《篇章對比與調和結構論》，頁94-95。

104 〔清〕劉熙載：《藝概》（臺北市：金楓出版社，1998年7月革新一版），頁155。

105 〔清〕笪重光：〈書筏〉，《歷代書法論文選》（臺北市：華正書局，1984年9月初版），頁523。

106 葉嘉瑩：《王國維及其文學批評》（臺北市：源流文化事業公司，1982年6月再版），頁450-458。

元的「移位」所形成之秩序及「轉位」所形成之變化所統攝的材料（內容），也會形成傾向於對比（剛）或傾向於調和（柔）的結構。而且，無論形成何種聯繫，都可和傳統的「陽剛」、「陰柔」美學範疇一一對應起來。[107]就一篇辭章而言，全然形成「對比」者較少，在「對比」（主）中含有「調和」（輔）者較常見；全然形成「調和」者較多，在「調和」（主）中含有「對比」（輔）者，較為少見。無論是何者，都可以收到前後呼應、聯貫為一的效果。[108]如李白〈關山月〉：

> 明月出天山，蒼茫雲海間。長風幾萬里，吹度玉門關。漢下白登道，胡窺青海灣。由來征戰地，不見有人還。戍客望邊色，思歸多苦顏。高樓當此夜，歎息未應閑。[109]

天山，即甘肅青海間的祈連山。「明月」四句，是就「實空間」而言，敘寫詩人目前所在。由高而低的視點，隨升騰的皎月流轉於雲海間，再隨一陣長風飛越玉門關，遙思遠方。「氣蓋一世，學者皆熟味之，自不褊淺矣」。[110]白登臺，位於山西省大同縣東白登山上。據《史記．匈奴列傳》記載，漢高祖曾親擊匈奴，「冒頓縱精兵四十萬騎，圍高帝於白登七日」。[111]青海灣在現今的青海省東北部，自古就

---

107 仇小屏：〈論章法的移位、轉位及其美感〉，《辭章學論文集》（福州市：海潮攝影藝術出版社，2002年12月1版1刷），頁111-112。

108 仇小屏：〈論章法的移位、轉位及其美感〉，《辭章學論文集》，頁103-107。

109 〔唐〕李白撰，〔宋〕楊齊賢注，〔元〕蕭士贇補，〔明〕郭雲鵬編：《李太白全集》（臺北市：世界書局，1997年5月2版1刷），上冊，頁239。

110 〔唐〕李白撰，〔宋〕楊齊賢注，〔元〕蕭士贇補，〔明〕郭雲鵬編：《李太白全集》，頁239。

111 〔漢〕司馬遷著，瀧川龜太郎注：《史記會注考證》，頁1190。

是兵家必爭之地。隋代屬吐谷渾，唐高宗龍朔三年（663），吐蕃滅吐谷渾；儀鳳年間李敬玄、玄宗開元年間張景順、皇甫惟明、王忠嗣等皆先後與吐蕃攻戰。以此可知「漢下」四句，屬「虛空間」，是詩人懷古之語，遙想昔日邊關爭戰的慘烈，再轉出「由來征戰地，不見有人還」這一番「主意」來。[112]

「戍客」二句，直道眼前事，邊關戍客因「望邊色」而「思歸」而「苦顏」，屬於「實」的部分。「高樓」二句，詩人不直說自己思念家園，卻化用徐陵〈關山月〉「思婦高樓上，當窗未應眠」的詩意，設想萬里外的家人登樓思念征士之苦，使思歸之情又推深了一層。意境的形成，端賴虛實相生。因為它是具體的藝術形象（實）和它所表現的藝術情趣、藝術氣氛，以及可能觸發的豐富的藝術想像（虛）的總和。以此，全詩能由特定的「實」指向不定的「虛」，又由「虛」轉化觸發為更單純或更豐富的「實」，引人產生豐富聯想，從而在象外構成一個虛的境界，抒發情感。[113]其結構表為：

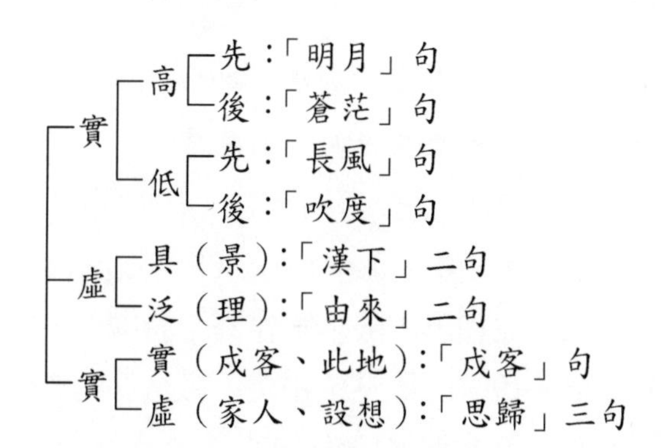

「移位」與「轉位」，雖同指「力」（勢）的變化，但在程度上卻

112 喻守真：《唐詩三百首詳析》，頁31。

113 蒲震元：《中國藝術意境論》（北京市：北京大學出版社，1999年1月2版1刷），頁25。

有不同。因為無論是就時間的延續或力的變化而言，造成結構上「往復」變化的「轉位」，比起單純「反覆」的「移位」，不僅力度較強，變化較為劇烈，節奏也因而較為明顯，所形成的風格及其美感，也就有所差異。如此詩，「雄渾之中，多少閒雅」（胡應麟《詩藪》），[114]故上層的「實→虛→實」章法單元，由「陽」流向「陰」再大力拉回「陽」（陽→陰→陽），產生拗向陽的力勢，形成偏近對比性關係。它一面徹下以統合「多」，一面又歸根於「一（0）」，強化「思歸」主旨。就「章」而言，有規律地組合「實一」部分所統攝的「高→低」（逆移，陽→陰）→「先→後」（順移，陰→陽）和「先→後」（順移，陰→陽）等結構單元、「虛」部分所統攝的「具→泛」（逆移，陽→陰）結構單元、「實二」部分所統攝的「實→虛」（逆移，陽→陰）結構單元，聯貫起較傾向於對比關係的材料（內容），並由下而上地藉陰陽的流動與呼應，達成全篇的統一。

次如張衍懿〈瞿塘峽〉：

> 歷數西南險，瞿塘自古聞。水從天上落，路向石中分。如馬驚秋漲，哀猿叫夕曛。乘流千里疾，回首萬重雲。

首聯是「凡」的部分，以「西南險」為「底」，凸出險厄自古聞的「瞿塘峽」這一個「圖」來，並拈出「險」字作為全詩綱領。頷聯底下是「目」的部分，運用傳統繪畫的散點透視法，複合仰觀俯察、前瞻後顧、遠視近觀、左顧右盼等多重視角於一詩。「水從天上落」，是仰觀水勢之大。「路向石中分」，是前瞻的平視，寫瞿塘峽穿石而過的險絕。「如馬驚秋漲」，寫俯察水流的湍急。「哀猿叫夕曛」，是左顧與

---

114 郁賢皓選注：《李白選集》（上海市：上海古籍出版社，1990年10月1版1刷），頁492。

右盼，從聽覺摹寫兩岸啼不住的猿聲，增添旅程的蕭瑟。「回首萬重雲」，則是江水疾流「千里」後的「後顧」。此種全面視境，是中國哲人的觀照法，也是中國傳統詩畫空間意識的特質。[115]如郭熙〈林泉高致〉的「自山下而仰山巔，謂之高遠；自山前而窺山後，謂之深遠；自近山而望遠山，謂之平遠」[116]的三遠法，可活潑空間設計的立體感、深度感，使讀者在欣賞中產生「山隨萬轉」的美感效果。[117]故凡作一畫，總需「意在筆先」，然後「審高下，審左右，幅內幅外，來路去路，胸有成竹；然後濡毫吮墨，先定氣勢，次分間架，次布疏密，次別濃淡，轉換敲擊，東呼西應」，[118]皆從肺腑中自然流出，如此筆墨間自有神味，自能使高者、下者、大者、小者、近者、遠者，天然湊拍，相應而渾然。其結構表為：

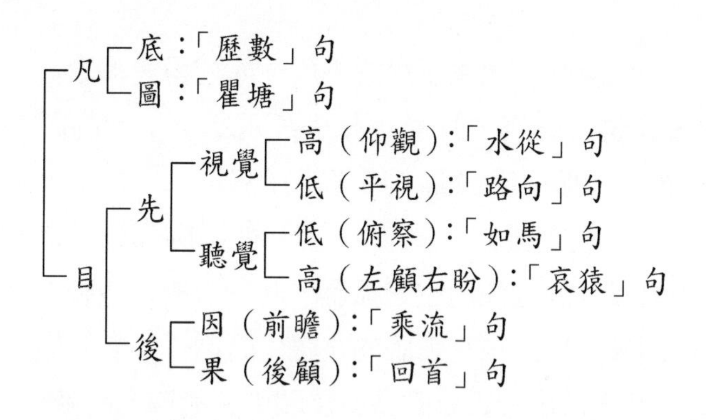

經過邏輯思維的安排佈置，上層以「先凡後目」順向移位結構，統合底下各層所形成的節奏。就「章」而言，有規律地組合「凡」部分所統攝的「底→圖」逆移結構單元，和「目」部分以「先→後」順

115 宗白華：《美學散步》（臺北市：洪範書店，2001年1月初版6刷），頁56-57。

116 〔宋〕郭熙：〈林泉高致〉，收入俞崑：《中國畫論類編》，頁639。

117 黃永武：《中國詩學——設計篇》，頁63；李元洛：《詩美學》，頁420-422。

118 〔清〕王原祈：〈雨窗漫筆〉，收入俞崑：《中國畫論類編》，頁169。

移結構單元所統攝的「高→低」和「低→高」（順、逆）→「視→聽」（順移）和「因→果」（順移）結構單元，形成反覆式節奏，用以支撐上層的「凡目」；由於這首詩的主旨「險」出現在「凡」的部分，所以可認定其為核心結構，聯貫較傾向於對比關係的材料（內容）。

末如張炎〈解連環〉：

> 楚江空晚。悵離群萬里，怳然驚散。自顧影、欲下寒塘，正沙淨草枯，水平天遠。寫不成書，只寄得、相思一點。料因循誤了，殘氈擁雪，故人心眼。　誰憐旅愁荏苒。謾長門夜悄，錦箏彈怨。想伴侶、猶宿蘆花，也曾念春前，去程應轉。暮雨相呼，怕驀地、玉關重見。未羞他、雙燕歸來，畫簾半捲。[119]

詩文中，常以「鴻雁哀鳴」比喻小民的失所。如杜甫〈孤雁〉：「孤雁不飲啄，飛鳴聲念群。誰憐一片影，相失萬重雲。」此詞題作「孤雁」，所以全篇緊扣「孤」字展開，層層烘托渲染，抒寫南宋滅亡後離群的哀痛，形成「先實後虛」結構。「實時間」的部分，以「楚江空晚」三句，抒寫獨飛於楚江上空的孤雁。時間上的「空晚」和空間上的「萬里」等語彙，令這一隻孤雁的「離」時之「悵」，「散」後之「怳」和「驚」，凸出於肅殺寂寥的昏黃色調中。孤單，而渺小。

「自顧影」三句承上，化用崔涂〈孤雁〉「暮雨相呼失，寒塘欲下遲」的詩意，續寫孤雁寒江獨飛的身影。「顧影」有雖孤單卻深自珍惜之意，「欲」字則神繪一種想下未下的遲疑。自近處的寒塘望向遠天，「平遠之意衝融而縹縹緲緲」[120]。顏色是有類別的，同時也是

119 周篤文、馬興榮主編：《全宋詞評注》（北京市：學苑出版社，2011年6月1版1刷），第九卷，頁925。

120 〔宋〕郭熙：〈林泉高致〉，收入俞崑：《中國畫論類編》，頁639。

有意義的。[121]寒、淨、枯等冷色色系帶出主觀聯想，傳達詞人敏銳而特殊的感觸，渲染一種空曠、疏離的情調。古人常以雁為傳書使者，「雁書猶未返，角馬無歸年」（劉孝威〈怨詩〉），經由聯想作用，詞人把因失群而寫不成字的孤雁和《漢書．蘇武傳》「雁足傳書」的心事巧妙融而為一，表達「相思」和「武臥齧雪與旃毛並咽之，數日不死」（《漢書．李廣蘇建列傳》）之意。語極疏淡，用事典而又一氣貫注，正是清空本色。

「孝武皇帝陳皇后，時得幸，頗妒，別在長門宮，愁悶悲思」（〈長門賦．序〉）。[122]「謾」，予人徒然、空自的感受。「長門」所「彈」，是昔日陳皇后之「怨」；錦箏上的雁柱斜行如雁群，故又是今日孤雁之「怨」。於是「誰憐」三句，借陳皇后事，將人、雁之「怨」一起寫出，從而歸結出無人可告的國亡之思、家破之愁。「想伴侶」七句，化實為虛，分「待回程」、「望相逢」、「不孤單」三個層次，設想未來景況。孤雁由「離群」之「悵」而生「誰憐」之「怨」，又由「怨」而生「暮雨」之「呼」，從「呼」又生「怕」，細膩刻劃孤雁備嘗離群羈旅之苦後，設想「驀然」重見伴侶時的激動喜悅和不安的複雜心理。故而再次從虛處下筆，令鏡頭定焦於翩翩歸來的雙燕和半捲的畫簾。[123]全詞構思巧妙，體物細膩，既是詠雁也是詠人，寄身世家國之感於篇外，蘊藉而空靈，為讀者留下無限的想像。

---

121 紅（赤、朱、彤、緋、絳）、橙、黃（金）、黑（玄、黝、烏、皁）屬暖色系；綠（青、蒼、翠、碧、黛）、藍、靛、紫、白（素、縞、玉）屬於寒色。暖色系令人感覺興奮、強烈、充沛、渲染、擴散、沉重等；寒色系列令人感覺冷靜、輕柔、疏離、內斂、收縮、虛飄等。張春榮：《一把文學的梯子》（臺北市：爾雅出版社，1993年7月初版），頁175-183。

122 周啟成等注譯，劉正浩等校閱：《新譯昭明文選》，頁627。

123 賀新輝等：《宋詞鑑賞辭典》（北京市：北京燕山出版社，2000年11月1版7刷），頁1135；劉長賀：《宋代詩詞典選》（北京市：人民文學出版社，2009年），頁811-812。

其結構表為：[124]

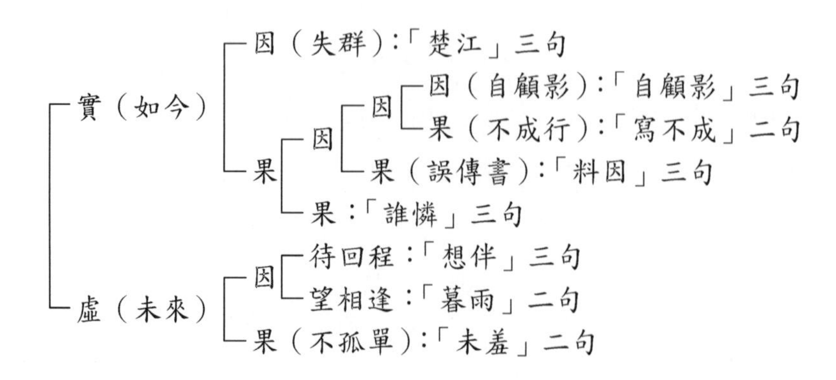

此詞寫出了孤雁內心由「悵」而「驚」而「憐」而「怨」而「怕」的心情變化，意脈和情感節奏跌宕有致，於空靈中見出流動感，從而予人和諧的美的享受，所以當味其詞意醞釀處。「醞釀，猶含蓄；其情意含蓄於中，而詞句迷離於外，必深入以探其底蘊，則恍然乃有所得」。[125]它也必然呈現「含蓄無垠，思致微渺」（葉燮〈原詩〉）的整體風格。上層的「先實後虛」章法單元，經由逆向移位形成節奏。它一面徹下統合多種輔助結構，一面又歸根主旨「家國之愁」。一般而言，情節的進程越具「因果性」，帶給讀者的時間感就越強。不論是用於敘事或抒情，皆可以明白事物發展、變化的前因後果，作出正確的判斷，得到一種省力的快感。故就「章」而言，有規律地組合五疊「因→果」（順移）結構單元，特別容易產生強烈的節奏感，[126]支撐核心結構「二」，統攝較傾向於「調和」關係的內容材料，達成全篇的統一。

---

124 陳滿銘：《詞林散步》（臺北市：萬卷樓圖書公司，2000年元月初版），頁382。

125 傅庚生：《中國文學欣賞舉隅》（臺北市：國文天地雜誌社，2000年4月初版），頁182-181。

126 金健人：《小說結構美學》（臺北市：木鐸出版社，1988年9月初版），頁45、285。

大體而言，「調和」與「對比」，並非永遠固定不變。所謂的「調和」，在某個層面來看，指的乃是「對比」前的一種「統一」；而「對比」，如著眼於前一層面來看，形成的又是「調和」或「統一」的狀態。兩者可說是一再的互動、循環、提升而形成「螺旋結構」。[127]如邱明正《審美心理學》就明白指出，貫穿於整個審美心理運動中的「對立原則」，有其「對立」的一面，也有其「統一」的一面。人通過自覺或不自覺的自我調節，可以由矛盾、對立趨於統一，並在主體審美心理上達於統一和諧。這種既對立又統一的原則，體現了對待雙方在一定條件下相互轉化又相互統一的運動法則；同時也是宇宙萬物對待統一的普遍規律、共同法則，在審美心理上的反映。[128]以此，章法單元、結構單元所形成的移位轉位現象，可經由局部的聯貫、呼應而形成「調和」或「對比」的關係。而且，無論「調和」或「對比」，都可以在形成秩序性、變化性與統一性美感時，充當必要的中介與橋梁。

（三）核心結構「二」

一篇辭章既是由許多章法結構以二元對待關係呈現其「層次邏輯」，[129]那麼它必有一個「核心結構」與兩個或兩個以上的「輔助結構」。若從全篇的「多、二、一（0）」結構來看，推動移位或轉位運動的陽剛、陰柔二元力量，都是由其核心結構「二」發揮徹下徹上的

---

127 兩種對立的事物，往往會產生互動、循環而提昇的作用，而形成螺旋結構。陳滿銘：〈談儒家思想體系中的螺旋結構〉，《國文學報》29期（2000年6月），頁1-34。

128 邱明正：《審美心理學》（上海市：復旦大學出版社，1993年4月1版1刷），頁94-95。

129 「方法邏輯」，主要是經由求「同」（歸納）求「異」（演繹），以確定其真偽、是非；而「層次邏輯」，主要在呈現求「同」（歸納）求「異」（演繹）過程中的時、空或情、理之層次。這種層次，通常都由多樣的「二元對待」形成。陳滿銘：〈章法與層次邏輯〉，《國文天地》18卷9期（2003年2月），頁98-101。

作用，利用陰陽力勢的流動，由底層、次層、三層、四層……，逐層予以統合；然後由上而下藉層層結構的陰陽流動與呼應，形成一篇的韻律節奏。陽剛與陰柔推動著全篇「力」（勢）的運動變化，愈往上層則「力」（勢）愈強。由此，陳滿銘指「核心結構」必落在一篇文章的主體所在，落在最能凸顯「主旨」的部分，以牢籠各主體及其他對應材料。它可說是關鍵性的「二」，居於收束、發散的地位，在各個輔助結構（多）的支持下，形成「調和」或「對比」關係，一面徹下以統合「多」，一面徹上以歸根「一（0）」，形成其韻律、風格。[130]

情理，是一篇辭章的靈魂所在，屬於核心成分；景（物）、事，是辭章的具體材料，屬於外圍成分，它是為抽象的情理服務。[131]一篇辭章的核心情理，既是決定一篇辭章的內容與形式，乃至韻律、風格等最主要的因素；因此，辨認核心結構也要以此為基準作審慎的認定。大體而言，最上層的結構大都屬於核心結構，次層或次層以下的各個結構則為輔助結構。尤其是主旨安置於篇外者，更是如此。但有時最上層或次層的結構，與「一（0）」、「多」的關係，反而不如低一層或更低一層的結構來得緊密。所以核心結構的認定，必須先上徹至「一（0）」（主旨與風格等），再下徹到「多」（全體材料）作周全的考慮，才算圓滿。[132]如杜甫〈詠懷古跡〉其五：

> 諸葛大名垂宇宙，宗臣遺像肅清高。三分割據紆籌策，萬古雲霄一羽毛。伯仲之間見伊呂，指揮若定失蕭曹。運移漢祚終難復，志決身殲軍務勞。[133]

---

130 陳滿銘：〈章法風格中剛柔成分的量化〉，頁88-90。

131 陳滿銘：〈談篇章的縱向結構〉，《中國學術年刊》22期（2001年5月），頁259-300。

132 陳滿銘：〈論章法「多、二、一（0）」的核心結構〉，《師大學報．人文與社會類》48卷2期（2003年12月），頁71-92。

133 高步瀛：《唐宋詩舉要》，頁596。

「大曆三年（768），子美去夔出峽，至江陵歸州，即其所經之地，故江陵、歸州、夔州古跡皆可託詠」[134]，而作〈詠懷古跡〉五首。「此五章乃借古跡以詠懷也。庾信避難由建康至江陵，雖非蜀地，然曾居宋玉之宅，公之飄泊類似，故借以發端。次詠宋玉以文章同調相憐，詠明妃為高才不遇寄慨。先主、武侯則有感於君臣之際焉」。[135]

首聯，「垂宇宙」一詞，將時間與空間推展到極遠，泛寫「一國之宗臣，霸王之賢佐」諸葛亮的事蹟。底下，具寫事功與心志。次聯，寫諸葛亮洞見「今操已擁百萬之眾，挾天子以令諸侯，此誠不可與爭鋒。孫權據有江東，已歷三世，國險而民附，賢能為之用，此可與為援，而不可圖也。荊州此據漢沔，利盡南海，東連吳會，西通巴蜀，此用武之國，而其主不能守，此殆天所以資將軍，將軍豈有意乎」。[136]劉備採其言，形成「天下三分」的局勢，成就一段君臣相遇的美名，也把一個審慎籌畫、興復漢事的忠臣形象生動地勾勒出來。世人多「言武侯才品之高，如雲霄鸞鳳，世徒以三分功業相衿，不知屈處偏隅，其胸中蘊抱百未一展，萬古而下，所及見者特雲霄之一羽毛耳」；[137]所以詩人進一步舉商周的賢相伊尹和呂尚，西漢的能臣蕭何和曹參作為陪襯的「賓」，正面讚揚諸葛亮這一個「主」。

羅大經引東坡「辦天下之大事者，有天下之大節者也。立天下之大節者，狹天下者也。夫以天下之大，而不足以動其心，則天下之大節有不足立，而大事有不足辦者矣」的觀點，指「此論甚當，後世唯諸葛武侯有伊尹風味」。[138]雖「漢祚終難復」，然「庶事精練，物理其

134 高步瀛：《唐宋詩舉要》，頁592。

135 〔清〕楊倫：《杜詩鏡銓》，頁930。

136 〔西晉〕陳壽撰，〔宋〕裴松之註：《三國志・蜀書・卷第三十五・諸葛亮傳》（臺北市：藝文印書館，1955年4月初版），頁567。

137 〔清〕楊倫：《杜詩鏡銓》，頁934。

138 〔宋〕羅大經撰，王瑞來點校：《鶴林玉露・卷之五・乙編》，頁204。

本，循名責實，虛偽不齒。終於邦域之內，咸畏而愛之，刑政雖峻而無怨者，以其用心平而勸戒明也。可謂識治之良才，管蕭之亞匹矣」的諸葛亮，[139]仍留一片赤忱，供後人悼念。以此，慨然有經營六合之志的杜甫，為避安史之亂來到四川，「每詠武侯輒悵觸不能自已，此其素志然也。前幅尤壯偉非常，淋漓獨絕，全篇精神所注在此，故以為結束」。[140]筆力議論，妙絕古今。其結構表為：

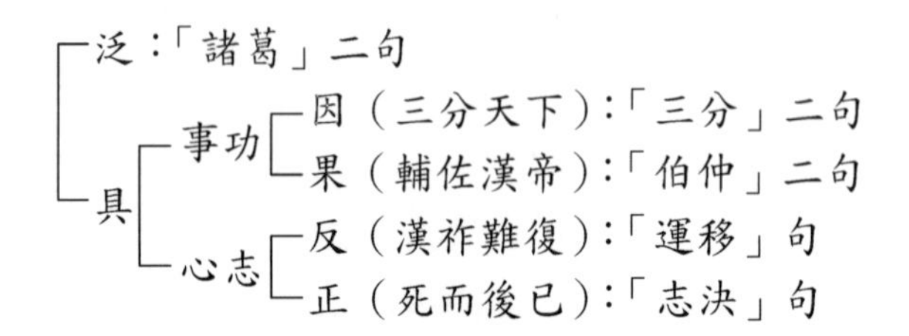

〈詠懷古跡〉「五章皆自賦也，特假古人言之以寄慨耳」（吳闓生）。[141]此詩結合了諸葛、伊尹、呂尚、蕭何、曹參等角色性人物（物材），抒寫武侯的英偉與功蹟；並運用了譬喻、對偶等修辭法，表達詠懷之情。篇結構的「泛」與「具」之間，經過邏輯思維的安排、聯絡照應，呈顯了偏於「調和性」的二元對待關係，認定此為核心結構「二」，自是十分合理。然後以核心結構統合梳理「因→果」（陰→陽，順移）、「反→正」（陽→陰，逆移）等各個輔助結構，藉陰陽力勢的流動與呼應，以達成一篇韻律節奏，展現杜甫懷古詩一貫的沉鬱詩風，引領讀者領會溢於篇外的身世悲感。「識高筆老，而章法之變，直橫絕古今」。[142]

---

139 〔西晉〕陳壽撰，〔宋〕裴松之註：《三國志．蜀書．卷第三十五．諸葛亮傳》，頁577。

140 高步瀛：《唐宋詩舉要》，頁596。

141 高步瀛：《唐宋詩舉要》，頁592。

142 〔清〕楊倫：《杜詩鏡銓》，頁935。

次如東坡作於宋神宗熙寧五年壬子（1072）正月[143]的〈浪淘沙・探春〉：

> 昨日出東城。試探春情。牆頭紅杏暗如傾。檻內群芳芽未吐，早已回春。　綺陌斂香塵。雪霽前村。東君用意不辭辛。料想春光先到處，吹綻梅英。[144]

熙寧四年（1071），東坡初通判杭州，這段期間，或寄情詩酒之中，或徜徉湖山之間，詞風疏雋爽朗，較不帶身世之苦。[145]一般多以為〈浪淘沙〉是東坡傳世較早的詞作，旨在抒寫春來的喜悅。《開元天寶遺事》記載，「都人士女每至正月半後，各乘車跨馬，供帳于園圃或郊野中，為探春之宴」。[146]開篇二句，以探春東門城外直接點題，作為下文的引子。「牆頭」三句，據此潤刷渲染物象，以「紅」字、「暗」字、「傾」字，分出陰陽與向背，凸出牆頭紅杏開得既茂且盛的景象及其明暗不同的色彩層次。多象徵活力、開放等心理情狀的紅色色系，也表達了春回大地的喜悅。[147]詞人的視線繼而拉回闌干內，在春芽將吐未吐的群芳間來回暈染，明指春回。下片，視線繼向稍遠處的塵陌、更遠處的村落推移，令紅杏、綺陌和村落依距離遠近漸次

143 鄒同慶等引王文誥《蘇詩總案》卷七言：「熙寧五年壬子，正月城外探春，作〈浪淘沙〉詞。」因「此倅杭作，而年無所考，今首載於此云。」見《蘇軾詞編年校註》，頁14。

144 《蘇軾詞編年校註》，，頁14。

145 陳滿銘：《蘇辛詞論稿》（臺北市：文津出版社，2003年8月初版1刷），頁1-2。

146 〔五代〕王仁裕撰，曾貽芬點校：《開元天寶遺事・卷下・探春》（北京市：中華書局，2006年3月1版1刷），頁56。

147 張雯華分析東坡詞「紅色系與其生平之結合」中以為，紅色系的一般心理為：愉悅、熱情、活力、開放等。如〈浪淘沙・探春〉的主色調為「紅」，表達面對大地春回，抒發內心的喜悅之情。見《東坡詞色彩意象析論》（臺北市：臺灣師範大學國文所教學碩士論文，2003年），頁218。

呈現，構成視覺的深度（景深）及層次。而「斂」字和「霽」字，更添注了鮮潔明麗感。詞末，「闡發實處，仍迴抱虛處，則通篇首尾一氣，章法渾成」，[148]故而以設想（虛）之筆，想像春神到來時一片梅花綻放的景象，使感情的噴湧，盎然無盡。其結構表為：

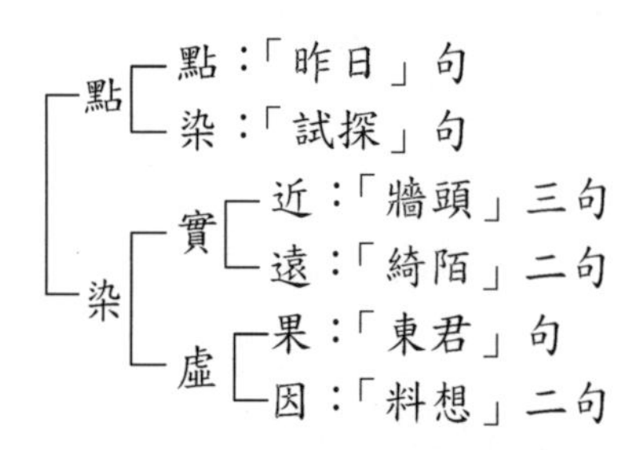

上層的「先點後染」順移結構為核心結構「二」，一面徹下以統合第二層的「點→染」（順移）和「實→虛」（逆移）結構單元、底層的「近→遠」（順移）和「果→因」（逆移）結構單元，並由下而上藉陰陽力勢的流動與呼應，形成層層節奏，以支撐上層的核心結構；一面又歸根於「一（0）」，聯貫起全篇的意象群，凸出春來的喜悅意。

末如辛棄疾〈水調歌頭〉：

> 我飲不須勸，正怕酒尊空。別離亦復何恨，此別恨匆匆。頭上貂蟬貴客，苑外麒麟高塚，人世竟誰雄？一笑出門去，千里落花風。
>
> 　　孫劉輩，能使我，不為公。余髮種種如是，此事付渠儂。但覺平生湖海，除了醉吟風月，此外百無功。毫髮皆帝力，更乞鑑湖東。[149]

148 曹冕：《修辭學》，頁95。

149 鄧廣銘：《稼軒詞編年箋注》，頁47-48。

此詞題作「淳熙丁酉，自江陵移帥隆興，到官之三月被召，司馬監、趙卿、王曹餞別。司馬賦〈水調歌頭〉，席間次韻。時王公明樞密薨，坐客終夕為興門戶之嘆，故前章及之」。當作於宋孝宗淳熙五年（1178）。[150]首二句從眼前的餞別切入，寫詩人「不須勸」而醉酒的情形。「別離」二句，直抒調任頻繁和朝廷內部門戶之爭的愁情。宋代的貂蟬冠，「飾以銀，前有銀花，上綴玳瑁蟬，左右為三小蟬，銜玉鼻，左插貂尾。三公親王侍祠、大朝會，則加於進賢冠而服之」，[151]常借指達官顯貴。「苑外」句，化用杜甫〈曲江〉「江上小堂巢翡翠，苑邊高塚臥麒麟」的詩意。頭上與苑外，貂蟬與麒麟，貴客與高塚，形成生死榮衰的對比，諷刺為私人門戶而爭奪名利的朝中小人。繼而借用李白〈南陵別兒童入京〉的「仰天大笑出門去，我輩豈是蓬蒿人」，以曠達語氣拈出「一笑」二句，由實返虛，由宴前「落花風」向「千里」宕開而去，詞境搖蕩靈活，呼應了題目的「自江陵移帥隆興」，也帶出胸懷灑落的生命姿態。

《魏書・辛毗傳》記載，「時中書監劉放、令孫資見信於主，制斷時政，大臣莫不交好，而毗不與往來。毗子敞諫曰：『今劉孫用事，眾皆影附，大人宜小降意，和光同塵，不然必有謗言。』毗正色曰：『主上雖未稱聰明，不為闇劣；吾之立身，自有本末，就與劉孫不平，不過令吾不作三公而已，何危害之有焉？有大丈夫欲為公而毀其高節者邪？』」所以「孫劉輩」三句，援引立身有本、不與當權者往來、不作三公而存高節的辛毗事蹟，[152]敘說自己不諂媚當局、受排擠而不見信於君的景況。「余髮」二句，典出《左傳・昭公三年》盧

150 鄧廣銘：《稼軒詞編年箋注》，頁50。

151 〔元〕脫脫等撰：《宋史・輿服志第一百五》，頁461。

152 〔西晉〕陳壽撰，〔宋〕裴松之註：《三國志》卷第二十五，頁430。

蒲嫛泣見齊侯一事，「自言衰老，不能復為害」。[153]「但覺」底下，但言而今只能吟風醉月，寄情湖海，無去再建立邊功，終而表達乞歸的心志。曠達中，隱含悲憤譏刺情，正是稼軒詞本色。[154]其結構表為：

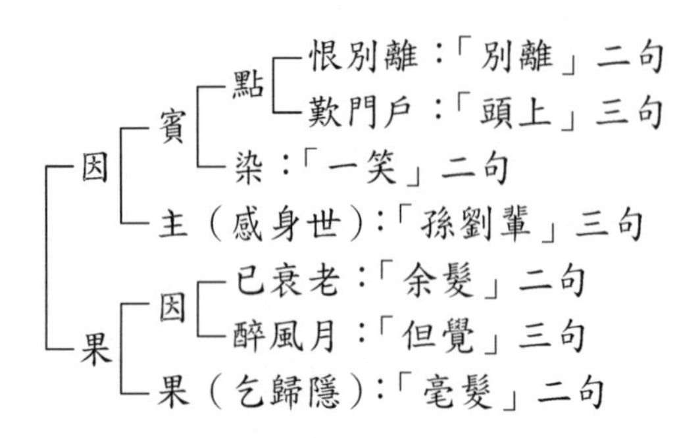

稼軒善用典，以舊事作幌子，表達思想與情感，避免直言引來政治上的迫害；並通過事典語典的啟發和暗示作用，喚起許多言說之外的聯想，擴大詞的內涵和意境。[155]若再與酒尊、貂禪、麒麟、高塚、落花等意象群結合在一起，尤能表現挫折、悲憤與愁悶等複雜情感。[156]上層的「因→果」（陰→陽，順移）、次層的「因→果」（陰→陽，順移）、底層的「點染」（陰→陽，順移）等結構單元，屬於外緣材料，不能視為核心結構。若進一步結合內容與情感來看，核心結構應是以貂蟬貴客、苑外高塚為賓，借賓以感身世的「先賓後主」（陽

153 《左傳・昭公三年》：「齊侯田於莒，盧蒲嫳見，泣且請曰：余髮如此種種，余奚能為？」杜預注：「種種，短也。自言衰老，不能復為害。」〔清〕阮元：《十三經注疏・左傳》（嘉慶二十年江西南昌府學開雕，臺北市：藝文印書館，1985年12月10版），頁725。

154 陳滿銘：《章法學新裁》，頁487-488。

155 段致平：《稼軒詞用典研究》（臺北市：國立臺灣師範大學國研所碩士論文，1999年6月），頁2。

156 劉若愚著，杜國清譯：《中國詩學》（臺北市：幼獅文化公司，1979年1月再版），頁221-231。

→陰，逆移）結構。在這一個核心結構「二」的統合下，梳理各層次的輔助結構，由「多」而上徹於「一（0）」，凸出「感身世」的一篇主旨及偏於陽剛的風格。

第五章
章法統一律

所有形式的存有，既顯示「動態性」、「連續性」與「整體性」三種基調，[1]同樣根植於宇宙人生邏輯規律的章法統一律也與之相應，在造成「變化」、形成「秩序」的變動歷程中，不斷地由局部與局部的「聯貫」（對比或調和），逐步趨於整體的「統一」。[2]「統一」指的雖是剛柔（陰陽）的相濟、適中，但因天地之化，一刻不息，以致剛柔（陰陽）隨時都在相互滲透、轉化之中，因而產生了「剛中寓柔」（偏剛、剛中）或「柔中寓剛」（偏柔、柔中）的統一。[3]然無論何者，對傳統文學、美學的影響，都是既深且遠。

一　就哲學意涵而言

太極生兩儀，陰陽「兩儀」是「太極」初分的形態，「太極」是

1　杜維明：《儒家思想——以創造轉化為自我認同》（臺北市：東大圖書公司，1997年11月初版），頁38。

2　唐君毅：「任何事物，皆原不自限定其用于一定之時空，其用乃恆溢出于一般所謂其所在之一定時空之外，而顯為象。以見于其他時空之物之中者，由其用與其用所顯之象，見于其他時空之物之中，而其自身與其他之物，即互相感應，而生變化或動，此一變化或動，即見一物與其他之物之體質，其所分別表現之用，互相往來而相通，以殊而未嘗不同，多而皆無一定之體質，以得相感應而變動，更有其共同之一所歸，以合為一。」見《中國哲學原論．原道篇》（香港：東方人文學會，1974年7月修訂再版），卷二，頁148。

3　其中，《周易》主張的是較偏近於「剛中寓柔」所形成的「對比式統一」，《老子》主張的是較偏近於「柔中寓剛」所形成的「調和式統一」。陳滿銘：《章法學綜論》（臺北市：萬卷樓圖書公司，2003年6月初版），頁493-494。

宇宙未分的混沌狀態。人類社會、宇宙自然的根本規律就在陰陽相對、相交、相和的作用下，變而通之，通而久之，達於「統一」的境地。[4]在西方哲學史上極其複雜的「一元二元之爭」的根源，唐君毅以為就在於「由常識所同知之世界事物與其性質關係等，皆有一對偶性而引起」。然《周易》對一切事物的二元對待性，早已提出「陰陽相對、似相反而實相成」的原則性說明：

> 由此思想，以看各種宇宙事物之抽象的存在範疇之相對，如空間中之上下、左右、前後、內外之相對；時間中之新故、古今之相對；數與形量上之大小、多少、奇偶、增減、方圓、曲直之相對；及兼存在範疇與知識範疇之有無、存亡、成毀、造化、幽明、純雜、變常、斷續、一多、正反、同異之相對；……皆可在不同之意義下，以陰陽之理說之。此則由於凡一切相對者，皆互為顯隱，互為消長，互為進退，互為出入。[5]

更重要的是，「一物之一切相對之活動，與此活動所由生之作用功能，其相反而相成者，皆可由一物之概念，加以統一」。[6]熊十力也指明易之「乾元、坤元，唯是一元，不可誤作二元」；[7]並再三「肯定萬物有一

---

4 太極是宇宙未分的混沌狀態，「兩極」即為陰陽，是太極初分的形態。「一陰一陽之謂道」，人類社會、宇宙自然的根本規律就在這陰陽的相對、相交、相和的關係之中。而這種相對、相交、相和的最大意義在於「生」。陳望衡：《中國古典美學史》（長沙市：湖南教育出版社，1998年8月1版1刷），頁180。

5 唐君毅：《哲學概論》（臺北市：臺灣學生書局，1975年9月4版），頁793-794。

6 唐君毅：《哲學概論》，頁794。

7 熊十力：「實則元一而已，豈可曰乾坤各有本原乎。譬如佛氏首說五識，一眼識、二耳識、三鼻識、四舌識、五身識，實則識祇是一。……而其元，則一耳，唯就乾以言元，則稱乾元，就坤以言元，則稱坤元，亦猶眼等五根，所依之識本一。……夫惟了悟乾坤一元者，則說坤之元即是乾之元。亦應說乾之元即是坤之元，互言之，則無病耳。」《乾坤衍》，頁261-265。

元」、「乾坤之實體是一」。[8]王夫之《周易外傳》:「太極者，乾坤之合撰。」[9]又《周易內傳》:「陰陽之本體，絪緼相得，和同而化，充塞於兩間，此所謂太極也。」[10]李鼎祚也引虞翻的話指出:「太，太一也。分為天地，故生兩儀也。」[11]一，是整體的「一」，絕對的「一」。陰陽動於「一」，宇宙萬物出於「一」，[12]故《周易》把萬物在陰陽相對而又相往來中產生變動的主因，歸結為「一」、「道」、或「太極」的思想，正足以消解西方哲學中的一元二元之爭。[13]

通貫《周易》各篇的核心思想，即明白了萬物在兩種功能相對、相應、相成的作用中，生生不息，展開一個無限發展的序列。這兩種功能，名稱不一，或稱之為乾坤，或稱之為剛柔、陰陽、健順。雖略有差異，但都不外乎「易道」的大用。「易道」是萬物生生不已的終極根源，無論是陰陽或闢闔，都是易道生生功能的概稱。它們又可以概括為往與來、屈與伸、收斂與開發、凝聚與擴散、柔順與剛健、含容與創生等。然後，這些又可歸結於乾坤之中，再由「二」(「乾坤」、「剛柔」、或「陰陽」) 復歸於「一」(「太極」或「道」)。[14]表面

---

8 《乾坤衍》，頁371。

9 〔清〕王夫之:《周易外傳》(據清道光二十二年守經堂刊本影印，臺北市：成文出版社，未著年)，卷五，頁286。

10 〔清〕王夫之:《周易內傳》，卷五下，頁835。

11 〔唐〕李鼎祚:《周易集解》(臺北市：臺灣商務印書館，1996年12月1版2刷)，頁349。

12 王新華:《周易繫辭傳研究》(臺北市：文津出版社，1998年4月1刷初版)，頁33-34。

13 唐君毅:「在西方哲學上之一元二元之爭，是一極複雜之問題。但此問題之根原非他，即由常識所同知之世界事物與其性質關係等，皆有一對偶性而引起。然中國思想中，則對一切事物之對偶性，已有一原則性的說明，足以解消西方哲學中之一元二元之爭，此即中國思想中之陰陽相對，似相反而實相成之理論。」《哲學概論》，頁795。

14 曾春海:《儒家哲學論集》(臺北市：文津出版社，1989年5月初版)，頁433。

上分為二元，經由論證，卻是剛健不息的一元。[15]因此，從易道的生生必表現為剛健的「乾」與柔順的「坤」來說，易道的發用是「二而非一」；但若從乾坤相互感應以生化萬物來說，乾坤的本體則是「一而非二」。[16]在「一」的統合作用下，天地萬物在井然有序的條貫下相通屬、相旁通，層層帶動，成就一個龐大而至健的和諧統一體。[17]

《周易》哲學以陰陽的對待統一為其核心思想，強調執「中」而協同，故陰陽之「大和」是天地大化流行的根本，使屬性相對待的雙方並處於和諧統一的狀態。[18]「惟初太極，道立於一，造分天地，化成萬物」。[19]宇宙萬物在生成變化的大歷程中，凡有所動，皆遵循著大規律而不得不動；凡有所生，也遵循著大規律而不得不生。此大規律是究竟的、總一的規律，是萬物所共，是一而不二。[20]所以，「太極」、「易體」、「道」、「一」，實異名而同指。[21]王弼《周易》注：

---

15 陳榮捷：《中國哲學文獻選編》（臺北市：巨流圖書公司，1993年6月1版1刷），上冊，頁336、356。

16 〈繫辭上〉：「乾坤其易之縕邪！乾坤成列而易立乎其中矣。乾坤毀則无以見易，易不可見。則乾坤或幾乎息矣。」又〈繫辭下〉：「乾坤其易之門邪！乾，陽物也；坤，陰物也。陰陽合德而剛柔有體，以體天地之撰，以通神明之德。」故戴璉璋以為：「乾坤是易道發用的二相，也是易道的真實蘊含，離開乾坤就無所謂道。剛健、柔順是乾坤的別名，陰陽也是乾坤的別名。」見《易傳之形成及其思想》，頁155-156、218。

17 曾春海：《儒家哲學論集》，頁428、432。

18 徐志銳：《周易陰陽八卦說解》（臺北市：里仁書局，2000年3月初版4刷），頁115。

19 〔東漢〕許慎撰，〔清〕段玉裁注，魯實先正補：《說文解字注》（臺北市：黎明文化事業公司，1985年9月增訂1版），頁1。

20 余雄：《中國哲學概論》（臺北市：源成文化圖書社，1977年12月1版），頁53、59。

21 中國古代哲學家在探索宇宙本質時，都紛紛提出一個自認為最高的範疇。如，「太極」（《周易．繫辭》）、「道」（《老子》）、「元氣」（《進卷．易》）、「玄」（葛洪《抱朴子．內篇．暢玄》）、「理」（朱熹《朱子語錄》）。曾春海：《儒家哲學論集》，頁441。

> 演天地之數，所賴者五十也。其用四十有九，則其一不用也。不用而用以之通，非數而數以之成，斯易之太極也。[22]

太極，是「一」，是天地之根。一與四十九，則是「一」與「多」的關係。天地萬物，運化不已，最終也必反歸於「一」。又《周易·復卦》注：「復者，反本之謂也」，「天地雖大，富有萬物，雷動風行，運化萬變，寂然至無，是其本矣。」[23]本，是「一」、「道」或「無」；萬有，是「多」，運化萬變，是末。本「一」，就是歸根。[24]又《周易略例·明象》：

> 眾之所以得咸存者，主必致一也；動之所以得咸運者，原必无二也。物无妄然，必由其理。統之有宗，會之有元，故繁而不亂，眾而不惑。[25]

面對天地萬物的繁複錯綜，唯有從「變易」(「多」) 的現象世界中，抽繹出「不易」(「一」) 的原理，[26]才能以簡馭繁，掌握宇宙萬物由「多」而「二」、復由「二」而漸趨於「統一」的運行規律。

王夫之《張子正蒙注·乾稱下》也從整個宇宙運動變化的歷程中

---

22 〔魏〕王弼，〔晉〕韓康伯：《周易王韓注》(臺北市：大安出版社，1999年7月1版1刷)，頁212。

23 〔魏〕王弼，〔晉〕韓康伯：《周易王韓注》，頁75。

24 方立天：《中國古代問題發展史》(臺北市：洪葉文化事業公司，1995年4月初版1刷)，頁197-198。

25 〔魏〕王弼，〔晉〕韓康伯：《周易王韓注》，頁250。

26 曾春海指出，乾坤在易傳中代表具生生之德的宇宙生元，在萬物中妙運生生之能，主宰萬物的運動變化，所謂「易之蘊」。觀察萬物品類之繁，相互關係錯綜複雜，如何從中化繁為簡，由簡御繁，則要由變易的現象世界中，抽繹出不易之原理，以期掌握宇宙萬物內在的普遍相。《儒家哲學論集》，頁441。

考察，說明「有」、「無」的關係，通而為「一」：

> 於有而可不礙其未有，於未有而可以為有，非見見聞聞之所能逮。惟性則無無不有，無虛不實，有而不拘，實而不滯，無也，虛也；而定為體，發為用，則皆有也，實也。[27]

從運動變化的觀點看，「終而無則亦不謂之終」，因為「有」、「無」，不僅通而為「一」，更因「一物之終」，是「氣數盈則日退而息於幽」，復化而為「有」，並非「終而無」，故言「所自始者即所自終」。新的運動歷程的開始，就是舊的運動歷程的終結；新的運動歷程的終結，又開啟了更新的運動歷程。[28]始即終，終即始，因而形成一個不息的、循環反覆的螺旋結構。由此，也可以推知，這一個「一」，未嘗離開陰陽之對偶性（「二」），也未嘗離開萬物萬殊之「多」。「太極成，乾坤行；乾坤行，太極大成」[29]。「乾坤」，是「二」；「太極大成」，是統於「一」。由「一」分散開展為天地萬物（「多」）的同時，又相互感應、凝合，再次統於「一」。

《老子》也指「道」是「有」、「無」二者的統一，「兩者同出而異名」（《老子・一章》）。「夫物芸芸，各復歸其根」（《老子・十六章》），復歸於「道」的作用中。復歸，就是「反」，而「反者道之動」；更確切的說，道的運行，其軌道恆復歸於其自身的法則，從不離其自身的生化作用。[30]王弼注《老子・十六章》：

---

27 〔宋〕張載撰，〔清〕王夫之注：《張子正蒙注》（臺北市：河洛圖書出版社，1975年10月初版），頁274。

28 張立文：《中國哲學範疇導論》（臺北市：萬卷樓圖書公司，1993年4月初版1刷），頁168-169。

29 唐君毅：《哲學概論》，頁838。

30 王邦雄：《老子的哲學》（臺北市：東大圖書公司，1986年9月4版），頁98。方東美

> 以虛靜觀其反覆，凡有起於虛，動起於靜，故萬物雖並動作，卒復歸於虛靜，是物之極篤也。[31]

天地萬物的運動變化起於「道」，最終又復歸於「道」。也唯有「與物反矣，然後乃至大順」（《老子・六十五章》）。

「天下萬物生於有，有生於無」（《老子・四十章》）。宇宙萬物的生成與演化，從「道」所具有的有無屬性出發，由無形無象（「無」）轉化為有形有象（「有」），由「無」產生了「有」；而「有」、「無」又復歸於「道」，形成「統一」。因此，天地萬物雖殊異而繁多，卻並行而不悖，各有得於「道」之「一」，也各得以復歸其根，形成最後整體的「統一」。[32]

《中庸》談「誠」，以「誠」為動力，自成成物。唐君毅指「誠之概念為同於太極」，[33]就是萬有的根源。如周敦頤《通書・第一》：

> 誠者，聖人之本。「大哉乾元，萬物資始」，誠之源也。「乾道變化，各正性命」，誠斯立焉。純粹至善者也，故曰：「一陰一

也以為：「道家觀照萬物，舉凡局限於特殊條件之中始能生發起用者，一律化之為『無』。『無』也者，實為『玄之又玄』之究竟真相，宛若一種生發萬有之發動機。」《生生之德》，頁286。

31 〔魏〕王弼：《老子注》（臺北市：學海出版社，1984年9月初版），頁16。

32 唐君毅：「老子謂『一』，此天地萬物之各有得於道之一，與吾人所謂天地萬物為相殊異而為多之言，儘可並行不悖。蓋萬物雖相對而為多，然每一物，固自為一。一物固亦自有其為多處，亦自有其為一處也。如樹之枝葉扶疏，其多；具本幹，即其一。地之山峙川流，其多；凝然寧靜，即其一。天之日月星辰，其多；清虛一片，即其一。此物之『一』處，與其『多』處之關係，即其多處，乃依於其一處而存在，而生長。如山峙川流之依地，日月星辰之依天，枝葉扶疏之依本幹是也。」《中國哲學原論・導論篇》，頁384。

33 唐君毅：「通書之概念，可與圖說中之太極相當者，則是誠或乾元之概念。誠之概念，原自中庸。」《中國哲學原論・導論篇》，頁413。

> 陽之謂道，繼之者善也，成之者性也」。[34]

「誠者，物之終始，不誠無物」(《中庸・二十五章》)。一切事物皆由「誠」而成始成終。牟宗三指「在此成始成終之過程中，物得以成其為物，成其為一具體而真實之存在」。若將「誠體」撤銷，則物不成為物。以此，「自實體言，為誠體流行；自軌迹言，為終始過程；自成果言，為事事物物」。[35]事事物物的終始過程，就是「誠體」流行的圓滿完成。所謂「立誠」，是指在發展「元（開始）、亨（發展）、利（成熟）、貞（結束）」的過程中，每個階段、每個環節，都因「誠」而貫徹始終，都因「誠」而統一。[36]

此外，值得探討的是「(0)」。《老子・二十五章》：「有物混成，先天地生。」「道」的先天性，也就是《莊子・大宗師》所說的「自本自根，未有天地，自古以固存」。《老》、《莊》思想中，「道」是先於萬物的，無聲無息，普遍存在，而不可認知，故曰「吾不知其名」，勉強稱之為「道」。對於「道」在《老子》中的不同名稱，王弼《老子微旨例略》提出解說：

> 夫「道」也者，取乎萬物之所由也；「玄」也者，取乎幽冥之所出也；「深」也者，取乎探賾而不可究也；「大」也者，取乎彌綸而不可極也；「遠」也者，取乎綿邈而不可及也；「微」也者，取乎幽微而不可睹也。然則，「道」、「玄」、「深」、「大」、

---

34 〔宋〕周敦頤撰，陳克明點校：《周敦頤集》（北京市：中華書局，1990年5月1版1刷），頁12-13。

35 牟宗三：《心體與性體》（臺北市：正中書局，1968年5月臺初版），頁325。

36 姜國柱：《中國歷代思想史・宋元卷》（臺北市：文津出版社，1993年12月初版1刷），頁82-83。

「微」、「遠」之言，各有其義，未盡其極者也。[37]

王弼以為「道」、「玄」、「深」、「大」、「微」、「遠」等名稱，雖「各有其義」又都「未盡其極」。「天下萬物生於有，有生於無」（《老子・四十章》），又「道隱無名」（《老子・四十一章》），於是王弼便以「無」指稱：

> 無形無名者，萬物之宗也。
>
> 天下之物，皆以有為生，有之所始，以無為本。將欲全有，必反於無也。[38]

又《老子微旨例略》：

> 萬物萬形，其歸一也。何由致一？由於無也。由無乃一，一可謂無。已謂之一，豈得無言乎？[39]

萬物歸於「一」，而「無」又能「致一」；由此可見，「道」在《老子》思想中，是宇宙未分化（「一」）之前，比「一」還要更背後的形上實體——「無」。[40]從這一個「無」，「道」才有了未分化的「一」，「一」分化就是「二」，從「二」而有「三」，從「三」而有「萬

---

37 〔魏〕王弼：《老子微旨例略》（臺北市：東昇出版社，1980年10月初版），頁4。

38 〔魏〕王弼注：《老子》，頁14、48。

39 〔魏〕王弼：《老子微旨例略》，頁101。

40 道的生成萬物，就在它回返它自身的和諧作用中，此之謂天下萬物生於有；而道之以能成此大用，就在其自身的虛弱，此之謂有生於無。老哲學，於道之「無」與「有」的兩面相說玄。並以虛言無，以和言有，由虛以生始物之妙，由和以成終物之徼。王邦雄：《老子的哲學》，頁94-97。

物」。這一宇宙分化的過程，是從「道」一步一步的往下開展，不但「一」是從「道」而來，「二」、「三」、乃至「多（萬物）」，也都是從「道」的分化而來。[41]

王弼既以「無」表無形無名的本體，相對於有形有名的「萬有」而言，「無」顯然具有形而上的意義。它絕不是空無一物的「零」，也不是邏輯上否定所指的「無」；也與存在主義者所說的「虛無」，或佛家所說的無自性的「空」不同。「以無為本」的「無」，實是超越了「有」、「無」相對的一種至高無上的「至無」。它是萬有「所以生」、「所以成」的本源和根據。雖就「道相」看，為無形無名；但就「道用」言，則神妙無邊。因此，「無」，實可視同「無限的有」，或「無限的妙用」。[42]一如石濤《畫譜》所言：「筆與墨會，是為絪縕；絪縕不分，是為混沌。闢混沌者，舍一畫而誰耶？」[43]筆墨一落到紙上，就是絪縕之分、混沌之開、一畫之始。而這種「闢開混沌」剎那間的「一畫」，便是「點」；由「點」的運動延長而成線，由線的連絡組合而成體，便是「一畫」的完成。

周敦頤〈太極圖說〉：「五行一陰陽也，陰陽一太極也，太極本无極也。」[44]羅大經《鶴林玉露》引游誠之的話，指「易有太極，而周子加以無極，何也？試即吾心驗之，方其寂然無思，萬善未發，是無極也。雖云未發，而此心昭然，靈源不昧，是太極也」。[45]萬事萬物都是由一元性本體衍生或分解而出，這個大全的「一」，超越限制的存

41 羅因：《「空」、「有」與「有」、「無」——玄學與般若學交會問題之研究》（臺北市：國立臺灣大學出版委員會，2003年7月初版），頁205-207。

42 林麗真：《王弼》（臺北市：東大圖書公司，1988年初版），頁26-27。

43 俞崑：《中國畫論類編》，頁152。

44 〔宋〕周敦頤撰，陳克明點校：《周敦頤集》，頁3。

45 〔宋〕羅大經撰，王瑞來點校：《鶴林玉露．卷之二．甲編》（北京市：中華書局，1997年12月1版湖北2刷），頁28。

在，不可窮盡，浩瀚圓融，因而又是一個「圓」。[46]朱熹說解「太極圖」時指出：

○，此所謂無極而太極也。[47]

「無極」是「0」，「太極」是「一」。這個「一」，就《周易》而言，即是剛柔（陰陽、二）的統一，是「太極」、「道」、或「易」；就《老子》而言，是「一（0）」、「道生一」。「道生一」的「道」，既是創生宇宙萬物的一種基本動力，它本身又體現了「無（无）」。方東美也以為「道家觀照萬物，舉凡局限於特殊條件之中始能生發起用者，一律化之為『無』。『無』也者，實為『玄之又玄』之究竟真相，宛若一種生發萬有之發動機。」[48]故《老子》的「道」可說是「无」，卻又不等於實際之「無」（實零），而是「恍惚」的「无」（虛零），以指在「一」之前的「虛理」。這種「虛理」，如勉強以「數」來表示，則可以是「0」。[49]因此，就哲學層面而言，「多」指的是現象界的人事萬物；「二」，是從「二元對待」中提煉而出，在「多」與「一（0）」之間，發揮居間收散樞紐作用的「剛柔（陰陽、仁義）」；[50]「一（0）」，

---

46 不但「中和圓融」的「二」復歸於「一」，整個古代文化中的「三」、「四」、「五」、「六」、「七」、「八」、「九」等，也都復歸於、和合為「大一」。因為它們各自都是一個整體裡面的部分的全數，因而都各自合歸於「一」。葉太平：《中國文學之美學精神》（臺北市：正中書局，1994年12月臺初版），頁321-326。

47 〔宋〕周敦頤撰，陳克明點校：《周敦頤集》，頁1。唐君毅解釋：「依通書以釋圖說，則靜極之所以復動，正所以見靜而無靜；動極之所以復靜，正所以見動而無動。曰靜曰動，則分陰分陽。陰陽之所以互為其根，亦正在靜之不能自有其靜，而無靜，動之不能自有其動，而無動。」見《中國哲學原論．原道篇》（臺北市：臺灣學生書局，1976年8月修訂再版），頁415。

48 方東美：《生生之德》（臺北市：黎明文化事業公司，1982年12月4版），頁286。

49 陳滿銘：《章法學綜論》，頁490-492。

50 《周易．說卦傳》：「昔者聖人之作易也，將以順性命之理，立天之道曰陰與陽，立

指的是「太極」、「易」、「道」、或「无」。

若落到章法層面而言，陳滿銘所建構的「多、二、一（0）」層次邏輯指出，「核心結構」以外的所有其他結構，屬於「多」；「核心結構」所形成的「調和性」（陰）或「對比性」（陽），屬於「二」；至於辭章的「主旨」或由「統一」所形成的風格、韻味、氣象、境界等，屬於「一（0）」。章法的四大規律，也切合於「多、二、一（0）」：「秩序」與「變化」，相當於「多」（多樣）；「聯貫」，以根本而言，相當於「二」（剛柔）；「統一」，則相當於「一（0）」。[51]

二　就章法層面而言

對應於上文有關「統一」的論述，無論是核心結構「二」以調和性或對比性關係，由局部（章）趨於全體（篇）所形成的「聯貫」；或是因章法或結構單元的移位、轉位，由局部節奏趨於整篇韻律所形成的「聯貫」，都會因為主旨（情理）或綱領貫穿了各個部分（含剛柔、移位、轉位、節奏、韻律等），終而凝為整體性的「統一」。「統一」，從形式原理方面探討，就是「繁多的統一」、「多樣的統一」、或「變化的統一」。而且，無論「對比」或「調和」，都要求在統一中有變化，在變化中求統一，兩者有機地結合在一起，寓「多」於「一」，「一」中見「多」，達成高度的形式美。[52]

地之道曰剛與柔，立人之道曰仁與義。兼三才而兩之，故易六畫而成卦，分陰分陽，迭用剛柔，故易六位而成章。」〔唐〕李鼎祚：《周易集解》，頁404-405。

51 陳滿銘：《章法學綜論》，頁494。

52 陳望道：《美學概論》（臺北市：文鏡文化事業公司，1984年12月重排初版），頁77-78；歐陽周等：《美學新編》（杭州市：浙江大學出版社，2001年5月1版9刷），頁80-81。

(一) 統一律理論

所謂「統一」，乃側重於內容（包含內在情理與外在材料）的整體而言，它與「秩序」、「變化」、「聯貫」等三律之側重於個別或部分內容材料，有所不同。關於統一律，前人曾留下豐碩的研究成果。如劉勰《文心雕龍．附會》：

> 何謂附會，謂總文理，統首尾，定與奪，合涯際，彌綸一篇，使雜而不越者也。……凡大體文章，類多枝派，整派者依源，理枝者循幹，是以附辭會義，務總綱領，驅萬塗於同歸，貞百慮於一致，使眾理雖繁，而無倒置之乖，群言雖多，而無棼絲之亂，……首尾周密，表裡一體。[53]

「附會者，首尾一貫，使通篇相附而會於一」。[54]「會於一」，就是篇法統一之道。劉熙載《藝概．文概》也指：

> 文有七戒，曰：旨戒雜、氣戒破、局戒亂、語戒習、字戒僻、詳略戒失宜、是非戒失實。[55]

53 王更生：《文心雕龍讀本》（臺北市：文史哲出版社，1986年11月再版），下冊，頁243-244。曾祥芹以為，《文心雕龍》談章法理論是放在「創作論」來談，主要有〈鎔裁〉、〈章句〉、〈附會〉三篇。〈鎔裁〉主要論述命意謀篇的三個準則，〈章句〉則揭示了篇章的性質、闡明組章成篇的原則，〈附會〉則解釋了結構的含義，概括了「彌綸一篇」的總則。見《現代文章學引論》（北京市：中國文聯出版社，2001年6月1版1刷），頁344-352。

54 曹冕：《修辭學》（上海市：商務印書館，1934年4月初版），頁101-102。

55 〔清〕劉熙載：《藝概．文概》（臺北市：金楓出版社，1998年7月革新1版），頁72。

曹冕以為「七戒中以『旨戒雜』為稱首，蓋旨一雜則如亂流，如蕪穢，不復可謂之文」，因而在談論「篇之格律」時，首倡「統一律」，主張「主意既定，即須堅持到底，千變萬化不離其宗」，並引蘇軾的話以為證：

> 天下之事，散在經史子，不可徒使，必得一物以攝之，然後為己用。所謂一物者，意是也。[56]

意，可以是情或理，也可以是情化的理，或是蘊理的情。[57]「主意既定，即須審擇辭料」，然後以「意」攝「材」，引證舉譬，反覆推說，以「壯文之波瀾，而申明一篇之主意」，[58]達成思想情感的統一。

章微穎《中學國文教學法》談「統一的原則」，認為全篇宜維持一致的思想與情調。吳應天《文章結構學》談文章結構的心理因素，也提出「整體結構的統一和諧」、「觀點和材料的統一」、「論點和論據的統一」等觀點。[59]這與張壽康《文章學導論》「觀點材料統一律」所談的文章有總觀點（即中心思想或主旨），總觀點又可以統帥若干分觀點，而且不論總觀點和分觀點，都必須與材料統一的說法一致。[60]

鄭文貞《篇章修辭學》論及篇章修辭的基本規律，提出了統一律、變化律、適體律。其中，又以「適應題旨情境為第一義」。因為一篇獨立完整的文章，是一個有機體，無論內容或形式，都應該統一。也唯有使「句受制於段，統於段；段受制於篇，統於篇」，才能準確地

---

56 曹冕：《修辭學》，頁101。

57 李澤厚：《美學論集》（臺北市：三民書局，2001年8月初版2刷），頁350。

58 曹冕：《修辭學》，頁102。

59 吳應天：《文章結構學》（北京市：中國人民大學出版社，1989年8月初版），頁358-359。

60 張壽康：《文章學導論》（臺北市：新學識文教出版中心，1990年1月初版），頁54。

扣緊中心；也唯有遵循「著眼點的統一」、「立足點的統一」，才能使文章主旨得到最完滿的體現。[61]曾祥芹《文章學與語文教育》則稱之為「意貫律」。「意」即古人所說的主腦、主旨，包括觀點（理）與情感（情）。它代表「核心內容」，能統攝所有的材料。全文由它放射出去，又回歸集中到這一點上來；也就是由篇旨可以推出章旨、句旨，由句旨、章旨又可回歸到篇旨。[62]

關於統一律，前人雖有不少的論述，然而總是見樹不見林，如葉聖陶《文心・文章的組織》僅指明「秩序」、「聯絡」、「統一」是組織文章的法則，卻未見深入的探討。曾祥芹《現代文章學引論》談「文章的內部規律」，論文體的內在必然聯繫，提煉出「層次律」、「銜接律」、「統一律」、「合體律」等四條基本規律，[63]雖已粗具規模，可惜並未進一步結合章法與結構來探討，以至無法形成體系。直至陳滿銘提出「秩序」、「變化」、「聯貫」、「統一」的章法四大律，確定它的範圍、內容及原則，為之加以申論、印證，始形成較有體系的研究。

1 一篇綱領

辭章要達成「統一」，非訴諸主旨（情意）與綱領（材料）不可。綱領在文章中扮演著貫串材料的角色，以起統整全篇的作用。如《文心雕龍・附會》所謂的「附辭會議，務總綱領」，所謂的「總文

---

61 鄭文貞：《篇章修辭學》（廈門市：廈門大學出版社，1991年6月1版1刷），頁157-176。

62 曾祥芹：《文章學與語文教育》（上海市：上海教育出版社，1995年4月1版1刷），頁174-175。此外，張會恩、曾祥芹《文章學教程》（上海市：上海教育出版社，1995年5月1版1刷，頁319）也認為一篇文章的「內部規律」有一個「統一律」。

63 此外，曾祥芹談「文章的外部規律」，論文章本體和文章主體、文章本體和文章客體的外在必然聯繫，則提出「稱物律」、「達意律」、「適讀律」、「致用律」等四條基本規律。《現代文章學引論》，頁105-112、132-141。

理，統首尾，定與奪，合涯際，彌綸一篇，使雜而不越」，[64]指的就是以「綱領」來統整貫串所有材料，「務要十句百句，只作一句貫串意脈」。[65]「蓋有形者綱目，無形者血脈也」。唯有「立一總綱，而以所敘各事貫串之，脈絡井然不亂」，一篇辭章才能「經緯相通，有一脈過接乎其間」，才能「外文綺交，內義脈注」，[66]貫串首尾。來裕恂《漢文典注釋》也列有「提綱法」，指明「縱橫反覆，總不出此」：

> 提綱法者，提舉一篇大意，置於篇首，以下總此一義也。孟子之文，善用此法。如〈動心〉章先提出動心，次以養勇申之，復以知言、養氣。詳盡曲折，發揮不動心。又如〈論性〉，喻以杞柳，喻以湍水，喻以食色。縱橫反覆，總不出此。[67]

劉熙載〈經義概〉：「題有筋有節，文家辨得一節字，則界劃分明；辨得一筋字，則脈絡聯貫。」[68]如東坡〈水調歌頭〉，上片以一「月」字為綱，振起全詞；下片也以一「月」字收束，全篇無一處離開「月」字。又如柳永〈雨霖鈴〉：

> 「長亭」，送別之地也；「帳飲」，祖餞以為別也；「驟雨初歇」，「寒蟬淒切」，離人更以傷別而「無緒」也。「留戀」，不忍別也；「催發」，不得不別也；「執手相看」，「無語凝咽」，別

---

64 王更生：《文心雕龍讀本》，下冊，頁244。

65 王葆心：《古文辭通義》（臺北市：臺灣中華書局，1984年4月臺2版），卷十一，頁24。

66 曹冕：《修辭學》，頁171。

67 又：「分承法，分析上文意義以承明之也」；「分結者，結處分承上數段也」。來裕恂著，高維國等注釋：《漢文典注釋》（天津市：南開大學出版社，1993年2月），頁222、208。

68 劉熙載：《藝概》，頁226。

> 情正苦，道不出也；「暮靄沉沉楚天闊」，「千里煙波」終是別。「多情自古傷」此事，又值「冷落清秋節」，別情其何以堪？待得「今宵酒醒」，行見孤舟艤泊於「楊柳岸」邊，「曉風殘月」，這思量起頭兒一夜；「經年良辰好景虛設，千種風情與何人說」，別後光陰，敢怕只有以眼淚洗面也。是以「別」為北辰，而數辭為星拱也。[69]

「別」字雖然只在下片首句出現了一次，但全篇以「別」為綱領。以此，傅庚生總結：「摛藻抒情者，其意必有所守，其網必在於綱；欣賞之者，首宜求其旨意，次必尋其脈落，然後乃可以探驪得珠也。」[70]

「行文時於首段總挈大綱，先立一篇之局；以下承首段，逐層分說」，[71]自是眉清目楚，事理明晰。如柳子厚〈箕子廟碑陰〉、王子充〈四子論〉，即「總提大意在前，中間逐段分應」，讀來「章法尤覺整齊」。[72]許恂儒《作文百法》談「總提分應」法，也指出這一特點：

> 文章之有分有總，猶治絲之有綜有分也。凡一問題率可分為數層意義，然分而不總則如散絲矣。學者作文當先找一篇之意思，分作若干層，層次既定，可將全篇之意先為總提一筆以立一篇之綱；然後條分縷析，逐層寫去以引申題中之義，或反或正，或賓或主，皆可隨意佈置，而綱領既立，如能有條不紊矣。[73]

---

69 傅庚生：《中國文學欣賞舉隅》（臺北市：萬卷樓圖書公司，2002年12月初版），頁71-75。

70 傅庚生：《中國文學欣賞舉隅》，頁75。

71 宋文蔚：《評註文法津梁》（高雄市：復文圖書出版社，1993年2月修訂2版），頁71。

72 謝无量：《實用文章義法》（臺北市：華正書局，1990年3月初版），頁120-121。

73 許恂儒：《作文百法》（臺北市：廣文書局，1989年8五月再版），卷三，頁47-48。

這一井然不亂的綱領，無論是形成單軌、雙軌、三軌、四軌或四軌以上，皆可串起所有的字、句、段、章，一致指向「主旨」，符合由「多樣」而「二」而「統一」的邏輯結構。[74]

綱領呈單軌者極常見，它是將主要內容凝為一軌，以貫穿節、段或全文的一種方式。如陸游〈跋李莊簡公家書〉，林雲銘《古文析義》評其「『憤切慷慨』四字是一篇之綱」。[75]如東坡〈留侯論〉以一「忍」字，意貫全篇。如辛棄疾〈鷓鴣天・有感〉：

> 出處從來自不齊，後車方載太公歸。誰知寂寞空山裡，卻有高人賦采薇。　　黃菊嫩，晚香枝，一般同是采花時。蜂兒辛苦多官府，蝴蝶花間自在飛。[76]

英偉磊落，主戰於金，卻又不見容於當朝的稼軒，廢退江西上饒帶湖十年，悲憤之情無以言表，故此詞題作「有感」。開篇的「出處從來自不齊」，是一篇綱領，統括全詞；底下再列舉三項「出處不齊」的例證，抒發一己的悲憤。「後車」三句，先引「周西伯獵，果遇太公於渭之陽，與語大說。曰：自吾先君太公曰，當有聖人適周，周以興，子真是邪？吾太公望子久矣。因號之曰太公望。載與俱歸，立為師」(《史記・齊太公世家》)[77]的典故；再引周武王「東伐紂，伯夷、叔齊叩馬而諫」(《史記・伯夷列傳》) 不成，待「武王已平殷亂，天下宗周，而伯夷、叔齊恥之，義不食周粟，隱於首陽山，采薇而食

---

74 陳滿銘：《國文教學論叢・續編》(臺北市：萬卷樓圖書公司，1998年3月初版)，頁249-262。

75 林雲銘：《古文析義合編》(臺北市：廣文書局，1997年9月8版)，頁328。

76 鄧廣銘：《稼軒詞編年箋注》(臺北市：華正書局，2003年9月2版1刷)，頁415。

77 〔漢〕司馬遷著，瀧川龜太郎注：《史記會注考證》(臺北市：洪氏出版社，1985年9月初版)，頁847。

之。及餓且死作歌，其辭曰：『登彼西山兮，采其薇矣。以暴易暴兮，不知其非矣。神農、虞、夏，忽焉沒兮。我安適歸矣。于嗟徂兮，命之衰矣！』遂餓死於首陽山」[78]的典故，說明「人事」的不齊。太公望相周，是「出」；伯夷、叔齊採薇於首陽山，是「處」。「黃菊嫩」三句，則是就「植物」的不齊來說。黃菊始開，是「出」；晚香將殘，是「處」。「官府」即「衙」，蜂房簇聚似官衙而有「蜂衙」之稱；故「蜂兒」二句，是就「昆蟲」的不齊來說。蜂兒辛苦，是「出」；蝴蝶自在，是「處」。[79]全詞以「出處從來自不齊」為一篇綱領（也是主旨），貫串黃菊、晚香、蜂兒、蝴蝶等自然性物材，太公望相周、伯夷叔齊隱於首陽山（事典）等歷史類事材，形成完整的結構，抒寫人世間一切不齊事。其結構表為：

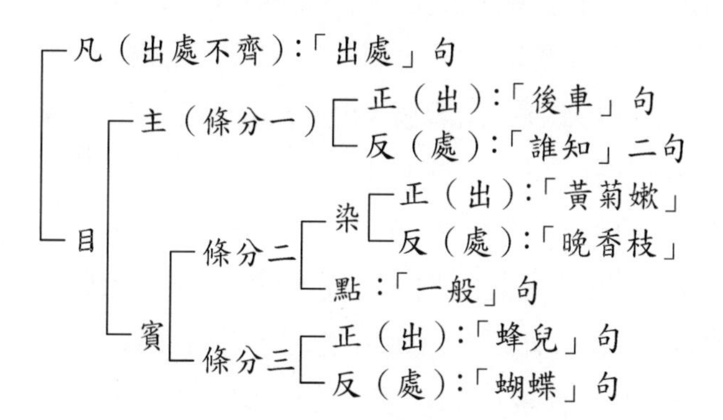

形成雙軌者，就是將平列或有主從關係的重要內容析為兩軌，以貫串節、段或全文，起著互相呼應、補足、映襯作用的一種行文方式。歸有光《文章指南》：「王陽明〈玩易窩記〉篇內發明易理，而以

78 同上註，頁847。

79 陳滿銘：《蘇辛詞論稿》（臺北：文津出版社，2003年8月1刷），頁99。

觀象玩詞、觀變玩占立柱。下即雙承竹節推去，是謂兩柱遞文也」[80]的「兩柱遞文」，即形成雙軌。如《左傳．陰飴甥對秦伯》，「並述君子小人意中事」，「尤妙在借君子小人之言、說我之意」，「雙開雙合，章法極整又極變」，故「奇絕」。[81]又如杜甫〈夜〉：

> 露下天高秋氣清，空山獨夜旅魂驚。疏燈自照孤帆宿，新月猶懸雙杵鳴。南菊再逢人臥病，北書不至雁無情。步簷倚杖看牛斗，銀漢遙應接鳳城。[82]

此詩旨在抒發羈旅悲苦之情，雖然前後各意，「然細看，空山秋氣、獨宿，實在其中」（楊仲弘《杜律心法》）。首聯，點出詩人客居的旅店，空山寂寥，秋意蕭瑟，更彰顯羈旅獨宿、有鄉歸不得的深沉感歎。次聯，景由情出，上句寫獨宿，下句寫秋氣，以「疏燈」、「孤帆」、「新月」映其形單影隻。頸聯，情就景生，上句自嘆，見獨宿；下句憶舊，見秋天。「菊再逢，實景也，而動人益向衰之慨；書不至，虛景也，而起雁仍空到之思」（浦起龍《讀杜心解》）。呼應了時節，更拉開了南北兩地的空間距離。離鄉如此之遙，家書難得，人又臥病，故末聯以上句接自嘆，下句結憶舊，[83]將滿腔的愁苦之情，寄予蒼穹，情景雙融。詩人的視線在由高而低、復由低而高之間流轉，帶出空間視野的立體感層次感，形成「秋氣」、「獨宿」兩軌，貫串新月、牛斗、銀漢等天文類物材，空山等地

---

80 〔明〕歸有光：《文章指南》（臺北市：廣文書局，1985年10月再版），頁21。

81 〔清〕吳楚材選注、王文濡評校：《古文觀止》（臺北市：華正書局，1998年8月初版），頁27。

82 〔清〕楊倫：《杜詩鏡銓》（臺北市：藝文印書館，1998年12月初版3刷），頁940。

83 顧龍振：《詩學指南》（臺北市：廣文書局，1972年4月再版），頁220。

理類物材，凸出「羈旅之情」，形成完整的結構。其結構表為：

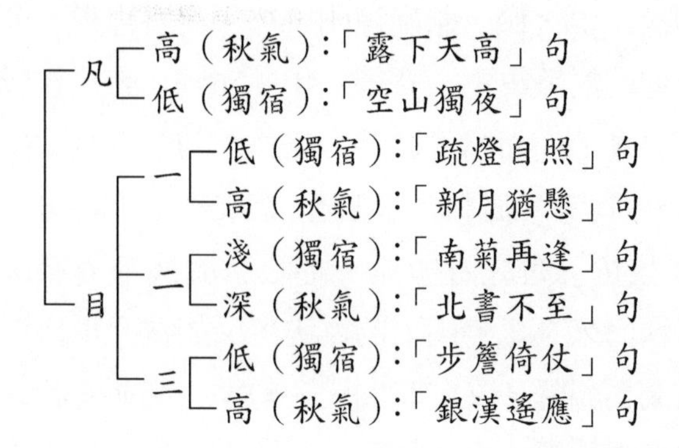

形成三軌者，是將平列或有主從關係的重要內容析為三軌，以貫串節、段或全文的方式。謝无量《實用文章義法》：「謀篇正法，在總提總收，諸子多是如此。」如賈誼〈先醒篇〉，藉懷王問、賈生答，形成「先醒」、「後醒」、「不醒」三軌，振起全文。[84]韓愈〈師說〉，「第一段先立傳道、授業、解惑三大綱」；[85]袁宏道〈晚遊六橋待月記〉，以春為一軌，以月為一軌，以朝煙、夕嵐為一軌。[86]如杜甫〈登樓〉：

> 花近高樓傷客心，萬方多難此登臨。錦江春色來天地，玉壘浮雲變古今。北極朝廷終不改，西山寇盜莫相侵。可憐後主還祠廟，日暮聊為梁甫吟。[87]

代宗廣德上年（763）正月，官軍收復河南河北，安史之亂平；十

84 謝无量：《實用文章義法》，頁122-124。

85 謝枋得：《文章軌範》（臺北市：廣文書局，1970年12月初版），頁205-206。

86 陳滿銘：《國文教學論叢・續編》，頁253-254。

87 〔清〕楊倫：《杜詩鏡銓》，頁769。

月，吐蕃攻陷長安，代宗奔陝州。雖然郭子儀隨後立即收復了京師，但同年底吐蕃又攻陷松、維、保、劍南等州，加上宦官專權、藩鎮割據，朝廷內外交相逼迫，災難重重。廣德二年（764），詩人在成都，感傷時事之悲、家國之亂，因而寫了此詩。開篇二句，直接拈出「傷客心」、「萬方多難」、「登臨」三軌，統貫全詩。三、四兩句，承高樓，描述壯觀的山河景色，是登臨所見。錦江水流挾帶著無邊的春色，從天地的盡頭奔湧而來；玉壘山上的浮雲，又如古今世事的千幻萬化。兩句既向空間開拓視野，又向時間馳騁想像，飽蘸著詩人對祖國山河、民族歷史的無限感傷。五、六句，寫萬方多難，議論天下大事。「北極」在此象徵大唐政權，「終不改」是承去年吐蕃陷京、代宗即帝位這一件事而來，明言大唐帝國氣運久遠。「寇盜莫相侵」，則是寄語吐蕃，勸其不要覬覦大唐，充分流露對國事的堅定信念。末聯，上承「傷客心」，寫登臨所感。「後主」指蜀漢劉禪，因寵信宦官而亡國。〈梁甫吟〉是諸葛亮隆中隱居時，最常吟誦的樂府詩篇。詩人在此，隱然有以劉禪諷勸代宗、以〈登樓〉比〈梁甫吟〉之意，表示自己空懷濟世之心，卻無報國之道。[88]意蘊深遠，故沈德潛評其「氣象雄渾，籠蓋宇宙，乃集中最上之作」。[89]全詩以「傷客心」、「萬方多難」、「登臨」三軌為綱領，由章而篇，貫串錦江、玉壘、西山等地理性物材，高樓、祠廟等建築類物材，北極朝廷、西山寇盜、後主劉禪等角色性物材，日暮、春色、古今等時節性物材，〈梁甫吟〉等事實類事材，形成完整的結構，凸出詩人的「家國悲感」。「造意大，命格高，真可度越諸家」。[90]其結構表為：

88 陳滿銘：《章法學新裁》（臺北市：萬卷樓圖書公司，2001年1月初版），頁56；《唐詩鑑賞辭典》（上海市：上海辭書出版社，2003年9月31刷），頁550-552。

89 〔清〕楊倫：《杜詩鏡銓》，頁769。

90 〔清〕楊倫：《杜詩鏡銓》，頁769。

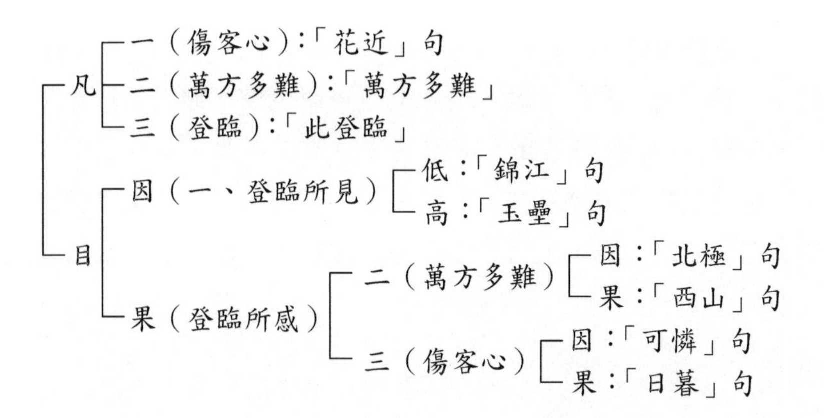

將平列或有主從關係的重要內容析為四軌或四軌以上，以貫串節、段或全文的文例，雖不常見，但仍可尋得其蹤影。形成四軌者，如《戰國策・魯共公擇言》，吳楚材評「當戒者一」、「當戒者二」、「當戒者三」、「當戒者四」的酒、味、色、高臺陂池，形成了四軌以貫串全文，「歷歷皆應，章法奇妙」，「整煉而有扶疏之致，嚴重而饒點染之姿」。[91]形成五軌者，如文天祥〈跋劉翠微罪言藁〉，首段「崔子作亂於齊」句，與第二段「當檜用事時」五句，彼此呼應，形成第一軌。首段「太史以直筆死，其弟嗣書而死者二人」二句，呼應次段「胡公以對事貶，王公送之詩，陳公送之啟俱貶」三句，形成第二軌。「書者又不輟，遂舍之」二句，開啟下文「而翠微劉公，猶作罪言以顯刺之，……猶將甘心焉」一節，形成第三軌。「崔子豈能舍書己者哉」一句，呼應次段「公之罪言……而公得為太史氏之最後者」，形成第四軌。「人心是非之天，終不可奪；而亂臣賊子之暴，亦遂以窮」四句，與次段「祖宗教化之深，人心義理之正，檜猶如之何哉」遙相呼應，形成第五軌。[92]形成六軌者，如宋濂〈六經論〉，「雖似以心為一

91 〔清〕吳楚材選注，王文濡評校：《古文觀止》，頁158-159。

92 陳滿銘：《國文教學論叢》（臺北市：萬卷樓圖書公司，1994年9月初版3刷），頁436。

篇主意，然實歸到六經」，在「文章前立數柱議論」，[93]然後加以鋪展，形成易、詩、書、春秋、禮、樂六軌，貫串全文。形成七軌者，如宋濂〈七儒解〉，以游俠之儒、文史之儒、曠達之儒、智數之儒、章句之儒、事功之儒、道德之儒等七軌綱領，貫串全篇，凸出「願學孔子的儒者之道」之一篇「主旨」。「以七儒比論，前後相應，章法最佳」。[94]

2 一篇主旨

傳統文評論著多稱「主旨」為「意」或「意旨」。[95]「意者，一身之主也」，[96]是「情理」之所托，故行文當以「立意」為首要。它是一篇辭章最核心、最根本的思想情意，起著統帥全文的作用。如沈德潛《說詩晬語・卷下》：

> 寫竹者必有成竹在胸，謂意在筆先，然後著墨也。慘澹經營，詩道所貴。倘意旨間架，茫然無措，臨文敷衍，支支節節而成之，豈所語於得心應手之技乎？[97]

為文不僅要煉其辭，更要煉其意；煉辭可得奇句，煉意則可得「餘

93 謝无量：《實用文章義法》，頁116-118。

94 謝无量：《實用文章義法》，頁120。

95 〔清〕劉熙載：「唐太宗論書曰：『吾之所為，皆先作意，是以果能成。』虞世南作《筆髓》，其一為『辨意』。蓋書雖重法，然意乃法之所受命也。王羲之自論書：『須得書意，轉深點畫之間，皆有意，自有言所不盡得其妙者。』」見《藝概・書概》，頁218。

96 〔明〕黃子肅《詩法》：「大凡作詩，先須立意。意者一身之主也。」顧龍振：《詩學指南》，卷一，頁16。

97 〔清〕王夫之等撰，丁福保輯：《清詩話》（上海市：上海古籍出版社，2015年月1版1刷），下冊，頁563。

味」。而「意」，是一篇文章的中心思想，和哲學上側重於構成文章的物質材料（語言）對「意」的表達而論的「言意」之「意」，雖有深刻的內在聯繫，但又有所不同。[98]劉熙載《藝概．經義概》：

> 凡作一篇文，其用意俱要可以一言蔽之。擴之則為千萬言，約之則為一言，所謂主腦者是也。……主腦既得，則制動以靜，治繁以簡，一線到底，百變而不離其宗。如兵非將不御，射非鵠不志也。[99]

以「意」為主，是古人作文的經驗之談，也是對文章規律的深刻總結。「苟意不先立，止以文采辭句繞前捧後，是言愈多而理愈亂」，「辭愈華而文愈鄙」；若能「以意全勝者」，則「四者高下圓抑步驟，隨主所指，如鳥隨風、魚隨龍、眾師隨湯武，騰天潛泉，横裂天下，無不如意」（杜牧〈答莊充書〉）。以此，「無論詩歌與長行文字，俱以意為主，意猶帥也」。[100]「主意拏得定，則開闔變化，惟我所為」。[101]行文「處處顧定主意，如枝葉扶疏，必本於一幹」，[102]如「煙雲泉石，花鳥苔林，金鋪錦帳，寓意則靈」（王夫之《薑齋詩話》）。[103]

此外，為了實際上或技巧上的需求，作者往往會將深一層或真正的主旨隱藏起來。陳滿銘指其會形成「主旨全顯」、「主旨顯中有

98 王凱符、張會恩：《中國古代寫作學》（北京市：中國人民大學出版社，1992年9月初版），頁150-151。

99 又：「文固要句句字字受命於主腦，而主腦有純駁平陂高下之不同，若非慎辨而去取之，則毫差若毫釐，繆以千里矣。」〔清〕劉熙載：《藝概》，頁224。

100 〔清〕劉熙載：《藝概》，頁71。

101 〈文概〉：「古人意在筆先，故得舉止閒暇。後人意在筆後，故至於手腳忙亂。」又〈詩概〉：「律詩主意拏得定，則開闔變化，惟我所為。」〔清〕劉熙載：《藝概》，頁104。

102 宋文蔚：《評註文法津梁》，頁48。

103 〔清〕王夫之等撰，丁福保編：《清詩話》，頁8。

隱」、「主旨全隱」三種情形。其中，講求「不著一字，盡得風流」的「主旨全隱」者，通篇多以敘事或寫景為主，寄託主旨於篇外。「主旨顯中有隱」者，是把表層的部分作出明顯的表達，卻將它深一層或真正的部分隱藏起來，讀者唯有下一番審辨的工夫，才能有所得。至於主旨與綱領的分與合，最易產生混淆。如〈左忠毅公軼事〉，以左公識拔史公、史公冒死探獄、及史公受左公感召的「忠毅」表現為內容。「忠毅」是綱領，也是主旨。又如太史公〈孔子世家贊〉，以作者本身、孔門學者以及全天下讀書人對孔子的「嚮往」為綱領，層層遞寫，結出主旨「至聖」。由此可知，作者真正要表達的思想情意——主旨，可以是綱領，也可以不是；換言之，主旨是綱領的核心，綱領是主旨的外圍。綱領有時雖與主旨有所分別，但無不匯歸於主旨。主旨是辭章的中心思想，可以是情、理，或情、理交揉而成。但為了精確表達意旨，往往也有賴於綱領以貫注全篇，使所有的字、句、段、章所產生的意義，都能按部就班地指向主旨。[104]

主旨的安置部位，不外乎安置於篇首、篇腹、篇末與篇外四種。安置於篇首，開門見山，直指本意。[105]劉熙載《藝概》：「揭全文之旨，或在篇首。」[106]宋文蔚《評註文法津梁》：「主意既定，或於篇首預先揭明。」[107]如〈五代史伶官傳序〉，首段即提出「盛衰之理，雖曰天命，豈非人事哉」的中心思想，然後全文緊繞著「盛衰」二字展開論證，簡潔明快。[108]又如王維〈酬張少府〉：

104 陳滿銘：〈談詞章主旨的顯與隱〉、〈談篇旨教學〉，《國文教學論叢．續編》，頁38-45。

105 陳滿銘：《章法學新裁》，頁54-88。

106 〔清〕劉熙載：《藝概》，頁64。

107 宋文蔚：《評註文法津梁》，頁48。

108 王更生：《歐陽脩散文研讀》（臺北市：文史哲出版社，1996年5月初版），頁126-127。

> 晚年惟好靜，萬事不關心。自顧無長策，空知返舊林。松風吹解帶，山月照彈琴。君問窮通理，漁歌入浦深。

這是一首酬答之作，也是自述志趣的詩。篇首的「好靜」二字，就是一篇主旨。開篇四句寫情，語近而旨遠。詩人自問「無長策」，只好回歸舊時的山林。頸聯承上續寫隱居的山林之樂，「松風」與「山月」是高潔的象徵，「解帶」與「彈琴」是山居的自在，景中含情，仍然是從「好靜」中發出。[109]末聯，即景悟情，藉著「君問」，以「漁歌入浦深」為答，既照應了詩題的「酬」字，更化用了《楚辭．漁父》「漁父莞爾而笑，鼓枻而去，乃歌曰：滄浪之水清兮，可以濯吾纓；滄浪之水濁兮，可以濯吾足」的典故，隱然寄有「天下有道則見，無道則隱」(《論語．泰伯》) 的言外意。這一個「深」字也下得極好。以其「深」，世俗不可亂其心；以其「深」，故能任松風吹衣帶，月下獨彈琴。既扣緊了「好靜」，又深富禪理。全詩結合了舊林、松風、山月、琴等物材，《楚辭．漁父》等歷史事材類（事典），運用了觸覺、視覺、聽覺等摹寫法，來抒寫山林之樂；再經由邏輯思維，貫串全篇的意象群，形成完整結構，凸出「好靜之意」於篇首。其結構表為：

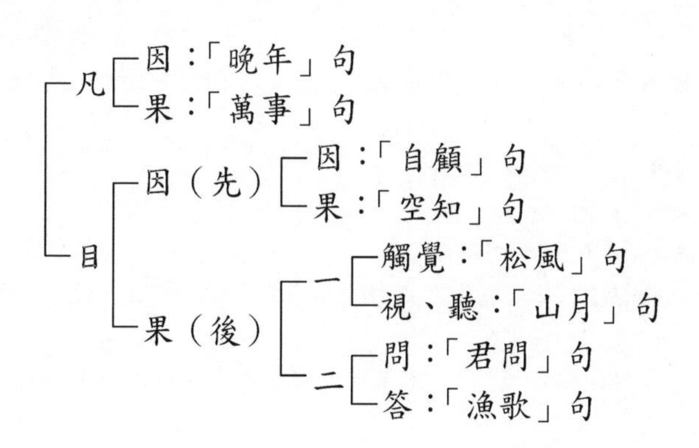

109 喻守真：《唐詩三百首詳析》（臺北市：臺灣中華書局，1995年1月23版4刷），頁147。

安置於篇腹者，是將主旨安置於文章結構的中央（或中央偏前、中央偏後）部分，以統括全篇文義的布局形式。[110]王葆心引李穆堂《秋山論文》指「文章精神全在結束，有提於前者，有束於中，有收於後者」。[111]劉熙載〈文概〉指「揭全文之旨，或在篇首，或在篇中，或在篇末。在篇中則前注之，後顧之」。[112]宋文蔚也指一篇「主意」可在中間醒出，令讀者醒然；「唯中間議論處，必須處處顧定主意，不可與之相離，或至相背」。[113]如蘇軾〈答謝民師書〉，中間一段，「大略如行雲流水，初無定質，但常行于所當行，常止于所不可不止，文理自然，姿態橫生」，讚賞了謝民師，也表達了作者的文學主張。[114]又如蘇軾〈南鄉子〉：

> 東武望餘杭。雲海天涯兩杳茫。何日功成名遂了，還鄉。醉笑陪公三萬場。　不用訴離觴。痛飲從來別有腸。今夜送歸燈火冷，河塘。墮淚羊公却姓楊。[115]

此詞題作「和楊元素，時移守密州」，當是熙寧七年甲寅（1074）九月，東坡作於離杭赴任時。[116]通判杭州三、四年之間，東坡為杭州百

---

110 陳滿銘：《作文教學指導》（臺北市：萬卷樓圖書公司，1997年10月初版2刷），頁137。

111 王葆心：《古文辭通義》，卷十一，頁2。

112 〔清〕劉熙載：《藝概》，頁64。

113 宋文蔚：《評註文法津梁》，頁48、105-112。

114 王更生：《蘇軾散文研讀》（臺北市：文史哲出版社，2001年2月初版），頁171、229。

115 鄒同慶、王宗堂：《蘇軾詞編年校註》（北京市：中華書局，2002年9月1版1刷），頁90。

116 傅藻《東坡紀年錄》：「熙寧七年甲寅，移守密，和元素〈南鄉子〉。」見鄒同慶、王宗堂：《蘇軾詞編年校註》，頁90。

姓監試鄉舉、相度堤岸工程，雨中督役、開運鹽河，驅除蝗害、賑濟災民，並疏浚錢塘六井，立下不少的政績。只因為「子瞻既守餘杭，三年不得代，以轍之在濟南也，求為東州守」（蘇轍〈超然臺賦〉），而改知密州。

首句，點出東坡離開杭州時，遠眺所見一片蒼海雲天的景象，預為下文鋪墊濃濃的離情別意。接著化用李白〈襄陽歌〉:「百年三萬六千日，一日須傾三百杯」、白居易〈對酒〉:「人生一百歲，通計三萬日」的詩意，以虛筆抒寫自己渴盼能早日還鄉與君酣醉的想望。下片，先描繪了餞別宴席上痛飲離觴的情景，再以虛筆設想送歸後的楊元素，回到了燈火清冷的河塘，身單影隻的情景。「實處正意，先從虛處透出，則入題不突；闡發實處，仍迴抱虛處，則通篇首尾一氣，章法渾成」。[117]末句，藉用「羊祜墮淚碑」[118]的典故，盛讚楊元素之深得民心，蘊含不盡的情意。全詞統合了李白詩意（語典）、「羊祜墮淚碑」的事典等歷史性事材，東武、餘杭、河塘、雲海、楊公、何日、今夜等物材；並運用視覺摹寫、引用、人情夸飾等手法描摹詞人的傷離悲感，凸出「身世之感」於篇腹。其結構表為：

117 曹冕：《修辭學》，頁95。

118 《資治通鑑．晉紀》:「南州民聞祜卒，為之罷市，巷哭聲相接。吳守道將士亦為之泣。祜好遊峴山，襄陽人建碑立廟於其地，歲時祭祀，望其碑者無不流涕，因謂之墮淚碑。」

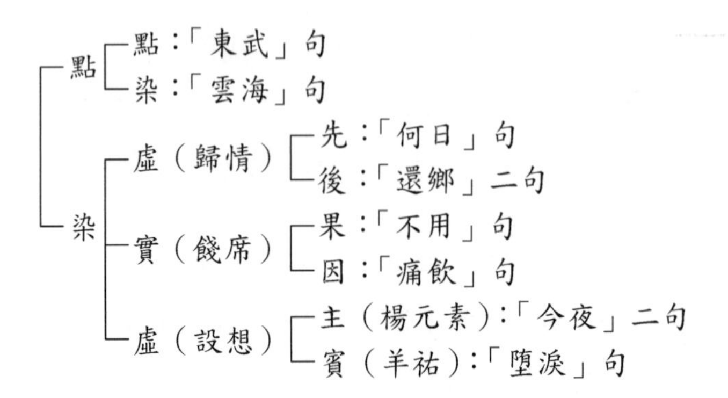

主旨安置於篇末者，如劉熙載《藝概》：「揭全文之旨，或在篇末」，「在篇末則前必注之。」[119]而此種「結穴於最後之一言」，[120]至文末才點明主旨的謀篇方式，極具飛動之態。[121]如柳宗元〈捕蛇者說〉，以篇末的「苛政猛於虎」一句最警醒、最透闢，揭示一篇主意。[122]如杜甫〈曲江對酒〉：

> 苑外江頭坐不歸，水精宮殿轉霏微。桃花細逐楊花落，黃鳥時兼白鳥飛。縱飲久判人共棄，懶朝真與世相違。吏情更覺滄洲遠，老大徒傷未拂衣。[123]

首聯，以苑外江頭霏微之景，點出詩人所在。「坐」而「不歸」，表明了詩人主觀的內在意緒。「轉」字，則顯明了景物的變化及寥落意味。次聯，寫坐時所見。陶淵明有〈桃花源詩并記〉，故「桃花」一

---

119 〔清〕劉熙載：《藝概》，頁64。

120 吳曾祺：《涵芬樓文談》（臺北市：臺灣商務印書館，1980年9月4版），頁16。

121 蔣建文：《從作文原則談作文方法》（臺北市：臺灣商務印書館，1995年3月增訂3版1刷），頁153。

122 王更生：《柳宗元散文研讀》（臺北市：文史哲出版社，1999年2月初版2刷），頁143。

123 〔清〕楊倫：《杜詩鏡銓》，頁354。

詞，寓有隱於世外桃源之意。「二月楊花滿路飛」（庾信〈春賦〉）的楊花，也常用來象徵離情。《詩經・小雅・緜蠻》：「緜蠻黃鳥，止於丘阿。」常出現於平地至低海拔的黃鳥，即黃鶯、黃鸝，[124]鳴聲宛轉而動人。「白鳥」出自《詩經・大雅・靈臺》的「麀鹿濯濯，白鳥翯翯」，寓「靈臺，民始附也。文王受命而民樂，其有靈德，以及鳥獸昆蟲焉」之意。[125]花「細逐」而落，鳥「時兼」而飛，其形色聲香，又極輕靈。水精殿前的氣候轉變，群花飄落、群鳥亂飛等自然美景，也反襯了詩人「不得其志」的感慨。

「縱飲」四句，由淺而深，委婉道出仕途的不得意。「滄洲遠」、「未拂衣」二詞，化用了謝朓〈之宣城郡出新林浦向板橋〉：「既歡懷祿情，復協滄洲趣」、謝靈運〈述祖德詩〉其二：「高揖七州外，拂衣五湖裡」的詩意，又和上聯的「縱飲」、「懶朝」形成對照，抒寫自已雖有歸隱之心，卻「牽於薄宦，更覺高隱為難」，欲進不能、退又不得的兩難境地，而徒有「年華老大」之傷，拈出一篇主旨來。〈曲江對酒〉與〈曲江二首〉約作於同時，皆「流便真率，已開長慶集一派，但其中仍有變化曲折，視元白務取平易者不同耳」。[126]全詩統合了謝靈運、謝朓的詩意（語典）等歷史性事材，苑外江頭、滄洲、水精宮殿、桃花、楊花、黃鳥、白鳥等物材，並運用視、聽、心等知覺摹寫傷感，凸出「身世之感」於篇末。其結構表為：

---

124 〔清〕阮元：《十三經注疏・詩經》（嘉慶二十年江西南昌府學開雕，臺北市：藝文印書館，1985年12月10版），頁521。〔晉〕張華《師曠禽經》注：「今謂之黃鶯黃鸝是也。野民曰黃栗留語聲轉耳，其色黧黑而黃故名。」〔清〕陳夢雷編：《古今圖書集成・鶯部》（臺北市：鼎文書局，1976年2月初版），第63冊，頁262。

125 〔清〕阮元：《十三經注疏・詩經》，頁578、580。

126 〔清〕楊倫：《杜詩鏡銓》，頁354。

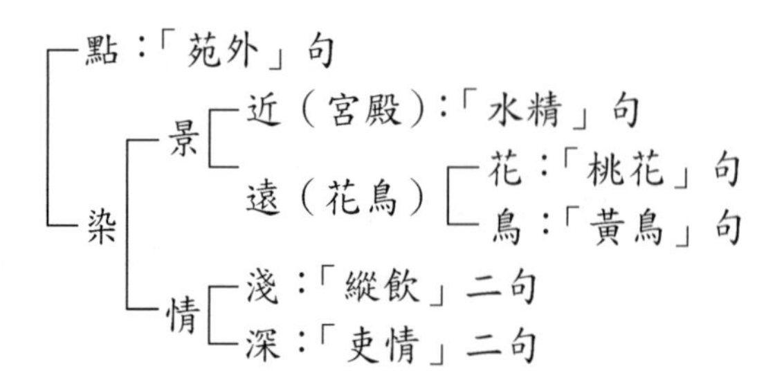

主旨安置於篇外者，即劉勰《文心雕龍・隱秀》所言的「文之英蕤，有隱有秀。隱也者，文外之重旨也」[127]，深文隱蔚，餘味曲包，含不盡之意於言外。這種「意在言外」、「結穴在篇外」、「通體不提明本意，乃全篇用虛者」[128]的藝術美學，更能調動讀者的審美意趣，留下再創造的寬闊天地。如歐陽脩〈養魚記〉，全篇通過大魚「不得其所」、小魚「有若自足」，影射當時的現實環境，抒發內心的鬱悶與感憤。意旨不在篇內點醒。[129]如辛棄疾〈賀新郎〉：

> 綠樹聽鵜鴂，更那堪、鷓鴣聲住，杜鵑聲切。啼到春歸無尋處，苦恨芳菲都歇，算未抵、人間離別。馬上琵琶關塞黑，更長門翠輦辭金闕。看燕燕，送歸妾。　將軍百戰身名裂。向河梁回頭萬里，故人長絕，易水瀟瀟西風冷，滿座衣冠似雪。正壯士、悲歌未徹。啼鳥還知如許恨，料不啼清淚長啼血。誰共我，醉明月？[130]

據詞題「別茂嘉十二弟」，鄧廣銘以為茂嘉之「如北」必在稼軒起廢

127 王更生：《文心雕龍讀本》，下冊，頁202。

128 王葆心：《古文辭通義》，卷十二，頁16-17。

129 成偉鈞、唐仲揚、向宏業：《修辭通鑑》（臺北市：建宏出版社，1996年1月初版1刷），頁1161；王更生：《歐陽脩散文研讀》，頁136。

130 鄧廣銘：《稼軒詞編年箋注》，頁526-527。

之前，其赴調或即在由北邊歸來之後，當作於稼軒退居鉛山瓢泉期間。「恐鵜鴂之先鳴兮，使夫百草為之不芳」（《楚辭．離騷》），[131]春末夏初鳴叫的鵜鴂，其聲尖銳刺耳，予人不快之感。鷓鴣，寄有胡馬北嘶、幽恨哀思。[132]「甌越間曰怨鳥，夜啼達旦，血漬草木，凡鳴皆北嚮也」[133]的杜鵑，更是春愁的象徵。故開篇「綠樹」四句，詞人以重疊形式連用了聲聲啼叫著「行不得也」、「不如歸去」的鵜鴂、鷓鴣、杜鵑，鋪墊一層深似一層的離情，凸顯最苦的人間別情。「算未抵」句，上承啼鳥而下起別恨。「馬上琵琶」四句，先暗用王昭君出塞事，再以一「更」字，藉陳皇后失寵退居長門宮這一件事，寫「王昭君自冷宮出而辭別漢闕」之憾，這是離別之恨一。藉「衛州吁弒桓公而立」[134]，衛莊姜送戴嬀回陳[135]的史事，抒寫離別之恨二。

下片「將軍百戰」三句，取李陵投降匈奴，與蘇武於異域相逢而終將訣別事，抒寫離別之恨三。「易水蕭蕭」二句，以荊軻刺秦王，於易水之上，太子及賓客「皆白衣冠以送之」、「士皆垂淚涕泣」（《史

---

131 〔東漢〕王逸：《楚辭章句》（臺北市：藝文印書館，1974年4月再版），頁60。

132 賈祖璋《鳥與文學》：「《北戶錄》引《廣志》云：鷓鴣鳴云『但南不北』，如是云云，定由人想像其鳴聲的沉怨，而後意造成之。」賈柏松、韓仁煦、尤廉編：《賈祖璋全集》（福州市：福建科學技術出版社，2001年9月1版），頁162。

133 〔晉〕張華：《師曠禽經》注，收入〔清〕陳夢雷編：《古今圖書集成．杜鵑部》，第63冊，頁418。

134 《左傳．隱公》：「衛莊公娶于齊東宮得臣之妹，曰莊姜，美而無子，衛人所為賦〈碩人〉也。又娶于陳，曰厲嬀，生孝伯，早死。其娣戴嬀，生桓公，莊姜以為己子。……四年，春，衛州吁弒桓公而立。……厚從州吁如陳。石碏使告于陳曰：『衛國褊小，老夫耄矣，無能為也。此二人者，實弒寡君，敢即圖之。』陳人執之，而請涖于衛。九月，衛人使右宰醜涖殺州吁于濮。」〔清〕阮元：《十三經注疏．左傳》（臺北市：藝文印書館，嘉慶二十年江西南昌府學開雕本，1985年12月10版），頁53-57。

135 《詩．國風．邶風．燕燕》：「燕燕，衛莊姜送歸妾也。」〔清〕阮元：《十三經注疏．詩經》，頁77-80。

記‧刺客列傳》）[136]的史事為底色，凸出西風冷、易水畔的白衣身影，抒寫離別之恨四。詞人先平提了昭君、莊姜、李陵、荊軻等四人，層層堆疊，鋪染離情，再側注到壯士荊軻作收。「啼鳥」二句，則回扣上片，以鳥之尚知啼淚為賓，正面烘托「我」，寄離別之恨於篇外。

鄧廣銘引劉永濬〈讀辛稼軒送茂嘉十二弟之賀新郎詞書後〉說明，前人「談此詞者多以〈恨賦〉或〈擬恨賦〉相擬，以予考之，實本之唐人賦得詩，與李商隱詠〈淚〉之七律尤復相似」。因此，此詞實不應視為一般送別之作。但劉氏以李商隱詠〈淚〉詩「朝來灞水橋邊過，未抵青袍送玉珂」二句，來狀擬稼軒淪為朝中小人之下的那一股有才難伸的深沉感慨，卻是十分貼切。所以全詞結合了昭君出塞、莊姜送戴媯回陳、李陵訣別蘇武、荊軻刺秦王等歷史事材類（事典），清淚、啼血、醉明月等現實事材類，綠樹、芳菲、鵜鴂、鷓鴣、杜鵑等物材，又運用了聽覺、心覺、引用等修辭法，凸出「別恨」之「意」於篇外。詞人尤善用典故，善用象徵物與被象徵的內容的特定聯繫，以構成藝術形象，然後在象、意之間，存「有曖曖之致」，供予讀者審美跳躍的補白空間，從而獲致韻外之致。這也應是王國維推崇「稼軒〈賀新郎〉詞（送茂嘉十二弟），章法絕妙，且語語有境界，此能品而幾於神者」的原因吧。[137]其結構表為：

136 〔漢〕司馬遷著，瀧川龜太郎注：《史記會注考證》，頁1028-1031。

137 王國維著，馬自毅譯：《新譯人間詞話》（臺北市：三民書局，1994年3月初版），頁184。

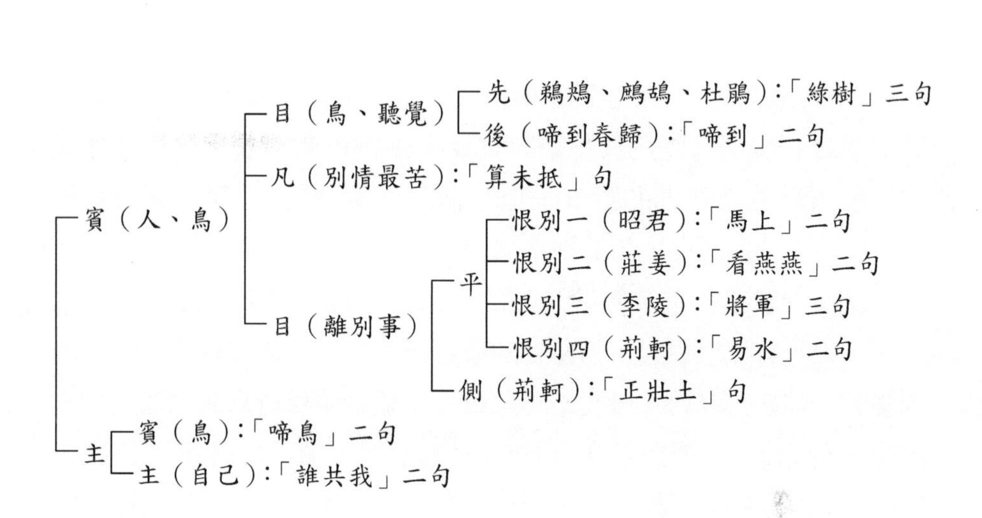

（二）辭章與意象

一篇辭章「必有一定主意，主意既定，通篇議論均必與其本意相發」；[138]也唯有「處處顧定主意，如枝葉扶疏，必本於一幹；江海浩瀚，必出於源泉」，[139]才能達成全篇的「統一」。這一個可以是「情」、是「理」，或情理交揉而成的「意」，是主觀內在的心智思慮，需通過客觀外在的「象」才能呈現出來。以此，陳滿銘探討「意象」與「辭章」的關係時指出，辭章的「情、理、事、景（物）」四大內容結構，都可用意象的觀念加以統合。[140]

西方的「意象」（image）一詞，原為心理學名詞，如韋勒克（René Wellek）、華倫（Austin Warren）《文學論》就稱為「過去的感

138 吳闓生：《古文範》（臺北市：臺灣中華書局，1973年3月臺一版），上編二，頁9。

139 宋文蔚：《評註文法津梁》，上冊，頁50。

140 辭章內容結構可析為四大成分：（一）核心成分：情、理。所謂核心成分，即一篇主旨。它安排在篇內時，都以情語或理語來呈現。（二）外圍成分：景（物）、事。因形成外圍結構的，不外乎物材與事材。陳滿銘：《章法學綜論》，頁108-114；陳滿銘：〈從意象看辭章之內容成分〉，《國文天地》19卷8期（2004年1月），頁95。

覺或已被知解的經驗在心靈上再生或記憶」的「心靈現象」。[141]後來為文學批評援引，應用於藝術、文學上，指以各種藝術媒介（如文字）所表現的心理上的圖畫。但它偏指「象一物」，與王弼所謂的「意生象」分指「意、象二物」，略有出入。[142]

作為中國傳統美學範疇骨架的「意象」理論，其源頭可上溯至《老子》的有無思想與《易傳》的象意概念。[143]其後，摯虞〈文章流別論〉、陸機〈文賦〉，以及最早標舉「意象」美學概念的劉勰《文心雕龍．神思》，指明詩歌創作中的「形」與「情」的鍾嶸《詩品．序》，提出「詩有三格」的王昌齡〈詩格〉，窺見「內意」（主觀）與「外象」（客觀）關係的白居易《金針詩格》，總結前人成果把「物象」與「心意」聯繫起來的司空圖《二十四詩品》，乃至後來梅聖喻《續金針詩格》、王廷相〈與郭價夫學士論詩書〉、沈德潛《說詩晬語》、方東樹《昭昧詹言》等，對意象論都有一脈相沿的繼承與發展。[144]

---

141 韋勒克（René Wellek）、華倫（Austin Warren）著，王夢鷗、許國衡譯：《文學論》（臺北市：志文出版社，1987年12月再版），頁303。

142 張漢良：《比較文學理論與實踐》（臺北市：東大圖書公司，1986年2月初版），頁360-370。

143 〈繫辭傳〉：「《易》者象也，象也者像也。」〔唐〕孔穎達《周易正義》解釋：「《易》卦者，寫萬物之形象也，故《易》者象也。象也者像也，謂卦為萬物象者；法像萬物，猶若乾卦之象法像於天也。」〔清〕阮元：《十三經注疏．周易》（嘉慶二十年江西南昌府學開雕，臺北市：藝文印書館，1985年12月10版），頁168；陳望衡：《中國古典美學史》（長沙市：湖南教育出版社，1998年8月1版1刷），頁13-21。

144 葉朗以為「意象說」這個系列的概念、範疇和命題系統，充當了中國古典美學的主幹。見《現代美學體系》（臺北市：書林出版公司，1993年10月1版），頁96。其他，如李元洛《詩美學》（臺北市：東大圖書公司，1990年2月初版，頁161-209）、陳望衡《中國古典美學史》（頁201-472）、葉朗《中國美學的發端》（臺北市：金楓出版社，1987年7月初版，頁24-139）等，也多所論述。

《周易》以充滿秩序、變化規律的卦爻之「象」，來表達對流動不居的事物之吉凶判斷、預測與憂患之「意」；故「意」之於「象」，實是符號的「所指」之於其「能指」，包孕著一種極為重要的本體論與方法論意義，包孕著「心」與「物」、「主」與「客」、一般普遍性（哲理的）與具體個別性（形象的）的象徵性關係。[145]因此，「意」與「象」所構成的「意義」與「表現」，正是藝術的「意味」及其「形式」，具有「符號」的一切特性。而此種以小見大、以一總萬的象徵性，也正是藝術美學的法則之一，可由哲學過渡到藝術美學。[146]章學誠《文史通義．易教下》：

> 象之所包廣矣，非徒《易》而已，《六藝》莫不兼之；蓋道體之將形而未顯著也。雎鳩之於好逑，樛木之於貞淑，甚而熊蛇之於男女，象之通於《詩》也，……故道不可見，人求道而恍若有見者，皆其象也。[147]

「好逑」、「貞淑」之「意」，抽象而難以把握，必經「雎鳩」、「樛木」之「象」，使其形象化，故「象之通於《詩》」。[148]甚且，比興、

---

145 高辛勇：《形名學與敘事理論．結構主義的小說分析法》（臺北市：聯經出版事業公司，1987年11月初版），頁65。

146 正因為《易》象和審美形象有聯繫，後人往往把《易》象作為藝術最早的起源，如劉勰《文心雕龍．原道》：「人文之元，肇自太極，幽贊神明，《易》象惟先。庖犧畫其始，仲尼翼其終。而乾坤兩位，獨制〈文言〉。言之文也，天地之心哉！」葉朗：《中國美學的發端》，頁97-101。

147 〔清〕章學誠撰，葉瑛校注：《文史通義》（臺北市：頂淵文化事業公司，2000年9月初版1刷），頁18。

148 〔唐〕孔穎達注疏：「凡《易》者，象也，以物象而明人事，若《詩》之比喻也。或取天地陰陽之象以明義者，若〈乾〉之『潛龍』、『見龍』，〈坤〉之『履霜、堅冰』、『龍戰』之屬是也；或取萬物雜象以明義者，若〈屯〉之六三『即鹿無虞』，

興象、形神、氣韻、神韻、意境等傳統美學範疇，也可說皆是建構在「意象」的骨架上。[149]

綜觀詩文中的「意象」，一指意中之象。如劉勰《文心雕龍．神思》：「獨照之匠，窺意象而運斤。」二指意與象。如何景明〈與李空同論詩書〉：「意象應曰合，意象乖曰離。」三指客觀景象。如姜夔〈念奴嬌序〉：「予與二三友日盪舟其間，薄荷花而飲。意象幽閑，不類人間。」四指作品中的形象。如方東樹《昭昧詹言》：「意象大小遠近，皆令逼真。」[150]以此可見，「意象」實有個別與整體、狹義與廣義之分。由若干「個別意象」構成的整體，就是「整體意象」；構成「整體意象」的若干局部，就是「個別意象」。[151]狹義者，指個別意象，大都用其偏義，往往合「意象」為一來稱呼；廣義者指全篇，屬於整體，可析為「意」與「象」。[152]

審美意象由創作主體的「意」，與創作主體所意識到的客體的

六四『乘馬班如』之屬是也。如此之類，《易》中多矣。」〔清〕阮元：《十三經注疏．周易》，頁168。

149 魯道夫．阿恩海姆（Rudolf Arnheim）著，郭小平、翟燦譯：《藝術心理學新論》（臺北市：臺灣商務印書館，2001年12月初版4刷），頁47；毛正夫：《中國古代詩學本體論闡釋》（臺北市：五南圖書公司，1997年4月初版1刷），頁201；葉朗：《現代美學體系》，頁120。

150 陳慶輝：《中國詩學》（臺北市：文史哲出版社，1994年12月初版），頁62。

151 楊春鼎：《直覺、表象與思維》（福州市：福建教育出版社，1996年5月1版3刷），頁48。

152 陳滿銘強調，狹義的「意象」大都用其偏義，如草木或桃花的意象，用的是偏於「意象」之「意」。因為草木或桃花都偏於「象」，如「桃花」的意象之一為愛情，愛情是「意」；而團圓或流浪的意象，用的是偏於「意象」之「象」；因為團圓或流浪都偏於「意」，如「流浪」的意象之一為浮雲，而浮雲是「象」。因此，前者往往是「一象多意」，後者則為「一意多象」；然而無論是偏於「意」或偏於「象」，都通稱為「意象」。見〈從意象看辭章之內容成分〉，《國文天地》19卷8期（2004年1月），頁95。

「象」兩方面融匯組合而成；[153]故意象的主要內容成分，不外「情」、「理」、「事」、「物」四者。其中，「象」包括具體材料的「事象」與「物象」，「意」則包括核心的「情」與「理」。[154]任何藝術作品，皆是由「形象思維」、「邏輯思維」與「綜合思維」結合而成。[155]陳滿銘指出，探討「意」與「象」之形成及其表現者，屬「形象思維」範疇。與此有關者，為狹義的「意象學」、「詞彙學」、「修辭學」。若從「意象」的組合排列來看，則與「邏輯思維」有關。屬篇章者為「章法學」，主要探討「意象」之安排；而屬語句者為「文法學」，主要由概念之組合而探討「意象」。至於「綜合思維」所涉及的，則是「意」與「象」的統合。與此有關者，為「主旨」與「風格」。由此可知，辭章的主要內涵皆可以廣義的「意象」將其「一以貫之」，進而探討其運用。[156]而且，也都可由「個別的意象」漸次整合成「整體的意象」，形成全文的統一；進而由最核心之「主旨」，統合各意象的形成與表現、排列與組合，以獲得抽象的「風格」。[157]先以鄭愁予〈小小的島〉為例說明：

你住的小小的島我正思念
那兒屬於熱帶，屬於青青的國度
淺沙上，老是棲息著五色的魚群

---

153 葉朗：《現代美學體系》，頁111。

154 黃淑貞：〈從意象探討中國動畫短片《三個和尚》之內涵〉，《藝術學報》第七卷第2期（2011年10月），頁175-194。又葉燮《原詩．卷一．內篇上》：「曰理、曰事、曰情三語，大而乾坤以之定位，日月以之運行，以至一草一木一飛一走。三者缺一，則不成物。」〔清〕王夫之等撰，丁福保輯：《清詩話》，下冊，頁590。

155 吳應天：《文章結構學》，頁345-353。

156 陳滿銘：《章法學綜論》，頁95-114。

157 陳滿銘：〈從意象看辭章之內涵〉，《國文天地》19卷5期（2003年10月），頁97-103。

小鳥跳響在枝上，如琴鍵的起落

那兒的山崖都愛凝望，披垂著長藤如髮
那兒的草地都善等待，鋪綴著野花如菓盤
那兒浴你的陽光是藍的，海風是綠的
則你的健康是鬱鬱的，愛情是徐徐的

雲的幽默與隱隱的雷笑
林叢的舞樂與冷冷的流歌
你住的那小小的島我難描繪
難繪那兒的午寐有輕輕的地震

如果，我去了，將帶著我的笛杖
那時我是牧童而你是小羊
要不，我去了，我便化做螢火蟲
以我的一生為你點盞燈

鄭愁予本名文韜，一九三三年生於軍人家庭，幼年隨父轉戰大江南北，山川文物既入秉異之懷，乃跌宕成宛轉的詩篇。後又於基隆港口工作多年，於是臺灣鄉土風物的意識與情感在他的詩中落實為山岳、海灣與村莊。楊牧稱他是「用良好的中國文字寫作」的詩人，形象準確，聲籟華美，善以最傳統的「意象」撥見最現代的敏感，用語豐富，字句多有來歷復又多義，在平凡之中鋪陳出不凡的聯想與想像；更深知「形式『決定』內容之妙」，故鄭愁予最可觀的詩，仍要在明快的語言裡找，尤以早期的字句安排最勝同儕。[158]如作於一九五三年的〈小小的島〉。楊牧以為此詩是少年「愛戀」中的歌詠，頌美思念的人所住的小島，比川端康成「無意中他看到駒子一雙小小的腳，踩著與鈴聲緩急相彷彿的碎步，從遠遠的鈴聲響著不止的那邊走來」的意象還要生動，甚至使以海洋詩知名的覃子豪望之興歎。[159]全詩在美景描繪中寄託深摯的情感，首行「你住的小小的島」這一個賓語，是情思所在，特以倒裝句法提置於首，造成懸疑落合的效果，既凸顯了「主角」的地位，又在句法上求得新奇變化之美。

第二行以下，條分縷析「我正思念」的小小島的怡人景色。「那兒屬於熱帶，屬於青青的國度」，點出小小島的氣候、地理位置及特色。「屬於熱帶」，故觸目所及皆是「青青」之色，皆是「五色的魚群」與枝頭跳躍的小鳥。詩人心裁別出，以「跳響」來形容鳥兒跳躍的靈宕多姿，以「琴鍵的起落」來比喻如樂音一般的鳥鳴，情思細緻，知覺精敏；加上又有美麗繽紛的色彩點綴其間，怎能不動人心眼而啟遙念之思。

第二節，詩人繼以擬人手法，描摹「愛凝望」、「善等待」的山崖與草地，呼應了「青青的國度」，也鮮明塑造出翹首企盼的情人形象來。「披垂著長藤如髮」、「鋪綴著野花如菓盤」，形色已極其繽紛，又特意將定語「髮」及「菓盤」安置於「長藤」、「野花」等中心語之後，以見譬喻之精巧，予人溫婉柔媚之感。海風起於碧波，陽光來自藍天，故詩人說「那兒浴你的陽光是藍的，海風是綠的」，具有了可供撫觸的色彩形象。而沐浴在藍色陽光與綠色海風之中的「你的健康」，自然是「鬱鬱的」亮麗，「愛情」自也是「徐徐的」舒恬。洋溢

158 楊牧：〈鄭愁予傳奇〉，收入鄭愁予：《鄭愁予詩選集》（臺北市：志文出版社，1997年8月初版），頁11。

159 楊牧：〈鄭愁予傳奇〉，收入鄭愁予：《鄭愁予詩選集》，頁21。

著想像的筆調，令思念之情若現若隱，反覆纏綿。

詩行至第三節，除了擬人手法，又增添了「雷笑」、「舞樂」、「流歌」等聲響之美。形容午寐隱隱的雷響為「輕輕的地震」，透過移覺把聽覺印象轉換為觸覺，呈現一種迷離幽隱的意緒；再嵌上「隱隱」、「冷冷」、「小小」、「輕輕」等疊字形容詞及「那兒」等類疊句型的反覆出現，連結成不息的彈性與節奏，帶來赫然有力的情感，[160]把「我難描繪」的愛情整個流洩出來，打動讀者的心靈。末節，詩人採示現法，把未來說得彷彿已發生在眼前一般，以「牧童」與「螢火蟲」自喻，道出詩人心底願以笛杖護衛著「你」這一隻「小羊」，願以「一生」為你「點燈」的想望，溫柔而且深情。這一意象，也見於一九五二年的〈小溪〉：「當我小寐，你是我夢的路……夢見女郎偎著小羊，草原有雪花飄過／而且，那時，我是一隻布穀」。

鄭愁予早期的詩風，清俊逸麗，尤以浪漫、奔放及獨特的語言意象交織而成的抒情詩，最令人傾倒。〈小小的島〉有人認為是作者抒發對寶島臺灣（一說綠島）的眷戀之情，但若從情詩的角度來欣賞，似乎更覺美麗。先從意象（狹義）之形成來看，全詩圍繞著「熱帶」的「國度」、「小島」這一條線索寫起，羅織了枝、藤、草、花、林、魚、鳥、羊、螢火蟲等動植物材，熱帶、陽光、風、雲、雷、震等天文氣象物材，島、國、沙、水等地理物材，髮、琴鍵、盤、笛、杖、燈等人工性物材，以及你、我、牧童等角色性物材，形成了紛呈凝煉的「意象群」，以凸出「思念」之意。其中，「藤」與「島」這二個意象，曾再次出現於〈水手刀〉（1954）：「春藤一樣熱帶的情絲／揮一揮手即斷了／揮沉了處子般的款擺著綠的島」。連結的意象群不同，所傳達的風情自然也不相同。

---

160 黃慶萱：《修辭學》（臺北市：三民書局，2002年10月增訂3版1刷），頁591。

鄭愁予一向善於「單線意象」的經營與發展，也自有其設事遣詞的常軌。從詞彙之表現來看，除了單音節詞，尚有重疊詞，如「小小的、青青的、鬱鬱的、徐徐的、隱隱的、冷冷的、輕輕的」的運用，令這股思念之情纖巧得可以捧在心底。「那兒、熱帶、國度、魚群、琴鍵、小鳥、山崖、凝望、長藤、草地、野花、陽光、海風、愛情、林叢、流歌、午寐、地震、笛杖、牧童、小羊、一生」等偏正式複詞，深具形容描摹之功；而「思念、棲息、起落、等待、健康、舞樂、描繪」等並列式複詞，「跳響、披垂、化做」等動補式複詞及二一結構多音節詞「螢火蟲」（第一、二層結構皆為主從式），也都恰如其分地承載、表出所有的「意」與「象」。

要閱讀、欣賞好文章的美妙、妥切，就得借重「語法」與「修辭」的智識；故就修辭而言，明色（「青青」、「五色」、「藍的」、「綠的」）、隱色（「長藤」、「野花」）、黑白（「琴鍵」）等色彩摹寫，對意象的視覺效果，有著強烈的顯示功能，最能喚起情感的亮度與彩度，所造成的氣氛也格外靈動、格外美。[161]《禮記．學記》：「不學博依，不能安詩。」故詩人喻鳥鳴如琴音、喻青藤如髮、喻野花如菓盤、喻已為牧童為螢火蟲、喻你為小羊，又擬山崖、草地、雲、雷為人，使其懷擁思念者獨有的愛凝望、善等待、幽默、淺笑等種種情態，為全詩鋪墊了愛戀的氛圍；甚而使陽光可浴、愛情可觸（徐徐的），再配上倒裝、移覺、類疊、示現等修辭法，思念至此已是徹底的形象化了。

在形、音、義的詞彙分解和節、段、篇的義旨探究之間，作好語句的剖析以為接榫有其重要性。[162]故就語法而言，首行，詩人特意將「你住的小小的島」（「主語（你）＋述語（住）＋助詞（的）＋賓語

161 黃永武：《詩與美》（臺北市：洪範書店，1987年12月4版），頁21。

162 楊如雪：《文法ABC》（臺北市：萬卷樓圖書公司，1998年9月初版），陳滿銘序，頁1。

（小小的島）」的主謂式造句結構）這一個「賓語」安置於句首，以強調「我正思念」的對象，形成由「賓語（你住的小小的島）＋主語（我）＋副語（正）＋述語（思念）」所構成的敘事繁句。第二行，為「主語（那兒）＋述語（屬於）＋賓語（熱帶）」和「（主語承上省略）述語（屬於）＋賓語（青青的國度）」組合成的加合關係複句，由大而小地將思念的鏡頭，從「熱帶」、「國度」逐步進逼至「你」所住的「小小的島」，並賦予它生機勃發的「青青的」顏色。不唯如此，第三行，承上文「熱帶」而出現的表處所次賓語「淺沙上」，又帶引讀者的目光凝注於「（主語「那兒」承上省略）＋頻率副語（老是）＋述語（棲息著）＋賓語（五色的魚群）」這一敘事句中的五色魚群身上，再經由「五色」這一形容性加語對「魚群」這一端語的點染，洋溢一種繽紛的、絢麗的氣息。更運用準判斷繁句「主語（小鳥跳響在枝上）＋準繫詞（如）＋斷語（琴鍵的起落）」所聯繫的明喻法，賦予這一小小的島有了美麗的樂音。「小鳥跳響在枝上」這一「主語」（「主語（小鳥）＋述語（跳響）＋處所補詞（在枝上）」的主謂式造句結構），其語序本應為「在枝上跳響的小鳥」，而且這一樂音不僅是來自於鳥「鳴」，也是來自於鳥的「跳」響。詩人藉由一個「跳」字，化靜態描繪為動態，又與人的手在「琴鍵」上「起落」的舞動情狀自然地連結在一起，想像、取譬俱美。

第二節首行，是「主語（那兒的山崖）＋副語（都）＋述語（愛）＋賓語（凝望）」＋「（主語承上省略）述語（披垂著）＋兼語（長藤）＋準繫詞（如）＋賓語（髮）」的加合關係複句，將個別意象排列組合起來。第二行與首行形成對偶句式，也是「主語（那兒的草地）＋副語（都）＋述語（善）＋賓語（等待）」、「（主語承上省略）述語（鋪綴著）＋兼語（野花）＋準繫詞（如）＋賓語（菓盤）」的加合關係複句。「那兒的山崖」、「那兒的草地」這兩個「主語」，以領屬性加語「那兒」

呼應首節「熱帶的」、「青青的國度」等詞，順勢帶出「披垂」的「長藤」及「鋪綴」的「野花」，引領讀者的視線在一高（山崖）一低（草地）之間流轉。「凝望」、「等待」二詞在此，已轉為名詞性單位，賦「山崖」、「草地」以情人的形象。至於三、四行，則是形成因果關係複句。第三行的平行關係複句（「處所補詞（那兒）＋主語（浴你的陽光）＋繫詞（是）＋賓語（藍的）」＋「主語（海風）＋繫詞（是）＋賓語（綠的）」）是因，第四行的平行關係複句（「連詞（則）＋主語（你的健康）＋繫詞（是）＋賓語（鬱鬱的）」＋「主語（愛情）＋繫詞（是）＋賓語（徐徐的）」）是果。「浴你的陽光」這一個「主語」，以形容性加語「浴你」來描摹「陽光」這一端語，同「海風」予人一種肌膚碰觸的親密感。

第三節，前二行皆是以連詞「與」所連結起來的「名詞性單位（雲的幽默，林叢的舞樂）＋名詞性單位（隱隱的雷笑，冷冷的流歌）」並列結構，充分展現了新詩這一體裁特有的自由性。第三行，一如首節首行，詩人特意將「你住的那小小的島」這一個「賓語」安置於句首，以強調「我難描繪」的對象，形成由「賓語（你住的那小小的島）＋主語（我）＋副語（難）＋述語（描繪）」所構成的敘事繁句。第四行，頂真格之運用，使得上下文句的意識流貫穿起來，主語（我）承上省略，形成「副語（難）＋述語（繪）＋兼語（那兒的午寐）＋述語（有）＋賓語（輕輕的地震）」的遞繫式句型。「那兒的午寐」是主從結構，以領屬性加語「那兒」與二、三節緊扣相連，一同指向「你住的那小小的島」。「輕輕的地震」這一主從結構，以形容性加語「輕輕的」呼應此節首行的「隱隱的」，以端語「地震」呼應「雷笑」，詞彙的運用和各節義旨之間，接榫精確。

第四節轉為設想之筆，首行以「連詞（如果）＋主語（我）＋述語（去）＋助詞（了）」＋「副語（將）＋述語（帶著）＋賓語（我的笛杖）」的假設關係複句，將各個意象連結在一起；第二行，為了對「笛杖」、「牧童」、「小羊」之間的屬性及內涵作進一步的說明，詩人連結了兩個判斷簡句，形成「時間副語（那時）＋主語（我）＋繫詞（是）＋斷語（牧童）」＋「連詞（而）＋主語（你）＋繫詞（是）＋斷語（小羊）」的平行關係複句。繼而以補充關係複句，連結了「副語（要不）＋主語（我）＋述語（去）＋助詞（了）」＋「主語（我）＋副語（便）＋述語（化做）＋賓語（螢火蟲）」這一時間關係複句，及「介詞（以）＋憑藉補詞（我的一生）＋介詞（為）＋關切補詞（你）＋述語（點）＋賓語（盞燈）」這一敘事簡句，再次傳達願化身為螢火蟲的深情想望。

若就章法而言，首行從思念的「你」起筆，再以「我」的想望作結，形成「先凡後目」結構：

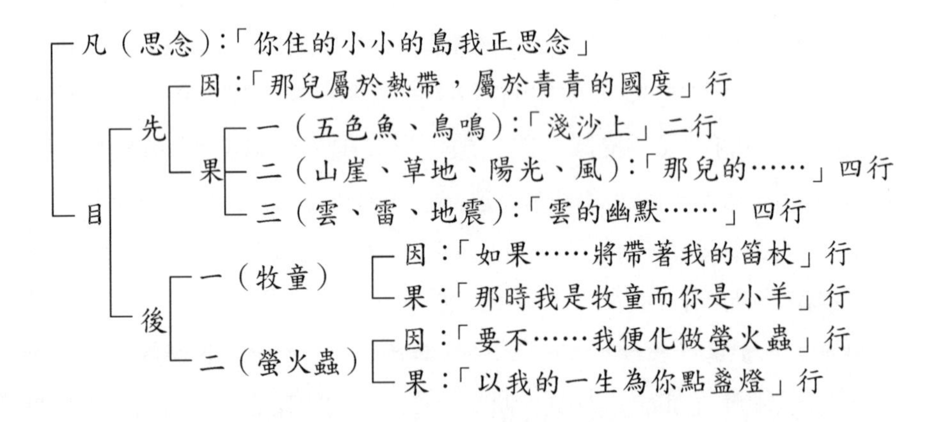

王秀雄指出，藝術作品是以主要的力動性主題為中心，加以組織，然後其運動必須貫徹到全領域裡。[163]這個「力動性主題」若落

163 王秀雄：《美術心理學・創作、視覺與造形心理》（高雄市：三信出版社，1975年8月初版），頁208-321。

到文學作品上，就是「情意」，就是核心「主旨」。由於一篇作品大都是由多種意象要素構成，故必須著眼於主要結構所塑造的主節奏、主旋律，以安排各種「次節奏」。主（核心）結構的韻律，也大幅地支配了整篇作品的美感。就章法結構而言，與「主要情意（主旨）」關係密切的就是「主結構」，與「主要情意（主旨）」關係較疏離的各種輔助結構就是「次結構」。然後根據結構的主（核心）、次（輔助），辨別它們與主要情意的關係，進而掌握主結構的移位、轉位，以及由此而產生的或柔或剛、或隱性或顯性的節奏，如此就可以尋得主（核心）結構的韻律。[164]首行的「思念」即全詩主旨，故第一層的「先凡後目」（順移）為「核心結構」，第二層的「先先後後」（順移）、第三層的「先因後果」（順移）和「先一後二」（順移）、第四層的「一二三」（順移）和「先因後果」（順移）等，就是「次結構」。

相較於可從材料與材料之間所形成的對比或調和關係加以判斷、掌握的「顯性節奏」，這種由章法單元、結構單元所形成的「隱性節奏」，在字面上是看不出來的，必須深入到文章的底蘊，理清其組織、脈絡，才能加以掌握。一般而言，一篇作品大都會形成兩層或兩層以上的結構單元，然後由局部而整體，層層串聯而形成一篇的韻律、風格；閱讀時必然也會從整體上來觀照全文，從全篇的觀點來掌握整體的節奏。由於〈小小的島〉這首詩所形成的幾為順向「移位」（凡→目，因→果，先→後）結構，其力勢變化和緩，令全詩展現出「輕風揚波，細瀾微瀔，如抽如織」（《魏叔子文集．文瀔敘》），偏於調和性的舒緩愉悅的審美風格。

又如鄭愁予作於一九五七年的〈下午〉：

164 陳滿銘：《章法學綜論》，頁271-272。

啄木鳥不停的啄著，如過橋人的鞋聲
整個的下午，啄木鳥啄著
小山的影，已移過小河的對岸
我們也坐過整個的下午，也踱著
若是過橋的鞋聲，當已遠去
遠到夕陽的居處，啊，我們
我們將投宿，在天上，在沒有星星的那面

起首二行，是一個寓意深刻的比喻，啄木聲與鞋聲，兼具動感與聲響之美。啄木鳥古稱「斲木」，好食樹中蠹蟲。〔晉〕郭璞《爾雅・釋鳥》注：「斲木，口如錐，長數寸，常斲樹食蟲，因名云。」[165]在〈卑亞南蕃社・南湖大山輯之二〉詩中，鄭愁予也曾運用這一個意象：「因我已是這種年齡／啄木鳥立在我臂上的年齡」。啄木鳥立在臂膀，表示木已朽壞，詩人取啄木鳥這一個意象，隱然寄有「逝者如斯夫，不舍晝夜」，年歲漸去的意味。再由啄木鳥的「啄」，與過橋人的「鞋聲」聯想在一起，令單一而空洞的聲調，響徹了「整個的下午」，然後於寂寥之中再生發一種詩的興味來。

隨著陽光挪移的腳步，小山的影，漸漸移到小河的對岸了。不直言時間的流逝，而以「影」「移」過對岸委婉道出，是修辭上的婉曲，也是詩心的靈巧。「坐過整個的下午」本是靜態的形式，詩人卻言「也踱著」，把抽象的時間轉化成迴繞在耳畔的橐橐鞋響，順勢連結起下行的「若是過橋的鞋聲」。「當已遠去」，當啄木聲、鞋聲都已「遠到夕陽的居處」，一日的時光也就來到了盡頭。面對韶光流逝如

165 〔清〕阮元：《十三經注疏・爾雅・釋鳥》（嘉慶二十年江西南昌府學開雕，臺北市：藝文印書館，1985年12月10版），頁186。

此之疾，善感的心靈怎能不發出感歎？由歎詞「啊」單獨組成的「呼歎小句」，傳達了詩人強烈的情感色彩。「我們／我們……」頂真格之運用，又使上下文句的意識流貫穿起來；最後，在充滿仰望與遐想的驚嘆聲中，詩人極力放縱「想像」這一個神性的視力，以旁人不復仰及的神來之筆，得出「我們將投宿，在天上，在沒有星星的那面」這一個絕佳的意象，充滿了「浪子意識的變奏」[166]，令詩意的氛圍蕩漾到最高潮。

鄭愁予在「夢土上」時代（1950-1953），詩的形象明白，意義爽朗，有時雖因形象發展一波三折，似有趨於隱晦之勢，但通常到最後一行出現時，總是雲撥日見，完美可懂。「夢土上」以後的作品，也大抵是前期風韻的迂迴展開，變化不多，[167]本詩即屬此類。詩人結合了啄木鳥、山、影、河、夕陽、星、天、下午、橋等自然及人工性物材，人、我們等角色性人物，意象的巧妙運用，化靜為動，令原本無聲又無息的光陰腳步，敲出叩叩叩的聲響；而不停、啄著、過橋、踱著、移過、坐過、遠去、遠到等現實類事材，以及「我們將投宿，在天上，在沒有星星的那面」這一個虛構類事材的運用，既描寫了某一個流逝的下午時光，也流蕩笪重光〈畫筌〉所說「空本難圖，實景清而空景現；神無可繪，真境逼而神境生」的意境來。

從詞彙之表現來看，除了單音節詞、帶詞綴「我們」、重疊詞「星星」及二一結構多音節詞「啄木鳥」（第一層為主從式、第二層為動賓式），「鞋聲、整個、下午、小山、小河、對岸、夕陽、居處、那面、投宿、天上」等偏正式複合詞，以形容性或領屬性加語，達成修飾、描摹端語的作用；「啄著、移過、坐過、踱著」等動補式複合

166 鄭愁予：《鄭愁予詩選集》，頁13。
167 鄭愁予：《鄭愁予詩選集》，頁29。

詞，以「著」、「過」等具有時態性質的補語，限制、補充前面的動詞，以表時間向前流去的動勢。鄭愁予的詩，一向以語言、節奏、氣氛取勝，全詩雖無一句情語或理語，但因善於羅織意象，詞彙的表現亦準確，往往予人無限的驚嘆。

就修辭而言，詩人巧藉過橋的鞋聲和鳥啄木頭聲之間的類似點，鋪上一層聲音節奏的底色，推展詩情。又不直說本意，借「山影」、「夕陽的居處」從側面道出「時光」、「日落」，使情餘言外，引導讀者自行尋繹，既感意味深長，詩裡的圖象又有了真實的聲色光影。「遠去／遠到……」、「我們／我們……」頂真手法的運用，也令流蕩其間的意識及語言獲得和諧的「統調」（tone unity）。末行，投宿在「沒有星星的那面」的懸想示現法，使現實中不實際存在的景象放映在讀者的眼前。「啄著」、「踱著」、「移過」、「坐過」、「整個」、「我們」等類疊，又富有叶韻的作用，應和著鞋聲與啄木聲，使並不實際存在的聲響呈現於語言文字，讓這一份午后心情顯得綿密又浪漫！

就語法而言，首行由「本體（啄木鳥不停的啄著）」、「喻詞（如）」、「喻體（過橋人的鞋聲）」構成的明喻法，是透過「主語（啄木鳥不停的啄著）」＋「準繫詞（如）」＋「斷語（過橋人的鞋聲）」的準判斷句連結在一起。「啄木鳥不停的啄著」這一個「主語」，是「主語（啄木鳥）」＋「狀態副詞（不停的）」＋「述語（啄著）」的主謂式造句結構；「過橋人的鞋聲」這一個「斷語」，以形容性附加語「過橋人的」來描摹「鞋聲」這一端語，呼應「不停的」這一個動態意象，足見詩人對詞彙掌握的精敏度。

第二行，詩人特意將表時間的次賓語「整個的下午」提置在前，形成「時間補詞（整個的下午）」＋「主語（啄木鳥）」＋「述語（啄著）」的敘事簡句。「整個的下午」這一補詞，以形容性加語「整個的」來凸顯流逝「下午」（端語）的完整性。第三行，是由「主語（小山的影）」＋「時間副語（已）」＋「述語（移過）」＋「賓語（小河的對岸）」組構成的敘事簡句；「主語」、「賓語」這二個主從式結構，各以形容性加語「小山」、「小河」來描摹後面的端語「影」、「對岸」，流光之短、速，彷彿一舉足即可輕巧越過。第四行是加合關係複句，連結起「我們也坐過整個的下午」（「主語（我們）」＋「助詞（也）」＋「述語（坐過）」＋「時間補語（整個的下午）」）這一現實類事材，和「也踱著」（「助詞（也）」＋「述語（踱著）」；主語（我們）承上省略）這一虛構、想像的聲響，令表時間流逝的啄木聲、鞋聲再度緊密聯繫在一起，足見詩人意象經營之用心。第五行，承上行的詩意而來，藉由「連詞（若是）」＋「主語（過橋的鞋聲）」＋「副語（當已）」＋「述語（遠去）」構成的敘事簡句，陳述時間的遠去。第六行「遠到夕陽的居處」一句的「主語」，承上省略，是「述語（遠到）」＋「處所補詞（夕陽的居處）」的敘事簡句。至於第六行的「我們」這一「主語」，則利用頂真手法的連結，順勢成為第七句的主語，形成「主語（我們）」＋「副語（將）」＋「述語（投宿）」＋「處所補詞（在天上，在沒有星星的那面）」的敘事簡句。在每一詩行間，詩人均添加一至二個「逗號」來調節句讀的節奏，頗能彰顯新詩這一體裁特有的自由的音樂性。

若再就詩的結構而言，首二行從聽覺起筆，鳥聲、鞋聲交織成全詩的「底」色，凸出山影、河岸及我們這一些「圖景」，最後再以想像之筆盪開詩意作結，形成「先底後圖」結構：

- 底（鳥聲、鞋聲）：「啄木鳥不停的啄著」二行
- 圖
  - 先：「小山的影，已移過小河的對岸」二行
  - 後
    - 因（夕陽西下）：「若是過橋的……到夕陽的居處」
    - 果（投宿）：「啊，我們……沒有星星的那面」

圖底法，本是構成視覺藝術格式塔特點的基本規律，被運用於造型藝術，[168]後來又被辭章章法所援引，用以分析文章作法。「圖」，有聚焦的功能；「底」是背景，可對焦點起烘托的作用，因而淡淡幾筆，就把某一個下午的畫面深刻地凸顯了出來。由於此詩中並沒有出現情語或理語，寄託主旨於言外，所以第一層的「先底後圖」（順移）就是「核心結構」，第二層的「先先後後」（順移）和第三層的「先因後果」（順移）就是「次結構」。而〈下午〉這首小詩所形成的順向移位結構，其力勢變化較為沉靜、和緩，呈現的是偏於調和性的陰柔風格，故張默稱美它「風格獨特，情味綿緲」。[169]

（三）由象而意

《周易》一方面以充滿秩序、變化規律的卦爻之「象」，來表達對事物的判斷、預測與憂患之「意」；另一方面，它也形成「由象而意」（象→意）的動態辯證過程。如「庖犧氏仰則觀象於天，俯則觀法於地，觀鳥獸之文，與地之宜。近取諸身，遠取諸物」，是由「象」（自然萬象）到「意」；「於是始作八卦，以通神明之德，以類萬物之情，繫辭焉而明吉凶」，也是由「象」（卦象）到「意」。[170]故從某種意義上講，比興、興象、形神、氣韻、神韻、意境等傳統美學範疇，可說都是建構在「意象」的骨架上。[171]

---

168 王秀雄：《美術心理學》，頁122-126。

169 張默：《小詩選讀》（臺北市：爾雅出版社，1987年5月初版），頁83-84。以上有關鄭愁予詩的解析，引自黃淑貞：〈辭章學閱讀策略之理論與實踐——以鄭愁予二詩為例〉，《章法論叢》第五集（臺北市：萬卷樓圖書公司，2011年10月初版），頁340-368。

170 葉太平：《中國文學之美學精神》（臺北市：正中書局，1994年12月初版），頁305-328。

171 陳望衡：《中國古典美學史》，頁13-21。

「象」的呈現，離不開「意向性」。[172]審美主體在感受自然或生活時，必有一個預定的意向性結構。這個預定的意向性結構，使藝術世界的「意蘊」成為可能。也唯有「意蘊」才能使形式昇華，使對象從確定的概念（真與善）中上升為不確定的「興」（美），讓「象」具有更完整、統一的意味。於是，在這個意向性活動中，個別的「象」漸漸轉化成為整體「意象」，成為一個有組織的、統一的、有意味的感性世界。由此，《易傳》凸出了「象」這一個範疇，提出了「觀物取象」、「立象盡意」這兩個命題，從而構成古代美學思想發展的重要環節。[173]

「觀物取象」的「象」，既是一個創造的過程，同時又是一個認識的過程。「觀」，是審美主體對外界事物的直接觀察、直接感受；「取」，是審美主體在「觀」的基礎上，提煉、概括與創造。「觀」與「取」都離不開「象」，它透過仰觀俯察，既觀於大又觀於小、既觀於遠又觀於近等角度，把握、呈現「天地之道」、「萬物之情」。[174]因為「書不盡言，言不盡意」（〈繫辭傳〉）；因為使用概念、判斷、推理的、邏輯思維的「言」，在思想情感的表達上有其局限性；因為依靠概念的邏輯語言，不可能窮盡特殊的、個別的事物，於是利用以小喻大、以少總多、由此及彼、由近及遠等「立象以盡意」的特點，藉助

---

172 主體的「意」，可以理解為主體面對審美對象而感受到的意思、意義、意念、意味。這種心理狀態，是知（意義、意念）、情（意味）、意（意志）的結合體。「意」還包含著一定的意向性，是悟性的產物，是由對於對象的領悟而達到的一般性「意念」。葉朗：《現代美學體系》，頁111-122。

173 夏之放：《文學意象論》（汕頭市：汕頭大學出版社，1993年12月1版1刷），頁175-177。如〈繫辭下〉：「古者包犧氏之王天下也，仰則觀象於天，俯則觀法於地，觀鳥獸之文，與地之宜。近取諸身，遠取諸物。於是始作八卦，以通神明之德，以類萬物之情。」又：「聖人有以見天下之賾，而擬諸其形容，象其物宜，是故謂之象。」

174 葉朗：《中國美學的發端》，頁103-108。

於具體的、切近的、顯露的、變化多端的「象」，來充分表達深遠、幽隱的「意」。

形成藝術作品的核心內容，不是題材本身，而是作者構思之「意」，為文之「用心」。陸機〈文賦〉認為作者構思之「意」，包括作者的情感、理智、想像等諸多因素，是作者「感於物」（「遵四時以嘆逝，瞻萬物而思紛」），又「本於學」（「咏世德之駿烈，誦先人之清芬」）的創作過程。在構思的過程中，作者的想像力又起著重要的作用，它使得「情曈曨而彌鮮，物昭晰而互進」，最後達成「籠天地於形內，挫萬物於筆端」的文藝創作。因此，詩人從「感物生情」到「窮情寫物」，自始至終都是在具體形象的伴隨下進行。[175]也就是說，創作者藉由具體、客觀的景事物等「象」，寄託無形、主觀的情理等「意」，凸顯了由「意」而「象」的創作過程（意→象）。[176]就讀者而言，唯有依據外在、具體、客觀呈現的「象」，試圖上溯、還原詩人當初的內在之「意」，始能精準掌握、認識創作主體的意涵。[177]因此，就欣賞的心理規律而言，它呈現的是由「象」而「意」（象→意）的鑑賞過程。

藝術的象徵具有「意義」及其「表現」兩方面的涵意，「意義」及其「表現」，正是藝術的「意味」及其「形式」。[178]而「象」與「意」所構成的這種「表現」與「意義」、「形式」與「意味」的象徵性，實是「寄託象徵」的「興」。《文心雕龍．比興》：「故比者，附也；興者，起也。……觀夫興之託諭，婉而成章，稱名也小，取類也

175 曾祖蔭：《中國古代文藝美學範疇》（臺北市：文津出版社，1987年8月初版），頁195-263。

176 葉朗：《中國美學的發端》，頁103-108。

177 余光中：《掌上雨》（臺北市：文星書店，1967年11月初版），頁17。

178 黑格爾著，朱自清譯：《美學》（臺北市：里仁書局，1981年5月初版），第二卷、第三卷。

大。」[179]由感興而「睹物興情，更向篇什」（蕭統〈答晉安王書〉）。從意象生成方式來看，「興」，正是審美體驗的起點。由審美體驗進入了美感意象的營造，而產生「有感之辭」，[180]故《文心雕龍・物色》所言的「是以詩人感物，聯類不窮。流連萬象之際，沉吟視聽之區；寫氣圖貌，既隨物以宛轉；屬采附聲，亦與心而徘徊」[181]中的「隨物以宛轉」、「與心而徘徊」，正揭示了「感興」在意象營造過程中所居的主宰地位。而「興象」，也成為「意象」理論向「意境」理論發展的重要的中間環節。

鍾嶸《詩品・序》：「文已盡而義有餘，興也。」[182]《詩》可以令人「引譬連類，以為比興也」，[183]故「凡禽魚、草木、人物、名數，萬象之中義類同者，盡入比興，〈關雎〉即其義也」（皎然〈詩式〉）。[184]所以，它重「情」也重「隱」，涵意豐富，不僅「意在象中」，而且往往「意在象外」：「蓋興者，因物感觸，言在於此，而意寄於彼，玩味乃可識」。[185]在這個意義上，《易》總是與《詩》作比，如章學誠《文史通義・易教下》即指「《易》象通於《詩》之比興」，且「與《詩》之比興尤為表裡」。[186]《文心雕龍・比興》：「比顯而興隱。」王夫之〈薑齋詩話〉：「興在有意無意之間，比亦不容雕刻。」[187]

179 王更生：《文心雕龍讀本》，下冊，頁145。

180 王力堅：《六朝唯美詩學》（臺北市：文津出版社，1997年7月初版1刷），頁63-99。

181 王更生：《文心雕龍讀本》，下冊，頁302。

182 〔齊梁〕鍾嶸：《詩品》（臺北市：金楓出版社，1986年12月初版），頁32。

183 〔清〕阮元：《十三經注疏・論語》（嘉慶二十年江西南昌府學開雕，臺北市：藝文印書館，1985年12月10版），頁156。

184 〔清〕何文煥輯：《歷代詩話》（北京市：中華書局，2014年10月2版10刷），頁30。

185 〔宋〕羅大經撰，王瑞來點校：《鶴林玉露・卷之四・乙編》（北京市：中華書局，1997年12月1版湖北2刷），頁185。

186 〔清〕章學誠撰，葉瑛校注：《文史通義》，頁18。

187 〔清〕王夫之：〈薑齋詩話〉（長沙市：岳麓書社，2011年1月1版1刷），頁814。

「興」既是象徵，就有「隱」的效果。這不僅指出了由「象」而「意」、由「個別意象」漸次統合為「整體意象」，以凸出一篇主旨、風格的過程；也為「意境」說的產生，準備了必要的前提。[188]

（四）意象與意境

李澤厚談「意境」指出，藝術欣賞常是通過眼前的有限形象，以捕捉、領會某種超越這些形象本身固有意義的「象外之旨」、「弦外之音」，從而獲得微塵中有大千、剎那間見終古的美感享受。於是，在情、理、形、神的相互滲透、相互制約的關係中，可窺見「意境」形成的基礎就是「意象」。有形象，生活的真實才能以即目可見、具體可感的形態直接展示在人們眼前。「意象」，是構成「意境」的條件與基礎；「意境」，則是「意象」的綜合與昇華。[189]也就是說，「意境」的前身是「意象」（整體），而「意象」的前身是「意」與「象」（個別）。[190]

中國畫家所謂的「傳神」、「點睛」、「神在兩目，情在笑容」、「氣韻生動」；劉勰《文心雕龍‧神思》所謂的「文之思也，其神遠矣」；司空圖〈與極浦談詩書〉所說的「象外之象，景外之景，豈容易可談哉」；[191]嚴羽《滄浪詩話》所談的「盛唐諸人，惟在興趣；羚羊挂

188 葉太平：《中國文學之美學精神》，頁306。

189 「境」是「形」與「神」的統一，「意」是「情」與「理」的統一。李澤厚：《美學論集》，頁341。

190 關於「意境」理論的孕育、提出和形成的發展過程，歷來談論者極多，不在此贅述。曾祖蔭以為大體可分為三個時期，一是意境的孕育期——先秦至魏南北朝，二是意境的提出和形成期——唐宋，三是意境的深入發展期——明清至近代。見《中國古代文藝美學範疇》，頁266-324。

191 〔唐〕司空圖：《二十四詩品‧附錄》（臺北市：金楓出版社，1987年6月初版），頁124。

角，無迹可求。故其妙處，透澈玲瓏，不可湊泊。如空中之音，相中之色，水中之月，鏡中之象，言有盡而意無窮」等，[192]都一致強調了「韻」、「味」、「弦外之音」、「味外之致」。

「意境」只有在意象的總合與整體的基礎上，並通過讀者的想像，才可能形成。因此，「意境」與「意象」在本質上的聯繫與區別，就在於「外」。「象」，是某種孤立的、有限的事象、物象；「境」，是大自然或人生的整幅圖景，是元氣流動的造化自然。「境」，不僅包括「象」，而且包括「象外」的虛空；換言之，「境」是「象」及「象外」之虛空的整合體。基於此，劉禹錫「境生於象外」(〈董氏武陵集紀〉) 的提出，既標明了「意境」之於「意象」一脈相承的關係，又完成了「意境」對「意象」的突破與超越。[193]

「意境」之「境」，具有空間的廣延性，深受《莊子》與佛教的影響。佛教之「境」，借用了中國本土概念，保留了「境」的空間廣延性，並直接承襲了佛教之「境」的「空」、「虛」、「無」，將它視為「心識」所生。[194]佛家認為認識過程的發生、進行，必須具備「感官

---

192 〔清〕何文煥輯：《歷代詩話》，頁688。

193 葉朗指「境」進入文學美學，首見於王昌齡《詩格》：「詩有三境：一曰物境。欲為山水詩，則張泉石雲峰之境，極麗極秀者，神之於心，處身於境，視境於心，瑩然掌中，然後用思，了然境象，故得形似。二曰情境。娛樂愁怨，皆張於意而處於身，然用思，深得其情。三曰意境。亦張之於意而思之於心，則得其真矣」。「物境」是指自然山水的境界，「情境」是指人生經歷的境界，「意境」是指內心意識的境界。在此，王昌齡「意境」一詞，較偏近於偏正複詞；而審美範疇的「意境」，較偏於並列複詞，兩者有所差異。見《中國美學史大綱》(臺北市：滄浪出版社，1986年9月初版)，頁267。另外，葉太平以為王國維筆下的「境界」一詞，用法有二：第一類等同於「意境」審美範疇之「意境」，如「寫真景物、真感情者，謂之有境界，否則無境界」、「有境界，本也；氣質、神韻，末也」等。第二類與「意境」審美範疇之「意境」絕不等同，如「喜怒哀樂，亦人心中之一境界」，這個「境界」實為「狀態」的意思。見《中國文學之美學精神》，頁310-314。

194 如玄奘譯《大毗婆沙論》：「境，通色、非色，有見、無見，有對、無對，有為、無

（根）」、「客觀的境象（境）」、「主觀的認識（識）」等三個條件。熊十力《佛家名相通釋》指出，「根、境、識三叉，互相依生，識依根及境生」。境（心所），是「心（識）之所游履攀援者」，「如色為眼識所游履，謂之色境；乃至法為意識所游履，謂之法境」。[195]「境」是心靈的對象化，這與「自然的人化」、「人的本質力量對象化」、「對象向人生成」等深刻的美學原理已十分接近。而這也正是「境」被文學美學所借用的內在依據。

「意境」之「虛」，可以采奇於象外，以寫冥奧之思、以狀飛動之趣。司空圖之所以成為「意境」範疇的集大成者，就在於他緊緊抓住佛學之「境」的虛空性，抓住劉禹錫「象外」之說的虛空，繼而對「意境」範疇加以闡釋與發揮。嚴羽《滄浪詩話》也從「虛」的範疇，強調「透澈之悟」，闡發「意境」的內涵。此後，朱承爵〈存餘堂詩話〉:「作詩之妙，全在意境融徹，出音聲之外，乃得真味。」[196]王世貞〈藝苑卮言〉「神與境合」等觀點的提出，都一致強調、凸出「意境」的虛空性。[197]

「意境」之「境」的「象外」（虛空），不僅得之於佛學，更源自《莊子・外物》「言者所以在意，得意而忘言」及《莊子・天地》「乃使象罔，象罔得之」的忘言、象罔。然後由「忘言」、「象罔」而「忘象」。王弼〈周易略例・明象〉:

為，相應、不相應，有所依、無所依，有所緣、無所緣，有行相、無行相。」葉太平:《中國文學之美學精神》，頁309-310。

195 熊十力:《佛家名相通釋》(臺北市：明文書局，1994年8月初版)，頁36。

196 〔清〕何文煥輯:《歷代詩話》，頁792。

197 袁行霈:《中國詩歌藝術研究》(臺北市：五南圖書公司，1989年5月初版)，頁73-102。吳建民:〈意境美〉〈韻味美〉，也以為「境生象外」、「意境是虛實的統一」、「韻味與意境相關」。見《中國古代詩學原理》(北京市：人民文學出版社，2001年12月北京1版1刷)，頁272-302。

> 夫象者，出意者也；言者，明象者也。盡意莫若象，盡象莫若言。言生於象，故可尋言以觀象；象生於意，故可尋象以觀意。意以象盡，象以言著。故言者所以明象，得象而忘言；象者所以存意，得意而忘象。……然則忘象者，乃得意者也；忘言者，乃得象者也。得意在忘象，得象在忘言，故立象以盡意，而象可忘也。[198]

王弼在此，將意、象、言，排了一個次序。「忘象」，就是「象外」。「象之外」，是「舍象」、「忘象」，求「境」之虛；是對在時空上有限的「象」的突破與超越，突破、超越之後，則直歸於「道」（返真、返虛等）。因此，「意境」，是超越具體的、有限的物象、事象、景象，進入無限的時空，胸羅宇宙，思接千古，從而對整個宇宙人生獲得一種哲理性的感受與領悟。[199]於是，它形成一條「意、象→忘言、象罔→忘象→象外→境」清晰可見的思維邏輯，完成了由「意象」到「意境」的關鍵性轉折。

哲學的「象外」自然引發出美學的「象外」，且可從古人的詩、詞、畫論中，窺見一班。[200]如謝赫〈古畫品錄〉:「若拘以體物，則未見精粹；若取之象外，方厭膏腴，可謂微妙也。」[201]如宗白華〈中國藝術意境之誕生〉談蔡小石「拜石詞序」所指詞的「三境層」:

> 夫意以曲而善托，調以杳而彌深。始讀之則萬萼春深，百花妖露，積雪縞地，餘霞綺天，此一境也。再讀之則煙濤澒洞，霜

198 〔魏〕王弼、〔晉〕韓康伯注:《周易王韓注》，頁262。

199 葉朗:《現代美學體系》，頁142。

200 葉太平:《中國文學之美學精神》，頁309-310。

201 俞崑:《中國畫論類編》，頁357。

> 飆飛搖，駿馬下坂，泳鱗出水，又一境也。卒讀之而皎皎明月，仙仙白雲，鴻雁高翔，墜葉如雨，不知其何以沖然而澹，翛然而遠也。[202]

始讀，是直觀感相的渲染；再讀，是活躍生命的傳達；卒讀，則是最高靈境的啟示。這最深層的意境，正是宗炳所說的「澄懷觀道」，正是拈花微笑裡領悟微妙至深的禪境。以此，宗白華指出，它除了可由「身之所容」的「身邊近景」，至「目之所矚」的「遠方之景」、「意之所遊」的「無盡空間之遠景」；它更涵容了「意所忽處」的「有限中見取無限」，「為神氣所吞」的象徵境界。也就是以「象之外」而求「味之外」，以「境」之虛而求「意」之長的「超圓覺」[203]、「妙悟」境界。[204]

（五）象不盡意

自從王弼進一步指出「言」、「象」、「意」三者的聯繫，哲學上的「言意之辨」持續向美學範疇轉化。如陸機〈文賦・序〉就以為「恆患意不稱物，文不逮意。蓋非知之難，能之難也」。[205]因「意不稱物」，所以「構思之意」並不能充分反映客觀物象；因「文不逮意」，

202 宗白華：《美學散步》（臺北市：洪範書店，2001年3月6印），頁11。

203 宗白華引冠九〈都轉心庵詞〉序：「『明月幾時有』，詞而仙者也。『吹皺一池春水』，詞而禪者也。仙不易學而禪可學。學矣而非棲神幽遐，涵趣寥曠，通拈花之妙，窮非樹之想，則動而為沾滯之音矣。其何以澄觀一心而騰踔萬象？是故詞之為境也，空潭印月，上下一澈，屏知識也。清馨出塵，妙香遠聞，參淨因也。鳥鳴珠箔，群花自落，超圓覺也。」「澄觀一心而騰踔萬象」，是意境創造的始基；「鳥鳴珠箔，群花自落」，是意境的完成。見宗白華：《美學散步》，頁11。

204 宗白華：《美學散步》，頁11-36。

205 周啟成等注譯，劉正浩等校閱：《新譯昭明文選》（臺北市：三民書局，2001年2月初版2刷），頁670。

所以用語言寫出的「文」與構思之「意」，尚有一段距離。[206]

從「言」的角度切入，它只能把握「象內之象」，而不能盡顯「象外之象」；它只能顯示「意內之意」，不能盡顯「意外之意」。[207] 使用概念、推理與邏輯思維，在思想情感的表達有其局限的「言」，雖也藉助於具體客觀的景事物等「象」，來寄寓無形主觀的情理等「意」；但是，「意」作為審美主體所要傳達的核心情理，它依賴於「象」，卻又不止於「象」，因而有「象」不能盡「意」的結果產生。於是傳統美學開闢了「言外」、「象外」的疆域，追求「不涉理路，不落言筌」的韻外之致。[208]

葉維廉《比較詩學》探討東西文學理論的形成、含義、美感範疇，雖曾指一篇作品的產生，必含有作者、世界、作品、讀者、語言等五個據點，[209]然「夫綴文者情動而辭發，觀文者披文以入情，沿波討源，雖幽必顯」(《文心雕龍．知音》)。以此，本節從「情動而辭發」的作者（綴文者）和「披文以入情」的讀者（觀文者）這兩方面，探討「象不盡意」這個議題。[210]

1 就作者而言

(1) 空白藝術形成的原因

「象」不能盡「意」形成的原因，與語言本身的限制有關，與作

206 曾祖蔭：《中國古代文藝美學範疇》，頁195-263。

207 毛正夫：《中國古代詩學本體論闡釋》，頁242-244。

208 葉維廉：《歷史、傳釋與美學》(臺北市：東大圖書公司，1988年3月初版)，頁29。

209 葉維廉：《比較詩學》(臺北市：三民書局，1983年2月初版)，序文，頁10-16。

210 「象不盡意」相關論述曾發表於期刊，本節乃據此增補而成。見黃淑貞：〈論辭章之「象不盡意」──以稼軒詞為例〉，《師大學報．人文社會類》第50卷第2期(2005年10月)，頁1-21。

者個人的學養有關，與文學本身追求「韻外之致、味外之旨」的審美效應有關，以及「道」本身有其不可言性有關。

甲　語言、才學的限制

「象外」、「意外」，都屬於「言外」。「象外」，指明所造之象，有顯層與潛在深層之別。淺層可以「語言」解析，潛在的深層則出於「言外」，非「語言」所能解；故古人認為「言」所能直接述說之「意」不是本意，更不是終極之意。[211]當作者通過文化、歷史、語言，觀察感應世界（自然現象、人物、事件）時，觀、感所得的經驗需要通過文字的呈現、表達；所以，這必會牽涉到「語言」作為一種表達媒介本身的潛能與限制，以及語言策略理論（如意象的選擇、詞彙的層次、修辭的表現、語法的處理、章法的安排等）的運用等問題，[212]故構成「象不盡意」的原因，可先從「語言」本身來看。[213]

語言雖然是思維最有效的依托，卻也僅是一種粗疏的表達工具；然文藝的審美特性，卻又只能通過具體生動的形象來反映，只能以概括的語言來表現情理，以致從藝術構思到語言表達，往往「方其搦翰，氣倍辭前；暨乎篇成，半折心始」；加上「思表纖旨，文外曲致，言所不追，筆固知止」，語言無法盡現文外纖旨，而有「伊摯不

211 毛正夫：《中國古代詩學本體論闡釋》，頁242-244。

212 葉維廉：《比較詩學》，頁10-16。

213 葉維廉指出，語言作為一種符號，以指示、代表事件、行動，但必無法代替「可以觸到、可以感覺」的事件本身。除了語言的限制，要表現萬物萬化的現象，尚有兩種限制：（一）感受性的限制：若敘述的是現象本身的活動，則必須在一刻中全盤托出，否則就失去時間的真實性、失去轉瞬即逝但萬物俱全的拍擊力。（二）時間的限制：觀者的視野只活動於有限的空間和時間，其對宇宙現象的了解是由分割了以後的現實併成，受限於一個特定的地點，受限於一特定的時間。見葉維廉：《比較詩學》，頁82-85。

能言鼎，輪扁不能語斤」(《文心雕龍・神思》)[214]之嘆。

因此，在人類對大腦運用語言之謎還沒有徹底解開以前，作者唯有在主觀的修養上，「積學以儲寶，酌理以富才，研閱以窮照，馴致以繹辭」(〈神思〉)，豐富學養，加強語言表達能力，[215]才能臻達「行間字裡須有曖曖之致」、「須有不盡者存」(劉熙載《藝概》)的「言意雙美」的境界。如羅大經《鶴林玉露》:「凡作文章，須要胸中有萬卷書為之根柢，自然雄渾有筋骨，精明有氣魄，深醇有意味。」[216]但這又牽涉到作者的「才」、「膽」、「識」、「力」等問題。葉燮《原詩》把「在我之四」的「才、膽、識、力」，與「在物之三」的「理、事、情」聯繫起來，[217]構成渾整的審美主客關係系統，全面而又深刻地揭示了審美意象的內部構成。無才，則心思不出；無膽，則筆墨畏縮；無識，則不能取舍；無力，則不能自成一家。「才」、「膽」、「識」、「力」，是作者必備的思維訓練與文化素養。「四者交相為濟，苟一有所歉，則不可登作者之壇」。[218]

「才」，主要是指敏銳的感知力、豐富的想像力與高超的語言表

214 王更生:《文心雕龍讀本》，下冊，頁4。

215 曾祖蔭指其可通過對某一事物局部特徵的描寫，引發讀者的聯想，由局部推及全體，從而產生言外之意。或通過事物的因果聯繫，使欣賞者由因推及果、或由果悟出因，從而體現言外之意。或以集中凝鍊的語言，通過跳躍的意象與場景，寄意於言外。或是通過象徵手法，利用象徵物與被象徵的內容的特定聯繫，以構成藝術形象，從而形成言外之意。或是通過雙關、省略、襯托等修辭法，增強藝術的感染力，從而形成「言外之意」。見《中國古代文藝美學範疇》，頁206。

216 〔宋〕羅大經撰，王瑞來點校:《鶴林玉露・卷之六・丙編》(北京市:中華書局，1997年12月1版湖北2刷)，頁332。

217 《原詩・內篇下》:「曰理，曰事，曰情，此三言者足以窮盡萬有之變態。……曰才，曰膽，曰識，曰力，此四言者所以窮盡此心之神明。……以在我之四，衡在物之三，合而為作者之文章，大之經緯天地，細而一動一植，詠歎謳吟，俱不能離是而為言者也。」見〔清〕王夫之等撰，丁福保輯:《清詩話》，下冊，頁593。

218 〔清〕王夫之等撰，丁福保輯:《清詩話》，下冊，頁598。

達能力。「夫才者，諸法之蘊隆發現處也」，它作為審美心理結構中的一個重要因素，既是先天，又是後天修為。《原詩‧卷二‧內篇下》：

> 夫於人之所不能知，而惟我有才能知之；於人之所不能言，而惟我有才能言之，縱其心思之氤氳磅礴，上下縱橫，凡六合以內外，皆不得而囿之。以是措而為文辭，而至理存焉，萬事準焉，深情托焉，是之謂有才。[219]

另一方面，葉燮又將「識」視為三者之體，置於四者之中最重要的位置，強調如果沒有「識」，則三者無所依託：

> 四者無緩急，而要在先之以識。使無識，則三者俱無所託。無識而有膽，則為妄，為鹵莽，為無知，其言背理叛道，蔑如也。無識而有才，雖議論縱橫，思致揮霍，而是非淆亂，黑白顛倒，才反為累矣。無識而有力，則堅僻妄誕之辭，足以誤人而惑世，為害甚烈。若在騷壇，均為風雅之罪人。惟有識則能知所從，知所奮，知所決，而後才與膽力，皆確然有以自信，舉世非之，舉世譽之，而不為其所搖。[220]

關於「膽」，葉燮也給予相當的肯定：

> 昔賢有言：「成事在膽。」文章千古事，苟無膽，何以能千古乎？吾故曰：無膽則筆墨畏縮。膽既詘矣，才何由而得伸乎？

219 〔清〕王夫之等撰，丁福保輯：《清詩話》，下冊，頁595-596。

220 〔清〕王夫之等撰，丁福保輯：《清詩話》，下冊，頁598。

惟膽能生才，但知才受於天，而抑知必待擴充於膽耶？[221]

有「識」，才能生「膽」。「才」雖受於天，但「膽」能生「才」。綜合「才」、「膽」、「識」三者，就能產生「力」：

如是之才，必有其力以載之；惟力大而才能堅，故至堅而不可摧也。歷千百代而不朽者以此。[222]

此外，葉燮又提出「胸襟」說。因為真正成功的藝術創作，通過才、膽、識、力的淋漓抒發，最終體現出作者的人格（風格）力量：[223]

詩之基，其人之胸襟是也。有胸襟，然後能載其性情智慧，聰明才辨以出，隨遇發生，隨生即盛。[224]

「胸襟」是「詩之基」，是性情智慧、聰明才辯的載體。從「詩言志」（《毛詩．序》）到「人稟七情，應物斯感，感物吟志，莫非自然」（《文心雕龍．明詩》）[225]、「氣之動物，物之感人，故搖蕩性情，形諸舞詠」（鍾嶸《詩品》）[226]等，都一再說明了現實（事、物）只是觸媒，最終表現的是主體內在的情性。

---

221 〔清〕王夫之等撰，丁福保輯：《清詩話》，下冊，頁595。

222 〔清〕王夫之等撰，丁福保輯：《清詩話》，下冊，頁596。

223 陳望衡指出，葉燮實際上是通過「才」、「膽」、「識」、「力」四者和「胸襟」，將「志」劃分為審美、倫理兩個層面。真正成功的藝術創作，又都是通過才、膽、識、力的淋漓抒發，最終體現出作者的人格力量。見《中國古典美學史》，頁1005-1009。

224 〔清〕王夫之等撰：《清詩話》，頁586。

225 王更生：《文心雕龍讀本》，上冊，頁83。

226 〔齊梁〕鍾嶸：《詩品》，頁18。

《藝概・詩概》指「詩品出於人品」，沈德潛《說詩晬語》也指「有第一等襟抱，第一等學識，斯有第一等真詩。如太空之中，不著一點；如星宿之海，萬源湧出；如土膏既厚，春雷一動，萬物發生。」[227]作者的「才」、「膽」、「識」、「力」與「胸襟」，對作品產生了直接性的決定作用，並支配著審美感受的意向，潛而不顯地促使作者完成「物心同構」的悟通。作者也唯有力求主客觀修養，力求餘裕自如地駕馭語言，才能傳達言外之意、味外之旨。[228]

乙　味外之旨的追求

另一個構成「象不盡意」的原因，是「韻外之致」、「味外之旨」往往更能喚起審美過程中的聯想與想像，激發審美感受。它利用「言」、「意」之間的矛盾與差距，故意在「言」、「意」之間留下一段空白、距離，引人品味、咀嚼，但與「隱」又有所不同。「隱」的特點是含蓄，言中之意，隱而不露，似在言外，實蘊言中。任何文學作品的「隱」而含蓄之處，其「言」總是帶有一定的象徵性、暗示性、啟示性，從而為讀者的思考、想像指出一定的方向，劉勰稱之為「伏彩潛發」、「珠玉潛水」，「深文隱蔚，餘味曲包」(《文心雕龍・隱秀》。可見始終不能「去言」、「忘言」的「隱」，與「言不盡意」、「得意忘言」，實有所差異。[229]

文章之「意」多屬顯性，綱舉目張，善抓以卓絕為巧的「秀句」，即可得意。但也不乏隱性，必須咬文嚼字，由表及裡，由內及

227 〔清〕王夫之等撰，丁福保輯：《清詩話》，下冊，頁538。

228 毛正夫：《中國古代詩學本體論闡釋》，頁177。

229 王凱符、張會恩：《中國古代寫作學》(北京市：中國人民大學出版社，1992年9月1版)，頁74-91。

外，由正及反，才能挖掘出文章的深層意、言外意。[230]「言外之意」誠然「迷離恍惚」，卻是「言內之意」的擴大與延伸。沈詳龍《論詞隨筆》：「含蓄者意不淺露，語不窮盡，句中有餘味，篇中有餘意，其妙不外寄言而已。」[231]有盡的藝術形象，須映在「無盡」的光輝之中，始能言在耳目之內、情寄八荒之表，追求「畫中之白，即畫中之畫，亦即畫外之畫」（華琳〈南宗抉祕〉）的「象外」之妙，追求「虛實相生，無畫處皆成妙境」（笪重光〈畫筌〉）[232]的「白」處、「虛」處、「無」處。

《莊子・天道》：「語之所貴者，意也。意有所隨，意之所隨者，不可以言傳也。」「語言」之所貴，在於能表「意」，而「意」必須附載在「語言」形式上才能存有。然「意符」雖能承載「意」，「意」卻會隨著用語情境的不同而有不可言說的意旨，司空圖故而凸出了「韻外之致」、「味外之旨」的「外」字。[233]「外」，是超越有形的語言文字，以追求言外之意、弦外之音；故作為最高藝術境界的「韻味」，講求「空故納萬境」（蘇軾〈送參寥師〉），令句窮篇盡之餘，恍然又別有一番境界。一切藝術創作，也往往在「言能盡意」的基礎上更強調「言不盡意」、「象不盡意」的部分。因為虛靈處，往往是啟動聯想、催發想像的最活躍處，留給讀者的無限思考與回味。「賦以象

230 閱讀「得意」對文本原意的重構性和讀者主觀效應的差異性，一是強調讀者對文意的再創造，二是說明文意隨著不斷獲得新生。曾祥芹：《現代文章學引論》，頁153-157。

231 唐圭璋編：《詞話叢編》（北京市：中華書局，2012年11月2版6刷），頁4055。

232 此二則，依次見俞崑：《中國畫論類編》，頁296、809。

233 〔唐〕司空圖〈與李生論詩書〉：「詩貫六義，則諷諭、抑揚、渟蓄、溫雅，皆在其間矣。……噫！近而不浮，遠而不盡，然後可以言韻外之致耳。……今足下之詩，時輩固有難色，倘復以全美為工，即知味外之旨矣」。又〈與極浦談詩書〉：「象外之象，景外之景，豈容易可談哉。」《二十四詩品》，頁118-124。

形，按實肖象易，憑虛構象難；能構象，象乃生生不窮矣」。[234]情趣得之於它，更覺盎然；意境得之於它，更顯深然。深矣邈矣的象外之意，使人思而咀之、感而契之，進而帶領讀者經由「有言之美」，領悟一種韻外的「無言之美」。

丙　道不可言

葉朗歸結《老子》哲學對古典美學，有兩大影響。一是「道」為宇宙萬物的本體生命；二是「道」乃「無」和「有」、「虛」和「實」的統一，任何「象」也都因而具有「恍惚窈冥」的性質。由此，若脫離了「道」，「象」就失去了本體生命。甚且，「意象」、「意境」等美學的哲學源頭，也都可溯源至此。[235]

宗白華〈中國藝術意境之誕生〉指出，傳統哲學境界與藝術境界的終點，就是「生命本身」體悟「道」的節奏。「道」無限，而「象」有限。在時空中有限的「象」，並無法充分體現「道」。「妙悟」既需「超言」，也需「超象」（象外之妙）。一如《莊子・天地》所記載，以「言辯」、「視覺」、「理智」、「思慮」，不能「得道」（玄珠），唯有象徵有形與無形、虛與實的「象罔」，可以「得道」。既是「無」也是「有」的「玄珠」，正是藝術形象的象徵作用，象徵宇宙人生的真諦。所以《莊子・人間世》的「虛室生白」、「唯道集虛」，以「虛」字來象徵這一個空白概念，[236]指出了「道」的不可言性。

「道」體現於生活，尤體現於「藝」。「藝」賦予「道」以形象與生命，「道」賦予「藝」以深度與靈魂。「道」，超以象外，得其環中。體現在詩文裡，就是王夫之《薑齋詩話》所形容「右丞（王維）

---

234 〔清〕劉熙載：《藝概》，頁160。

235 葉朗：《現代美學體系》，頁95、141。

236 宗白華：《美學散步》，頁11-36。

之妙，在廣攝四旁，圜中自顯」，使人領悟「藝術意境之誕生」的終極根據：

> 唯此窅窅搖搖之中，有一切真情在內，可興可觀，可群可怨，是以有取於詩。然因此而詩則又緣景緣事，緣以往緣未來，經年苦吟，而不能自道。以追光躡影之筆，寫通天盡人之懷，是詩家正眼法藏。[237]

「不能自道」的「詩家正眼法藏」，是藝術心靈與宇宙意象「兩鏡相入」互攝互映的華嚴境界。它不僅引人精神飛越，超入幻美；尤能進一步深入生命節奏的核心，體悟不可名狀的心靈姿式與生命律動。[238]

美，不在實體之內，而在實體之外，美在言外、象外、意外。它們都源於老莊的「道」，其內涵所指，全是一種終極的本原的生命體驗；故「氣」、「神」、「韻」、「境」、「味」、「真」、「靈」、「逸」、「興」、「趣」等概念最大的共同點，就是對具體物象、景象、事象等實境的超越，標示了美的極致，反映傳統美學的最高境界。如溫庭筠〈商山早行〉：「雞聲茅店月，人跡板橋霜」，當被納入充滿詩意情境的整體結構時，就會有一種不屬於「雞聲」、「茅店」、「月」、「人跡」、「板橋」、「霜」等個別景物，而決定於整體組織的氣韻、神采、境界與真味。神在象外，象在言外，言在意外。從言外、象外、意外

---

237 〔清〕王夫之等撰：《清詩話》，頁18。

238 宗白華〈論中西畫法之淵源與基礎〉指中國畫所表現的境界特徵，可說是根基於中國的基本哲學，即《易經》的宇宙觀，生生不已的陰陽二氣織成一種有節奏的生命。中國畫的主題「氣韻生動」就是「生命的節奏」或「有節奏的生命」。後來作為中國「畫心」的老莊及禪宗思想，也不外乎於清靜寂淡中，求返於自己深心的心靈節奏，以體合宇宙內部的生命節奏，達於兩忘的境界。而且，一切藝術，最深最後的基礎乃是在「真」與「誠」。見《美學散步》，頁136。

所流露出來的超越性的「新質」，超越實境進入一個可意會卻不可言傳的虛境，它所展示的是詩人對宇宙、人生的某種形而上的生命體驗。由此可發現，所謂的「總而持之」、「條而貫之」的「氣」，「筆墨之外」、「境生於象外」、「神生象外」的「韻」，實際上都不是著眼於可見可解的「言」、「象」、「意」這些元素，而是著眼於通過整體情境的創造，在「言」、「象」、「意」之外，所獲致的深遠綿長的美的極致。[239]

（2）空白藝術形成的結果

美感意象的生成，雖主要來自於「眼前之景」的瞬間感興，但自然不僅包括目之所視、耳之所聞的實景，還包括耳目所無法直覺感知的虛境；宇宙的節奏運動有間隙、停頓，事物之間的位移也有空隙、距離；以此，「意」與「象」之間，往往存在著難以彌合的「罅隙」，[240]形成一道「空白」或「虛靜」。[241]而作為藝術構思的「神思」（包括情感、思想及創作意圖），也往往在「神與物遊」、「寂然凝慮」的瞬間，突破「眼前之景」狹小時空的限制，統攝「千載」、「萬里」的超時空意象。這種超時空意象，經由聯想、想像，經由美感的騰飛，[242]一方面把各種感性印象聯接、融合為個別意象，一方面又把各

239 童慶炳：《中國古代心理詩學與美學》（臺北市：萬卷樓圖書公司，1994年8月初版），頁13-22。

240 「意象」，往往是某種感覺經驗，乃至概念、理性的外殼，故「意」與「象」之間往往存在著難以彌合的間隙。王力堅：《六朝唯美詩學》，頁74。

241 李浩：《唐詩的美學詮釋》（臺北市：文津出版社，2000年5月1刷初版），頁113-135。

242 美感騰飛的起飛點是客觀世界和現實生活，當寫作主體的美感在審美理想的導引下，在現實存在中找不到適合釋放美感情緒的理想環境和理想對象時，便會衝破生活現狀而進入一個更高層次、更優美的境界中，讓美感情緒盡情奔湧。張紅雨：《寫作美學》（高雄市：復文圖書出版社，1996年10月初版1刷），頁138。

種單一意象聯接、融合為意象體系。於是，審美情感流貫在「意」與「象」之中，將之化合為有機整體，並在「意」、「象」渾融之空隙（空白）中，內蘊極大的審美張力。它頗近似於波蘭現象學家羅曼·殷格頓（Roman Ingarden）《文學的藝術作品》所提出的「未定性理論」（indeterminacy），或德國文學批評家沃爾夫岡·伊瑟爾（Wolfgang Iser, 1926-2007）在〈文本的召喚結構〉提出的「空白理論」。[243]

審美意象是各種心理因素的複合，將它轉化為藝術形象時，審美體驗的信息必受到極大的耗損，因而有「言不達意」、「半折心始」之惱，也因而注意到「象外」、「意外」、「空白」藝術的表現。說在不說之中，把讀者的感知、理解，引向詩外，延伸到「韻外之致」、「味外之旨」的情境之中。詩論中常見的「妙入元中，理超象外」、「其神在象外」、「當於語言意象外求之」、「其妙者，意外生意」等「象外」、「意外」之說，就是對詩本體講求「空白」藝術的一種感悟。[244]

因為「景以情合，情以景生，初不相離，惟意所適」；「情、景名為二，而實不可離。神於詩者，妙合無垠」（王夫之《薑齋詩話》）。[245]當「景（物）」、「事」不能完全呈現出統合「情」與「理」的「意」時，只能通過「意」與「象」的「妙合」，寄託韻外之致、味外之旨。「妙合」，是一種處在對外物形象（象）的感受與意念活動（意）的「縫隙」中、主（意）客（象）相契的情興。它蘊含豐富卻又渾沌朦朧，非語言所能直接表述；當訴之於語言形式時，就必得借用「象外」、「意外」、「空白」等藝術手法，試圖將割裂損耗的信息進行還原，以求其渾化性、全息性。[246]

---

243 王力堅：《六朝唯美詩學》，頁63-99。

244 毛正夫：《中國古代詩學本體論闡釋》，頁88-89。

245 〔清〕王夫之等撰，丁福保輯：《清詩話》，頁10。

246 毛正夫：《中國古代詩學本體論闡釋》，頁135-214。

「意境」，是「實象」與「虛空」的統一。作者唯有在作品中留下一道「空白」，才能實現從「實」到「虛」、從「有」到「無」的昇華。因為沒有「空白」，讀者就無法生發想像。如王夫之《薑齋詩話》即指出，「若不論勢，則縮萬里於咫尺，直是《廣輿記》前一天下圖耳」；若論勢，則「墨氣所射，四表無窮，無字處皆其意也」。[247]一「勢」字，就是作品有限的形象從「無字處」輻射而出的審美張力。韋應物〈詠聲〉的「萬物自生聽，太空恆寂寥」，蘇軾〈送參寥師〉的「靜故了群動，空故納萬境」等，也一致表達了以「空白」吞吐宇宙，涵括「萬有」。[248]

葉燮《原詩》所談的「妙在含蓄無垠，思致微渺，其寄托在可言不可言之間，其指歸在可解不可解之會；言在此而意在彼，泯端倪而離形象，絕議論而窮思維，引人於冥漠恍惚之境」[249]的微渺意味，就是詩人從「物」出發，「游心內運」所得。而這一「游心內運」的過程，又具有潛隱性、超驗性與瞬時性，在可言不可言、可解不可解之間，無法以言語描繪。[250]唯有「離形象」、「絕議論」，始能引人進入「冥漠恍惚」的「空白」之境。一如傳統詩學的藝術思維方式，多以「即景言情」為基本方式，注重主觀體驗，強調心靈感悟，要求詩人在「即目」的同時，「會心」、「妙悟」，超越邏輯思維，窮極宇宙的宏旨，直觀人生的真諦。[251]以此，藝術追求「空白」，而不追求「完

---

247 〔清〕王夫之等撰，丁福保輯：《清詩話》，頁19。

248 李浩：《唐詩的美學詮釋》，頁24-25。

249 〔清〕王夫之等撰，丁福保輯：《清詩話》，頁599。

250 有意味的形式，即一種情感的描繪性表現，它反映著難於言表，從而無法確認的感覺形式。蘇珊・朗格（Susanne K. Langer）著，劉大基譯：《情感與形式》（臺北市：商鼎文化出版社，1991年10月初版），頁50。

251 「物以情觀」，「登山則情滿於山，觀海則意溢於海」（劉勰《文心雕龍・神思》）。「感興」、「神思」、「澄心」、「虛靜」、「妙悟」等，每一個命題無不具有心靈的淋漓元氣。毛正夫：《中國古代詩學本體論闡釋》，頁9-10。

滿」。天籟無言，大音希聲，卻又涵括「萬有」的「空白」藝術，引人營生無限想像。

2 就讀者而言

動態的審美場包括了藝術的「空筐」本性，使藝術作品在流動中不斷建構，而且隨著時代的推移產生不同的美感效果。[252]所以一篇作品完成後，是一個存在，它可不依賴作者而不斷的與讀者交談，更可跨越時空與未來的讀者對談。也唯有讀者的參與、補充、創造，在「再創作」與「再評價」中與作者共同進行意象的創造，才算是一篇作品的真正完成。[253]因此，就欣賞的心理規律而言，讀者（接受者）根據外在具體、客觀的物象、事象，向上探索、還原作者當初的內在之「意」，呈現的是由「象」而「意」的鑑賞、填補過程。

沃爾夫岡．伊瑟爾〈閱讀過程中的被動綜合〉指出，讀者以一種游動的觀點在篇章「之內」行進，由這種游動觀點所引生的理解活動，促成了把篇章傳遞到讀者有意識的心靈。而觀點的轉動，又每每把篇章拆散，再形成一種「延展」（protention）與「存留」（retention）的結構；甚至可通過參與和記憶，把這些觀點投射到其他觀點之上。[254]以此可知，「意境」審美範疇的構成，並非單重元

252 毛正夫：《中國古代詩學本體論闡釋》，頁11-12。

253 從讀者方面考慮，最主要的是接受過程中作品傳達系統的認識與讀者美感反應的關係。因一部作品有許多層意義，文字裡的，文字外的，由聲音演出的（語姿、語調、態度、情緒、意圖、意向），與讀者無聲的對話所引起的，以及讀者因時代不同、教育不同、興味不同而引發出來的。一篇作品完成後，是一個存在，它可以不依賴作者而不斷的與讀者交談；它不但能對現在的讀者，還可以跨時空與將來的讀者交談。葉維廉：《比較詩學》，頁10-16；李元洛：《詩美學》（臺北市：東大圖書公司，1990年2月初版），頁211-269。

254 鄭樹森編：《現象學與文學批評》（臺北市：東大圖書公司，1984年7月初版），頁81。

素，而是由兩種或多種元素滲透、交融、匯合，創構出一種靈奇、虛渺的境界。讀者在閱讀過程中，唯有倚賴美感騰飛能力的嵌接，因「象」悟「意」，[255]對空白處進行彌補，才能延伸、擴展美學領域，才能獲致韻外之致、味外之旨。如此，從創作、到文本、到接受，兼及欣賞者對意境的再創造，「意境」範疇才獲得真正的落實，[256]也才能全面把握「意境」的真諦。

（1）補白藝術

「意」、「象」渾融的空隙中，蘊涵著極大審美張力的一道「空白」，需要讀者去「填補」，[257]需要通過「在空白中超越」的轉化過程來實現，才能在審美活動中，補充、豐富與發展作者所完成的意象。然後在「再創作」、「再評價」中與作者共同進行意象的創造，形成一種只喚起某種感受但並不能將之說明的境界，任讀者移入、出現，作一瞬間的停駐，然後溶入境中，參與完成強烈感受的一瞬之美感經驗。這即是所謂的「補白」藝術。[258]

從美學欣賞的角度來看，「象」是作品與讀者的中介，是讀者進行再創造的審美起點；根據自己的生活體驗與藝術修養去探索「象外

---

255 黃維樑：《中國詩學縱橫論》（臺北市：洪範書店，1986年11月4版），頁134-157。

256 司空圖對「意境」範疇的貢獻，一是提出「象外之象」，並指歸於「道」，以把握「意境」的本體和生命；二是從接受者（讀者）的角度，提出「韻外之致」、「味外之旨」，探求「意境」的審美效應。葉太平：《中國文學之美學精神》，頁305-328。

257 特里·伊格爾頓（Terry Eagleton）：《當代文學理論導論》（臺北市：旭日出版社，1987年10月），頁78。

258 在接受過程中，文本意向的規定性約束著讀者的想像力，不確定性和空白則激發著這種想像，使其得到充分發揮。從這種意義上說，填補不確定性與空白，是一種「再創造」過程。李浩：《唐詩的美學詮釋》，頁24；蔡振念：《杜詩唐宋接受史》（臺北市：五南圖書公司，2002年2月1版1刷），頁24。

之象」與「象外之旨」，則是讀者的再創造的審美終點。作者從紛繁萬狀的表象材料上，敏銳地感受、發現、捕捉詩意，提煉、概括出主客觀統一、富有美學意涵的意象，令讀者因象悟意；並在欣賞、再創造的活動中，延伸、擴展詩的美學領域。也就是說，詩人的「內在之意」融化於「外在之象」，讀者再根據詩人所創造的「外在之象」，刺激一己的生活經驗、藝術修養與想像能力，去尋索與領會詩人原來的「內在之意」，甚至是韻外之致、味外之旨。

意境，不能脫離讀者的審美活動而存在；所以，「意境美」是作者的「創造意境」，在讀者心中「再創造」的結果。意境，也不能離開讀者的審美聯想與想像而存在，它誕生於作者的創造，延續於讀者的想像之中。因此，意境美萌發於讀者對作品的直接性感知，展開於對直接性意境的聯想、想像，最後完成於對直接性意境的再創造。[259]

想像、聯想，是美感騰飛反映的表現。作者運用美感騰飛的能力去裁剪、過渡與連接，讀者在閱讀活動過程中，也依賴美感騰飛的嵌接，才能對段與段、層次與層次、伏線與照應之間的空白處進行彌補，獲得完整的印象。[260]所以沒有情感與想像，就不能構成美的觀照的充足條件。所謂比，所謂興，所謂託喻，所謂象徵，也無一不是源於聯想和想像。聯想和想像愈豐富，境界也愈深廣。創作如此，欣賞亦如此。

創作者所致力的，是將自己抽象之感覺、感情、思想，由聯想和想像化成具體的意象；欣賞者所致力的，是如何將作品中所表現的具體意象，由聯想和想像化為自己抽象的感覺、感情與思想，產生意境美。[261]意境之美，就在作者與讀者的共同的想像活動之中，再以想像

259 李元洛：《詩美學》，頁161-209。

260 張紅雨：《寫作美學》，頁129-138、377-388。

261 葉嘉瑩：《王國維及其文學批評》（臺北市：源流文化事業公司，1982年6月再版），頁450-458。

出來的景象、意緒，充分滿足欣賞者藝術再創造的審美心理。以此，司空圖從讀者（接受者）的角度，提出「韻外之致」、「味外之旨」；劉勰、鍾嶸也把讀者的積極參與，作為作品創作的「合力」上來討論，這都形成了相當於西方的「接受美學」理論。[262]如羅曼・殷格頓（Roman Ingarden）《文學的藝術作品》就特別標出一個「未確定性」觀念，來闡釋文藝作品的本體存有。文藝作品既不存在「客體世界」，也不在主觀理念中，讀者唯有逐步將作品中的「未確定區域」（sports of indeterminacy）填補或「具體化」（concretize），才能從現象的「純粹意向性」（pure intentionality）中獲得其本體存有。[263]

至於詩話、詞話類著述的出現，更是從讀者（評者）的鑑賞角度開展。所謂「品味」、「深識鑒奧」、「作者得於意，覽者會於心」等，也都是從讀者與作者的審美心理契合來立論。[264]鑒賞，是以意逆志，是讀者設身處地體驗作者意向的一種超心智、超思維的認識活動。它借用讀者的聯想、想像等心理，突破有限的困境，力求還原「意」之深厚與博大，把握其原質美。笪重光〈畫筌〉：「空本難圖，實景清而空景現；神無可繪，真境逼而神境生」，「虛實相生，無畫處皆成妙境」。[265]「無畫處」，就是「空白」；「妙境」，就是讀者心領神會之所得。當作者驅動情感，馳騁想像，進行創作時，自會留下一道「空白」，誘引讀者進入他所創造的藝術境界之中，進行體驗、補充與再

---

262 「接受美學」是一種新興的文學研究方法；重視讀者的欣賞、理解和審美感受，重視讀者在文學發展中的作用。劉介民：《比較文學方法論》（臺北市：時報文化公司，1990年5月初版1刷），頁373。

263 王建元：《現象詮釋學與中西雄渾觀》（臺北市：東大圖書公司，1988年2月初版），頁62-64。

264 葉太平：《中國文學之美學精神》，頁305-328；毛正夫：《中國古代詩學本體論闡釋》，頁14-15。

265 俞崑：《中國畫論類編》，頁809。

創造。創造性的欣賞觀、接受觀、補白觀，[266]也因此成形。

（2）悟性與學養

意象從不同側面體現「思維」，人們若要通過「思維」認識客觀世界運動、發展、變化之規律，即不能離開對「意象」的感知。意象具有「符號」的一切特性，而「自足性」、「模糊性」或「不確定性」等特性，又構成意象的多義性、寬泛性與豐富性，留給讀者無限創造餘地。[267]然讀者馳騁聯想、想像，力求還原「意」之深厚與博大的「補白」手法，不是湊合或拉扯，而是站在更高的視點上，走向超越之路。這一更高的視點，就是人的「先驗」性存在，就是所謂的「悟性」。[268]

審美主體對審美客體的本質與規律（整體與部分）有所認識、體驗與把握，而產生新思想、新形象的直覺思維活動，古代美學稱之為「悟」、「頓悟」、或「妙悟」。[269]「悟」的發動，一是依賴自然萬物的激發感應，二是依賴人腦（心、本性、真如、元神等）預設的「本體信息」或「潛意識」的驟然覺醒。由於兩者的交互作用，因而迸發出

266 西方文論強調獨立的文學作品，應獨立於作者之外，故解讀「文本」可以不依循作者之意去思考，直須以己意解讀、揣摩。讀者反應論、接受美學、詮釋學所闡發的視域，就是從「讀者」的視域出發。林淑貞：《中國詠物詩「託物言志」析論》（臺北市：萬卷樓圖書公司，2002年4月初版），頁261。

267 吳曉：《詩歌與人生・意象符號與情感空間》（臺北市：書林出版公司，1995年3月初版），頁4-29。

268 「先驗」範疇是康德哲學美學的核心。康德（Immanuel Kant）著，宗白華譯：《判斷力批判》（北京市：商務印書館，1987年2月1版4刷），上卷，頁35；勞承萬等：《康德美學論》（北京市：中國社會科學出版社，2002年12月1版1刷），頁25。

269 西方對「悟性」的詮釋，與中國有些微的差異，其本義為智力、理解力、判斷力，指處於感性與理性之間並跟二者並列的一種認識能力或認識階段。夏之放：《文學意象論》，頁175-177。

詩性的智慧。[270]「悟」的拈出，標誌著審美活動主體的高度覺醒；審美活動進展得越深入、越成功，在審美主體的思維活動、心理過程中，就越能體現這種「內心直覺體驗」。[271]

「因象悟意」的穎悟功能，是一種調動和集中了主體感覺、知覺、既往情感體驗、直覺、頓悟等心理要素的穿透性能力，它能夠跨越現象，直接觸及事物的核心，提供一條幽徑，引導我們瞥見它的若許風韻。[272]「悟」，這一恍惚而來、不思而至的內心直覺體驗，非理智所能把握。如嚴羽《滄浪詩話．詩辨》：

> 大抵禪道惟在妙悟，詩道亦在妙悟。且孟襄陽學力下韓退之遠甚，而其詩獨出退之之上者，一味妙悟而已。惟悟乃為當行，乃為本色。[273]

「妙悟」出自「情性」，非出自學問；「妙悟」出自「興致」，非出自苦吟；「妙悟」出自「自然」，非出自強求。不涉理路，不落言筌。非邏輯的感悟，具有直觀性、非邏輯性、創造性，是形象的感發、想像的騰越、無意識向有意識的瞬間轉換。[274]

另一方面，閱讀的過程，也是讀者藉助於「語言」這個「階梯」，通過「語言」對美感情緒的逐步雕琢，沿著作者的美感情緒規

---

270 梁一儒、戶曉輝、宮承波：《中國人審美心理研究》（濟南市：山東人民出版社，2002年3月1版1刷），頁201。

271 葉太平：《中國文學之美學精神》，頁236。

272 錢谷融、魯樞元：《文學心理學》（臺北市：新學識文教出版中心，1990年9月初版），頁53。

273 〔清〕何文煥輯：《歷代詩話》，頁686。

274 陳望衡：《中國古典美學史》，頁657。

律和表達這種美感情緒的邏輯思維脈絡，逐漸「化入意境」，[275]抵達「妙悟」之境，然後「萬象冥會」、「動觸天真」（胡應麟《詩藪》）。「然悟有淺深，有分限，有透澈之悟，有但得一知半解之悟」。[276]悟入之理，就在工夫勤惰間；所以讀者能否「化入意境」，還取決於讀者自身的學養。[277]

就讀者而言，「悟」必以大量的生活積累、豐富的文化修養、長期的藝術實踐等為基礎、前提；[278]必得廣泛地學習、吸收與涵養，才能充分掌握作者創作的情境，領悟其語言所欲呈現的意蘊，進而掌握言外之意、韻外之旨。錢鍾書引陸桴亭的觀點，指「人性中皆有悟，必工夫不斷，悟頭始出，如石中皆有火，必敲擊不已，火光始現」。[279]也就是說，等閒拈出的「徹悟」境界，必以不計年的參研為前提，須從「工夫」中培植，才能遇事「有所得」。嚴羽《滄浪詩話．詩辨》也同樣強調工夫的積累：

> 先須熟讀《楚辭》，朝夕諷詠，以為之本；及讀古詩十九首、樂府四篇，李陵蘇武漢魏五言，皆須熟讀，即以李杜二集枕藉觀之，如今人之治經，然後博取盛唐名家，醞釀胸中，久之自然悟入。[280]

---

275 張紅雨：《寫作美學》，頁129。

276 〔清〕何文煥輯：《歷代詩話》，頁686。

277 接受者的期待視野可在三方面得到體現：一、接受者從過去曾閱讀過的、自己所熟悉的作品中獲得的藝術經驗，即對各種文學形式、風格、技巧的認識；二、接受者所處的歷史社會環境以及由此而決定的價值觀、審美觀、思想道德和行為規範；三、接受者自身的政治經濟地位、教育水平、生活經歷、藝術欣賞水平和素質。蔡振念：《杜詩唐宋接受史》，頁19-23。

278 葉太平：《中國文學之美學精神》，頁239-240。

279 錢鍾書：《談藝錄》（香港：龍門書局，1965年8月初版），頁116。

280 〔清〕何文煥輯：《歷代詩話》，頁687。

由觀之、熟讀之、諷詠之，而自然悟入，可知「悟」雖是人人天生本具，但仍需後天學養的厚植。「悟入」必自「工夫」中來，非僥倖可得。唯有如此，才能調動騰飛天生本具的想像力、穎悟力，因象「悟」意，進而彌合「象」、「意」之間的「空白」，直探作品的核心。

（3）悟境

在對審美對象進行縱深觀照這一個議題上，傳統美學有一個發展過程，就是由先秦之「觀」到魏晉之「味」，再到宋代之「悟」。[281]如鍾嶸提出「文已盡而意有餘」，宗炳的「澄懷觀道」，沈德潛《古詩源》的「覺筆墨之中、筆墨之外，別有一段深情妙理」等，都是審美欣賞由質實之「觀」轉入虛靈之「味」。直至宋代禪宗語彙流行，「悟」又成為專門術語，進入審美欣賞。

「悟」與「味」的對象都是同一個，都是難以形求的神、情、氣、韻。分開來看，「悟」就是「味」；合而為一，「味」專指「悟」的前一階段，「悟」則專指「味」的後一階段。咀嚼既久，乃得其意。也唯有「得其意」才得以「悟入」。無論是「妙悟」，或是因咀嚼、品味而「得其意」的「悟入」，都強調「悟」作為審美最後階段的特點。因此，作者創作的審美表現，是一種「創境」；讀者對作者的「創境」所作的發現、補充與創造，則是一種「悟境」。[282]

「悟」，注重對事物整體的直觀把握。在表述上只能點悟，無法陳述；只能靠讀者自己揣摩領悟「象」、「意」之間所留下遼闊的審美

281 張法：《中西美學與文化精神》（臺北市：淑馨出版社，1998年10月1刷），頁327-329。

282 讀者的「悟境」，以作者的「創境」為基礎、依據；作者的「創境」，則以讀者的「悟境」為完成、指歸。真正的「意境」，是作者的「創境」與讀者的「悟境」互為條件和補充的二重境界。李元洛：《詩美學》，頁211-269。

心理。「道無邊際之可指，道無四隅之可竟，道無難易遠近之可言也」（翁方綱〈神韻論〉）。為傳達「道」所說出來的「話語」，並非「道」本身，而是對學道者的「引」、「助」，「引」、「助」讀者去「悟道」。而讀者也唯有「無聽之以耳，而聽之以心；無聽之以心，而聽之以氣」（《莊子．人間世》），唯有以自己的「神」與審美對象之「神」匯合感應，才能臻達徹悟之境。[283]

無論是《老子》「天地萬物生於有，有生於無」所說的「無」，或是《莊子》所說的「心齋」、「坐忘」、「虛室生白」、「唯道集虛」，以及禪宗的「空」、「妙有」；讀者若要體認這形而上的「無形」、「希音」的「妙道」，就必須「悟」。[284]「悟」，作為心靈體驗、心理活動的過程，以及經由這一個過程所達到的境界，大量出現於藝術活動之中。如嚴羽《滄浪詩話》所說的「禪道惟在妙悟，詩道亦在妙悟」，將「妙」冠之於「悟」，使得「審美心理」帶有更大的模糊性、朦朧性、虛空性，[285]也帶來更豐富而獨特、深刻而綿長的審美愉悅。

「滄浪別開生面」，「另拈出成詩後之境界，妙悟而外，尚有神韻」。這種「成詩後之境界」，唯有「妙悟」，始能得其「神韻」，故郭紹虞以為「王士禎神韻之說為最合滄浪意旨」：

> 嚴滄浪以禪喻詩，余深契其說，而五言尤為近之。如王（維）裴（迪）〈輞川絕句〉，字字入禪，他如「雨中山果落，燈下草蟲鳴」，「明月松間照，清泉石上流」，以及太白「卻下水晶

283 「重悟不重解」，是古代詩學思維的獨特魅力，形成重直覺感悟而不求知解分析的特徵。毛正夫：《中國古代詩學本體論闡釋》，頁16。

284 李浩：《唐詩的美學詮釋》，頁114-135。

285 「悟」範疇，在古代文論中占有十分重要的地位。關於「悟」範疇的討論，葉太平《中國文學之美學精神．悟》（頁231-267），有詳盡的探討，不在此贅述。

> 簾，玲瓏望秋月」，常建「松際露微月，清光猶為君」，浩然「樵子暗相失，草蟲寒不聞」，劉脊虛「時有落花至，遠隨流水香」，妙諦微言，與世尊拈花，迦葉微笑，等無差別。通其解者，可悟上乘。[286]

作為傳統美學欣賞三個階段的「觀」、「味」、「悟」，由「觀」而後「味」，玩味既久，自然「悟入」。這種內心直覺體驗，其物理時間雖然只是短暫的一瞬，但其心理時間卻是深遠而綿長。一如世尊拈花，迦葉微笑，由作者的「創境」進入讀者的「悟境」，瞬間悟入，神會此中的「妙諦微言」。

如歐陽脩作於宋仁宗嘉祐四年（1059）的〈秋聲賦〉，汲取韓、柳散文的成就，打破六朝到唐代的駢賦、律賦格式，自律賦除去排偶、限韻的拘束，簡而有法地融合敘事、寫景、抒感於一體，成文賦開山之功。[287]他以耳聞秋聲興起，借秋色、秋容、秋氣、秋意傳達難以言宣的仕宦生涯和國事日非的深沉憂慮，寓一篇主旨於篇外：

> 歐陽子方夜讀書，聞有聲自西南來者，悚然而聽之，曰：「異哉！」初淅瀝以蕭颯，忽奔騰而砰湃，如波濤夜驚，風雨驟至。其觸於物也，鏦鏦錚錚，金鐵皆鳴；又如赴敵之兵，銜枚疾走，不聞號令，但聞人馬之行聲。余謂童子：「此何聲也？汝出視之。」童子曰：「星月皎潔，明河在天，四無人聲，聲在樹間。」余曰：「噫嘻，悲哉！此秋聲也，胡為而來哉？蓋夫秋之為狀也，其色慘淡，煙霏雲斂；其容清明，天高日晶；其氣慄冽，砭人肌骨；其意蕭條，山川寂廖。故其為聲也，淒淒切

---

286 郭紹虞：《滄浪詩話校釋》（臺北：文馨出版社，1972年12月初版），頁20。

287 王更生：《歐陽脩散文研讀》，頁251-256。

> 切，呼號憤發。豐草綠縟而爭茂，佳木葱蘢而可悅；草拂之而色變，木遭之而葉脫。其所以摧敗零落者，乃其一氣之餘烈。夫秋，刑官也，於時為陰；又兵象也，於行為金，是謂天地之義氣，常以肅殺而為心。天之於物，春生秋實。故其在樂也，商聲主西方之音，夷則為七月之律。商，傷也，物既老而悲傷；夷，戮也，物過盛而當殺。嗟乎，草木無情，有時飄零。人為動物，惟物之靈。百憂感其心，萬事勞其形。有動于中，必搖其精。而況思其力之所不及，憂其智之所不能，宜其渥然丹者為槁木，黟然黑者為星星。奈何以非金石之質，欲與草木而爭榮？念誰為之戕賊，亦何恨乎秋聲！」童子莫對，垂頭而睡。但聞四壁蟲聲唧唧，如助余之歎息。

宋仁宗嘉祐二年（1057），歐陽脩知禮部貢舉。此後五、六年，從表面上看，仕途較為順遂，也做了不少值得稱道之事。但「自從中年來，人事攻百箭」，「形骸苦衰病，心志亦退懦」（歐陽脩〈讀書〉），且「風波卒然起，禍患起不測」（歐陽脩〈感事〉）。歷經宦海風波、年歲漸老的歐陽脩，一方面憂國憂民，渴望改革；一方面又憂讒畏譏，有所顧忌，造成內心極深的苦悶，[288]詩文中時露衰病無能之情。〈秋聲賦〉正是這種苦悶情狀的反映。全文形成「點、染、點」的條理。

「點一」的部分，先以一個「聲」字，作為承起下文的引子。此時是初秋，離夏未遠，故「聲自西南來」。底下以「異哉」一句總括，再依次鋪染耳中所聽見的秋聲。「初淅瀝以蕭颯」，是「聲之始起」；「忽奔騰而砰湃」，是「聲之方盛」。「如波濤夜驚」上承「奔騰

288 《中國歷代著名文學家評傳》（濟南市：山東教育出版社，1984年5月1版1刷），第三卷，頁122-128。

砰湃」,「風雨驟至」上承「淅瀝蕭颯」，是明喻，也是交蹉語次。「鏦鏦錚錚」二句，是「擊之所至」的聽覺摹寫；「又如赴敵之兵」四句，則是聲自初起以至所止之處，中間經歷所過之象。作者在此，連下三喻，長短參差，虛狀秋聲，極意描寫。「予謂童子」三句，借童子的視覺陪襯出聽覺，以生起下文；再借童子之答，畫出秋夜。[289]就此部分而言，歐陽脩主要是運用了因果關係與加合關係等各式複句來組織各個意象，針對「秋聲」這一對象加以描寫，為全文染出秋意蕭颯的前奏。

「染」的部分，又形成另一層次的「先點後染」結構，以「余曰」一句為「點」，作為「聲」轉入「秋」的橋梁。「其色慘淡，煙霏雲斂」，是秋之狀一；「其容清明，天高日晶」，是秋之狀二；「其氣慄冽，砭人肌骨」，是秋之狀三；「其意蕭條，山川寂寥」，是秋之狀四。「故其為聲也」三句，再從「其色、其容、其氣、其意，喚出其聲」，[290]文字錯落，技法高妙。這種化抽象的秋意為有色、有容、有氣、有意、有聲，兼有視覺、觸覺與心覺的摹寫效果，將秋氣肅殺慄冽的狀貌，渲染得形色宛然，變態百出。也因為「一氣之餘烈」，足以「摧敗零落」萬物，繼而以「豐草綠縟」二句，寫「聲未至之初，草木本如此」的豐榮景象，及「聲既至之後，草木忽如此」的凋零景象。「綠縟爭茂」與「色變」,「蔥籠可悅」與「葉脫」，正反相襯，把本來難以捉摸的秋氣捕捉得形狀可掬。就此部分而言，多是利用因果關係、加合關係與平行關係等各式複句來組織各個意象，將草木零落秋氣肅殺之象，描摹得細膩而深沉。

「夫秋，刑官也」底下，是因事而抒感的部分。《周禮》把官職

---

289 此段引文，見〔清〕林雲銘：《古文析義合編》，頁279；〔清〕吳楚材選注，王文濡評校：《古文觀止》(臺北市：華正書局，1998年8月版)，頁449。

290 〔清〕吳楚材選注，王文濡評校：《古文觀止》，頁450。

按天、地、春、夏、秋、冬分為六類，因為秋有肅殺之氣，「乃立秋官司寇，使帥其屬而掌邦禁，以佐王刑邦國」(《周禮．秋官司寇》)，[291] 職掌刑法、獄訟。古人又以陰陽配四時，「春為陽中，萬物以生；秋為陰中，萬物以成」(《漢書．律曆志上》)，因此說「於時為陰」。戰爭也是肅殺之事，古代練兵、出師、征討，多在秋天，所以說秋是「兵象」。此外，據《漢書．五行志上》記載，「木，東方也」、「火，南方」、「土，中央」、「水，北方」，而秋天正是金起作用之時：「金，西方，萬物既成，殺氣之始也。故立秋而鷹隼擊，秋分而微霜降，其於王事，出軍行師，把旄杖鉞，誓士眾，抗威武，所以征畔逆止暴亂也」。又因「義」是「五金」之一：「歲星曰東方，春木，於人五常，仁也。……熒惑曰南方，夏火，禮也。……太白曰西方，秋金，義也。……辰星曰北方，冬水，知也。……填星曰中央，季夏土，信也」(《漢書．天文志》)。[292]《禮記．鄉飲酒義》也記載：「天地嚴凝之氣，始於西南，而盛於西北，此天地之尊嚴氣也，此天地之義氣也。」古人故而以秋天為決獄訟、征不義、誅暴慢的時節，張揚其「義」的重要。繼而又把秋比為「商」、比為「夷」。孟秋之月，「其音商，律中夷則」(《禮記．月令》)，[293]故五音中的商聲、四方中的西方，都屬於五行的「金」。樂又分十二律，每律分屬一月，而「七月也。律中夷則。夷則，言陰氣之賊萬物也」(《史記．律書》)；故《正義》引《白虎通》解釋：「夷，傷也；則，法也，言萬物始傷被刑法

291　〔清〕阮元：《十三經注疏．周禮》(嘉慶二十年江西南昌府學開雕，臺北市：藝文印書館，1985年12月10版)，頁510。

292　以上三則，依次見〔東漢〕班固撰，〔唐〕顏師古注：《漢書》(臺北市：藝文印書館，1955年4月初版)，頁409、601-608、577-580。

293　以上二則，依次見〔清〕阮元：《十三經注疏．禮記》(嘉慶二十年江西南昌府學開雕，臺北市：藝文印書館，1985年12月10版)，頁1005、322。

也。」[294]「商，傷也」，運用聲訓解釋詞義，以啟「物既老而悲傷」一句。「夷，戮也」，運用義訓解釋詞義，以啟「物過盛而當殺」一句。此段主要利用因果關係與平行關係等複句來組織各個意象，緊扣「秋以肅殺為心，以樂理釋秋，亦處處寫秋聲」，再由「物之秋」過渡到下一段的「人之秋」。

「草木無情」二句是「賓」，借秋聲托出撫時傷懷的感慨（主）。人若能「無視無聽，抱神以靜，形將自正，必靜必清，無勞汝形，無搖汝精，乃可以長生」（《莊子・在宥》）。但善感的萬物之靈，因百憂而觸動人心，因萬事而勞累人形，甚而「思其力之所不及，憂其智之所不能」，以致落得「渥然丹者為槁木，黟然黑者為星星」，枯槁衰老的境地而不自知。在此，一長串的對偶句式鋪陳而下，以「渥然丹者」對「槁木」、「黟然黑者」對「星星」，形成反襯，加上心覺摹寫，由淺而深，層層進逼，將「人生非金石，豈能長壽考」（〈古詩十九首〉其十一），「戚戚感物嘆，星星白髮垂」（謝靈運〈游南亭〉）的深沉感慨，一一流出。就此部分而言，主要是利用了逼進複句來組織各個意象，以淺證深，「自物之摧敗零落處，轉入人身上來」，[295]說明「人之憂勞，自少至老；猶物之受變，自春而秋。凜乎悲秋之意，溢于言表」。[296]

「點二」的部分，「童子莫對」四句，以「唧唧蟲聲」來烘襯人的「嘆息」聲，「又于秋聲中添出一聲，作餘波」，[297]結出秋夜寂寞之況，言有盡而意無窮，予人無限的低迴。[298]其結構表為：

294 〔漢〕司馬遷著，瀧川龜太郎注：《史記會注考證》，頁453。
295 〔清〕林雲銘：《古文析義合編》，頁451。
296 〔清〕吳楚材選注，王文濡評校：《古文觀止》，頁280。
297 〔清〕林雲銘：《古文析義合編》，頁451。
298 王更生：《歐陽脩散文研讀》，頁252-258。

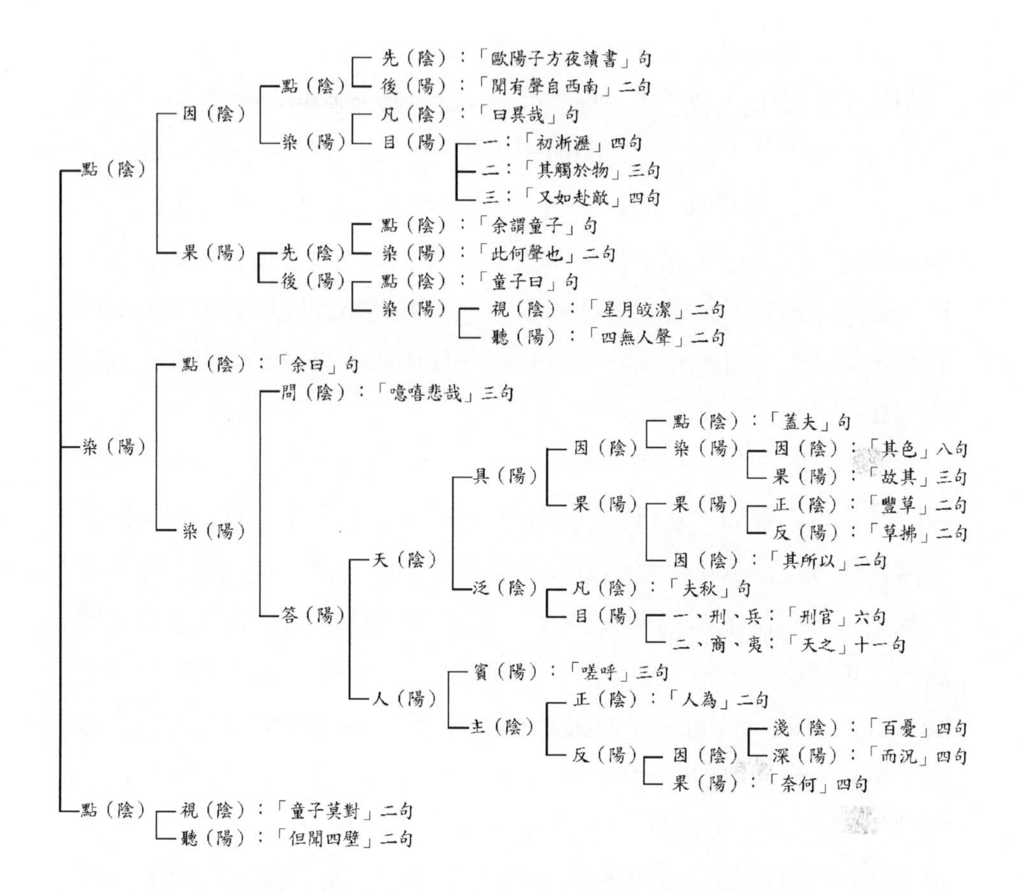

中國古典詩歌的「悲秋」傳統，始自屈原《離騷》的「日月忽其不淹兮，春與秋其代序。惟草木之零落兮，恐美人之遲暮」；及宋玉《九辯》的「悲哉秋之為氣也，蕭瑟兮草木搖落而變衰」，又「坎壈兮，貧士失職而志不平；廓落兮，羈旅而無友生」。才志之士面對蕭瑟冷落的秋天，聯想起自己才志不得施展的坎坷和不被人了解的感慨，於是「悲秋」就成了中國文學上的一個傳統。如杜甫〈詠懷古跡〉其二：「搖落深知宋玉悲，風流儒雅亦吾師。悵望千秋一灑淚，蕭條異代不同時。」面對草木搖落的秋天，詩人即深深感受到當年宋玉「悲秋」的情緒及年華已逝而功業無成的悲哀。[299]「悲秋」的原形母題及流衍變化，深潛在中國文人精神的最深底層，形成中國文學「嘆逝」與「悲不遇」主題的興起。千百年來，它甚至形成一種情感定勢，一種「先結構」，成為人們感知世界的獨特傾向和介入現實的獨特角度。[300]這種以悲愁為美的歷史積澱，源於同一種經驗的凝縮，以至形成中國幾千年審美選擇的定向性。歐陽脩讀同樣的書受同樣的教育，寫秋天，自也會承接起這一個悲秋傳統，來抒發難以言宣的深沉悲痛。

仁宗嘉祐四年（1059），「先生雖祇五十三歲，但回首往事，卻屢遭貶斥，內心隱痛，難以言宣，面對朝廷內外的污濁黑暗，眼見國家日益衰弱，政治革新毫無希望，不免產生鬱悶心情。就是在這種情緒的驅策下，寫出了這篇秋夜悲歌」，[301]流露「感事悲雙鬢，包羞食萬錢，鹿車終自駕，歸去潁東田」（〈秋懷〉）的念頭。以此可見，〈秋聲賦〉最深層的「情意」是寓於篇外的。讀者也唯有調動自己的想像力、先驗的悟性與豐富的學養，針對「象」不能盡「意」的「空白」部分，進行補充與創造，才能獲致這一個「象外之意」、「味外之旨」。值得注意的是，歐陽脩在憂患之中自有一種「遣玩的意興」，是他面對憂愁挫折而不致跌倒所採取的一種方式和態度。[302]這種「遣玩的意興」，可從他受貶時為自己所取的「六一居士」、「醉翁」等別號中見出，也可從他在〈秋聲賦〉末段特意添上的「童子莫對，垂頭而

---

299 葉嘉瑩：《唐宋名家詞賞析3‧柳永》（臺北市：大安出版社，1988年12月初版），頁22-26。

300 暢廣元：《中國文學的人文精神》（西安市：陝西人民出版社，1994年3月1版1刷），頁75-76。

301 王更生：《歐陽脩散文研讀》，頁256。

302 葉嘉瑩：《唐宋名家詞賞析2‧歐陽修》，頁37。

睡。但聞四壁蟲聲唧唧，如助余之歎息」等句中見出。也就是這種胸襟懷抱與修養，使歐陽脩在面對政治挫折時，猶能保持一種不作「戚戚之辭」的優雅姿態，也為宋代文賦作出了空前的貢獻。

若就意象之形成而言，主要是運用了草木、蟲、風雨、波濤、煙雲、山川、秋夜、星月、明河、日等自然性物材，金鐵、銜枚等人工性物材，歐陽子、童子等角色性物材，刑官、兵象、商聲、夷則等歷史事材類，再以「悲秋」之「意」來統合。就意象之表現而言，在「詞彙」上，將所聽所見之「景」形成各個詞彙，為進一步之「修辭」奠定基礎；在「修辭」上，主要是運用了摹寫（聽、視、觸、心等）、譬喻、對偶、反襯、類疊、感嘆等修辭手法，增強作品的感染力。以所覺之感受為主，將秋聲、秋形、秋感融合在一起，聲色情並茂，寓政治生活的深沉感慨於篇外。若就意象之組織而言，在「語法」上，運用了大量的因果關係、加合關係、平行關係與遞進關係等各式複句描寫秋氣，將個別意象組合成不同之意象，以呈現字句之邏輯結構。

就章法而言，位居最上層的「點、染、點」為核心結構「二」，統攝「點一」部分的「因果」（陰→陽）、三疊「點染」（陰→陽）、二疊「先後」（陰→陽）、「凡目」（陰→陽），和「染」部分的二疊「點染」（陰→陽）、「問答」（陰→陽）、「天人」（陰→陽）、「具泛」（陽→陰）、「賓主」（陽→陰）、「凡目」（陰→陽）、二疊「因果」（陰→陽）、「正反」（陰→陽）、「果因」（陽→陰）、「淺深」（陰→陽），以及「點二」部分的「視聽」（陰→陽）等「多個」輔助單元，形成篇章的邏輯結構，寄一篇主旨（一）「家國悲感」於篇外。

駢散間用，而以散句為主的〈秋聲賦〉，講究文采、典故與節奏，兼具詩歌與散文的性質。且善用問答法，形醲一種低吟複誦的氣勢，為形式較為呆板的傳統辭賦，注入一股清泉。文中押韻自然，也不避用駢偶對句，仍舊保留了傳統辭賦的鋪張排比，營釀出迴環反覆的節奏感。又喜在句與句間，加上「又如」、「但」、「而況」、「宜其」等轉折連詞，形成一種似散非散、似排非排的基調，產生靈活的節奏變化。至於句首的「夫、蓋」、句中的「而、之」、句尾的「也」等「虛字」運用，使句與句之間的聯繫明朗化；加上「異哉」、「噫嘻悲哉」、「嗟呼」、「嘆息」等表達強烈情感的感嘆修辭運用，深具急緩高低的審美張力，形成宋代文賦的重大特色。再加上除了底層的「具→泛」、「賓→主」、「果→因」和上層由陰向陽移動又拗向陰的「點→染→點」結構單元，為全文注入了一股較強的陰柔力勢；其餘各層輔助結構，力勢大都向「陽」流動。其「模寫之工，轉折之妙，悲壯頓挫，無一字塵涴」，[303]形成較偏近「剛中寓柔」的整體風格（「0」）。

一般而言，歐陽脩文偏於蘊蓄醇和的陰柔之美，故常人多言「韓如海，柳如泉，歐如瀾，蘇如潮」（《升庵詩話》卷五）。但歐陽脩「文體眾備，變化開闔，因物命意，各極其工」（吳充〈歐陽公行狀〉），故也有氣勢充沛、雄健有力之作。凡家國身世悲感之作，其風格多「陽剛」，〈秋聲賦〉既是慶曆新政失敗後長期苦悶心情的反映，整體風格較偏於陽剛，也就成為勢之必然了。[304]全文由秋聲起興，「初言聲，再言秋，復自秋推出聲來，又自聲推出所以來之故」；[305]繼而以賦體的鋪排手法、整齊而有變化的句式，從色、容、氣、意、聲等方面，渲染秋夜蕭森肅殺的氣氛，進而發出「物既老而悲傷」、「物過盛而當殺」、「亦何恨乎秋聲」的感慨，點出「悲秋」的主題。

---

303 曾棗莊、李凱、彭君華編：《宋文紀事》（成都市：四川大學出版社，1995年12月1版1刷），頁259-260。

304 程千帆、吳新雷：《兩宋文學史》（上海市：上海古籍出版社，1991年2月1版1刷），頁53。

305 〔清〕林雲銘：《古文析義》，頁280。

秋聲、秋形、秋感，三者交融為一，處處是秋聲，也處處是感慨，「感慨處，帶出警悟，自是神品」(林雲銘《古文析義》)。然後在「警悟」之中，在象、意之間，形成一道空白，寄託了作者對人生的慨嘆，言盡意遠，有待欣賞者的審美想像去豐富、補充。它不僅「意在象中」，往往「意在象外」。讀者唯有充分調動想像力，通過熔鑄含蘊在鮮明生動的藝術形象的欣賞，才能獲致審美的享受。

為文之妙，全在意境融徹，出聲音之外，乃得真味；所謂的「意境」，就是通過眼前的有限形象，以捕捉、領會某種超越形象本身的「象外之旨」、「弦外之音」；超越具體有限的物象、事象，進入無限的時空，「胸羅宇宙，思接千古」，從而對整個宇宙人生獲得一種哲理性的感受與領悟。[306]一如〈秋聲賦〉，歐陽脩為抽象的秋聲創造了繁多而又統一的物象、事象，再以傳統的「悲秋」哀感形成內在的聯繫，使淒切的秋聲、蕭瑟的秋景，和他對人生的感嘆、對人生哲理的探索，取得和諧的統一，達成聲情並茂、情景交融的藝術境界。以此也可證，辭章之主要內涵與「意象」關係密切，辭章的內容結構成分，也都可用「意象」的觀念加以統合。就作者而言，它呈現的是「由意而象」的創作過程；就讀者的心理規律而言，它呈現的是「由象而意」的鑑賞、填補過程。也唯有讀者的參與、補充、創造，在「再創作」與「再評價」中與作者共同進行意象的創造，才算是一篇作品的真正完成。因此，經由對〈秋聲賦〉意象之形成、組織與統合的解析，經由外在具體、客觀的物象、事象，向上探索、逆溯，還原創作主體當初的內在之「意」，才能超越實境進入可意會卻不可言傳

306 葉太平：《中國文學之美學精神》，頁306；葉朗：《現代美學體系》(臺北市：書林出版公司，1993年10月1版)，頁142；李澤厚：《美學論集》，頁341。

的虛境，於「言」、「象」、「意」之外，領悟其神、情、氣、韻。[307]

（六）韻律與風格

由於任何一篇包含核心情理（意）及景事物等外圍成分（象）的辭章，由章法切入，都可以理出「多、二、一（0）」結構。屬於「多」的任何一層結構單元，也都可以經由「移位」、「轉位」形成節奏，以統合於核心結構「二」，並上徹於主旨「一」，形成一篇辭章的韻律與風格（「0」）。「主旨」，是最核心的「意」；而「韻律」與「風格」，則是「主旨」統合意象之形成、表現與組織所產生的整體「審美風貌」。[308]

1 「多、二、一（0）」結構的節奏與韻律

宇宙萬有都處在不息的運動歷程中，即使看起來是靜的事物，也有動的因素；更重要的是它們與人的運動感官及心靈相聯繫。於是，人彷彿也可以感受到「力」在審美的「心理－物理」場之中來回擺盪。[309]若把此種運動中的「力」之強弱變化有規律地組合起來加以反覆，便形成節奏。所以，節奏包含了運動歷程中的「時間」關係，與長短、高低、強弱變化的「力」的關係。若在節奏的基礎上，賦予一定情調的色彩，便形成韻律。[310]

---

307 閱讀的過程，就是讀者逐漸化入意境的過程。讀者藉助於「語言」（文字）這個「階梯」，通過「語言」（文字）對美感情緒的逐步雕琢，沿著寫作主體的美感情緒規律和表達這種美感情緒的邏輯思維脈絡，而「化入意境」。張紅雨：《寫作美學》，頁377-388。

308 陳滿銘：〈辭章意象論〉，《師大學報：人文與社會類》50卷1期（2005年4月），頁17-19。

309 李澤厚：《美學四講》（臺北市：人間出版社，1988年11月1版1刷），頁52-53。

310 楊辛、甘霖：《美學原理》（北京市：北京大學出版社，1989年2月1版4刷），頁159。

劉大櫆《論文偶記》:「文章最要節奏。」[311]它能增強文章的氣勢與美感，引起讀者心靈的激盪，從而把抽象的感情納入審美心理結構之中，故古代文評家所指的「氣勢」、「神韻」、「骨力」、「姿態」等，就是不同聲音節奏所形成的韻律風格。《禮記・樂記》:「文采節奏，聲之飾也。」[312]文學的情趣主要靠聲音節奏來表現，「蓋音節者，神氣之迹也」。「音節高則神氣必高，……一句之中，或多一字，或少一字；一字之中，或用平聲，或用仄聲；同一平字仄字，或用陰平、陽平、上聲、去聲、入聲，則音節迥異，故字句為音節之矩。積字成句，積句成章，積章成篇，合而讀之，音節見矣；歌而詠之，神氣出矣」。[313]朱光潛也認為古文之所以特重朗誦，用意就在揣摩聲音節奏，故而特別在字的平仄、句的長短、文的駢散、段落的起伏開合上作工夫。[314]若進一步探究，則可以發現朱光潛所指出的形成節奏的方法，分屬於詞彙、語法、修辭、章法等範疇。辭章學的研究既是以意象、詞彙、修辭、語法、章法、文體、主題、風格等為其內涵，從「多、二、一（0）」結構來探討一篇辭章的節奏與韻律，自然也最貼切。

平仄，乃天然的音節。古代詩歌之所以講求有規律地交替運用「平聲哀而安，上聲厲而舉，去聲清而遠，入聲直而促」等輕重不同的聲調來安排音節停頓，就是為了構成詩節奏的抑揚之美。[315]押韻所

311 〔清〕劉大櫆：《論文偶記》（北京市：人民文學出版社，1998年5月1版1刷），頁5。

312 〔清〕阮元：《十三經注疏・禮記》，頁683。

313 〔清〕劉大櫆：《論文偶記》，頁6。

314 朱光潛：〈散文的聲音節奏〉，《談文學》（臺北市：臺灣開明書店，1966年11月臺4版），頁96-106。

315 李重華《貞一齋詩說》:「律詩只論平仄，終其生不得入門。既講律調，同一仄聲，須細分上去入，應用上聲者，不得誤用去入，反之亦然，就平聲中，又須審量陰

形成的聲音的回環，可使「滋味」流於字句，從而造成鏗鏘悅耳的美感。「文法有平有奇，須是兼備，乃盡文人之能事」。而語法的變化，一是講究語氣的變化，其中以虛字最為緊要：「虛字詳備，作者神態畢出」，聲音所表現的神情也就在承轉、肯否、驚歎、疑問等地方見出。二是講求句子結構的變化，以表達不同的思想情感。「凡行文多寡長短，抑揚高下，無一定之律，而有一定之妙」。[316]短句促而嚴，長句舒而緩；駢句工整，散句自然。長短參差、散中見整的句式，灑脫靈動，錯落有致，予人變化多姿的節奏美。藉助修辭手法調劑音節，也可增強語言節奏。如「回文」乃藉由相同語詞之重出，順序顛倒回環之變化，讓上下文句首尾相合，造成連續不斷、周而復始的節奏。「類疊」的作用主要在將情感表現得十分深細，製造一唱三歎、回環複沓的音律節奏美。如詩歌中的反覆其辭，再三重出，刺激因而深刻，語勢因而加強。而「文有數句用一類字，所以壯文勢，廣文義也」。[317]由於反覆是一種井然有序的律動，自然會產生期盼，每反覆重現一次，就會帶來更大的滿足與享受，使心神為之爽快。[318]

歷來關於字的平仄、句的駢散長短及修辭手法如何形成節奏的討論較多，也有相當豐碩的成果。唯有關於段落的起伏開合，關於作品內容安排的抑揚、張弛、正反、虛實等章法結構如何形成節奏感的研究，較少見。

先就章法的「移位」（順、逆）、「轉位」（拗）形成的單一結構來說。如前所述，所謂「秩序」，就是將文章材料依序加以安排。任何

陽、清濁，仄聲亦復如是。」見〔清〕王夫之等：《清詩話》（上海市：上海古籍出版社，1978年9月1版1刷），頁934。

316 以上三則，依次見〔清〕劉大櫆：《論文偶記》，頁8-9、12。

317 〔宋〕陳騤：《文則》（北京市：人民文學出版社，1960年4月1版1刷），頁30。

318 黃永武：《詩與美》，頁114；黃慶萱：《修辭學》，頁1-780。

章法依循此律，都可經由順向或逆向「移位」，形成其先後順序。如「點染」法的「先點後染」或「先染後點」結構，可形成由「點」向「染」移動（點→染，陰→陽）、或由「染」向「點」移動（染→點，陽→陰）的或順或逆移位。又如「圖底」法的「先底後圖」或「先圖後底」結構，可形成由「底」向「圖」移動（底→圖，陰→陽）、或由「圖」向「底」移動（圖→底，陽→陰）的或順或逆移位。這種由章法移位所形成的單一結構，在「點」與「染」之間、「圖」與「底」之間，由於陰陽力勢在審美的心理場與物理場之間流動，而具有了延續和相繼、間隔和持續的關係。也因為它具有「時間」和「力」這兩個基本元素，所以仍可構成簡單的節奏，只是力勢變化較簡單，傾向於沉靜。[319]

所謂「變化」，是把材料的次序加以參差安排。任何章法依循此律，都可經由「轉位」而形成拗向陰或拗向陽的變化結構。如「點染」法的「點、染、點」或「染、點、染」結構，可形成由「點」移向「染」再大力拉回「點」（點→染→點，陰→陽→陰）、或由「染」發展至「點」再拉回至「染」（染→點→染，陽→陰→陽）的拗向陰或拗向陽轉位結構。又如「圖底」法，可形成由「底」向「圖」移動又拉回至「底」（底→圖→底，陰→陽→陰）、或由「圖」向「底」移動再拉回至「圖」（圖→底→圖，陽→陰→陽）的拗向陰或拗向陽轉位結構。這種由「陰」流向「陽」再拉回「陰」或由「陽」流向「陰」再拉回「陽」的轉位，形成的是結構上一順又一逆的「往復」，是發展出去又拉回來的雙向作用。它既有時間的延展性，力勢的變化又較為顯著，雖然只具單一結構，但比起單純的「重複」、「反

---

319 王菊生：《造型藝術原理》（哈爾濱市：黑龍江美術出版社，2000年3月1版1刷），頁232。

覆」，節奏感自然較強烈，傾向於鼓舞。[320]而且，不管移位或轉位，二元對待的章法結構都可統攝一定的內容材料，彼此之間也會形成對比性或調和性關係，造成銜接與呼應，以合乎聯貫律的要求。一般而言，調和偏於陰柔，節奏較和緩；對比偏於陽剛，節奏較鮮明。同時由於它是材料與材料之間所形成的對比或調和，可從字面上加以判斷，顯著且較易掌握，可稱為顯性節奏。

再就結構單元所形成的「移位」（順、逆）、「轉位」（拗）來說。由於一篇辭章大都會形成兩層或兩層以上的結構單元，閱讀時必然也會從整體上來觀照全文，所以將這些結構單元的移位與轉位層層串聯組合起來，所呈現的就是運動變化的張力，以及由此而產生的「循環往復」節奏。它暗合人的生理、心理結構，可形成美的形式，引起審美愉悅。[321]由於這種形成秩序之「移位」、造成變化之「轉位」，在字面上看不出來，必須深入文章的底蘊，理清其組織、脈絡，才能加以掌握，故稱為隱性節奏。[322]然而不論移位、轉位所產生的隱性或顯性節奏，都可為文學作品風格增添或剛或柔的元素。

相較於「簡單節奏」的易於把握，此種從全篇觀點來掌握整體的「複雜節奏」，[323]其重複延續的過程變化多樣，故需依據「主節奏」來判斷。陳騤《文則》：「辭以意為主，故辭有緩有急，有輕有重，皆生乎意也。」[324]「意」立，而「象」與「音」隨之。因為任何藝術作品大都由多種個別意象及其要素構成，而各個意象及其要素又都可能

---

320 重複即同一形式再次出現，反復是同一形式的多次重複出現，是重複的持續延伸。王菊生：《造型藝術原理》，頁287；陳滿銘：《章法學綜論》，頁277-282。

321 張涵：《美學大觀》（鄭州市：河南人民出版社，1988年1月1版1刷），頁246。

322 陳滿銘：〈章法的「移位」、「轉位」結構論〉，《師大學報》第49卷第2期（2004年10月），頁15-19。

323 王菊生：《造型藝術原理》，頁232。

324 〔宋〕陳騤：《文則》，頁11。

形成各自的節奏，若不加以組織則會相互干擾而無法引起節奏感；所以必須著眼於主要結構和主要形象所塑造的主節奏、主旋律，以安排各種「次節奏」。[325]若就篇章的結構單元而言，與「主旨」關係密切的核心結構「二」，就是「主結構」；與「主旨」關係較疏離的各種輔助結構，就是「次結構」。

節奏是形成韻律的基礎條件，而韻律是節奏的深化，是多種節奏作巧妙、複雜的結合，依一定的秩序規律統一起來，然後匯歸於「情意」，依據「情意」的力量將變化多樣的節奏統一起來，激發審美想像，表現一種特別的意趣，滿足人的精神享受。[326]以此，若從節奏韻律的觀點來考察辭章章法之美，會發現它也合乎「繁多的統一」這一個美學至理。而且，根據結構的主（核心）、次（輔助），辨別它們與主要情意（主旨）的關係，進而掌握次結構的移位、轉位，以及由此而產生的或柔性或剛性節奏，就可以尋得主（核心）結構的韻律。主（核心）結構的韻律，又大幅度地支配了整篇作品的美感，使「繁多」清晰化，並趨於統一。[327]先以杜甫〈秋興八首〉其一為例，說明「多、二、一（0）」結構與節奏、韻律的密切關係：

> 玉露凋傷楓樹林，巫山巫峽氣蕭森。江間波浪兼天湧，塞上風雲接地陰。叢菊兩開他日淚，孤舟一繫故園心。寒衣處處催刀尺，白帝城高急暮砧。[328]

---

325 凡稍微複雜一點的節奏必分主節奏與次節奏。若無主節奏，就會發生節奏的混亂和模糊不清的毛病。王菊生：《造型藝術原理》，頁234-244。

326 楊辛、甘霖：《美學原理》，頁161；王菊生：《造型藝術原理》，頁245。

327 陳滿銘：《章法學綜論》，頁271-272。

328 〔清〕楊倫：《杜詩鏡銓》，頁922-923。

〈秋興八首〉當作於「大曆元年（766）秋在夔州，是兩見菊開也」（仇兆鰲）。[329]因秋意而起興發感懷，遂以「秋興」為題。首章，是詩人「身居巫峽，心望京華，為八詩之大旨」，[330]秋興之發端。首句，化用李玄邃〈感秋詩〉「玉露凋晚林」的詩意，從楓林秋露點染的一片秋氣起筆；繼而帶出巫山巫峽「兩岸連山，略無闕處，重巖疊嶂，隱天蔽日，自非亭午夜分，不見曦月」（《水經・江水》注）的蕭索陰沉。次聯，波浪在地而兼天，風雲在天而接地，以悲壯語，寫陰晦蕭森、動魄驚心的氣象。頷聯，因「公在夔兩見叢菊之開而墮淚，祗因心在故園，時思出峽，乃兩見花開，一身久滯，如孤舟繫於江上，一繫而不可解」。[331]淚落於黃菊兩度花開時，滯身於無法久安的夔州，視線故而在高處的巫山秋林和低處的江波孤舟之間流轉，倍覺淋漓悲戚，進而拈出一篇主旨「故園心」。「頷聯悲壯，頸聯淒緊。以節則杪秋，以地則高城，以時則薄暮。刀尺苦寒，急砧促別。末句標舉興會，略有五重。所謂嵯峨蕭瑟，真不可言」（錢謙益）。[332]於是末聯結上而生下，以薄暮中的白帝城為底色，凸出處處催寒衣的砧板聲，藉由聽覺意象將鄉思之情推展至最高處。其結構表為：

329 高步瀛：《唐宋詩舉要》，頁580-581。

330 查曰：「八詩以秋意提出，因秋而起興也。身居巫峽，心望京華，為八詩之大旨。曰巫峽，曰夔府，曰瞿唐，曰江樓、滄江、關塞，皆言身之所處。曰故園，曰故國，曰京華、長安、蓬萊、曲池、昆明、紫閣，皆心之所思。此八詩中線索。」高步瀛：《唐宋詩舉要》，頁581。

331 高步瀛：《唐宋詩舉要》，頁581。

332 高步瀛：《唐宋詩舉要》，頁581。

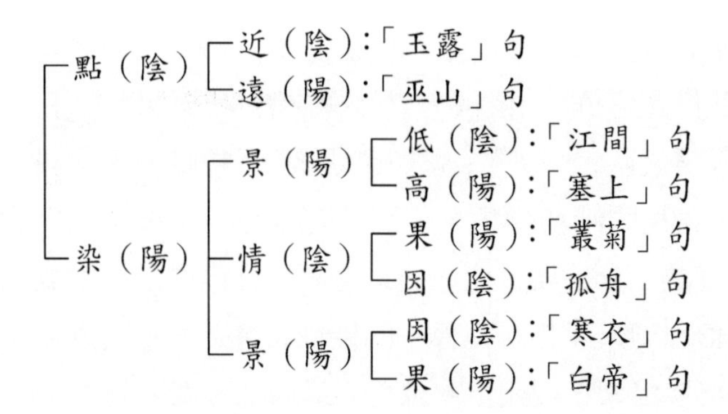

分層簡圖為：

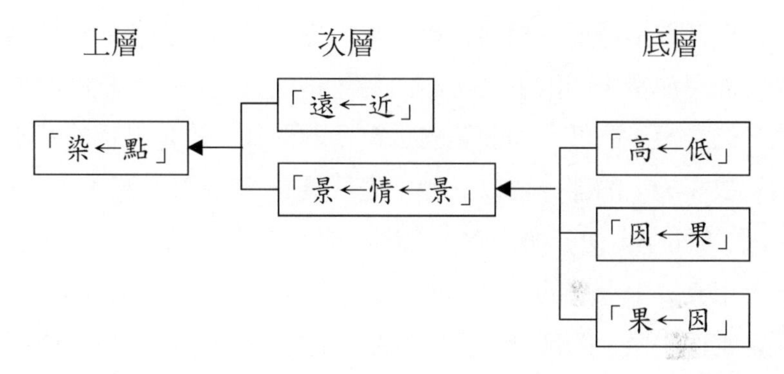

「詩以意法勝者宜誦，以聲情勝者宜歌」。[333]然不管宜誦或宜歌，都和詩的節奏感有關。此詩為「八詩之綱領也，明寫秋景，虛含興意，實拈夔府，暗提京華」（浦起龍），[334]以平聲侵韻的林、森、陰、心、砧等韻字，帶出淒緊的節奏感。「疊韻如兩玉相扣，取其鏗鏘；雙聲如貫珠相聯，取其宛轉」；[335]上四下三的句式及其平仄格律的相對和交錯，取其聲音的抑揚。二三聯對仗句的作用在使形式工整，讀起來音韻鏗鏘，便於記憶和傳誦。中國語言文字富於「感覺

333 〔清〕劉熙載：《藝概》（臺北：漢京文化事業公司，2004年3月初版1刷），頁77。

334 〔清〕劉熙載：《藝概》，頁581。

335 〔清〕李重華：《貞一齋詩說》，見〔清〕王夫之等：《清詩話》，頁935。

性」，語言之起，部分是由於「表音」與「表德」，與「觸受」有密切關係，「故『灼灼』狀桃花之鮮，『依依』盡楊柳之貌，『杲杲』為日出之容，『瀌瀌』擬雨雪之狀，『喈喈』逐黃鳥之聲，『喓喓』學草蟲之韻」。[336]詩人感物，善用眼睛觀形色，用耳朵聽聲音，用鼻子聞氣味，用肌膚和肢體辨寒熱、分軟硬，使心靈有悲喜。杜甫即是此中高手。其中尤以暮色裡傳出刀尺擊打在砧板上的硬冷聲音，使主觀意識觀照之下的客觀形貌再現出來，襯托苦寒意境，最攝人心魂。

若從章法「多、二、一（0）」結構的節奏與韻律來看，「篇」的部分，形成「先點後染」順移結構。「點」的部分，是時空的切入點，僅作為敘事抒情的橋梁，以一疊「先近後遠」調和性移位結構所造成的簡單節奏來開啟下文。而節奏，是運動過程中有秩序的連續，是樂音的長短、高低、強弱等變化組合的形式，也是結構的基本構成因素；故「染」的部分，以一疊「先低後高」（秩序、順）、一疊「先果後因」（秩序、逆）與一疊「先因後果」（秩序、順）的調和性輔助結構，來支撐上一層的「景、情、景」核心結構；再由此調和性轉位結構來支撐「染」的部分，使得此部分由「移位」、「轉位」所造成的明顯而有變化的「反覆」與「往復」節奏，與「點」的部分銜接呼應，串聯為一篇韻律，形成「偏剛」的力勢。方植之指此詩「起句下字密重可法，三、四沉雄壯闊，五、六哀痛，收別出一層，悽緊蕭瑟」，「所謂身在江湖，心殷魏闕，古之忠愛者其情皆如是也」，[337]洋溢強烈的家國感思，凸出一篇主旨「故園心」。而這又很明顯地可從理清核心結構「景→情→景」（陽流向陰再拗向陽）與輔助結構「多」，考察其「低→高」（陰流向陽）、「果→因」（陽流向陰）、「因

336 王更生：《文心雕龍讀本》，下冊，頁302。

337 王更生：《文心雕龍讀本》，下冊，頁581。

→果」（陰流向陽）、「近→遠」（陰流向陽）、「點→染」（陰流向陽）等各層結構單元移位、轉位的情形及其強烈的向陽力勢，由局部而整體、層層串聯所形成的節奏與韻律中見出。

次如辛棄疾〈醜奴兒近〉：

> 千峯雲起，驟雨一霎兒價。更遠樹斜陽，風景怎生圖畫！青旗賣酒，山那畔別有人家。只消山水光中，無事過這一夏。
> 午醉醒時，松窗竹戶，萬千瀟灑。野鳥飛來，又是一般閑暇。卻怪白鷗，覷著人欲下未下。舊盟都在，新來莫是，別有說話？[338]

此詞題作「博山道中效李易安體」，當是稼軒退居帶湖之初的作品，抒寫夏日避暑於博山、醉飲於村店的悠閒生活。博山在今江西廣豐縣西南，稼軒有〈清平樂〉二闋，分別題作「獨宿博山王氏菴」及「博山道中即事」；〈江神子〉一闋，題作「博山道中書王氏壁」；〈鷓鴣天〉一闋，題作「博山寺作」；〈醜奴兒〉二闋，題作「書博山道中壁」；〈點絳唇〉一闋，題作「留博山寺，聞光風主人微恙而歸，時春漲斷橋」；〈行香子〉一闋，題作「博山戲呈趙昌甫、韓仲止」。可見稼軒常行遊此地，也多所吟詠。

篇腹「只消山水光」二句，是綱領所在，形成「山光」、「無事」雙軌。篇首六句，具寫「山光」，先底而後圖，著力摹寫因為驟雨初晴，「博山道中」一片煙光景致。雲嵐起於千峰，遠樹啣住斜陽，在這如畫一般的風景圖上，凸出了山畔賣酒人家的青旗，為全詞染就一派悠閑氣息。下片「午醉醒時」十句，以松竹瀟灑、野鳥閑暇、白鷗

338 鄧廣銘：《稼軒詞編年箋注》，頁171。

欲下，具寫「無事」。「午醉」作為上下闋的過渡，予人時間上的跳躍感。松竹之色，幽中見深；野鳥之飛，動裡取靜。由野鳥帶出的白鷗，反襯了詞人心中的不靜。宋孝宗淳熙九年（1182），稼軒遭受主和派彈劾落職而退居帶湖，曾作〈水調歌頭・盟鷗〉：「凡我同盟鷗鷺，今日既盟之後，來往莫相猜」，傳達「白髮蒼顏吾老矣，只此地，是生涯」（〈江神子・博山道中〉）的意念。然又總有「生平剛拙自信，年來不為眾人所容，顧恐言未脫口而禍不旋踵」（〈論盜賊劄子〉）的疑慮，所以松竹、野鳥等自然意象，雖為全詞增添了無限的閑適意，「卻怪白鷗」等句，反用《列子・黃帝》狎鷗鳥而不驚的典故，以白鷗「覷著人欲下未下」、「別有說話」的疑忌之心，為文情帶來了轉折與變化，寄官場不得意的悵惘之情於篇外。

「清照工詩文，尤以詞擅名。其所作詞，善於將尋常習用語言，隨手拈來，度入音律，鍊句精巧，意境清新，卓然為宋代一大家」。[339] 綜觀此詞，上片寫景，讚美博山一帶引人入勝的山光水色；下片抒情，寫詞人酒醒後閑看白鷗所引起的遐想。筆調空靈，形象清新，頗效李易安「甚霎兒晴，霎兒雨，霎兒風」（〈行香子・草際鳴蛩〉）的秀麗溫婉詞風。[340]其結構表為：

339 鄧廣銘：《稼軒詞編年箋注》，頁171。

340 喻朝剛：《辛棄疾及其作品》（長春市：時代文藝出版社，1989年1版1刷），頁175；陳滿銘：《詞林散步》，頁302。

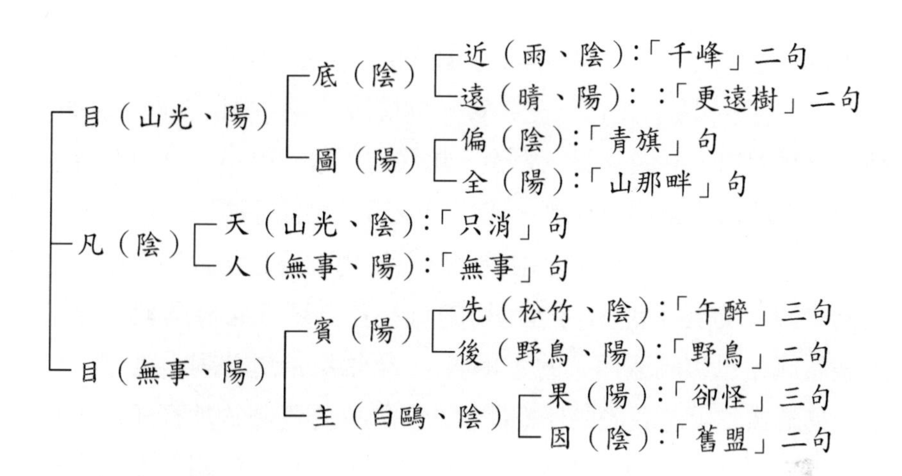

其分層簡圖為：

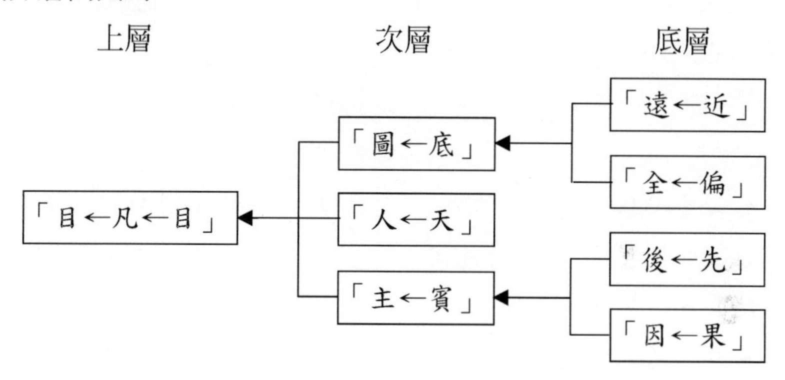

〈醜奴兒近〉詞牌，雙調九十字，叶韻方式頗有不同。價、畫、家、夏、灑、暇、下、話等韻字，以仄韻間叶一平韻的方式形成其節奏。詞家用韻，「一轉一深，一轉一妙，此騷人三昧。倚聲家得之，便自超出常境」。[341]稼軒除了效法易安「用淺俗之語，發清新之思」（《金粟詞話》）的特色；詞末三句，刻意不採直敘句式，而用向白鷗提問的語氣，使筆勢驟起波瀾。綱領出現在「凡」的部分，因此可確定「目、凡、目」為核心結構「二」。「目一」，以「底→圖」（陰→

341 〔清〕劉熙載：《藝概・詞曲概》，頁114。

陽）統合「近→遠」及「偏→全」由陰向陽流動的力勢；「目二」，以「賓→主」（陽→陰）統合「先→後」向陽及「果→因」向陰流動的力勢。以此相加，形成強弱、急徐、起伏的反覆式節奏，帶領讀者意會其中的心理情感與抽象意蘊，進而形成節奏連續性原則，以支撐上層的「目→凡→目」（陽→陰→陽）。核心結構雖為整首詞帶來較為強勁的向「陽」力勢，然因為所運用的材料性質類近而偏屬調和性關係，整體風格也趨向剛與柔的「相濟」。夏承燾指這首詞「雖然在文字上容易讀懂，可是我們要仔細體會，因為它裡面隱約地寄託了他的身世之感」。[342]正因這種寄託於篇外的「言外之意」，斂剛於柔，使雄健之章，亦饒頓挫，而使一向「詞豪」（王國維《人間詞話》）本色的稼軒詞，展現另一種風情。

再以《檀弓・趙文子知人》為例說明：

> 趙文子與叔譽，觀乎九原。文子曰：「死者如可作也，吾誰與歸？」叔譽曰：「其陽處父乎？」文子曰：「行并植於晉國，不沒其身，其知不足稱也。」「其舅犯乎？」文子曰：「見利不顧其君，其仁不足稱也。我則隨武子乎。利其君不忘其身，謀其身不遺其友。」晉人謂文子知人。文子其中，退然如不勝衣；其言，吶吶然如不出諸其口。所舉於晉國管庫之士，七十有餘家，生不交利，死不屬其子焉。[343]

本文旨在稱美趙文子之德。「趙文子」十八句，以叔向問文子答、叔向

342 賀新輝主編：《宋詞鑒賞辭典》（北京市：北京燕山出版社，2000年11月1版7刷），頁751。

343 〔清〕阮元：《十三經注疏・禮記》（嘉慶二十年江西南昌府學開雕，臺北市：藝文印書館印行，1985年12月10版），頁199。

再問文子再答的形式，敘寫趙文子與叔向在九原（卿大夫葬處），關於陽處父「不智」、舅犯「不仁」的討論。而他所提出的「不忘其身」、「不遺其友」、「利其君」等觀點，也盡現趙文子「知人」的本領。利其君而不忘其身，足以稱為「智」；謀其身而不遺其友，足以稱為「仁」。有二子之長而無二子之短，仁智兼得，故以「晉人謂文子知人」一句，結上生下，為一篇綱領。陽處父、舅犯、趙文子，三者形成對照，文意份外凸顯。文末，深進一層描寫趙文子。退，柔和貌。吶吶，舒小貌。「謙之極其狀似弱」，「謹之極其語似拙」，言行既謙且敬，所以能「不忘其身」；「所舉亦不見遺」，有知人之實，自然也就沒有「見利不顧其君之行」了。[344]其結構表為：

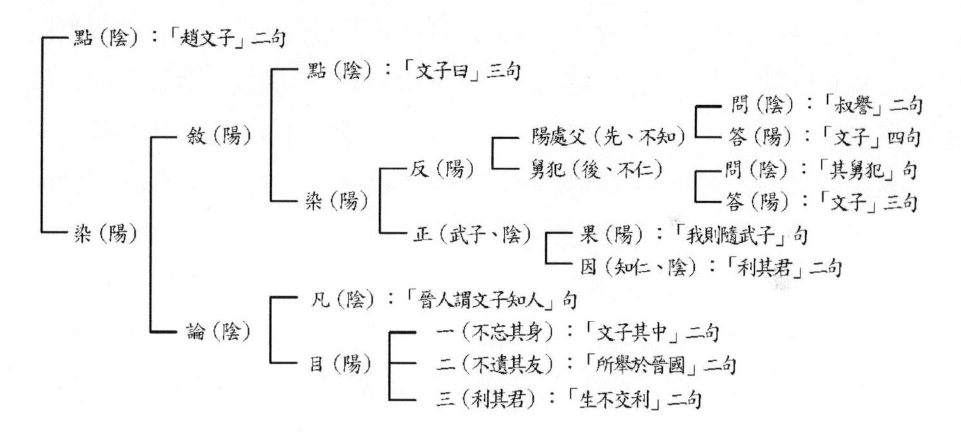

其分層簡圖為：

344 〔清〕林雲銘：《古文析義合編》，頁486。

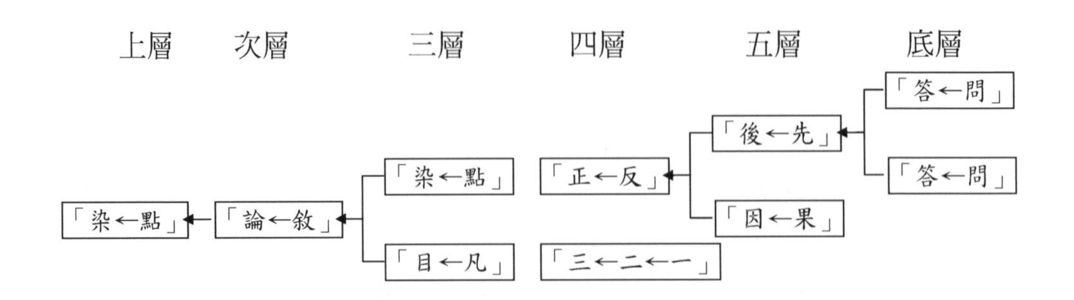

詢問式語法具有「刺激」與「反應」雙重屬性，可凸顯論點，啟發思考。連問連答，尤可層層深入揭示主題，呈現猛烈的語文氣勢，並使內在意脈的流貫自然連結成一個和諧的統一體。再從章法結構來看，二疊「問→答」（陰→陽）、一疊「先→後」（陰→陽）、一疊「果→因」（陽→陰）等結構，形成輕重有序的反覆節奏。它們的聯繫既單純又強烈，在形式上增強了結構的條理性及連續性，有助於取得整體形象的統一，故由第四層的「反→正」（陽→陰）對比性結構，統合陽處父的「不知」、舅犯的「不仁」和武子的「既仁且知」，彰顯趙文子見地之高。有能力評點前人之優劣，緣於自己有此本領，所以武子的「既仁且知」，就是趙文子個人的寫照。再由此支撐第三層的「點→染」（陰→陽）和「凡→目」（陰→陽）移位結構，進而凸出這一個「敘→論」核心結構「二」，以「知人」二字結上啟下，貫通最高一層的「點→染」（陰→陽）結構，達成一篇之韻律。林雲銘評：「立身事君，智仁二者，不可缺一。」「以『知人』二字結過，便直敘其為人，隱隱與上文對照，有藕斷絲連、鏡花水月之妙。《國語》所不能及，全在於此。」[345]也由於這「藕斷絲連、鏡花水月之妙」，及「反正」、「果因」結構所帶來的向陰力勢，而使全文呈現「剛中寓柔」的風格。

345 〔清〕林雲銘：《古文析義合編》，頁486。

末以曾鞏〈墨池記〉為例說明：

> 臨川之城東，有地隱然而高，以臨於溪，曰新城。新城之上有池，窪然而方以長，曰王羲之之墨池者，荀伯子臨川記云也。羲之嘗慕張芝臨池學書，池水盡黑，此為其故跡，豈信然耶？方羲之之不可強以仕，而嘗極東方，出滄海，以娛其意於山水之間，豈有徜徉肆恣，而又嘗自休於此耶？羲之之書晚乃善，則其所能，蓋亦以精力自致者，非天成也。然後世未有能及者，豈其學不如彼耶？則學固豈可以少哉，況欲深造道德者耶？墨池之上今為州學舍，教授王君盛，恐其不章也，書晉王右軍墨池六字於楹間以揭之。又告於鞏曰：願有記。推王君之意，豈愛人之善，雖一能不以廢，而因以及乎其迹耶。其亦欲推其事，以勉學者耶。夫人之有一能，而使後人尚之如此，況仁人莊士之遺風餘思，被於來世者，何如哉。[346]

宋慶曆八年（1048），曾鞏來臨川憑弔墨池遺跡，應州學教授之請而作記，形成「先點後染」結構。「點」的部分，首記其地，次點墨池。空間的推移，由大而小，令讀者的視覺凝注在新城墨池這一個焦點上。墨池，傳說就是當年王羲之效法「張芝臨池學書，池水盡黑」處，因而引發議論。「染」的部分，以「豈信然耶」這一個疑筆，引起下文。王羲之不願為官而「與東土人士盡山水之遊，弋釣為娛。又與道士許邁共修服食，采藥石不遠千里，遍游東中諸郡，窮諸名山，泛滄海」，[347]暢意於山水之間；因此關於墨池的傳說，實「不足信」。

---

346 宋文蔚：《評註文法津梁》，頁5-6。

347 「時驃騎將軍王述少有名譽，與羲之齊名，而羲之甚輕之，由是情好不協。……述後檢察會稽郡，辯其刑政，主者疲於簡對。羲之深恥之，遂稱病去郡。」〔唐〕

而且，《晉書・王羲之傳》記載，「羲之書初不勝庾翼、郗愔，及其暮年方妙。嘗以章草答庾亮，而（庾）翼深歎伏」。[348]可見其平時學書的「精力自致」及刻苦專一，而非「天成」。於是作者有意在此作一折筆，點醒「學」字，說明想要「深造道德」的人豈能不效尤王氏刻苦學書的精神，再從「學書」推出「學道」一層，顯豁本文主旨。意脈先後相承，文思壯闊。

王羲之臨池學書，是「賓」；王君「以脩復墨池，推出勉人學道一層」，才是「主」。所以「墨池之上」等句，筆鋒折回墨池本身，敘述作記之因，正面肯定王君想要「推其事以勉人學道」之意；再以「勉人學道」作一宕筆，推到「仁人莊士」這一層，指其流風令人思慕，更甚於墨池。全文於「小中見大，收束全篇，餘韻悠然」。[349]其結構表為：

房玄齡等撰：《晉書・卷八十・王羲之傳》（上海：上海古籍出版社，1989年8月1版6刷），頁245。

348 〔唐〕房玄齡等撰：《晉書・卷八十・王羲之傳》，頁245。

349 〔唐〕房玄齡等撰：《晉書・卷八十・王羲之傳》，頁5-6。

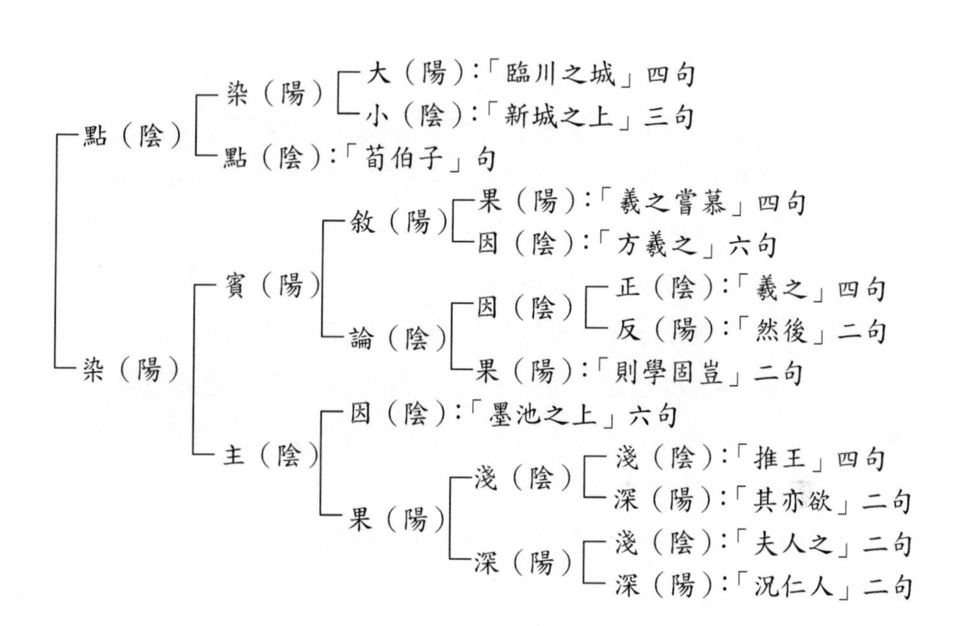

其分層簡圖為：

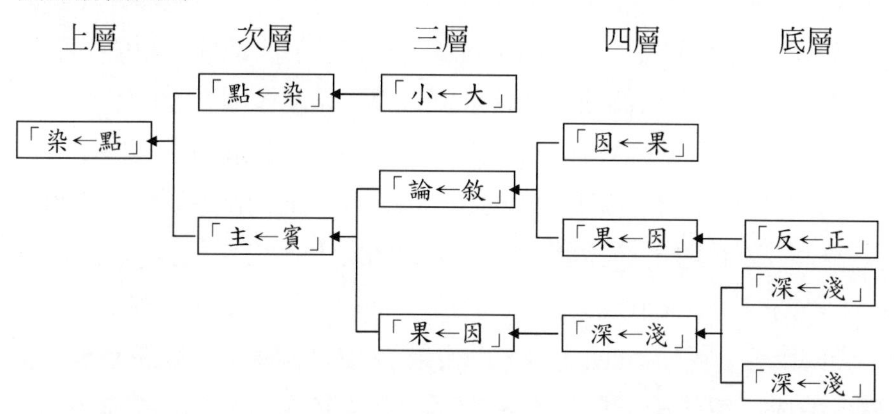

古文講究聲音，特別在虛字上作工夫。重要的虛字不外承轉詞（如「隱然而高」的「而」字，「則其所能，蓋亦以精力自致者」的「則」字、「蓋」字）、肯否助詞（如「非天成也」、「恐其不章也」的「也」字）、及疑問詞（如「豈信然耶」的「耶」字，「豈可少哉」的「哉」字）幾大類，聲音節奏所表現的氣勢或神韻，也就在承轉、肯

否、疑問等地方見出。大體而言，長短不同的句型可以產生不同的情調，情感平穩時，用長短參差的句型，讀來舒緩有節奏；情感激昂時，用特長或特短的句子可以表綿綿不盡或澎湃激越的情緒。或將文句拉長，以強調豐富的意象；或將文句特別鋪展，以婉轉表達一個單純的意念。排比的句子能形成排山倒海的氣勢。至於從排偶繁衍出來的錯綜法，將文句或複疊、或拉長、或截短，都足以強化某一特定效果。[350]本文又多揣測、疑問句法，把「豈信然耶」等問題懸示出來，以提起下文。這種意味性的問話，可寄寓繁多抽象的意涵，予人弦外之音的尋思妙趣。「豈其學不如彼耶」、「況欲深造道德者耶」等為激發本意的激問，則是以否定形式表示肯定的意思，且令文意的鋪陳，緊緊圍繞墨池這一中心線索，頗具一波三折之美。

章法結構的安排，也有助於節奏感的形成。從「篇」來看，「點」的部分，僅作為時空的切入點，故以一疊「先點後染」（陰流向陽）、一疊「先大後小（陽流向陰）移位結構，造成簡單的節奏來開啟下文。「染」的部分，主要是以二疊「先淺後深」（陰流向陽）、一疊「先正後反」（陰流向陽）之文意推展，形成調和中又摻雜著對比意味的移位結構，造成反覆的第一層節奏；並由第四層的「先果後因」（陽流向陰）、「先因後果」（陰流向陽）、「先淺後深」（陰流向陽）等調和性結構形成流麗有致的第二層節奏。再由此支撐第三層的「先敘後論」（陽流向陰）、「先因後果」（陰流向陽）等順逆向移位結構，造成反覆的第三層節奏。進而由此支撐第二層的「先賓後主」（陽流向陰）調和性移位結構，形成第四層節奏，並以此貫串統合「學書」、「學道」、「脩復墨池以勉人學道」等各層文意，形成一種疏

350 鄭明娳：〈余光中散文論〉，收入黃維樑：《璀璨的五彩筆・余光中作品評論集（1979-1993）》（臺北市：九歌出版社，1994年10月初版），頁257-277。

密有致的流動。這種「流動」所傳達的意蘊，又滲透著人的審美時間意識、空間意識，帶來一種立體的審美感受。唯須特意一提的是，此文因為「墨池上有學舍，是以推到學道上立論」，故主旨安置在「賓」的部分，是較為特殊的一例；「若在他處，則又不當作如是觀矣」。[351]因此，「先賓後主」就是核心結構「二」，再由此帶出「先點後染」（陰流向陽）結構，形成最高一層節奏，然後結合各層節奏，以達成一篇的韻律。

韻律之所以產生魅力，是因為韻律的情感表現力與人的本質力量的對象化，能激發讀者的聯想而產生審美判斷力。若對應於「多、二、一（0）」結構，除了核心結構（「二」），其他的「淺深」、「正反」、「因果」、「淺深」、「大小」、「敘論」、「因果」、「染點」、「點染」等，都屬於「多」，輔助推出「勉人學道」的主旨（「一」）。此文「若論正面，不過為王羲之故跡，數語可了」；但曾鞏從寬處著想，善審題情，一題到手，細細涵咏一番，「手筆靈敏，於無情中發出至情，自成一篇妙文」，並能歸宿到題旨，使其「波瀾富有，不復覺題之窄」。[352]而「波瀾富有」，即「剛中寓柔」風格（「0」）的體現。以此可發現，注意字的平仄、語法句式、修辭藝術，理清章法結構及其移位、轉位的情形，即可大致掌握一篇辭章所形成的節奏與韻律。同時也彰顯了章法風格形成的過程。

2 「多、二、一（0）」結構的風格

由於章法所探討的原是「篇章內容」的邏輯結構，與「情」、「理」、「物（景）」、「事」等內容，關係極為密切，故章法風格自是最接近一篇辭章的風格。

---

351 宋文蔚：《評註文法津梁》，頁6。

352 宋文蔚：《評註文法津梁》，頁4-5。

(1) 文學風格的類型

風格，指作風、風貌、格調，是各種特點的綜合表現，是某一事物區別於其他同類事物的「區別性特徵」的總和，故而有建築風格、雕塑風格、音樂風格、服裝設計風格、藝術風格、文學風格之分。若就文學風格而言，又可分為文體、作品、作家、流派、時代、地域、民族等風格。[353]

談文體風格者，如曹丕《典論・論文》分為「夫文本同而末異，蓋奏議宜雅，書論宜理，銘誄尚實，詩賦欲麗」等四種文體風格。[354]又如陸機〈文賦〉分文章體裁為「詩緣情而綺靡，賦體物而瀏亮；碑披文以相質，誄纏綿而悽愴；銘博約而溫潤，箴頓挫而清壯；頌優遊以彬蔚，論精微而朗暢；奏平徹以閑雅，說煒燁而譎誑」[355]等十類的獨特風格。

至於作家風格的形成，劉勰《文心雕龍・體性》認為與「才、氣、學、習」相關：「才有庸儁，氣有剛柔，學有淺深，習有雅鄭，並情性所鑠，陶染所凝，是以筆區雲譎，文苑波詭者矣」。[356]進而說明「才力居中，肇自血氣；氣以實志，志以定言，吐納英華，莫非情性。是以賈生俊發，故文潔而體清；長卿傲誕，故理侈而辭溢；子政簡易，故趣昭而事博；子雲沈寂，故志隱而味深；孟堅雅懿，故裁密而思靡；……觸類以推，表裏必符」[357]等不同作家風格。

---

353 王希杰：《修辭學通論》（南京市：南京大學出版社，1996年6月1版1刷），頁497；黎運漢：《漢語風格學》（廣州市：廣東教育出版社，2000年2月1版1刷），頁2-3。

354 楊成鑑：《中國詩詞風格研究》（臺北市：洪葉文化事業公司，1995年12月初版1刷），頁5。

355 周啟成等：《新譯昭明文選》，頁676。

356 王更生：《文心雕龍讀本》，下冊，頁21。

357 王更生：《文心雕龍讀本》，下冊，，頁22。

流派風格是指一種風格形成一個流派，在這個流派內的詩人大抵有著類似的主張與要求。如講求文體的新變、題材的側重、風格的輕絕的「宮體」詩；講究音節鏗鏘、辭藻豔麗的「西崑體」；以黃庭堅為首的「江西詩派」，李東陽所創的「茶陵派」等皆屬之。[358]

文學的作品風格也會隨著社會生活的變化、作者知識閱歷的增長，產生相應的變化。如《南齊書．張融傳》記載，張融通過自己的創作實踐，體會「吾文體英絕，變而屢奇，既不能逮之漢魏，故無取嗟晉宋」。「逮之漢魏」、「取嗟晉宋」，指的就是時代風格。它不僅受當代政治形勢影響，也受社會風氣影響，如《文心雕龍．時序》所說的「幽、厲昏而〈板〉、〈蕩〉怒；平王微而〈黍離〉哀。故知歌謠文理，與世推移，風動於上，而波震於下」；故「春秋以後，角戰英雄；六經泥蟠，百家飆駭」。[359]

風格也與執政者對某一學派的提倡有關。如《文心雕龍．明詩》：「暨建安之初，五言騰躍。文帝、陳思，縱轡以騁節；王、徐、應、劉，望路而爭驅；並憐風月，狎池苑，述恩榮，敘酣宴。慷慨以任氣，磊落以使才；造懷指事，不求纖密之巧，驅辭逐貌，唯取昭晰之能；此其所同也。」[360]建安風骨引領一代風騷。

詩文的時代風格，還可透過文學體裁本身不斷發展的過程來考察，如葉燮《原詩．外篇下》：「漢、魏之詩，如畫家之落墨於太虛中，初見形象，一幅絹素，度其長短、闊狹，先定規模；而遠近濃淡，層次脫卸，俱未分明。六朝之詩，始知烘染設色，微分濃淡；而

358 關於其他流派，尚有明前七子、後七子，唐宋派、公安派、竟陵派、桐城派、陽湖派、湘鄉派等。周振甫：《文學風格例話》（上海市：上海教育出版社，1989年7月1版1刷），頁186-226。

359 王更生：《文心雕龍讀本》，下冊，頁269-270。

360 王更生：《文心雕龍讀本》，上冊，頁85。

遠近層次，尚在形似意想間，猶未顯然分明也。盛唐之詩，濃淡遠近層次，方一一分明，能事大備。宋詩則能事益精，諸法變化，非濃淡、遠近、層次所得而該，刻畫搏換，無所不極。」[361]以絹素為喻，說明不同時代所展現的不同詩風。

至於談作品風格的，有劉勰《文心雕龍・體性》:「典雅者，鎔式經誥，方軌儒門者也；遠奧者，複采曲文，經理玄宗者也；精約者，覈字省句，剖析毫釐者也；顯附者，辭直義暢，切理厭心者也；繁縟者，博喻醲采，煒燁枝派者也；壯麗者，高論宏裁，卓爍異采者也；新奇者，擯古競今，危側趣詭者也；輕靡者，浮文弱植，縹緲附俗者也。故雅與奇反，奧與顯殊，繁與約舛，壯與輕乖，文辭根葉，苑囿其中矣」，[362]指出八種作品風格的基本特徵及相互關係。[363]又《文心雕龍・議對》:「然仲瑗博古，而銓貫有敘。長虞識治，而屬辭枝繁。及陸機斷議，亦有鋒穎，而腴辭弗剪，頗累文骨，亦各有美，風格存焉」[364]，則分別指出了應劭、傅咸、陸機三人各具獨特的作品風格。

以上，是就各種不同的文學風格而言。若落到一篇作品來說，又有內容與形式（藝術）風格的不同。形式（藝術）更有文法、修辭和章法等風格之別。由於一般人大都僅就整體來作綜合性的探討，甚少從內容與形式這兩方面來加以析論；從文法、修辭和章法等角度來推求風格的，更為少見，章法風格就屬於此類。這是由於辭章家一直未注意到章法是建立在「陰陽二元對待」基礎之上的緣故。基於此，陳

361 〔清〕王夫之等撰，丁福保編：《清詩話》，頁601。

362 王更生：《文心雕龍讀本》，下冊，頁21。

363 其他尚有地域的風格、民族的風格；至於「平易、流暢、純樸、通俗」等，指的則是語言風格。周振甫：《文學風格例話》，頁228-271；楊成鑑：《中國詩詞風格研究》，頁18-19。

364 王更生：《文心雕龍讀本》，上冊，頁442。

滿銘率先從章法的角度來探討一篇辭章的風格。[365]

「道」(「一（0)」)，是宇宙萬物的本源，是「無有」、「虛實」的統一。「道」所生的「象」，雖也具有「恍惚窈冥」的性質，但是單有「象」並不能充分體現「道」。要體現「道」，既需「超言」，也需「超象」；因此，以「0」來指稱一篇辭章風格（含韻味、氣象、境界）的抽象力量，自然貼切。如石濤《畫語錄》談「一畫」：

> 太古無法，太樸不散。太樸一散，而法立矣。法於何立？立於一畫。一畫者，眾有之本，萬象之根。……立一畫之法者，蓋以無法生有法，以有法貫眾法也。……蓋自太樸散，而一畫之法立矣；一畫之法立，而萬物著矣。[366]

「太樸一散」而「氣」生，「氣」是由道之所動而生，所以它是一種生生的動勢和功能。「氣」既是一種動勢和功能，當其流動之際，便形成一種「風」。「風」循著理路而行，形成「風格」。「風格」、「氣韻」，就是作者生命情感的運行、表現於作品中所顯現的律動。宇宙既是一陰一陽、一虛一實的生命節奏，所以它根本上是虛靈的時空合一體，是流蕩著的氣韻生動，是「體盡無窮而遊無朕」。「體盡無窮」，已證入了生命的無窮節奏；「而遊無朕」，即是在傳統繪畫底層的空白裡傳達的形而上之「道」。[367]以此，由「太樸」而「一畫」而「有法」、由「有法」而貫「眾法」的演生過程，說明了「太樸」就是「道生一」的「道」，就是「0」，指稱抽象的「風格」。而且，不管

---

365 陳滿銘：〈章法風格中剛柔成分的量化〉，《國文天地》19卷6期（2003年11月），頁86。

366 俞崑：《中國畫論類編》，頁147。

367 宗白華：《美學散步》，頁58-59。

是由「意象」所構成的辭章內涵，或是由「象」而「意」，追求韻外之致、味外之旨的「意境」說、「悟境」說，它們的哲學源頭也都可追溯至此。

（2）章法風格之成因

陽剛或陰柔的力勢不同，形成的風格也就不同。而陽剛或陰柔形成的強度力勢，又受到「章法本身的陰柔、陽剛屬性」、「章法結構的調和、對比屬性」、「章法結構移位與轉位的變化」、「章法結構的層級」、「核心結構」等幾個因素的影響。[368]

章法與章法結構，既是建立在「陰陽二元對待」的基礎上，自然與「剛柔」風格有直接關係。陽剛與陰柔，作為兩大美學風格的代名詞，[369]其源頭可上溯至《周易》。[370]如〈說卦傳〉：「立天之道，曰陰與陽；立地之道，曰柔與剛。」〈繫辭上〉：「剛柔相推而生變化。」唯明確從作品風格的角度提出剛柔美學見解，首推劉勰《文心雕龍．鎔裁》：「剛柔以立本，變通以趨時。」[371]然而運用和「剛」、「柔」相接近或類似的特性來談論風格的理論，雖出現甚早，卻遲遲未能直接拈出「剛」與「柔」。如嚴羽《滄浪詩話．詩辨》分詩為高、古、深、遠、長、雄渾、飄逸、悲壯、淒婉等九品；劉劭《人物志》以陰陽剛柔品評人物為十二類型；明末清初黃宗羲〈縮齋文集序〉也曾以

368 陳滿銘：〈章法風格中剛柔成分的量化〉，頁88。

369 陰陽在《周易》中，經常與剛柔相連屬。剛柔是陰陽的重要屬性，然而在藝術領域，剛柔概念的運用，則遠比陰陽概念的運用普遍。甚且可以說，剛柔是中國美學的一對重要範疇。」陳望衡：《中國古典美學史》，頁183。

370 相關論述請見黃淑貞：《篇章對比與調和結構論》（臺北市：萬卷樓圖書公司，2005年6月初版），頁251-269。

371 王更生：《文心雕龍讀本》，下冊，頁92。

陰陽之氣論文，但一樣未直接提到「剛柔」；[372]清代魏禧《魏叔子文集·文瀫敘》約略指出陰陽互乘交錯而有重、輕、弱、強之別，產生「遭之重者」和「遭之輕者」兩種不同類型的「文」。真正進一步將風格簡約為陽剛、陰柔兩大類，則是姚鼐的〈復魯絜非書〉：「文者，天地之精英，而陰陽剛柔之發也。」其中，雄渾、勁健、豪放、壯麗等，可歸入陽剛類；含蓄、委曲、淡雅、高遠、飄逸等，可歸入陰柔類。[373]

章法既是由陰陽二元對待組成，無論形成調和性或對比性，每一種章法本身即自成陽剛或陰柔。[374]如今昔法，以「昔」為陰為柔、「今」為陽為剛；久暫法，以「暫」為陰為柔、「久」為陽為剛；問答法，以「問」為陰為柔、「答」為陽為剛；遠近法，以「近」為陰為柔、「遠」為陽為剛；大小法，以「小」為陰為柔、「大」為陽為剛；內外法，以「內」為陰為柔、「外」為陽為剛；左右法，以「左」為陰為柔、「右」為陽為剛等等。而在「多、二、一（0）」邏輯原理的涵蓋下，核心結構所形成的「二元對待」，必然也會形成結構的「調和性」（陰）或「對比性」（陽），以發揮徹上（「一（0）」）與徹下（「多」）的作用。如：「立」與「破」、「抑」與「揚」、「縱」與「收」、「正」與「反」、「張」與「弛」等，較易形成「對比性」。如「本」與「末」、「淺」與「深」、「平」與「側」、「點」與「染」、「偏」與「全」、「情」與「景」、「論」與「敘」、「敲」與「擊」等，極易形成「調和性」。就一篇辭章而言，全然形成「對比」者較少，

372 于民、孫通海：《中國古典美學舉要》（合肥市：安徽教育出版社，2000年9月1版1刷），頁962。

373 這兩者「糅而氣有多寡進絀」，在混雜交錯中，陰陽之氣又有多、少、消、長之別，以致形成各種的風格變化。周振甫：《文學風格例話》，頁13。

374 陳滿銘：〈章法風格中剛柔成分的量化〉，頁88。

在「對比」(主)中含有「調和」(輔)者較常見;全然形成「調和」者較多,在「調和」(主)中含有「對比」(輔)者,較為少見。

形成「對比」或「調和」關係的,除了章法本身的毗陰或毗陽屬性、章法結構的調和對比屬性外;尚需考慮章法單元、結構單元的移位(順、逆)與轉位(拗向陽、拗向陰)。章法單元的「移位」,是指章法二元本身所形成的順向或逆向運動。如立破法,可形成「立→破」順向結構、「破→立」逆向結構;近遠法,可形成「近→遠」順向結構、「遠→近」逆向結構等。至於「移位」結構單元所形成的順、逆向運動,如「立→破」(順移)→「本→末」(順移)、或「點→染」(順移)→「遠→近」(逆移)、或「今→昔」(逆移)→「抑→陽」(順移)等。章法單元的「轉位」,是指章法二元本身所形成的往復運動。如立破法,可形成「立→破→立」拗向陰結構、「破→立→破」拗向陽結構;近遠法,可形成「近→遠→近」拗向陰結構、「遠→近→遠」拗向陽結構等。結構單元的「轉位」,是指章法結構所形成的往復運動。如「立→破」→「破→立」,由「陰」流向「陽」再大力拉回「陰」,形成「拗向陰」的「轉位」;「遠→近」→「近→遠」,由「陽」流向「陰」再大力拉回「陽」,形成「拗向陽」的「轉位」。其餘以此類推。

一般的藝術創作者都會把一切藝術表現對象理解為不斷運動變化的存在,甚而與自己的心靈相通,企求體察、反映出存在於物態中的靈動之「勢」。這些或順、或逆、或拗的「勢」本身,雖也有其陰陽(以弱、小者為陰,強、大者為陽),卻不能藉以確定章法結構的「陰」、「陽」,它完全要依據結構內的運動而定。以此,若再就章法結構的層級與核心結構「二」來看,推動輔助結構「多」運動變化的陽剛、陰柔二元力量,都是由其核心結構「二」發揮徹下徹上的作用，利用陰陽力勢的流動，逐層予以統合。而且，愈往上層力勢愈強。[375]

綜合以上這幾種因素的交錯變化，若結構向「陰」流動，加強的是陰柔之力勢，易形成「純柔」、「偏柔」、或「柔中寓剛」的風格；若「結構」向「陽」流動，加強的則是陽剛之力勢，易形成「純剛」、「偏剛」、或「剛中寓柔」的風格。[376]先以杜甫〈麗人行〉為例說明：

> 三月三日天氣新，長安水邊多麗人。態濃意遠淑且真，肌理細膩骨肉勻。繡羅衣裳照暮春，蹙金孔雀銀麒麟。頭上何所有，翠為盍葉垂鬢脣。背後何所見，珠壓腰衱穩稱身。就中雲幕椒房親，賜名大國虢與秦。紫駝之峰出翠釜，水精之盤行素鱗。犀筯厭飫久未下，鸞刀縷切空紛綸。黃門飛鞚不動塵，御廚絡繹送八珍。簫鼓哀吟感鬼神，賓從雜遝實要津。後來鞍馬何逡巡，當軒下馬入錦茵。楊花雪落覆白蘋，青鳥飛去銜紅巾。炙手可熱勢絕倫，慎莫近前丞相嗔。[377]

此詩當作於天寶十二年（753）。《新唐書・楊貴妃傳》記載，「妃每從游幸，乘馬則力士授轡策。凡充錦繡官及冶瑑金玉者，大抵千人，奉須索，奇服祕玩，變化若神」。玄宗每幸華清宮，楊氏兄妹「五宅車騎皆從，家別為隊，隊一色，俄五家隊合，爛若萬花，川谽成錦繡，國忠導以劍南旗節。遺鈿墮舄，瑟瑟璣琲，狼藉于道，香聞數十

375 陳滿銘：〈章法風格中剛柔成分的量化〉，頁89-90。

376 陳滿銘：〈章法「多、二、一（0）」結構的風格形成〉，《章法學綜論》，頁298-307。

377 〔清〕楊倫：《杜詩鏡銓》，頁201-203。

里」。[378]杜甫於是賦作此詩，諷刺時政的腐敗與楊氏的荒淫。「點」的部分，「三月」二句，以三月初三新朗的天氣及長安水邊濯洗的麗人，作為敘事的引子，為全詩染上一層富麗的色彩。

「染」的部分，先敘「麗人」、後點「秦虢」，先敘「紫駝」、後點「御廚」，先敘「簫鼓」「賓從」、後點「丞相」，分層渲染諸楊遊宴曲江之事。杜甫以「態濃意遠」、「肌理細膩」等語彙，畫出楊氏姐妹的國色天姿；再以「淑且真」等語，反言諷刺楊氏姐妹的荒淫。「繡羅」以下八句，描摹了麗人服飾的華美，再借「雲幕椒房」點出虢國、秦國、韓國三位夫人。詩言「多麗人」，著眼卻在三夫人；三夫人見，而眾麗人見，貴族淫佚驕奢的頹風也見。繡羅、蹙金、銀、珠、孔雀、麒麟等精美詞彙所洋溢的「一片清明之氣」，不諷而諷意明。

「紫駝」八句，在紫駝素鱗等色香味兼美的菜肴和翠釜水晶等精雅器皿的烘襯下，詩人又添上「犀箸厭飫久未下，鸞刀縷切空紛綸」神來一筆，令饌飲音樂之精、淫逸驕奢之靡，整個凸現出來。繼之以「後來」八句，順勢帶出丞相旁若無人、「當軒下馬」這一個特寫鏡頭。雖無一語譏刺，描摹處卻語語譏刺；雖無一聲慨歎，點逗處卻聲聲慨歎。魏朝胡太后〈楊白花歌〉[379]的典故及漢武帝故事，[380]備言楊

378 〔北宋〕歐陽脩、宋祈撰、楊家駱主編：《新校本新唐書附索引》（臺北市：鼎文書局，1989年12月5版），頁3494。

379 〈楊白花歌〉：「陽春二三月，楊柳齊作花。春風一夜入閨闥，楊花飄蕩落南家。含情出戶腳無力，拾得楊花淚沾臆。秋去春還雙燕子，願銜楊花入窠裏。」《梁書．楊華傳》：「楊華，武都仇池人，魏胡太后逼通之。華懼及禍，乃率郭降梁。胡太后追思之不能已，為作楊白華歌辭，使宮人晝夜連臂蹋足歌之，聲甚悽惋。」〔清〕楊倫：《杜詩鏡銓》，頁203。

380 〔清〕楊倫：「七月七日王母至，有二青鳥如烏夾侍王母旁。」見〔清〕楊倫：《杜詩鏡銓》，頁203。

國忠與三位夫人的「狎昵之態」，諷刺之意至此已極為顯明。末尾再以「慎莫近前丞相嗔」一句作收，直接道明楊氏家族「炙手可熱」之勢。施補華《峴傭說詩》指此詩「前半竭力形容楊氏姐妹之游冶淫泆，後半敘國忠之氣焰逼人，絕不作一斷語，使人於意外得之，此詩之善諷也」。[381]又：「甫有炙手可熱、慎莫見嗔於丞相之句，所以戒當世之士大夫，無以譏切其黨以取禍害。觀詩以碩人美莊姜與申后，蓋取其碩美之德。今此詩以麗人名篇，豈非刺貴妃之黨徒以豔麗之色寵貴乎？杜甫深意於茲可見。」[382]由此，李安溪引歐陽脩語，指此詩寓「春秋之義，痛之深則詞益隱」，「刺之則旨益微」。[383]其結構表為：

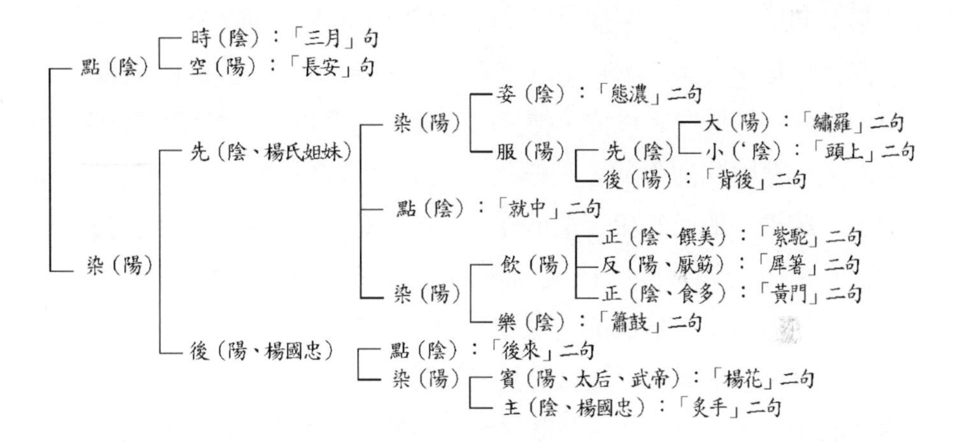

其分層簡圖為：

381 〔清〕王夫之等撰，丁福保輯：《清詩話》，頁1020。

382 〔宋〕闕名集註：《分門集註杜工部詩》（上海涵芬樓借南海潘氏藏宋刊本，臺北市：大通書局，1974年10月初版），頁337。

383 〔清〕楊倫：《杜詩鏡銓》，頁203。

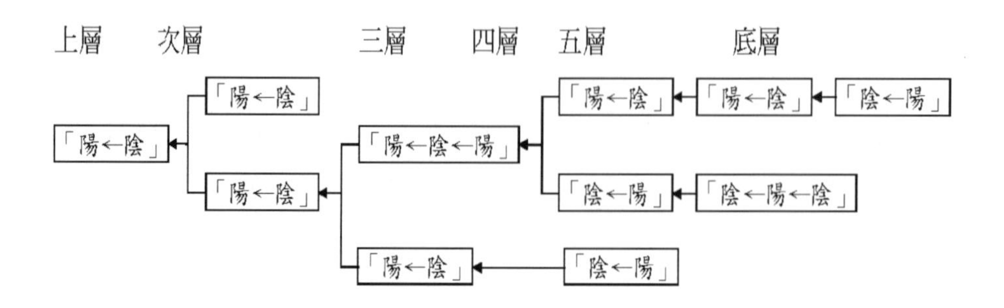

若考察第三層的「染→點→染」（由陽流向陰再拗向陽）所統合的「大→小」（陰流向陽）→「先→後」（陰流向陽）→「姿→服」（陰流向陽）和「正→反→正」（由陰流向陽再拗向陰）→「飲→樂」（陽流向陰）、「點→染」（陰流向陽）所統合的「賓→主」（陽流向陰）等輔助結構單元移位、轉位的情形，可發現其由局部而整體、由下而上地藉陰陽力勢的運動變化，以支撐第二層的「先→後」（陰流向陽）結構，繼而和第二層的「時→空」（陰流向陽）貫串支撐上層的核心結構「點→染」（陰流向陽），形成律動感。其中，利用再三用細筆細擦而淋漓，形成的「點中有點」、「點中有染」、「染中有染」、「染中有點」現象，不僅可清楚呈現辭章的邏輯層次，而且貼近於哲學層面中「一」與「多」的關係，產生循環往復的節奏，引發一種向上延伸的心理性審美移情感受。[384]由於全詩的章法結構大都向「陽」而動，加強的都是陽剛之「勢」，因而形成「偏剛」風格（「0」），凸出「美人相、富貴相、妖淫相，後乃現出羅剎相，真可笑可畏」[385]的諷刺意旨（「一」）。

一般而言，作品風格之形成，可大分為兩類，一是內在之因素，

---

384 黃淑貞：〈論章法的「四點染」——以東坡詞為例〉，《中國學術年刊》第二十七期春季號（2005年3月），頁189-214。

385 〔清〕楊倫：《杜詩鏡銓》，頁203。

亦即「命」之風格。如劉勰《文心雕龍・體性》:「才有庸儁，氣有剛柔。」先天的才與氣，貫串並深藏於所有作品之中，形成全期作品的共同特色。二是外在之因素，亦即「運」之風格，它會因時空、境遇之不同而產生變化。如《文心雕龍・時序》:「觀其時文，雅好慷慨，良由世積亂離，風衰俗怨，並志深而筆長，故梗概而多氣也」。[386]

若以杜甫詩為例來說明，即可窺見一班。首先，就其「命」之風格來看。杜甫曾為文，指「用拙存吾道」。羅大經《鶴林玉露》指出:「夫拙之所在，道之所存也」,「故作字惟拙筆最難，作詩惟拙句最難。至於拙，則渾然天全，工巧不足言矣」。[387]關於「渾」，司空圖《二十四詩品・雄渾》的解釋最精當:「大用外腓，真體內充。返虛入渾，積健為雄。」「渾，全也，渾然天成也」;「雄，剛也，大也，至大至剛之謂」。[388]「拙」，所以能全、能大、能剛。[389]羅大經《鶴林玉露》以為李太白、杜子美「所以為詩人冠冕者，胸襟闊大故也」。[390]又《甌北詩話・卷二・杜少陵詩》:

---

386 此二則，依次見王更生:《文心雕龍讀本》，下冊，頁22、271-272。

387 〔宋〕羅大經《鶴林玉露》卷三:「作詩必以巧進，以拙成。故作字惟拙筆最難，作詩惟拙句最難。至於拙，則渾然天全，工巧不足言矣。……杜陵云:『用拙存吾道。』夫拙之所在，道之所存也。詩文獨外是乎?」(臺北市:臺灣開明書店，1968年11月1版)，頁11。

388 〔唐〕司空圖:《二十四詩品》(臺北市:金楓出版社，1987年6月初版)，頁44-45。另外，《中國美學大辭典・雄渾》:「雄，至大至剛之力;渾，自然完全之體。意指詩歌雄健有力、渾然天成的藝術風格。」(合肥市:安徽教育出版社，2000年5月1版1刷)，頁175。

389 王國維《人間詞話》中所謂「大的境界」、「有我之境」的宏壯之美，就是陽剛之美。大的境界的陽剛之美，予人以偉大、壯闊、雄渾之感。姚一葦:《藝術的奧祕》，頁319。

390 羅大經:「李太白云:『剗卻君山好，平鋪湘水流。』杜子美云:『斫卻月中桂，清光應更多。』二公所以為詩人冠冕者，胸襟闊大故也。此皆自然流出，不假安排。」《鶴林玉露》，卷九，頁13。

> 蓋其思力沉厚，他人不過說到七八分者，少陵必說到十分，甚至有十二三分者。其筆力之豪勁，又足以副其才思之所至，故深人無淺語。……思力所到，即其才分所到，有不如是則不快者。此非性靈中本有是分際，而盡其量乎？[391]

因此，杜甫詩的風格，主要是雄渾剛健而沉著深厚。[392]「雄渾」，正是杜詩「命」風格的「陽剛」底色。[393]

再從「運」之風格來看。杜甫「逢祿山之難，流離隴蜀，畢陳于詩，推見至隱，殆無遺事，故當時號為『詩史』」（唐孟棨《本事詩·高逸第三》）。[394]如天寶十四年（755）安史之亂起，杜甫作〈自京赴奉先縣詠懷五百字〉，細膩而生動地描繪「是月九日，安祿山軍至長安，京師君臣奔走」的景況。詩中的「彤庭所分帛，本自寒女出。鞭韃其夫家，聚斂貢城闕。聖人筐篚恩，實欲邦國活。臣如忽至理，君豈棄此物」八句，就是「爾俸爾祿、民膏民脂之意也。士大夫誦此，亦可以悚然懼、惻然思矣」。[395]又如代宗廣德二年（764）八月，吐蕃入寇，十月攻陷邠州及奉天，車駕幸陜。又三日，吐蕃攻陷京師，杜甫作〈冬狩行〉：「朝廷雖無幽王禍，得不哀痛塵再蒙」。羅大經《鶴林玉露》以為「蓋幽王以褒姒而致犬戎之禍，明皇以妃子而致祿山之變，正相似也。今無妃子之孽矣，而鑾輿乃再蒙塵何哉！此其眙變稔

---

391 郭紹虞編選：《清詩話續編》（臺北市：藝文印書館，1985年9月初版），頁1151。

392 周振甫：《文學風格例話》，頁103-105。

393 如張紅雨即指出，寫作主體特定的生活經歷、藝術才能、文化修養、語言特色、審美習慣、審美追求、情緒波動、感應方式等因素，是對美感形態的一種反應、一種表達。以此，作品風格深受世界觀和創作方法的直接影響。《寫作美學》，頁156。

394 吳文治：《宋詩話全編》（南京市：江蘇古籍出版社，1998年12月1版1刷），頁1017。

395 〔宋〕羅大經：《鶴林玉露》，卷八，頁12。

禍，必有出於女寵之外者矣，是不可不哀痛而悔艾也」；故「此詩盛慨固深，印證老杜憂時愛民之心甚切」。[396]這都是杜甫憂時愛民，發而為詩，深寄家國悲感的表現。另一方面，杜甫雖曾因「獻三大禮賦，玄宗奇之，召試文章，授京兆府兵曹參軍」，但不久即遭逢安史之亂，輾轉流離，仕途甚為不如意，「兒女餓殍者數人」，[397]故詩中又多身世之感。因為生命情調「雄渾」，凡家國身世悲感之作，其風格又多「陽剛」，所以形成了杜詩較偏近於「陽剛」的整體風格。[398]這與從章法「多、二、一（0）」結構之角度切入分析所得，也相當吻合。[399]

再以譚用之〈秋宿湘江遇雨〉為例說明：

> 江上陰雲鎖夢魂，江邊深夜舞劉琨。秋風萬里芙蓉國，暮雨千家薜荔村。鄉思不堪悲桔柚，旅遊誰肯重王孫。漁人相見不相問，長笛一聲歸鳥門。

---

396 〔宋〕羅大經：《鶴林玉露》，卷一，頁15。又：「杜陵詩云：『新松恨不長千尺，惡竹應須斬萬竿。』言君子之孤難扶植，小人之多難驅除也。嗚呼，道至於如此，亦可哀矣。」卷二，頁14。

397 《舊唐書．列傳第一百四十下．文苑下》：「甫天寶初應進士不第。天寶末，獻三大禮賦，玄宗奇之，召試文章，授京兆府兵曹參軍。十五載，祿山陷京師，肅宗徵兵靈武，甫自京師宵遁赴河西，……自負薪採梠，兒女餓殍者數人。」〔後晉〕劉昫等撰，楊家駱主編：《新校本舊唐書附索引》，頁5054。

398 生活中若出現逆向、反動的事物，會出現憤怒或仇恨情緒，把這種情緒波動輸入載體，常是陽剛形態。如杜甫歷經「安史之亂」，深覺唐朝的腐敗和危機，深感憂慮，情緒隨著唐王朝的興衰而起伏；加上由於宦途的失意和生活的困頓，使他也處於難民的行列，看到了人民的疾苦，他正視社會現實並把自己的情緒波動輸入載體，寫〈三吏〉、〈三別〉，這即是充溢著憤懣、憂慮情緒的陽剛形態作品。張紅雨：《寫作美學》，頁153-154。

399 至於同一組詩中之所以會出現「剛中寓柔」、「純剛」、「剛柔相濟」與「純剛」、「偏柔」等不同風格，則是與內容主旨之多寡、顯隱、強弱有密切關係，因而形成陰、陽「力」（勢）之或消或長，產生不同的風格變化。

湘江北流至湖南，注入洞庭湖，「湘」成為湖南省的簡稱；在魏晉時代和「瀟」字結合成「瀟湘」一詞，汲取了中國文學和文化脈絡中更深的原型意義，寄託個人的孤高之志或離愁別恨。[400]首句，經由詩人的眼睛帶出湘江的夜雨秋色，以「陰」、「鎖」二字為全詩鋪就一層黑得化不開的抑鬱底色。次句，則援引《晉書》「（祖逖）與司空劉琨俱為司州主簿，情好綢繆，共被同寢。中夜聞荒雞鳴，蹴琨覺曰：『此非惡聲也。』因起舞。逖、琨並有英氣，每語世事，或中宵起坐，相謂曰：「若四海鼎沸，豪傑並起，吾與足下當相避於中原耳」的典故，[401]恰當地托起詩人在逆境中力圖奮揚的心志。

「若有人兮山之阿，被薜荔兮帶女蘿」（〈山鬼〉）的薜荔，屈原視之為香草。湖南舊有芙蓉國之稱，芙蓉為荷花的別名，李時珍《本草綱目》指其「產於淤泥，而不為泥染；居於水中，而不為水沒。根莖花實，凡品難同；清淨濟用，群美兼得」。[402]風，是一種動態意象，可使人全方位感受到景物的存在與變化。其中又以「秋風」出現的頻率較高，呼應「悲秋」的文學主題。雨之聽覺意象，出現的時間以黃昏夜晚為主，[403]本身形貌雖有疾徐疏密之殊，也因環境和背景而有明與暗、闊與狹、喧與寂之別，但以其同質性高，可以喚起一種記憶，成為一種符號、一種象徵，折射其內心世界與精神面貌。以此，

---

400 衣若芬：〈宋代題「瀟湘」山水畫詩的地理概念、空間表述與心理意識〉，李豐楙、劉苑如主編：《空間、地域與文化──中國文化空間的書寫與闡釋》（臺北市：中央研究院中國文哲研究所，2002年12月初版），頁325-372。

401 〔唐〕房玄齡等撰：《晉書．列傳第三十二．祖逖傳》（上海市：上海古籍出版社，1989年8月1版6刷），頁197。

402 〔明〕李時珍：《本草綱目》（北京市：人民衛生出版社，2003年7月1版1刷），頁1894。

403 范曉燕：〈論唐宋詩詞中「雨」的審美意象群〉，《深圳大學學報．人文社會科學版》第1期（2002年1月），頁52-59。

詩人在頷聯借風雨薜荔芙蓉等典型意象所具有的普遍意義，指向某種高遠心志的希冀和追求。[404]

第五句的「悲桔柚」，典出《晏子春秋・內篇・襍下》：「橘生淮南則為橘，生於淮北則為枳。葉徒相似，其實味不同。所以然者，何水土異也。」[405]及《淮南子・俶真訓》：「是故槐榆與橘柚，合而為兄弟；有苗與三危，通而為一家。」[406]第六句，語出《楚辭・招隱士》：「猿狖群嘯兮虎豹嗥，攀援桂枝兮聊淹留。王孫游兮不歸，春草生兮萋萋」，委婉傾訴濃濃的「鄉國之思」及懷才不遇的心曲，為全詩主旨所在。詩人此時所遊之地，正是三閭大夫昔年足跡所到處，故末聯化用了《楚辭・漁父》「屈原既放，遊於江潭，行吟澤畔，顏色憔悴，形容枯槁。漁父見而問之」[407]的事典，以屈原雖被逐，尚有漁父可對話作為反襯，凸出自己寂寞無侶的孤影，踽踽獨行於一江秋水、蕭蕭笛聲中。其結構表為：

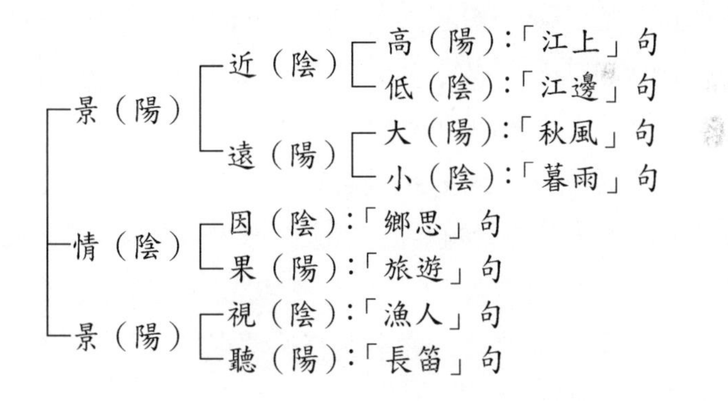

404 王長俊：《詩歌意象學》（合肥市：安徽文藝出版社，2000年8月1版1刷），頁205-206。

405 〔西漢〕劉向：《晏子春秋》（中華書局據平津館本校刊，未著年），頁4。

406 劉文典：《淮南鴻烈集解》（臺北市：文史哲出版社，1985年9月再版），卷二，頁36。

407 以上二則，依次見〔漢〕劉向編集，王逸章句：《楚辭》（北京市：商務印書館，1939年12月初版），卷之十二，頁123-124；卷之七，頁89。

其分層簡圖為：

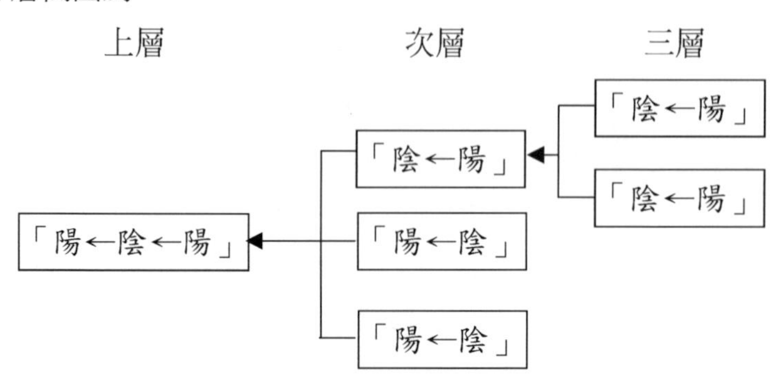

次層的「近→遠」（順移，陰→陽）統合了底層的「高→低」（逆移，陽→陰）和「大→小」（逆移，陽→陰）結構單元，再和「因→果」（順移，陰→陽）、「視→聽」（順移，陰→陽）等結構單元形成強弱、延續、反覆的節奏，然後在情景交融的境界中，帶領讀者意會其中的情感起伏和抽象意蘊。全詩的章法結構，向「陽」流動的陽剛之「勢」為多，其中尤以第一層的「景、情、景」核心結構，形成由陽向陰流動再拗向陽的力勢，故形成「偏剛」風格。書鳳娟析評這首詩：「客遊湘江的詩人面對沉沉暮雨、滔滔江水，高大挺拔的木芙蓉、繁密碧綠的薜荔……，不禁浮想聯翩。報國的雄心、懷才不遇的憂悶、飄零他鄉的淒苦、知音難覓的惆悵，一時間匯集心底，於是寫下了這首著名的〈秋宿湘江遇雨〉。全詩意境開闊，氣韻沉雄。」[408] 而「開闊」與「沉雄」，正是「陽剛」風格的體現。

又如辛棄疾〈清平樂〉：

連雲松竹，萬事從今足。拄杖東家分社肉，白酒牀頭初熟。

408 《中國古代山水詩鑒賞辭典》（南京市：江蘇古籍出版社，1989年7月1版1刷），頁578。

西風梨棗山園，兒童偷把長竿。莫遣旁人驚去，老夫靜處閑看。[409]

此詞當作於退居帶湖最初的三兩年（孝宗淳熙九年左右）。因「稼軒之帶湖居第，乃建於信州附郭靈山門外者，洪邁《稼軒記》有『東岡西阜，北墅南麓』等語，稼軒因亦自稱山園」[410]，故題作「檢校山園，書所見」。首句以「檢校山園」所見的蒼松修竹，具寫山林生活的喜悅。王維〈酬張少府〉：「松風吹解帶，山月照彈琴。」杜甫〈佳人〉：「天寒翠袖薄，日暮倚修竹。」故「松竹」一詞，予人品格無限美好的聯想。「萬事從今足」句，是一篇綱領所在，總括詞人退隱之後滿足於山林生活的閒適心境。「拄杖」二句，以東家分肉、牀頭熟酒這兩件生活小瑣事，具體道出有酒又有肉的逍遙自適的山居生活。下片四句，緊扣著題意，書寫巡視山園時，靜觀兒童手持長竿偷梨兒棗兒吃的景況，將「萬事足」的喜悅與悠然的心境推到了最巔峯。[411]其結構表為：

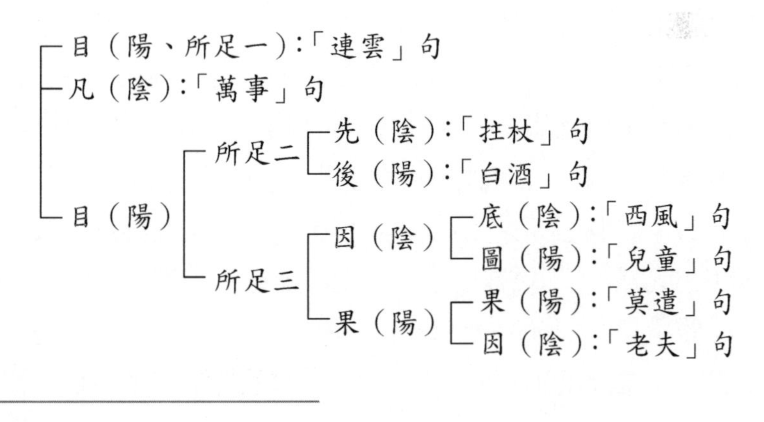

409 鄧廣銘：《稼軒詞編年箋注》，頁194。

410 鄧廣銘：《稼軒詞編年箋注》，頁194。

411 陳滿銘：《詞林散步》，頁319；陳弘治：《唐宋詞名作析評》（臺北市：文津出版社，1988年10月5版），頁330。

其分層簡圖為：

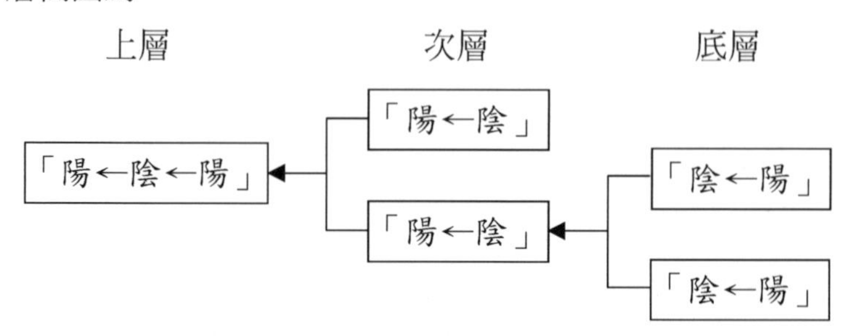

底層的「底→圖」、「果→因」逆向移位結構單元，由「陽」向「陰」流動的力勢，貫串了次層的「先→後」（陰→陽）和「因→果」（陰→陽）順向移位結構單元，支撐上層的「目、凡、目」拗向陽核心結構，為全詞帶來極大的向「陽」力勢，也令原本單一平穩的節奏，成為一種有變化有層次的律動。由於底層摻有一些向「陰」流動的力勢，其餘皆向「陽」，以此相加，則形成「剛中帶柔」風格。劉熙載《藝概》:「稼軒詞龍騰虎擲，任古書中理語、廋語，一經運用，便得風流，天姿是何夐異！」又:「蘇、辛皆至情至性人，故其詞瀟灑卓犖，悉出於溫柔敦厚。世或以粗獷託蘇、辛，固宜有視蘇、辛為別調者哉！」[412]王國維《人間詞話》也以為「南宋詞人，白石有格而無情，劍南有氣而乏韻。其堪與北宋人頡頏者，唯一幼安耳」；這是因為「幼安之佳處，在有性情，有境界。即以氣象論，亦有『橫素波、干青雲』之概」；故「讀東坡、稼軒詞，須觀其雅量高致，有伯夷、柳下惠之風」。[413]這裡所謂的「龍騰虎擲」、「瀟灑卓犖」、「溫柔敦厚」、「雅量高致」，有「性情」，又有「境界」等，都一致地指出了稼軒詞既有「雄深雅健」的一面，又有「作嫵媚語」的一面。[414]證之

412 〔清〕劉熙載：《藝概・詞曲概》，頁151。
413 王國維：《新譯人間詞話》，頁95-96、102。
414 周振甫：《文學風格例話》，頁168-169。

此詞，可窺見一斑。

末以張可久〈折桂令〉為例說明：

> 對青山強整烏紗。歸雁橫秋，倦客思家。翠袖殷勤，金杯錯落，玉手琵琶。人老去西風白髮，蝶愁來明日黃花。回首天涯，一抹斜陽，數點寒鴉。

此曲題作「九日」，以重九遊賞為題，抒發思鄉之愁與身世之感。首句抒寫人事，化用了馬致遠〈夜行船．秋思〉:「綠樹偏宜屋角遮，青山正補牆頭缺」的詩意；繼而暗引「晉孟嘉落帽」的典故，帶出身世之感，預為下面的「倦客」鋪墊。

張可久一生仕途頗不如意，後來雖隱居西湖，「急疏利鎖，頓解名韁」(〈滿庭芳．山中雜興之二〉)，「看雲坐，聽雨眠，鶴飛歸老梅庭院；青山隱居心自遠，放浪他柳鶯花燕」(〈落梅風．閑居〉)，但在作品之中仍不時可發現不得志的牢騷與憤懣。因此，通過語典或事典可有效地具象化某些感情和情況，喚起種種聯想，擴大詩意的範圍；而桓溫、孟嘉君臣相遇的美談，也成為文人生命中最深底層的豔羨。第二句直道眼前景物，借歸雁意象反映文人的心靈世界和思鄉之情。其中，「橫」字下得極巧，傳神了一行大雁南飛的獨行感，也預為「思家」染就一層濃濃的秋意。「半紙虛名，萬里修程」(〈上小樓．春思〉)，故「倦客思家」一句，為全曲的重心，既總括上文，又統攝下文。鏡頭隨之一轉，以「翠袖殷勸」三句，寫昔日美人殷勤勸酒、彈琴宴集的情景。作者有意化用晏幾道〈鷓鴣天〉「彩袖殷勤捧玉鐘」及白居易〈琵琶行〉的詩意，再鋪以「翠」、「金」、「玉」等明豔富麗的色澤光彩，暗寄官場富貴不可久恃之意。「人老去」二句，取蘇軾〈南鄉子〉「萬事到頭都是夢，休！休！明日黃花蝶也愁」的詞意，對偶句式加上倒裝的藝術手法，可和諧音韻，且凸出一幅暮已近、髮已白、花又黃的圖象來，發出「愁」「老」的深沉悲感。「回首」三句，取秦觀〈滿庭芳〉「斜陽外，寒鴉數點，流水繞孤村」的意象，在回眸向天涯之際，以漸逸漸遠的數點寒鴉，弧出一片蒼茫遼闊的視覺空間。是景語，也是情語，寄半生漂泊的倦客之意和思鄉之情於蒼涼的微茫中。蘊藉典雅，堪稱元散曲中的精品。[415]其結構表為：

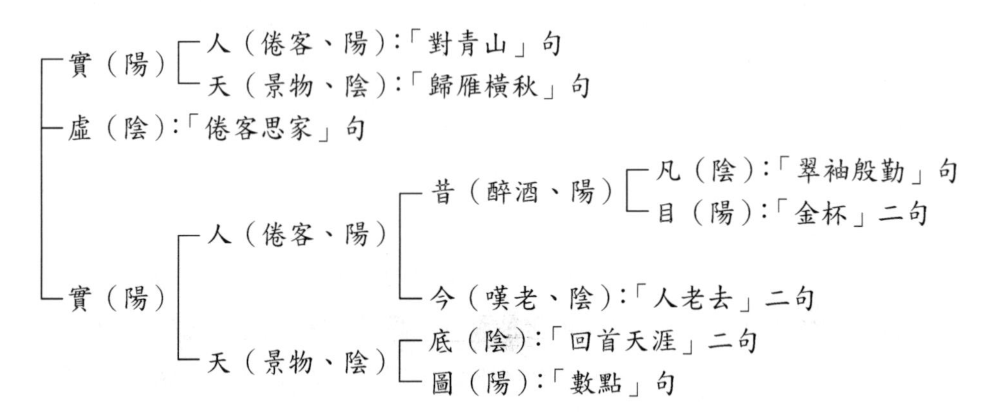

其分層簡圖為：

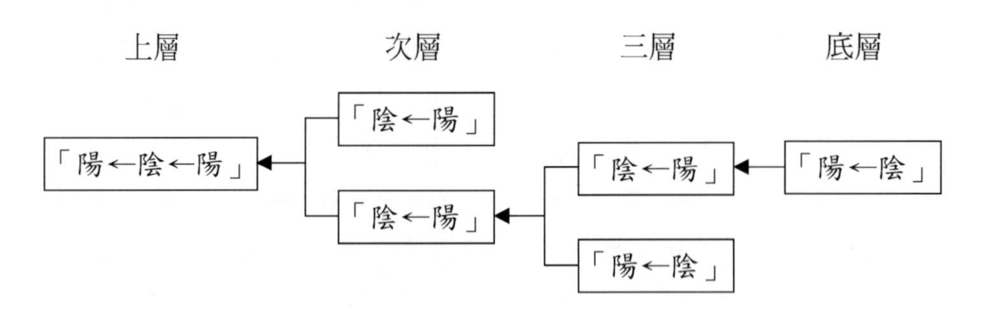

415 陳滿銘：《文章結構分析》（臺北市：萬卷樓圖書公司，1999年5月初版），頁291-292；《元曲鑑賞辭典》（上海市：上海辭書出版社，2002年9月1版16刷），頁862-863。

全曲字句凝煉，青山與烏紗相對，白髮與黃花相襯，對仗工整，清麗自然。翠袖、金杯、玉手，三者並列，更增添了彩度的飽和感。它主要是以第一層「實、虛、實」「拗」向「陽」轉位結構為其核心「二」，為全曲帶來極大的向「陽」力勢。次層以「先人後天」（逆）、「先人後天」（逆）之「移位」結構組成，其「力勢」由「陽」向「陰」而動，形成簡單、齊一、反覆的節奏。第三層以「先昔後今」（逆）、「先底後圖」（順）之「移位」結構組成，其「力勢」也是由「陽」向「陰」而動。底層則由「先凡後目」（順）之「移位」結構，形成向「陽」的「力勢」。如此由底層而次層而上層，以此相加，則全詩在向「陰」流動的力勢之中又摻有極大的向「陽」力勢，因而形成偏近於「剛柔相濟」的風格。劉熙載《藝概》：「元張小山、喬夢符為曲家翹楚，李中麓謂猶唐之李、杜；《太和正音譜》評小山詞『如披太華之天風，招蓬萊之海月』」，「兩家固同一騷雅，不落俳語，惟張尤翛然獨遠耳。」[416]綜觀這首小令，首尾貫通，深沉中悠悠流出至痛之情，堪稱張可久令曲中的佳作。因「曲家高手，往往尤重小令；蓋小令一闋中，要具事之首尾，又要言外有餘味，所以為難，不似套數可以任我鋪排也」，[417]故本應是充滿陽剛意味的「物內之思」，卻因詩人有意地內斂其情思而形成了「剛柔相濟」的曲風。

416 〔清〕劉熙載：《藝概》，頁171。
417 〔清〕劉熙載：《藝概》，頁175。

第六章
四大律的心理及美感意涵

劉勰《文心雕龍．體性》:「夫情動而言形，理發而文見，蓋沿隱以至顯，因內而符外者也。」[1]一篇辭章的創作活動，必經過以「心」接「物」的認識階段，緣「物」而生「意」(情理）的創造階段，綴「言（文）」以表「意」的表達階段。曾祥芹〈文章的寫作規律〉指這種由「察物」、「生意」至「綴言（文）」(組句、連章、構篇）而「成體」的創作四律，[2]是一種積極的心理活動過程。它不只是某種單一或單純的感知反應，而且是創作主體的感知、理解、情感、聯想和想像等多種心理因素的交錯溶合。[3]而理解此種心理活動，正是揭示創作奧祕的關鍵。[4]「作者用一致之思，讀者各以其情而自得」(王夫之《薑齋詩話》);[5]作者之用心未必然，讀者之用心何必不然。越是好的作品，讀者越能注入多元的「解釋」,「解釋」正是讀者的再創造；[6]故審美愉快的產生，也是各種心理機制協調、綜合

---

1 王更生：《文心雕龍讀本》(臺北市：文史哲出版社，1986年11月再版)，下冊，頁21。

2 曾祥芹：《現代文章學引論》(北京市：中國文聯出版社，2001年6月1版1刷)，頁142-146。

3 藝術的創作與欣賞，既然是人類的一種行為，必受到潛意識與意識的支配無疑。童慶炳：《文學活動的審美維度》(北京市：高等教育出版社，2001年3月1版1刷)，頁101-103。

4 王維鏞：《語言與思維》(福州市：福建教育出版社，1996年5月1版3刷)，頁50。

5 〔清〕王夫之等撰，丁福保編：《清詩話》(臺北市：明倫出版社，1971年12月初版)，頁3。

6 蔡振念引英伽登（Roman Ingarden, 1893-1970）的話指出，藝術作品唯有通過讀者共同的創造性閱讀，它的意義才能以豐富多彩的面貌為人們所感知。文學作品在不

的結果。

一　就心理層面而言

辭章章法既是由「形象思維」、「邏輯思維」與「綜合思維」結合而成，[7]由此逐一加以探討其心理因素，自然最為利便。思維，[8]是運用表象、概念、判斷去把握對象，以反映客觀現實的一種能動過程。它是具有意識的人腦對於客觀現實的本質屬性及其內部規律性，一種自覺的概括的反應；也是大腦以已有的知識為中介，進行分析、綜合、判斷、推理和形象創造的過程。[9]

（一）形象思維

所謂「形象思維」，就是把感官所獲得並儲存於大腦中的客觀事物的形象信息，運用比較、分析等方法，加工成為反映事物典型特徵或本質屬性的一系列意象；然後以這些意象為基本單元，通過類比、

同時代、不同地域、不同讀者，有不同的生命、意義，因而能在各個時代都能獲得新的生命力。當它從一種文化或歷史背景轉到另一種時，人們就會從作品中採擷出新的意義，而這新的意義可能從未被原作者料到，也未被作者同時代的讀者料到。闡釋學的先驅施萊爾馬赫（Friedrich Schleiermacher, 1768-1834）也強調，詮釋者由於不同的文化素養、經驗，會對同一原文產生極其不同的理解，甚至超出原作者而詮釋出更為微妙的意義。《杜詩唐宋接受史》（臺北市：五南圖書出版公司，2002年2月1版1刷），頁12-15。

7 吳應天：《文章結構學》（北京市：中國人民大學出版社，1989年8月初版），頁345-353。

8 思維，是人類一切精神活動的基礎，哲學、科學、藝術、宗教等社會意識形態的產生都與思維的一定發展水平相聯繫，以反映事物一般特性和事物之間相互聯繫的過程。朱長超：《思維的歷程》（福州市：福建教育出版社，1996年5月1版4刷），頁10。

9 王維鏞：《語言與思維》，頁63-64；黃浩森、張昌義：《知識與思維》（福州市：福建教育出版社，1996年5月1版2刷），頁9。

聯想、想像等方式，形象地反映客觀事物的內在本質或規律的思維活動。[10]以此，「形象思維」是審美主體在整個創作過程中（從選取素材，進行分析、概括、加工、提煉，到完成文學形象的塑造）所進行的藝術思維活動；也就是在對形象信息傳遞的客觀形象體系進行感受、儲存的基礎上，結合主觀的認識和情感進行識別（包括審美判斷），並用一定的形式、手法和工具（文學語言、繪畫線條、節奏旋律等），描述或創造形象（包括藝術形象、科學形象等）的一種基本思維形式。[11]它包括了形象的感受、儲存、加工、創造、語言描述等過程，可說是由許多環節所構成。[12]

人類對美的創造和欣賞，是一種由初級向高級階段發展的心理思維活動，是在顯意識和潛意識自覺或不自覺的控制下進行。所以一切文藝作品絕非僅用單純的抽象概念堆砌而成，讀者也不能僅憑抽象思維去進行判斷、推理、說明。藝術欣賞和作品本身描繪的藝術形象有關，一般也多以形象思維為主，以抽象思維為輔；故閱讀欣賞文學作品時，也應當以「形象思維」為主。尤其，文學是語言的藝術，閱讀時，宜先理解字、詞、句的涵意，再根據語言的描繪進行聯想與想像；[13]也唯有通過「形象思維」，才能真切體會作品本身的語言音韻、語法修辭、章法風格與整體意境美。

「情曈曨而彌鮮，物昭晰而互進」（陸機〈文賦〉）。物（事）之感人，先是觸發人的審美心境，並積澱於審美心境的情感經驗之中，然後進入藝術構思的過程，成為活躍的因素。藝術構思過程中的情思

---

10 黃順基、蘇越、黃展驥：《邏輯與知識創新》（北京市：中國人民大學出版社，2002年4月1版1刷），頁429。

11 楊春鼎：《直覺、表象與思維》（福州市：福建教育出版社，1996年5月1版3刷），頁33-34。

12 金開誠：《文藝心理學概論》（北京市：北京大學出版社，2001年6月1版3刷），頁100。

13 楊春鼎：《直覺、表象與思維》，頁66-67。

活動，又始終是在審美心境的作用下，與物（事）的形象結合在一起。[14]換言之，「形象思維」藉助於物（事）的形象而得以顯現，文藝創作也總是在大量物象、事象儲存的基礎上展開聯想與想像，並通過以「形象思維」為主的思維創作出來。

陸機〈文賦・序〉:「恆患意不稱物，文不逮意。蓋非知之難，能之難也。」[15]「意不稱物」，指「構思之意」並不能完全地反映客觀物象、事象；「文不逮意」，指運用語言寫出的「文」，與「構思之意」尚有一段距離。陸機在此所指的「意」，不是抽象的哲理，而是構思之意、為文之「用心」，它包括作者的情感、理智、想像等因素。「遵四時以嘆逝，瞻萬物而思紛」，「咏世德之駿烈，誦先人之清芬」(陸機〈文賦・序〉)，[16]故創作者的構思之意，既「感於物」，又「本於學」。在構思的過程中，想像又起著重要的作用，它「精騖八極，心游萬仞」，使情感得以更加鮮明，物象、事象更加清晰，最後「籠天地於形內，挫萬物於筆端」(陸機〈文賦〉)。以此可知，詩人從感物生情到窮意寫物，自始至終都是在具體的形象伴隨下進行。雖然陸機並沒有明白拈出「形象思維」這個語彙，但他通過對「意」與「物」關係的生動描繪，實質上已初步說明了藝術創作的過程，就是形象思維的過程。[17]因為在整個創作過程中，從選材、分析、概括、加工、提煉到完成文學形象的塑造，一刻也離不開「形象思維」的運作。[18]

關於「形象思維」的主要特點，若從「形象思維」與「邏輯思

14 王力堅:《六朝唯美詩學》(臺北市：文津出版社，1997年7月初版1刷)，頁59。

15 周啟成等注譯，劉正浩等校閱:《新譯昭明文選》(臺北市：三民書局，2001年2月初版2刷)，頁670。

16 周啟成等注譯，劉正浩等校閱:《新譯昭明文選》，頁671。

17 曾祖蔭:《中國古代文藝美學範疇》(臺北市：文津出版社，1987年8月初版)，頁195-263。

18 黃浩森、張昌義:《知識與思維》，頁88。

維」的比較來看，「邏輯思維」具有「概念性」、「抽象性」與「邏輯性」等基本特點；與之相應的，「形象思維」具有「意象性」、「具體性」與「非邏輯性」等基本特點。若說「邏輯思維」為線型的，是從某一方面條分縷析地分析、認識、把握客觀事物的本質；「形象思維」則是非邏輯的、多線的、跳躍式的，有自己的特殊規律，然後以各個角度、各個側面恰當地反映、認識、把握客觀事物的本質。[19]

所謂「具體性」，又可分為「形象性」、「多樣性」、「整體性」三層基本含義。先就形象性而言，它是指審美主體在進行形象思維時，自始至終貫穿著對形象信息的感知、記憶與綜合加工；也由於「形象思維」存在著形象性的特點，故聯想與想像等活動，在思維過程中往往占有十分凸出的地位。[20]性質、過程和作用，都與「邏輯思維」有著明顯不同的「形象思維」，主要是以形象作為思維的基本單位；也就是說，它始終不脫離具體的感性材料，不脫離事物的具體形態（廣義上的形象），通過累積、變形，進而使之更豐富充實、具體生動。[21]故「形象思維」的過程，正是不斷對形象信息所傳遞的客觀事物的表象進行加工、集中概括、分解組合，從而創造新形象的過程。其中，審美主體對客體的「審美情感」，才是文學創作的根源，對於「形象思維」來說，是一種內在的、深層的推動力量。[22]

次就多樣性而言。「形象思維」所反映的不是關於客觀事物的各

---

19 黃順基、蘇越、黃展驥主編：《邏輯與知識創新》，頁429。

20 楊春鼎：《直覺、表象與思維》，頁37。

21 胡有清：《文藝學論綱》（南京市：南京大學出版社，2002年7月1版6刷），頁164-165。

22 其表達方式又可分為三類：一是僅描寫形象，從形象中表達作者的思想情感；二是雖沒有直接描繪具體形象，但從抒寫的思想情感中蘊含著具體形象，從而感到詩中所描寫的思想情感，與所喚起的具體形象密切地結合在一起；三是既寫形象，也寫自己的思想情感，通過兩者的結合來表達。周振甫：《詩詞例話》（臺北市：學海出版社，1984年1月初刷），頁19-25；胡有清：《文藝學論綱》，頁167。

種屬性，而是包括時間、空間形色及結構、運動狀態等各種特徵，故也可稱這些客觀事物的形象為「物象」、「事象」。此外，「形象思維」對事物的反應不是僅抽取一種特徵，而是同時從多方面反映多種特徵，也只有多種特徵統一在一起，才能構成該類事物的形象。任何事物既然是由許多特徵結合在一起所形成的整體，作為客觀事物在腦中反映的意象，必然也包含許多特徵；這些特徵之間又有著內在的聯繫，有時僅是觀察到部分特徵，也能夠做出形象識別。[23]

末就整體性而言。「形象思維」總是在一定的時間、空間中進行，而事物的空間層次性和時間順序性又相互聯繫；故思維主體總需要從整體上對形象系統進行感知、儲存、識別、創造和描述，[24]「形象思維」的歷程，也可分為形象的感受、形象的儲存、形象的識別、形象的創造、形象的描述等五個環節，前後聯繫，環環相扣，有其連續性，又有其獨立性。若再進一步說明，則形象思維不僅在形象的感受、儲存、識別、創造、描述等五個環節上有其具體規律，更有貫穿其全過程的「精神—腦相互作用律」、「形神對待統一律」、「時空結合律」、「整體同一律」等四個基本規律。[25]

所謂「意象」，是「形象思維」的基本單元，形象識別、聯想、想像等思維活動都必須以「意象」為基本成分。沒有「意象」就無法進行形象識別、聯想與想像等活動，「意象」貫穿於「形象思維」活動的始終。客觀事物的物（事）象系統，也正是通過「形象思維」的「意象系統」來反映。「意象」又有個別與整體之分，由若干「個別意象」

23 楊春鼎：《直覺、表象與思維》，頁32。

24 楊春鼎：《直覺、表象與思維》，頁37。

25 「精神——腦相互作用律」，指形象思維是純粹的精神活動與腦神經的生理活動的相互作用；「形神對立統一律」，指客體形象（形）與主觀意念（神）既對立又統一；「整體同一律」，指形象各個部分之間的整體性和同一性。楊春鼎：《直覺、表象與思維》，頁37。

構成的整體，就是「整體意象」；而構成「整體意象」的若干局部，就是「個別意象」。[26]「個別意象」是指已被思維主體認識與理解的一部分「表象」，[27]當思維主體對某一客觀事物形象的內在屬性或本質有所了解時，「表象」就轉化為「意象」，故「意象」也是由「表象」轉化而來。[28]古代文論中所謂的「意造之象」、「意中之象」、「有意之象」，都是指狹義的「意象」，主要是以「詞彙」為其媒介。[29]它既適用於文學藝術領域、心理學領域，也適用於科學領域，只是在不同的領域有各自的特點。

至於藝術中的「意象」或「意境」，是客觀事物形象與創作者主觀思想情感兩者的融合，屬於廣義的「意象」。它是由若干特徵按照一定的結構組成；但卻不是那些特徵的機械總和，而是由一系列特徵按照一定結構組成整體時「凸現」出來的新的屬性，故是一種「再造性意象」。在思維活動中，經過各式各樣的想像活動，產生「客觀世界」與「主觀情思」、「形」與「神」、「意」與「境」辯證統一的廣義

26 楊春鼎：《直覺、表象與思維》，頁48。

27 「表象」是思維主體在較長時間所記憶的一切客觀事物感性形象的總稱，是人的頭腦反映客觀世界的最基本的思維形式。「表象」作為心理活動形態，有其特性：一是表象具有形象性，這一特點標示著「表象」與「概念」的根本區別。二是表象具有（具象的）概括性，三是表象具有可塑性，記憶表象在人腦中不是凝固不變的，而是處於運動變之中；四是表象可以通過間接的途徑獲得，五是表象的記憶有個體差異。金開誠：《文藝心理學概論》，頁49-53。

28 「意象」是「表象」與「概念」的綜合，也就是由「表象」聯繫於「概念」，概括而形成意識中的理性形象，具有概括性（抽象性）、直感性與形象性等特點。它是客觀事物的具體形象在人腦中的反映，不管多麼離奇、怪誕、荒唐的意象，都不是主觀意志完全、純粹、憑空的自由創造，而是有一定的客觀根據；但也不是客觀事物本身，只與客觀事物具有一定程度的相似性。若依「表象」的知覺根源，在形式上可分為「視覺」、「聽覺」、「味覺」、「嗅覺」、「觸覺」、「運動覺」等。邱明正：《審美心理學》（上海市：復旦大學出版社，1993年4月1版1刷），頁170-171。

29 楊春鼎：《直覺、表象與思維》，頁45。

「意象」，它是形象思維的高級階段，已進入綜合思維的範疇。[30]

（二）邏輯思維

黃順基、蘇越、黃展驥的《邏輯與知識創新》指出，凡是能夠表達思想的獨立篇章，必含「邏輯指向」、「邏輯重心」、「邏輯因果」、「邏輯落款」四個部分。從邏輯角度分析的文章結構，之所以比一般寫作學或文體學的分析更容易把握，就是因為「文章的四個邏輯板塊」兼顧了「文章的內容及形式」。[31]而此種邏輯思維法規，[32]和近四十種章法及章法結構所側重的思維過程，實是一致。

邏輯思維，捨棄認識對象的一般屬性及其具體形象，以「概念」[33]為思想單元，通過語言表述反映客觀事物本質與內部規律性，反映了人們以間接的、抽象的、概括的方式認識客觀世界的能力。所以這種由「表象→觀念→概念」的抽象思維發展路線，和由「表象→意念→意象」的形象思維進程路線，大不相同。[34]其中，尤以「語言」（文字建構）以及由「語言」所托顯出的「思想」，更是邏輯所關注與探討

---

30 黃浩森、張昌義：《知識與思維》，頁61；楊春鼎：《直覺、表象與思維》，頁2-3、45-48。

31 「邏輯指向」指文章的寫作動機及目標；「邏輯重心」指文章的中心思想（主題）；「邏輯因果」指文章的內在邏輯聯繫，是文章骨架的主體部分；「邏輯落款」指文章的寫作角度及發文的時間、地點等要素。黃順基、蘇越、黃展驥：《邏輯與知識創新》，頁76。

32 所謂「邏輯法規」是指：（一）始終遵循「觀點和材料相統一」的邏輯法規，（二）始終遵循「材料安排主次分明」的邏輯法規，（三）是始終遵循「觀點推導總分有序」的邏輯法規。同上註，頁76-84。

33 「概念」以「符號」為載體，邏輯思維是依靠概念和概念之間的聯繫、運動來進行，它的基本形式就是概念、判斷和推理。劉奎林、楊春鼎：《思維科學導論》（北京市：工人出版社，1898年9月1版1刷），頁175；黃浩森、張昌義：《知識與思維》，頁44。

34 王維鏞：《語言與思維》，頁64-65。

的目標。因為，「語言」[35]是人類所創造的符號之一，也是人類表達「知」、「情」、「意」等各種意念情感的工具。由此，作為思維本質之一的「邏輯」，它的規律、思維形式和思維方法，必然也要以「語言」作為自己的載體或物質的外在表現形式。[36]而「邏輯」這一學科之應運產生，也被視為研究人類內心的思想法則及其思想形成的重要媒介。[37]

邱明正指出，審美意象作為思維的產物，它必然會與「語言」發生聯繫，需要以語言為工具去組織思維、標示思維，也需要以「語言」來標示意象、界定意象、組織意象。「語言」不僅是思維及意象的工具、外殼，而且是思維、意象的組織者，語詞的豐富性因而制約著意象的豐富性。創作主體掌握了具有豐富概括力、表現力的「語言」，既有助於準確地標示眾多的「象」，又有助於精確地概括自己的「意」，從而使意象更具有多樣性與確定性。然，「語言」對意象的生成發展與物化作用並非全能，而是有限度的，並且因人而異。人類所掌握的語言常常難以道盡意象之妙，也就是所謂的「胸有意象而難以盡言」、「言不盡意」。這是由於事物的「象」是具體的、生動的、變化紛呈的，「語言」往往難以曲盡其妙；另一方面，創作主體的「意」，也是倏忽萬變、多重疊合，有時甚至本身即模糊不定，難以用「語言」來加以標示、界定與概括；因此，合「意」與「象」為一的「審美意象」，往往也是模糊的、朦朧的、細微的、多變的，很難

35 「邏輯」是思維運動的本質或規律，而「知識」是思維運動的產物，屬於思維的內容；它們都要藉助一定的物質載體來表現自己，這種的物質載體主要就是「語言」。邏輯思維主要是依賴語言來表述，離開語言就沒有邏輯思維。黃浩森、張昌義：《知識與思維》，頁70。

36 黃順基、蘇越、黃展驥：《邏輯與知識創新》，頁32-33。

37 傅偉勳：《西洋哲學史》（臺北市：三民書局，1987年8月9版），頁120、127。

以用明確的「語言」來加以揭示和表現。[38]

若再就邏輯思維與形象思維的聯繫來說，「整體意象」是由許多「個別意象」有機組合而成，個別意象雖是形象思維的基本單位，但人們在實際思維過程中，絕不是以一個個單象孤立地進行認識活動。這是由於客觀世界是統一的，事物之間都存在著各種邏輯聯繫，相互依存，又在一定的條件下相互轉化。[39]在整體思維活動過程中，人們也常常自覺或不自覺地按照「邏輯思維」將「形象」概念化，或按照「形象思維」將「概念」形象化，兩者以交織、融合、分化、重組等方式出現，構成了完善的思維運動。[40]也就是說，「邏輯思維」在運用概念、推理、判斷的邏輯方式進行分析研究，以揭示、說明事物的內在本質與客觀規律性時，需綴以「形象」的珍珠，離此則不能有完善的認識。同樣的，「形象思維」在以形象的非邏輯方式探求事物的內在本質時，雖有聯想、想像等伴隨，仍然需藉助於「邏輯思維」，才能綜合與昇華，臻達理性的國度。[41]

「形象思維」的特點在於運用「形象」，以「形象」思考。[42]「形象思維」雖也從生動、渾沌的直覺表象開始，但它不像「邏輯思維」那樣必須達到越來越稀薄的「抽象」，而是直截了當地對表象進行篩選、整合，甚至重新組合，改造成比表象更高級的形象，並以新的形

---

38 邱明正：《審美心理學》，頁347-348。

39 金開誠：《文藝心理學概論》，頁187。

40 大腦兩半球的功能是有分工的，左半球具有語言的、概念的、分析的、連續的和計算的能力，主要分擔與抽象思維、數理計算、細節分析、邏輯推理之類有關的任務；右半球則具有感知並識別音樂、圖形等整體性映象和形成空間觀念的能力，主要分擔與直觀、形象有關的認知和思維活動。兩者緊密協作，人類的各種認識和創造活動才得以順利進行。金開誠：《文藝心理學概論》，頁4。

41 劉奎林、楊春鼎：《思維科學導論》，頁176。

42 黃浩森、張昌義：《知識與思維》，頁63-64。

象進行思考。所以，它不僅是感性的認識活動，在一定意義下還有同「邏輯思維」一樣的邏輯性特徵，也就是形象的概念、形象的推理、形象的判斷的邏輯發展過程。[43]「形象思維」與「邏輯思維」，揭示了人類兩種基本思維方式的特點，它們在審美主體的腦中交錯而行，相輔相成。[44]而且，「邏輯思維」在一定程度上規範、引導著「形象思維」，如對素材的認識、取捨、改造，總是與一定的思想概念、分析判斷聯繫在一起；而這種規範、引導作用，也體現在藝術形象的設計、創造上，與對「形象思維」的調整、昇華上。因為在創作過程中，審美的情緒衝動與聯想的豐富，往往使得創作者易沉溺於紛至沓來的形象之中，甚至會在一定程度上忽視或偏離作品的主體思想。但若能從思想意義、美感效應等方面進行必要的分析，則有助於作者調節情緒，在一個新的基點或角度上進一步展開「形象思維」。[45]

反映事物的兩個不同側面的兩種思維形式，總是處於相互交織、交替、反覆轉換的相互關係之中。「邏輯思維」要以「形象思維」為基礎；「形象思維」的過程及形象表述中也滲透著抽象概念、判斷與推理，它必得倚賴於「邏輯思維」才得以深化。[46]審美過程雖以「形象思維」為主，但若要深入進行審美，則不能單憑「形象思維」，還要有一定的「邏輯思維」、一定的理性認識，才能理解美的內容。因

43 劉奎林、楊春鼎：《思維科學導論》，頁175。此外，在文藝創作中，理性心理活動與感性心理活動的聯繫不是「線型」，而是「場型」，整個心理過程乃是一個表象運動、思維活動、情感活動三者複雜交錯、相互誘發、彼此滲透的「認識場」或「創造場」。金開誠：《文藝心理學概論》，頁125。

44 陳俊輝：《新哲學概論》（臺北市：水牛圖書公司，1991年10月初版），頁4；胡有清：《文藝學論綱》，頁160-172。

45 何爾伯（William Hoerber）著，祈登荃譯：《哲學之科學基礎》（臺北市：大聖書局，1972年2月初版），頁69。

46 王維鏞：《語言與思維》，頁66。

為在審美過程中，既要感受，又要思考。兩者結合起來，就能避免停留在簡單的瞬時的審美過程，而轉化為連續的複雜的有深度的審美過程。[47]

與兩大思維有著因果關係的「靈感思維」，它的湧現，則有賴於在此之前的顯意識的大量積累，與存儲於大腦中的潛意識的被激發。[48]「靈感思維」具有「偶然性」、「突發性」、「瞬息性」、「間歇性」、「創造性」等特點。[49]沒有知識經驗的積累儲存，創作靈感就無從產生。它積之在平日的餐經饋史，然又得之在俄頃。在頓悟的一剎那間，將兩個或兩個以上本不相關的「觀念」串聯在一起，以解決一個搜索枯腸仍未解的難題，或締造一個科學上的新發現。[50]或如劉若愚所言，詩的藝術雖不能完全以文字傳達，但在妙悟的閃光中呈現其奧秘。[51]「靈感」是思維之母，創作的源泉，貫穿整個思維；而聯想與想像，則屬於思維的作用過程。所以「靈感思維」交織在「邏輯思維」與「形象思維」之中，起著突破、創造、躍升的作用。三者有其個性，也有其共性。[52]也就是說，沒有靈感就沒有思維，當然也沒有聯想與

47 審美有四種不同的過程，以時間的長短上區分，可分為瞬時審美過程與連續審美過程；從審美的深度與廣度上來區分，可簡單審美過程和複雜審美過程。楊春鼎：《直覺、表象與思維》，頁71-75。

48 靈感思維是在抽象思維和形象思維苦苦思索的基礎上產生的，所謂靈感孕育過程就是抽象思維和形象思維的內容和形式在顯意識和潛意識中的積累過程。沒有這個積累過程，靈感無從發生。黃浩森、張昌義：《知識與思維》，頁74。

49 王維鏞：《語言與思維》，頁67。

50 「觀念」在此作廣義解，既指「意」，也指「象」；廣義的「觀念串聯」可以概指意與意、象與象、意與象之間多種多樣的串聯。金開誠：《文藝心理學概論》，頁327。

51 劉若愚著，杜國清譯：《中國詩學》（臺北市：幼獅文化事業公司，1979年1月再版），頁133-134、222。

52 由於「靈感」往往是在「邏輯思維」與「形象思維」的基礎上頓悟，潛意識中的知識結構可能是概念判斷，也可能是形象判斷；因此，在顯意識與潛意識產生交互作用時，就會有「抽象頓悟」、「形象頓悟」與「抽象形象相互頓悟」等情形產生。黃浩森、張昌義：《知識與思維》，頁78-79。

想像。然而對人類思維經驗的總結與推廣，並使之條理化、科學化的，還是需要倚賴「邏輯思維」形式。尤其人類的認識活動通常遵循著由具體到抽象，由個別到一般，由線性關係到非線性關係的認識規律；故「邏輯思維」形式的發生，雖然比「形象思維」形式與「靈感思維」形式晚一些，但它確屬於人類高層次的思維形式。[53]

此外，值得探討的尚有「直覺」。「直覺」，是指人們直接完整地認識、把握客體的能力，它是人們通過「形象思維」、「靈感思維」與一定「邏輯思維」的結合，在短暫的瞬間感知、識別或創造新事物、新形象、新概念的一種思維能力。也有學者以為「直覺」是指對情況的一種突如其來的穎悟或理解。「創造的直覺」和「想像的直覺」緊緊聯繫在一起，它是思維主體在想像活動中，由於偶然的觸發，在短暫的瞬間忽然感悟，從而有所創造或發現的能力。若說「想像的直覺」主要是與「形象思維」有關，那麼「創造的直覺」則和「靈感思維」是一對孿生兄弟。以「形象思維」或「靈感思維」為主的「直覺」思維活動，並不是完全與「邏輯思維」無關，而是一切「直覺」活動的腳下，總有一塊不可缺少的理性基石。[54]

（三）綜合思維

所謂「綜合思維」，就是把對象的各個部分、各個方面與各種因素結合起來，形成對研究對象的整體性認識的思維方法。就辭章而言，唯有積極主動地進行綜合思維，探討其整個體性，文章的內容與結構才能達成高度的統一。[55]而「綜合思維」的發展創造，奠基於各

53 劉奎林、楊春鼎：《思維科學導論》，頁175。

54 楊春鼎：《直覺、表象與思維》，頁16-17、24-26。

55 吳應天：《文章結構學》，頁353-359。

種思維的作用，首先是核心情意的擬定，繼而憑藉觀察力記憶力的轉化、聯想力的引導、想像力的創造及其他能力所起的一切有關作用的運用。[56]

綜合，[57]是在「分析」的基礎上進行，它的特點在於探求研究對象的各個部分與層次之間的相互聯繫，由此形成一種新的整體性認識；這種整體性認識，也往往因而導致科學上或藝術上的新發現或新創造。[58]這是因為宇宙間的事物都是一個完整的有機整體，都是由許多部分、因素、環節或系統所構成，具有一系列性質，並通過一系列特徵表現出來。換言之，各個特徵之間的相互關聯，以及各種特徵與形象整體之間的相互關聯，就是「形象整合律」的重要內容。[59]

奧斯朋（Alex F. Osborn）也指出，應用於思構觀念的「綜合」一詞，是蒐集各種事物或觀念，使其成為一種新的組合；或是將一個問題分為若干部分，然後再重新加以組合。因此，「分析」、「蒐集」、「組合」，以及其他適當的「改變」，都是創造性工作的部分。[60]尤其是運用「聯想力」、「想像力」，以「記憶」及「觀察」所得的材料，構成一種「思維」的骨幹，再用此骨幹作為進一步研究工作的基礎。所以在創造性思維活動過程中的綜合階段，聯想和想像是一個有力的因素。[61]

---

56 張德琇：《創造性思維的發展與教學》（長沙市：湖南師範大學出版社，1990年8月1版1刷），頁57。

57 張則幸、金福順：《科學思維的辯證模式》（臺北市：淑馨出版社，1994年12月初版1刷），頁104。

58 黃順基、蘇越、黃展驥：《邏輯與知識創新》，頁46。

59 黃順基、蘇越、黃展驥：《邏輯與知識創新》，頁433-434。

60 奧斯朋（Alex F. Osborn）著，邵一杭譯：《應用想像力》（臺北市：協志工業出版公司，1987年5月15版），頁128。

61 「聯想力」是將其腦中既有之各種觀念，予以新的組合。某種「新」觀念的形成，在其大部分重要發展過程中，逐步所作之演進，與綜合之性質相類似。而此等新觀

「綜合」，常引起「歸納」的過程，然後在此過程中，循邏輯的步驟，將若干個別意象統合為整體，故王長俊稱「綜合思維」為「意象思維」。「意象思維」活動，以「意象」為單位。「意象」又可分為「意」的因素和「象」的因素。[62]而「意象」作為一個個相對獨立的整體，它可出現或運用於心理活動之中，真正的創造性思維活動也都是通過「意象」進行。在一定的文化氛圍中，創作者自身的生活經驗、敏銳的知覺、豐富的涵養，有可能僅僅通過直覺的方式就可以達到對哲理的頓悟境界。這其中或許沒有思考，沒有概念，也沒有歸納、演繹，但一定有「意象」的參與。例如水塘、明鏡、清源、活水等特定物象本身，是作者生活經驗的積累，是作者對個別事物的感性知覺以及對知覺的儲存，一旦有某種特定信息的輸入，觸發了作者的直覺，這些物象之間便建立起有機的聯繫關係，在創作者內心形成活生生的意象，並通過各意象單元間的進一步組織、統合成整體，然後在一定條件下，產生從「意象」到「判斷」乃至「哲理」的飛躍。就讀者而言，欣賞的思維活動，同樣也可以通過「意象」來進行。當一個具有相應生活經驗的欣賞者讀了朱熹〈觀書有感〉詩，內心自然就會產生「明鏡般的水塘」、「清澈的源頭活水」等意象，並在這些意象間建立起有機的結構關係。這種具有一定組織結構的意象群可以作為一種經驗、一種知覺等信息形式儲存在大腦中；一旦又有某個具有相似組織結構的信息（如一組意象）輸入時，主體就可以把這兩個「異質同構」的事物聯繫起來，形成新的意象結構組織，產生從感性到理

念幾乎全係根源於其他各種舊觀念，或由組合的方式，逐步改進而得。見奧斯朋著，邵一杭譯：《應用想像力》，頁117-157、186-187、347。

62 「意象思維」的活動，以「意象」為單位。「意象」本身又可以分解為「意」的因素和「象」的因素，可分解為各個不同、多種多樣的「意」或「象」；但在有關思維的心理活動中，「意」與「象」密不可分，各個「意」或「象」也是緊密結合。王長俊：《詩歌意象學》（合肥市：安徽文藝出版社，2000年8月1版1刷），頁275。

性的飛躍。[63]

以此，「意象思維」既包含了「抽象」的因素，也包含了「形象」的因素。既是具體的事物，具有一定具體可感的形式及內容；同時又是抽象的，具有符號的功能、某種抽象的意義，揭示出「共同的結構」來顯示一個「整體性」的特徵。[64]「意象思維」具有「完整性」或「完形功能」，能通過一定的方式或過程，實現從局部到整體、從已知到未知的飛躍，尤其是通過「意象並存」或「得意忘象」等方式來實現思維的飛躍。而且，在「意象思維」的過程中，感性因素與理性因素貫穿於思維的始終，[65]所以它也屬於「創造性思維」的範疇。

「創造性思維」是「邏輯思維」、「形象思維」、「靈感思維」等各種思維形式的綜合。在整個創作過程中，從選材、分析、概括、加工、提煉到完成文學形象的塑造，一刻也離不開「形象思維」及「邏輯思維」的運用與引導。而人們對材料的選取，也往往需要長時期的準備與積累，與短暫時刻的突破，故靈感在創造過程中也起著關鍵作用。「創造性思維」，沒有固定的格式，但有規律可循，有它的基本方法；不僅需要運用知識，還需要大量閱讀書籍、文獻、資料，更需要觀察力、記憶力、聯想力、想像力及各種智力要素的配合。以此，「創造性思維」是人們進行科學發現、發明與革新，進行文藝創作及各種創造性活動時的思維活動的總稱，深具靈活性、流暢性、新穎性。[66]

---

63 換句話說，這一哲理是以「意象」為載體而存在，並可以通過「意象」的輸入而「激活」。見王長俊：《詩歌意象學》，頁256-258。

64 王長俊：《詩歌意象學》，頁278-279。

65 王長俊：《詩歌意象學》，頁274。

66 任何創造活動的全過程，都要經過從擴散思維到集中思維、再從集中思維到擴散思維，多次循環辯證統一的過程。黃浩森、張昌義：《知識與思維》，頁86-91、93-94。

若落到一篇辭章上來探討，陳滿銘指出，自來研究意象的學者，大都只注意到「個別意象」，而忽略了「整體意象」。有的即使注意到「整體意象」，但也僅止於提出「意象群」或「總意象」、「分意象」的說法，而無法梳理出「意象系統」來。若能藉由層次邏輯所形成的「章法結構」，將自「個別意象」逐層提升至「整體意象」的「意象系統」，探討縱、橫兩向結構關係，使其深埋於意象與意象之間的內在邏輯或紐帶得以顯露出來，並參以「多」、「二」、「一（0）」結構作為考察，則「意象（思維）系統」自得以清晰呈現。[67]

（四）三大語文能力

整個智力結構是一個多維的、多層次的、動態的綜合體，一般多分為「在認識客觀事物的過程中所發生的心理因素」，及「由客觀事物引起的、起調節認識活動作用的心理現象」兩大類，包括「言語理解」、「記憶和集中注意」、「知覺組織」等三個因素群。[68]若落到語文能力上來說，彭冉齡則指其可概分為「一般能力」、「特殊能力」及「綜合能力」三個層級。[69]

---

67 陳滿銘指出：辭章的篇章結構，有縱、橫兩向，其中縱向的結構，乃由「意象（內容）系統」，亦即「情、理、景、事」等分層組成；橫向的結構，則由邏輯層次，也就是各種章法落實為「章法結構」而組成。唯有疊合縱、橫向而為一，用「表」為輔加以呈現，才能凸顯一篇辭章在「意象系統」與「章法結構」上的特色。見〈淺論意象系統〉，《國文天地》19卷6期（2005年10月），頁30-36。

68 言語理解因素群，體現在抽象概括、理解、判斷、推理等能力上，可通過測試詞彙、常識、理解、相似性（指邏輯思維和抽象概括等方面）、圖片排列等獲得。知覺組織因素群，主要體現在知覺速度和空間視覺因素的結合、視覺的分析和綜合以及視覺與動作的協調等能力上。記憶和集中注意因素群，體現在機械記憶、材料的回憶及注意力的集中等能力。王維鏞：《語言與思維》，頁40-42。

69 彭冉齡：《普通心理學》（北京市：北京師範大學出版社，2001年5月2版），頁392；仇小屏、黃淑貞：《國中國文章法教學》（臺北市：萬卷樓圖書公司，2004年10月初版），頁1-9。

1 一般能力

所謂「一般能力」，是指在不同活動中表現出來的能力，它是各個學科的學習都必須具備的能力，包括了觀察力、記憶力、聯想力、想像力、思維力。[70]

良好的「觀察力」，是獲得讀寫素材的重要途徑。它主要是運用了外部知覺（視、聽、嗅、味、觸、心）與內部知覺（內臟覺、渴覺、餓覺等），來獲取外在世界和機體內部訊息的能力。[71]它包括精細敏銳的感知、洞察事物特性的能力，包括辨別相似現象、發現新異現象等能力。若再細分，又可分為「概貌觀察」、「層次觀察」、「進程觀察」、「差異觀察」、「細節觀察」等。[72]觀察所得的感覺與知覺，還要轉成記憶表象，才能由大腦指揮把它表現出來。[73]

記憶力，是人類運用知識經驗進行思考、想像、解決問題、創造發明等一切活動的前提。審美主體若要創造鮮明、生動的藝術形象，不僅需要對生活具有新鮮敏銳的感受力、觀察力，更要在記憶中保持

---

70 彭冉齡：《普通心理學》，頁392。

71 彭冉齡：《普通心理學》，頁76、201。

72 所謂「概貌觀察」，是以事物總的輪廓為著眼點，然後對構成總體的各個局部依次進行分類、系統的觀察，並著重觀察能夠代表總體、反映總體的局部（特徵），最後再把各個局部歸結起來，從而取得對總體更加全面、深入的認識。「層次觀察」，包含著表與裡的關係。就人的層次而言，指肖像性格；就物的層次而言，指形式與內容。「進程觀察」，包含著始與末的關係，就是從運動中觀察事物。任何事物都有它的產生和發展、過去和現在、原因和結果；故可以經由由始至末的觀察，掌握事物的來龍去脈，達到深化認識的目的。「差異觀察」，包含著此與彼的關係。由於事物都是相聯繫而存在，有聯繫就可以作比較，有比較就容易把事物間的差異鮮明地區別出來。「細節觀察」，包含著點與面的關係。人們觀察事物，一般多從個別起步、局部開始、細節出發；因為最後真正有用的，通常是能夠代表整體的局部、反映一般的個別、概括全面的細節。林可夫：《基礎寫作概論》（福州市：福建人民出版社，1985年4月1版1刷），頁15-32。

73 金開誠：《文藝心理學概論》，頁13、311。

感性印象的鮮明性與生動性，使它不會因為時空的推移而褪色、模糊。創造力需倚賴牢固的記憶力，才能把現實世界豐富多樣的形象印入心靈。因為想像並非憑空進行，它還需要有一定的記憶表象為依據。記憶保存了人們對「常識」與「特例」的印象與感受，聯想與想像又將這些印象與感受，加以聯接與融合、改變與發展。所以記憶表象的再生，必以聯想與想像為導線。[74][75]

和感覺、知覺、思維一樣，記憶是人們在認識客觀事物的過程中發生的一種心理現象，是智力因素之一。從信息論的觀點來看，記憶就是對信息的加工（包括編碼、存貯和提取）。當信息沿著神經纖維傳導到末梢時，在突觸處會釋放出少量的腦物質，這是一種有活性的化學物質，既是思維也是記憶的物質基礎。就是藉助這種生化物質的特定作用，使大腦皮層形成了相應的暫時神經聯繫，並使這種暫時聯繫留存在腦中，在必要時再一次活躍起來，形成所謂的「再現」，[76]故聯想也是記憶與思維不可少的條件。

聯想，是知覺、概念、記憶、思維、想像等心理活動的基礎。意識在活動時就是聯想在進行。[77]它是從對一個事物的認識，引起、想到關於其他事物的認識的思維活動。既存在於「形象思維」活動之中，也存在於「邏輯思維」活動之中，把意象與概念聯繫起來，使兩種思維相互促進、滲透，緊密結合。還存在於「綜合思維」活動之中，可以把許多個別意象聯繫起來，把整體意象的豐富內容展現出來；甚至從中把握客觀事物的本質、相互聯繫及其規律，開闊思路，

---

74 王元驤：《文學原理》（杭州市：浙江教育出版社，1989年4月1版1刷），頁136。

75 它一方面是形象思維激發著情感活動，一方面是情感活動催發著形象思維。各種多樣的創作因素不斷地發酵、增殖，要求賦予它們一個形體。金健人：《小說結構美學》（臺北市：木鐸出版社，1988年9月初版），頁145。

76 王維鏞：《語言與思維》，頁69。

77 朱光潛：《文藝心理學》（臺北：臺灣開明書店，1999年1月新排1版），頁95。

產生新的意象。[78]

聯想不是憑空產生，而是既有客觀事物之間的相互聯繫，又有主觀根據，以建立語詞與概念、意象之間的神經聯繫。所以「聯想」作為一種高級的心理活動，創作主體必須具備一定的心理條件，如「記憶」[79]的豐富性、「回憶」[80]的活躍性、「目的」的明確性、知識經驗的豐富性、特定的情緒狀態、以及一定的思維能力等。而且，無論是在認識事物的審美特性、或是在審美創造中，「聯想」都發揮著積極能動的作用，把蕪雜、渙散的審美對象及其特徵加以篩選、編排、組合、聯結為符合規律的審美整體，不僅深化了對事物審美特性的感知、理解，而且豐富、鞏固了審美記憶。[81]

想像，是在認識世界、改造世界的過程中，根據實際的需求與規律，對腦中所儲存的各種信息進行改造、重組，以形成新的「意象」的思維活動。其中，雖常有邏輯思維活動參與，但主要是形象思維活動，甚且是形象思維的核心。[82]「想像」雖以聯想所喚起的大量記憶表象為基礎、導線，但已不是記憶表象的簡單復現，而是受在創作主體的思想、情感所支配，實現新意象的創造。[83]它是以記憶表象為材料，

---

78 黃順基、蘇越、黃展驥：《邏輯與知識創新》，頁431。

79 「記憶」包含表象記憶、意象記憶、觀念記憶、語詞概念記憶、情緒記憶、邏輯記憶等形態，構成了一種綜合性的記憶結構系統，並且成為審美心理積澱的具體材料和審美心理結構的重要組成部分。邱明正：《審美心理學》，頁177。

80 「回憶」是在特定對象刺激、誘導下，將大腦皮層貯存的信息重新反饋過來，提取出來、轉換，再生成為形象、意象、概念、觀念、情感，使之復活於審美心理活動之中，成為心理活動的一個環節。見邱明正：《審美心理學》，頁177。

81 邱明正：《審美心理學》，頁178-179。

82 楊春鼎：《直覺、表象與思維》，頁24。

83 王元驤：《文學原理》（杭州市：浙江教育出版社，1989年4月1版1刷），頁136。如朱光潛即認為「想像」（imagination）就是在心眼中見到的一種「意象」（image），包含有創造的成分。《文藝心理學》，頁224。

通過分析與組合，創造新意象的過程。以此，當人腦中儲存的記憶表象的信息愈多，積累的經驗越豐富，越能生發新穎豐富的藝術想像，也越能獲致「靈感」的助力。[84]

如葉燮〈原詩〉：「作詩者，實寫理、事、情，可以言，言可以解，解即為俗儒之作。惟不可名言之理，不可施見之事，不可徑達之情，則幽渺以為理，想像以為事，惝恍以為情，方為理至、事至、情至之語。」[85]沒有「情感」與「想像」，就不能構成美的觀照的充足條件。[86]又如陸機〈文賦〉：「其始也，皆收視反聽，耽思傍訊，精騖八極，心遊萬仞」，「罄澄心以凝思，眇眾慮而為言。」[87]劉勰《文心雕龍．神思》：「文之思也，其神遠矣。故寂然凝慮，思接千載；悄焉動容，視通萬里。」[88]他們都一致指出了藝術想像[89]超越感官、超越時空[90]的創造力。

---

84 童慶炳：《中國古代心理詩學與美學》（臺北市：萬卷樓圖書公司，1994年8月初版），頁133。

85 〔清〕王夫之等撰，丁福保編：《清詩話》，頁587。

86 徐復觀：《中國藝術精神．藝術的共感》（臺北市：臺灣學生書局，1974年5月4版），頁89。

87 周啟成等：《新譯昭明文選》，頁672-673。

88 王更生：《文心雕龍讀本》，下冊，頁3。

89 藝術想像在文學創造中的功用，一、能促成文學的虛構性，推動情節的發展及結構布局等的完成。二、想像能突破時間、空間及生活真實等的限定，而使文學創作的自由能力得到最大限度的發揮，從而更深廣地反映客觀世界。三、想像能調動創作主體原有的記憶表象、生活體驗，來補助感覺的不足和現實的貧乏。楊春時、俞兆平、黃鳴奮：《文學概論》（北京市：人民文學出版社，2002年2月1版1刷），頁244-247；李傳龍：《文學創作美學》（西安市：陝西人民出版社，1991年6月1版1刷），頁74。

90 雖然美感意象的生成主要來自「眼前之景」的瞬間感興，但「神思」──直覺的藝術構思，卻往往在「神與物遊」中突破「眼前之景」的狹小時空限制，而表現出「寂然凝慮，思接千載；悄焉動容，視通萬里」（《文心雕龍．神思》）的時空特徵，在直覺（寂然凝慮）之瞬間，統攝「千載」、「萬里」的超時空意象。王力堅：《六想像，就是創造。創造，是根據已有的「意象」為材料，把它們加以翦裁、綜合，成一種新形式。[91]它不只是復演舊經驗，而是必含有新成分。由此，「創造想像」是更獨立、更新穎、更有創造性的一種想像。積極的創造性想像總是帶有幻想與虛構的成分，而幻想與虛構正是創作者在現實生活知識經驗的基礎上，通過創造想像，對事象物象進行改造、組合，構成藝術真實的方式。[92]當創作者的生活閱歷愈深廣，思想認識愈敏銳，他對客觀規律性的把握也就愈準確深刻，所創造的藝術形象也就愈有藝術概括力與說服力。以此也可得知，一般能力是以「思維力」為其重心，其中的「觀察力」是為「思維力」服務；「記憶力」是用以記憶「觀察」、「思維」之所得；「聯想力」是「思維力」的初步表現，「想像力」則是「思維力」的更進一步呈顯，以主導「形象」、「邏輯」與「綜合」三種思維，進而表現「綜合力」，發揮「創造力」。[93]

此外，陳滿銘又指出，「思維」是人類一切知行活動的原動力，始終以「意象」為內容，所以「意象」可以通貫「思維」的各個層面，形成「意象（思維）系統」。「意象（思維）系統」又直接與「語文能力」的開展息息相關。因此，若從邏輯關係來說，它們初由「觀察力」與「記憶力」這兩大支柱豐富「意象」，再由「聯想力」與

朝唯美詩學》（臺北市：文津出版社，1997年7月初版1刷），頁63。

91 朱光潛指出：創造的想像含有「理智的」、「情感的」、「潛意識的」三種成分。就理智而言，創造的想像在渾整的情境中選擇若干意象出來加以新綜合，要根據兩種心理作用，一為「分想作用」（dissociation），是選擇所必需的，一為「聯想作用」（association），是綜合所必須的。「分想作用」就是把某意象和與它相關的意象分裂開，把它單獨提出。有時分想作用自身便是積極的，便是一種創造。單是選擇有時就已經是創造。見《文藝心理學》，頁225-227。

92 歐陽絳：《思維效率》（福州市：福建教育出版社，1996年5月1版2刷），頁66。

93 陳滿銘：〈語文能力與辭章研究——以「多」、「二」、「一（0）」的螺旋結構作考察〉，《國文學報》36期（2004年12月），頁78。

「想像力」這兩大翅膀拓展「意象（個別）」(「多」)，接著由「形象」與「邏輯」的兩大思維（「二」）運作「意象」，然後由「綜合思維」統合「意象（整體）」(一（0）)，以發揮最大的「創造力」。如此周而復始，便形成「多」、「二」、「一（0）」的螺旋結構，以反映「思維系統」或「意象系統」。[94]不但可適用於藝術文學、心理學領域，也適用於科技領域。[95]

2 特殊能力與綜合能力

創作者為了完成各種活動，需要多種「一般能力」的聯合運用。但若要完成專業的創造活動，則需要在長期的實踐中，使多種能力穩固地組合起來形成專業的「特殊能力」。所以「特殊能力」是在「一般能力」基礎上出現的特定組合；在「特殊能力」實踐的過程中，也必然會鍛鍊和提升多種「一般能力」。[96]

「特殊能力」若落到語文上，陳滿銘指其直承「思維力」(含聯想力與想像力）而開展，分由「形象思維」、「邏輯思維」與「綜合思維」形成運用「意象」(含狹義與廣義)、「詞彙」、「修辭」、「語法」、「章法」，與確立「主旨」(綱領)、「文體」、「風格」等各種特殊能力，促進了辭章學各內涵學科的研究。其中，與「形象思維」有關的是「立意」、「取材」與「措辭」；而以此為研究對象的，是意象學、詞彙學與修辭學。與「邏輯思維」有關的為「構詞」、「運材」與「布局」；而以此為研究對象的，是文（語）法學、章法學。與「綜合思

94 陳滿銘：〈談思維力與語文螺旋結構的關係〉，《國文天地》21卷3期（2005年8月），頁79-86；陳滿銘：〈淺論意象系統〉，《國文天地》21卷5期（2005年10月），頁30-36；陳滿銘：〈論「多」、「二」、「一（0）」的螺旋結構──以《周易》與《老子》為考察重心〉，《師大學報．人文與社會類》48卷1期（2003年7月），頁1-20。

95 黃順基、蘇越、黃展驥：《邏輯與知識創新》，頁430。

96 金開誠：《文藝心理學概論》，頁13、311。

維」有關的為「立意」與「確立體性、風格」；而以此為研究對象的，是主題學、文體學與風格學。至於以此整體或個別為對象加以研究的，則統稱為辭章學或文章學。[97]

「綜合能力」，就是統合上述的「一般能力」、「特殊能力」所形成的整體能力。這種能力，如歸根於「思維力」而言，就是「創造力」。若就「寫作」活動而言，它是構思新的人物形象、尋找不同的表達方式，由「意」而「象」，創造完整的新作品，是一種創造力的整體展現。若就「閱讀」活動而言，它是透過文中的各種材料、各種表現手法，由「象」而「意」，凸出主旨、風格，以欣賞作者的創造力，是一種「再創造」的完整過程。[98]創作與欣賞，所傳麗者雖有不同，而其會心則一。所以整個文學藝術的發展，可說是由「陰陽」或「內外」兩面所構成的動態系統。其中，「陽面」、「外面」，是創作；「陰面」、「內面」，是欣賞。[99]

如劉若愚引阿布拉姆斯（M. H. Abrams）《鏡與燈》的「世界」、「作家」、「作品」、「讀者」四要素觀點，指文學的主要藝術功用是雙重的，一是「作者」通過創造想像的境界而擴大現實，「讀者」由再創造想像的境界而擴大現實；二是「作者」與「讀者」雙方對創造衝動的滿足，故而形成四元架構關係。[100]鄭頤壽在此基礎上，樹立了「四元六維結構」論。「四元」，是構成話語的「宇宙元」、「表達元」、「話語元」、「鑑識元」。「六維」是「四元」之間所構成的「宇宙元⟷表達元」（1維）、「表達元⟷話語元」（2維）、「話語元⟷鑑

97 陳滿銘：〈語文能力與辭章研究——以「多」、「二」、「一（0）」的螺旋結構作考察〉，頁80-89。

98 陳滿銘：《章法學論粹》，頁81。

99 金開誠：《文藝心理學概論》，頁340-343。

100 劉若愚著，杜國清譯：〈中西文學理論綜合初探〉，收入鄭樹森編：《現象學與文學批評》（臺北市：東大圖書公司，1984年7月初版），頁132-133。

識元」(3維)、「鑑識元⟷宇宙元」(4維)、「宇宙元⟷話語元」(5維)、「表達元⟷鑑識元」(6維)六組雙向辯證關係的統一體，並以此來闡釋「寫」(創作)與「讀」(欣賞)之間的密切關係。[101]

「人心感於境遇，而哀樂情動，詩意以生」(吳喬《圍爐詩話》)。當創作主體與審美對象之間的踫撞、遇合，引發審美情感的流動與激盪，產生創作的衝動力、驅策力而為文，[102]形成的是「生活積累」→「選材立意」→「藝術構思」→「語言表達」的創作步驟。「夫綴文者情動而辭發，觀文者披文以入情」(劉勰《文心雕龍·知音》)。讀者的鑑賞步驟，則恰恰是寫作思維走向的逆運轉。它是從感知語言符號系統起步，由小到大，逐級歸納，如語段抽義、段落取精、章節理意、文篇歸旨，形成一條「得意」的「閱讀鏈」。[103]以此可證，由「意」而「象」的「創作」(寫)，是先天能力的發揮；由「象」而「意」的「批評」(讀)，則是後天研究的逆向努力。於是，陳滿銘將辭章的研究與語文能力合軌，形成互動、循環、提升的「多」、「二」、「一(0)」螺旋結構：[104]

101 鄭頤壽：《辭章學導論》(臺北市：萬卷樓圖書公司，2003年11月初版)，頁48-65。

102 吳功正：《中國文學美學》(南京市：江蘇教育出版社，2001年9月1版1刷)，頁201。

103 閱讀「得意」對文本原意的重構性和讀者主觀效應的差異性，一是強週讀者對文意的再創造，二是說明文意隨著不斷獲侳得新生。曾祥芹：《現代文章學引論》，頁153-157。

104 陳滿銘：〈論語文能力與辭章研究－以「多」、「二」、「一(0)」螺旋結構作考察〉，頁90-91。

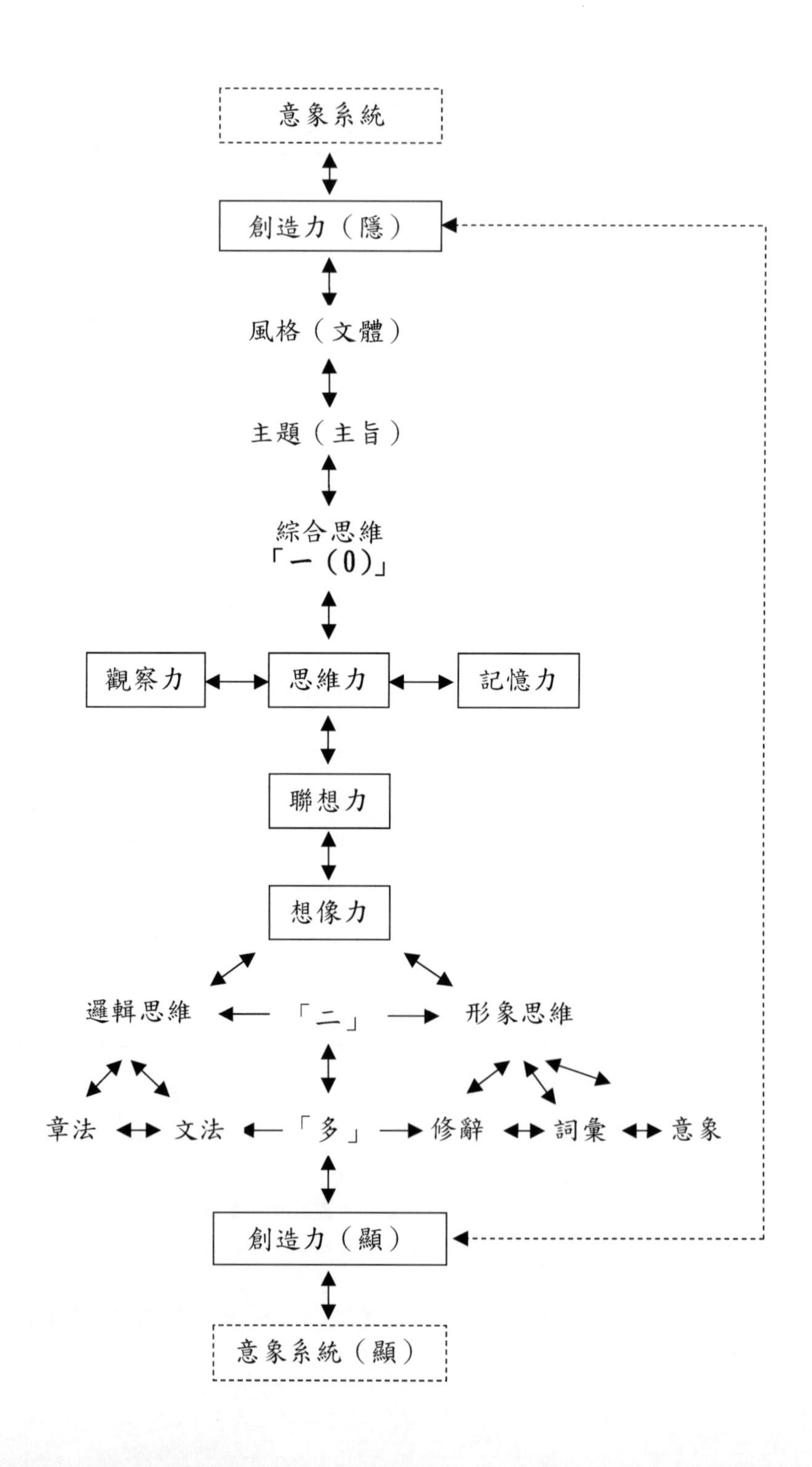
意象系統
創造力（隱）
風格（文體）
主題（主旨）
綜合思維
「一（0）」
觀察力
思維力
記憶力
聯想力
想像力
邏輯思維
「二」
形象思維
章法
文法
「多」
修辭
詞彙
意象
創造力（顯）
意象系統（顯）

二　就美感意涵而言

李澤厚談「審美的過程與結構」指明，由於記憶、情感、聯想、想像、思維等各種心理因素的滲入，審美注意多會傾注、集中在對象的形式結構本身，從而充分感受其形式結構，以至於對節奏、韻律、秩序、變化、統一等得到了充分的「注意」，[105]所以中國藝術和美學特別著重形式規律的提煉。[106]若落至章法四大律上來說，它是聯結時、空結構中，由「反覆」（秩序）與「往復」（變化）所引起的「節奏」，由調和或對比所呈顯的「剛柔」（陰陽）層層串聯成整體「韻律」，凸出主旨、綱領，然後貫串各部而「統一」、形成「風格」的審美內涵。

（一）律動的形成

《易經・繫辭上》:「動靜有常。」動靜，即陰陽之動靜。如張載《正蒙・太和》:「虛實、動靜之機，陰陽、剛柔之始。」[107]陰陽為動力，也是事物之所以能不斷運動變化的根源。「剛柔相推而生變化」（〈繫辭上〉），事物恆處於易道本體無限動能之流進中，恆向其對待面推移、轉化，然後由乾坤至既濟而未濟，由無（道）而有（萬物）而無（道），形成大反轉，復歸其根，開啟另一個新的變化歷程，常

---

105 所謂「注意」，就是心理活動對一定事物的指向和集中。若落實到藝術欣賞中的「注意」來說，整個心理活動就表現為圍繞特定作品而展開的感受、回憶、聯想、想像和思維活動的交織與運轉。金開誠:《文藝心理學概論》，頁370-372。

106 李澤厚:《華夏美學》（臺北市：時報文化出版公司，1989年4月初版），頁29-30、169-170。

107 〔宋〕張載:《張子全書・正蒙・太和》（中華書局據高安朱氏藏書本校刊，未著年），卷二，頁3。又《朱子大全・卷四十二・答胡廣仲》:「動靜二字，相為對待，不能相無，乃天理之自然，非人力之所能為也。」

久而不息。「其陰陽兩端，循環不已者，立天地之大義」。[108]如此，便沉澱了中國古代一個極為重要的思維模型，它是一種形式結構的反覆與有序性。而在整個變動歷程中，這種由一而二，二而四，……以至無窮無盡的推演型思維方式，其運行特點正是節奏感。[109]創造出美的最重要因素的「動力」、「動勢」，即根源於此。

如宗白華以為中國藝術所表現的境界特徵，就是根植於《周易》的宇宙觀，根植於生生不已的「陰」、「陽」二氣所織成一種有節奏的生命。所謂「氣韻生動」，也不外乎反求於己身的心靈節奏，以體合宇宙的生命節奏。美感，既源自於人類心靈的律動，[110]心靈又與客觀永恆存在的「理」緊密結合，因而心靈最主要的兩個特徵乃在於「生命」與「動感」。[111]也由於心靈是生命，恆處於「律動」之中，它本身即是「動因」，推動著自身，導向永恆之美。[112]「凡圜轉之物，動必有機；既謂之機，則動非自外也」。[113]以此，中國古代先哲認為宇宙萬物是一個有生命的大化流行的整體，其時空審美觀念是「高遠之色清明，深遠之色重晦，平遠之色有明有晦。高遠之勢突兀，深遠之意重疊，平遠之意衝融而縹縹緲緲」[114]等「三遠法」折高、折深、折

108 〔宋〕張載：《張子全書・正蒙・太和》，卷二，頁3。

109 吳功正：《中國文學美學》（南京市：江蘇教育出版社，2001年9月版1刷1刷），頁783。

110 王秀雄：《美術心理學・創作、視覺與造形心理》（高雄市：三信出版社，1975年8月初版），頁255。

111 楊深坑：《柏拉圖美育思想研究》（臺北市：水牛圖書出版公司，1987年2月再版），頁104。

112 生命在於運動與活力，運動與活力意味著生命過程。自然生物的生命本質是能夠自動，並能新陳代謝，自我修復、生長，處在持續不斷地死亡與再生之中，整個組織系統處在永不停息的運動之中。王萷生：《造型藝術原理》（哈爾濱市：黑龍江美術出版社，2000年3月1版1刷），頁190。

113 〔宋〕張載：《張子全書・正蒙・參兩》，卷二，頁7。

114 郭熙〈林泉高致〉：「自山下而仰山巔，謂之高遠；自山前而窺山後，謂之深遠；

遠的妙理；[115]是不斷地移動視點、移動位置，以把握住審美對象之「恆常性」的繼時的空間觀。[116]

運動在時間之流中進行，時間與運動成了一體之兩面。把握住了時間的經過，就能表示出「運動感」；[117]而能表現這種力勢或力勢之過程的藝術作品，也就獲得了美與生命力。如繪畫最大的美與生命，即來自於動感。視覺本來只蘊含著靜的形態，但由於題材之暗示，不知不覺中會有某種運動的聯想附加在視覺上，令所有的「視覺存在」，乃成一種「視覺行動」。有了這種視覺行動，創作者才能把知覺對象作為藝術之素材，表現出富有動感及生命力的作品。而整個構圖之所以能創造出力動性，乃是各細部的「動」很合理地配合全體的動勢，然後以主要的「力動性主題」為核心，加以組織，貫徹其運動到全領域裡。[118]

這個「力動性主題」若落到一篇辭章上，就是核心的「意」（情理），它是產生文學的發動機。核心「情理」作為一篇辭章的巨大推動力，不僅在作品中得到了鮮明生動的具體表現，更賦予作品強大的感染力。[119]至於觸發讀者美感經驗的原動力，同樣來自生命力，

自近山而望遠山，謂之平遠。」見俞崑：《中國畫論類編》（臺北市：華正書局，1984年10月初版），頁639。

115 吳功正：《中國文學美學》，頁371-372。

116 王秀雄：《美術心理學．創作、視覺與造形心理》，頁194-195。

117 所謂「運動感」，完全是由相對性而產生的。一動一靜或兩種運動速率不同的事物，相比較之下才能產生運動感。此外，宇宙的運動方式有自然運動、社會運動、思維運動三大類，因而與之相應的時間也可分為自然時間、社會（歷史）時間、思維時間。王秀雄：《美術心理學》，頁207-208。

118 王秀雄：《美術心理學》頁321。又：造形上的動感存在於造形本身，即我們的視覺中樞有這種「定向了的緊張」，能使得它表示出這種力勢。（頁261-269）。

119 陳滿銘：《章法學論粹》，頁19。

來自移情作用的動力。[120]移情，是建立在相似聯想心理基礎上的審美情感之律動，是人將一定的情感「投射」到一定的對象，從而達成物我同一的審美心理現象。因此，一切藝術最深的根源，乃是在「真」與「誠」；[121]而「至誠不息」正是一切事物形成秩序、變化、聯貫，以至於統一的原動力。陳滿銘指它透過人之「心」，投射到哲學上，即成哲學之理；投射到藝術（音樂、繪畫、電影等）上，便成為藝術之理；投射到文學上，就成了文學之理。如進一步將此文學之理落在章法上，那就是章法四大律之理了。[122]

〈乾・象〉的「天行健，君子以自強不息」，及〈繫辭上〉的「日新之謂盛德，生生之謂易」，皆一致強調了天地自然的運轉、變化與更新；人唯有採取同步的「動態」結構，才能與整個自然宇宙同一，才能「與天地參」。這種同一或合一，不是靜態的存在，而是動態的進行。同樣來自於「美」與「生命」的章法四大律，也是如此。無論章法單元或結構單元都可以經由順向或逆向移位、拗向陽或拗向陰轉位，而產生秩序性或變化性律動。而律動，能帶給造形以生命感、速度感。[123]它會因活動的性格引人注目，因多樣的統一使人容易觀察、把握與理解，而導致親熱的情感；也會伴隨著層次的造形、[124]

---

120 物是靜止的、平面的，移情的結果使它變成活動的、有力量的。由於移情作用是不自覺地進行的，所以本來是自己的活動和力量，欣賞者卻很自然地感覺到是出自於自己。欣賞者這種物我合一的經驗，就是美感經驗。欣賞者藉由視覺、聽覺、味覺、嗅覺、觸覺等感官接收性質不同的訊息，就會形成各種藝術。李雄揮：《哲學概論》（臺北市：五南圖書出版公司，1989年2月初版），頁257-263。

121 宗白華：〈論中西書法之淵源與基礎〉，《美學散步》（臺北市：洪範書店，2001年1月初版6印），頁136。

122 陳滿銘：《章法學論粹》，頁17。

123 律動會帶給造形以生命感，也是表現速度、造成氣氛有效的力量。林書堯：《基本造形學》（臺北市：三民書局，1983年8月修訂初版），頁197-199。

124 漸層率發生變化（漸強或漸弱）時，則其側面輪廓之動感就能增強甚多，能造出反覆的安排、連續的動態、轉移的趨勢，[125]而出現連續、流動、強弱、反覆、漸進、變動、回旋等現象，再經由運動的力勢貫串每一個結構單元達成整體的統一。

（二）移位的秩序性美

〈繫辭下〉:「窮則變，變則通，通則久。」又〈繫辭上〉:「通其變，遂成天地之文。」《周易》在此，提出了一個因窮而變、因變而通、因通而久，然後因久以成文的「窮→變→通→久→利（文）」模式。其中，「變」與「通」是兩個關鍵處，指陰陽在相摩相盪的運動變化中，總是追求動態的平衡，追求繁多中的有序和諧。華夏藝術美學，也淵源於此。[126]如《禮記．樂記》:「樂者，天地之和也；禮者，天地之序也。和，故萬物皆化；序，故群物皆別。」[127]又如劉勰《文心雕龍．通變》上承《周易》，將「變」與「通」運用於文學理論：「文律運周，日新其業。變則堪久，通則不乏」[128]，建立了「變」與「常」的文學觀。[129]常，就是有序。它同時也是人心情感所應具有的形式、秩序與邏輯。如石濤《畫譜．變化章》以「一畫」作為繪畫最高指導思想，又審慎處理了「經」與「權」的關係：「凡事有經必有

有生命力且充滿了動勢效果。造形上的動感，存在於造形本身，亦即視覺中樞有這種「定向了的緊張」，使得它表示出這種力勢。王秀雄：《美術心理學》，頁269-279。

125 針對「秩序律」而言，其力的變化是「移位」；針對「變化律」而言，其力的變化就是「轉位」。

126 李澤厚：《華夏美學》，頁31、78。

127 〔清〕阮元：《十三經注疏．禮記》（嘉慶二十年江西南昌府學開雕，臺北市：藝文印書館，1985年12月10版），頁669。

128 王更生：《文心雕龍讀本》，下冊，頁51。

129 陳望衡：《中國古典美學史》（長沙市：湖南教育出版社，1998年8月1版1刷），頁189。

權，有法必有化。一知其經，即變其權；一知其法，即功於化。」又〈兼字章〉:「一畫者，字畫先有之根本也。字畫者，一畫後天之經權也。能知經權而忘一畫之本者，是由子孫而失其宗支也。」[130]「一畫」為「經」、「權」之本，又往往落實在「經」、「權」之中。「權」，則有所變化；「經」，則有所依循。而「變」與「不變」，正是藝術創作法則之一。[131]一如宇宙是漸趨於平衡穩定，每一種心理範疇也都具有向最簡純、均衡、有秩序性之組織趨近的可能性，故「秩序」是首要的性質，其次才是「變化」。[132]

若從心理學的角度來看，這是由於大腦皮質層內的知覺神經，存有一種儘量維持物體的形態、大小、色彩等客觀特性之恆常的傾向，以得到身心之休憩，所以人的知覺有「簡潔化」傾向。簡潔化，就是知覺上的有序化，使人更容易把握審美對象的特質而易於整理，易於分類，易於記憶，還能強調中心內容。[133]張則幸、金福順在探討「結構的有序性」[134]時也指出，當各要素以一定的方式相互聯繫、相互作用而具有某種結構時，可概括為「齊一性」、「對稱性」、「協調性」、「規律性」等有序狀態，而且終將趨於統一。[135]所以成功的藝術作品

130 俞崑:《中國畫論類編》，頁149、158。

131 陳望衡:《中國古典美學史》，頁973。

132 〔英〕弗萊:〈論美感〉，收入佟景韓、易英主編:《現代西方藝術美學文選・造型藝術美學卷》(臺北市:洪葉文化出版公司，1995年2月初版1刷)，頁307。

133 王秀雄:《美術心理學》，頁171-187。

134 「結構的特性」有三:一、結構是一種關係，指各要素之間的聯結方式，並不是實體。二、結構的整體性，結構表徵的是組成系統的諸要素相互聯繫成為一個整體，把握了對象的結構，也就是整體上把握了對象。三、結構的有序性。張則幸、金福順:《科學思維的辯證模式》，頁23-26。

135 所謂「齊一性」，是指彼此保持某種共同性。所謂「協調性」，是指系統內部各組成元素之間以及系統與外部環境之間的協同、和諧、適應的關係。「統計規律性」是指有些自然現象從表象看來，似是亂無章，完全無序，但如從更深廣的視角來看，卻是有序。張則幸、金福順:《科學思維的辯證模式》，頁44-54。

總是依據視覺原理，將作品中各元素有機組合成有秩序和規則可尋的組織系統。在這個系統中，有對比、有調和、有律動，引導讀者不自覺的依循這個系統原則，進入可觀可賞之處。[136]

由於「陰」、「陽」兩種力勢的流動可構成的一種有節奏的生命力，文學上也有系統化或結構化傾向，形成一種深刻的「秩序意志」。如中國文人多採俯仰遠近的審美視覺意識，以窺鳶飛戾天、魚躍於淵的大自然生機。此時，視覺移動所形成的線的軌跡，不但有張力，而且也有方向。當只有一個力的向量時，會形成由近而遠或由遠而近、由低而高或由高而低、由內而外或由外而內、由小而大或由大而小等順向或逆向的秩序性移動；當力的向量是雙向時，則會形成由近而遠又拉回近或由遠拉近再推遠、由低而高再拉低或由高拉低再推高、由內而外又拉回內或由外拉回內再推向外、由小推大再拉回小或由大拉回小再推及大等拗向的變化性移動。如此，由一個視點，變成直線、折線、曲線，再形成面或體；然後因張力及方向的不同，仰俯遠近的目瞻眼望所形成的審美視覺活動，在來去往復中形成循環起伏的節律。[137]

魯道夫・阿恩海姆（Rudolf Arnheim）也指出，眼睛能看到運動的先決條件，是兩種系統互相發生「位移」（含移位、轉位）；[138]心靈對運動的感知和眼睛對運動的感知一樣，也需要兩種系統互相發生「位移」這一先決條件，才能「看見」作品內部運動的速度、加速度

136 參見劉思量：《中國美術思想新論》（臺北市：藝術家出版社，2001年9月初版），頁30。

137 吳功正：《中國文學美學》，頁374-375。又，所有的線型可歸納為兩種：一是一個外力形式，可形成四種直線類型：（1）地平線。（2）垂直線。（3）對角線。（4）自由直線。二是二個外力形成：（1）折線。（2）曲線（弧線）。劉思量：《藝術心理學・藝術與創造》（臺北市：藝術家出版社，1989年5月初版），頁68-78。

138 〔美〕魯道夫・阿恩海姆（Rudolf Arnheim）著，滕守堯、朱疆源譯：《藝術與視知覺》（成都市：四川人民出版社，2001年3月1版1刷），頁572-582。

與方向。[139]「方向」產生變化，「體」的表情也隨之轉換。若垂直向上，予人高潔、莊重、肅穆、崇高和雄偉感；向水平方向延伸，予人平靜、平和、永久、舒展之感；若斜向發展，則具有生動、活潑、輕盈、瀟灑的表情。[140]然不管何者，最終必然會形成由「直線」→「曲線」→「圓圈」的循環反覆的模式。以此，林書堯、林崇宏指「律動」構成的原則，是「連續」（含「回旋」與「流動」）、「反覆」、「層次」、「變動」與「轉移」。[141]

若落到章法四大律上，其中的「連續」、「流動」、「反覆」與「層次」，偏屬於秩序律「移位」的範疇。以二元對待為基礎的章法結構，其組織材料的兩股力量，如圖與底、點與染、遠與近、高與低、內與外、昔與今等等，構成了兩相對待的「對稱元」。「對稱元」隨著陰陽力勢的流動、推移，依序呈現材料（結構單元）以凸出核心情理（主旨），所有章法因而皆可形成或順（由陰流向陽，如圖底法中的「先底後圖」，點染法中的「先點後染」）、或逆（由陽流向陰，如圖底法中的「先圖後底」，點染法中的「先染後點」）的秩序性移位結構。若進一步組合章法單元和各層結構單元的或順或逆移位動態力勢，則會形成較偏近於「反覆」性節奏。

反覆，是同一形式的連續出現。它可以指事物在時間中的一種動態的存在形式，也可以指事物在空間中靜態的存在形式，充滿秩序感與整齊美，體現出一定的節奏感。[142]它的主要特徵是將相同或相似的

---

139 金健人：《小說結構美學》，頁277-278。

140 史春珊、孫清軍：《建築造型與裝飾藝術》（瀋陽市：遼寧科學技術出版社，1988年6月1版1刷），頁30-33、43。

141 林書堯：《基本造型學》，頁367；林崇宏：《造形．設計．藝術》（臺北市：田園城市文化公司，1999年6月初版），頁123。

142 楊辛、甘霖：《美學原理》（臺北市：曉園出版社，1991年5月1版1刷），頁168；呂清夫：《造形原理》（臺北市：雄獅圖書公司，1989年9月7版），頁170。

移位性結構單元，作規律性的重複排列。以其構成的造形要素較單純，經由反覆有序安排，呈現出簡單明確的聯繫，可為整體帶來清新簡潔的節奏感。[143]如杜甫〈孤雁〉：

> 孤雁不飲啄，飛鳴聲念群。誰憐一片影，相失萬重雲？望盡似猶見，哀多如更聞。野鵶無意緒，鳴噪自紛紛。[144]

安史事件後，遭逢吐蕃回紇為亂的杜甫，流寓在夔州，觸物興哀，抒寫羈離之苦。首聯，描寫一隻孤雁不飲不啄，獨對長空哀鳴，思念失落的雁群。「望盡矣而飛不止，似猶見其群而逐之者；哀多矣而鳴不絕，如更聞其群而呼之者」，[145]正寫飛鳴念群之意。次、頷兩聯，續寫終日望向重重烏雲阻隔的天際，尋找群雁的踪影。末聯，藉由呱呱噪啼的群鴉聲，從聽覺上反襯沉鬱的羈旅之情。它的結構表為：

- 凡（飛鳴念群，陰）
  - 果（陽）：「孤雁」句
  - 因（陰）：「飛鳴」句
- 目（陽）
  - 主（孤雁，陰）
    - 因（陰）：「誰憐」二句
    - 果（陽）：「望盡」二句
  - 賓（野鵶，陽）
    - 因（陰）：「野鵶」句
    - 果（陽）：「鳴噪」句

全詩借孤雁「以興君子寡而小人多，君子淒涼零落，小人噂沓喧競。其形容精矣」，[146]自然渾成，無斧鑿氣。在篇的部分，形成「先

143 反復的現象組合包含顏色上、形象上、形式構成條件（角度、方向、質感）等反復形式。林崇宏：《設計原理》，頁142。

144 〔清〕楊倫：《杜詩鏡銓》，頁1153。

145 同上註，頁1153。

146 〔宋〕羅大經撰，王瑞來點校：《鶴林玉露・卷之四・甲編》（北京市：中華書局，1997年12月1版湖北2刷），頁61。

凡後目」（陰→陽）順向移位力勢，再以此統攝「凡」部分的「先果後因」（陽→陰）逆向移位結構單元，和「目」部分的「先主後賓」、二疊「先因後果」（陰→陽）順向移位結構單元。「果→因」、「主→賓」、二疊「因→果」等移位性結構的重複出現，即形成了反覆、齊一的節奏性；再經由綜合思維，以「飛鳴念群」為綱領，貫串全篇的意象群，形成完整結構。

此外，以陰陽二元對待為根源的章法結構，不是以「對比」就是以「調和」的方式，形成密切的組合關係而產生韻律。[147]也就是說，章法結構所組織起來的內容材料，彼此之間會呈現「對比」或「調和」關係；再經由局部「調和」或「對比」的銜接、呼應，形成聯貫，最後達成整體的統一。如杜甫此詩，孤雁、野鴉、陰雲、影子等自然性物材和飛鳴、不飲啄、望盡等事實類事材，彼此性質相類，「先凡後目」結構故而呈現調和性二元對待關係。因此，章法「移位」現象所造成的較偏於靜態結構的「反覆」，就表現在對比性或調和性的辭章材料組合上。然而不管是偏近於靜態或偏近於動態形式，都以其接二連三的反覆出現而延展成連續的節奏，給人一種單純的快感。[148]

「反覆」的視覺特性，若再進一步，能由「反覆律動」演變成「層次律動」。[149]劉思量從「動力」觀點指出，這是由於「點」具有

---

147 例如運用繪畫元素之「構成」，可分為同性結構、異性結構。不論何者，都可借著重複或對比等方式而產生韻律。劉思量：《藝術心理學．藝術與創造》，頁127-135。

148 如詩歌中常由於反復其辭，再三重出，刺激因而深刻，語勢因而加強，增加了聳動耳目的力量。又由於反復是一種井然有序的律動，自然會產生期盼。每反復重現一次，就會帶來更大的滿足與享受，使心神為之爽快。黃永武：《詩與美》（臺北市：洪範書店，1987年12月4版），頁114。

149 可分為三：一是同一的「反復」條件，二是類似的「反復」條件，三是間隔性的「反復」條件。林書堯：《基本造型學》，頁367。

「內在的張力」[150]之特性，故「點」是一個行動體（agent）。[151]當「點」與「點」產生複數關係、產生「點群」現象時，首先應注意的就是「點」與「點」之間所引起的虛形變化，其次是會感到「點」與「點」之間產生移動現象。「點」的移動變成了「線」，而「線」是「點」移動的軌跡、結果，所以有開端、有方向性、有終點以及過程上的距離長度等特性。[152]當漸層率發生變化（漸強或漸弱）時，動感就會增強，且充滿了生命力和動勢效果；因此，「線」不但內藏著無限的「力」，還因「力」的作用，引起「力」的使用量和「力」所驅馳的質，形成「層次性」的韻律。[153]若落到章法上，陳滿銘指出，層次邏輯的源頭既是以「二元對待」為基礎，所以就起點而言，是形成二元對待關係；就過程而言，是移位與轉位；就終點而言，是形成「（0）一、二、多」關係。三者之間，又可形成互動、循環、提升的螺旋結構，生生不息。[154]

美與一定的大小及其秩序相關。層次，是一種漸變的造形，從規律性的遞減或遞增，形成差異細微的律動。[155]它或在空間上漸遠，在

150 康丁斯基（Wassily Kandinsky）以「張力」來代替「運動」一詞，他解釋：「張力」是元素的內在力量，是「運動」的一部分而已；第二部分是「方向」，也是由「運動」所確定。康丁斯基著，吳瑪悧譯：《點線面》（臺北市：藝術家出版社，2000年3月再版），頁47。

151 劉思量：《藝術心理學．藝術與創造》，頁103。

152 點因大小輕重有前進與後退、膨脹或收縮的感覺。點在位置觀念上的形態，可以有任何形色、質地之分別；點在位置觀念上的關係，關鍵在前後左右上下、以及所有空間環境。因點的集合或面的分割，會引起一定方向的引誘力。林書堯：《基本造型學》，頁111-114。

153 如：（一）力的使用量→點的移動量→長度問題；（二）力的視覺化→點的現實性→粗細、形態、空間性等問題。（三）力的作用法→點的移動質→方向、運動等問題。林書堯：《基本造型學》，頁109-117。

154 陳滿銘：〈論章法與層次邏輯〉，《國文天地》18卷9期（2003年2月），頁98-101。

155 林書堯：《基本造型學》，頁367。

時間上漸長，在詩意上旋折旋深，使人產生柔和、含蓄感，具有抒情的意味；或在空間上漸近，在時間上漸蹙，形成輕重有序、步步進逼的律動，給人美的印象。[156]經由漸層（漸深或漸淺、漸強或漸弱、漸大或漸小、漸近或漸遠等）之重複、漸進等方式，都會產生動力和韻律效果。[157]此種具有一定秩序的漸移，若落到一篇辭章中的單一結構單元來看，如杜甫〈孤雁〉一詩，無論「先凡後目」結構單元中的「凡」向「目」移位、「先主後賓」結構單元中的「主」向「賓」移位、二疊「先因後果」結構單元中的「因」向「果」移位、或「先果後因」結構單元中的「果」向「因」移位，都規律地顯示了力與時間的作用，所以可產生簡單的節奏。[158]若結合「凡→目」、「主→賓」、二疊「因→果」、「果→因」等各層結構單元的移位現象來看，藉由陰陽力勢的流動與呼應，層層串聯，則會由局部的反覆節奏形成層次律動，進而構成一篇的韻律與風格。

（三）轉位的變化性美

《周易・繫辭下》強調「日往則月來，月往則日來，日月相推而明生焉；寒往則暑來，暑往則寒來，寒暑相推而歲成焉」。功業見乎變，聖人效之。故李澤厚指孔門仁學由心理倫理而天地萬物，由強調人的內自然（情、感、欲）的陶冶塑造到追求人與自然、宇宙的動態

---

156 黃永武：《詩與美》，頁120。

157 重複因占有空間而形成體，因而產生整體性及空間性張力。由點之漸進的圓，有類似動力效果，其中也有韻律和運動。「漸層」也是一種形式原理，當它局部地組織於造形之中，才能充分表現它的美感。劉思量：《藝術心理學・藝術與創造》，頁112-113；呂清夫：《造形原理》（臺北市：地景企業公司，1993年2月初版），頁170。

158 只有一對矛盾對比或反覆出現的單一節奏稱為簡單節奏。王菊生：《藝術造型原理》，頁231。

同構。[159]自然現象的變化和人的情感變化有相互感通的關係，人可以以其思想、情感、氣勢和宇宙萬物相呼應，也和宇宙的秩序變化、動態平衡、和諧統一等規律相呼應。而這一個「通則久」、「吉無不利」的生成觀點，也正是傳統美學高度重視運動、力量、韻律的根源。如《禮記・樂記》：「著不息者，天也。著不動者，地也。一動一靜者，天地之間也。故聖人曰禮樂云。」鄭玄注：「言禮樂之法天地也。」[160]又如劉勰《文心雕龍・時序》的「文變染乎世情，興廢繫于時序」，即可說是《周易》「法象莫大乎天地」和「變通莫大乎四時」的具體衍化和靈活運用。[161]

整個天地自然既存在於生生不息的運動變化之中，美和藝術必也如此。如書法藝術之所以強調「百鈞弩發」、「崩浪富奔」（〈筆陣圖〉），又「運轉變通，不質不形」（〈筆法記〉）的「線」的藝術，正因為這「線」具有與大自然同構的動態氣勢。如郭熙〈林泉高致〉談山水錯縱起止之勢及明晦隱見之跡：「遠望之以取其勢，近看之以取其質」；「山春夏看如此，秋冬看又如此，所謂四時之景不同也。山朝看如此，暮看又如此，陰晴看又如此，所謂朝暮之變態不同也。如此是一山而兼數十百山之意態。」如石濤《畫語錄・筆墨章》總結：「故山川萬物之薦靈於人，因人操此蒙養生活之權。苟非其然，焉能使筆墨之下，有胎有骨，有開有合，有體有用，有形有勢，有拱有立，有蹲跳，有潛伏，有衝霄，有崱屴，有磅礴，有嵯峨，有巑岏，有奇峭，有險峻，一一盡其靈而足其神。」[162]詩和建築亦然。如葉燮《原詩・卷一・內篇上》：「作室者，……自康衢而登其門，於是而

159 李澤厚：《華夏美學》，頁76-79。

160 〔清〕阮元：《十三經注疏・禮記》，頁672。

161 陳望衡：《中國古典美學史》，頁189。

162 以上二則，依次見俞崑：《中國畫論類編》，頁634-635、150。

堂，而中門，又於是而中堂，而後堂，而閨闥，而曲房，而賓席東廚之室，非不井然秩然也。…… 其道在於善變化。……惟數者一一各得其所，而悉出於天然位置，終無相踵沓出之病，是之謂變化。」[163] 所以中國美學重視的不是「靜」的實體，而是審美對象的內在功能、結構、關係及其「動態」生命。[164]

人的知覺經驗表明，當經驗定勢[165]、慣性思維模式跟外在現象完全吻合、契應時，心理雖然會因獲得印證而有愉悅感；但思維模式的重複顯現極易形成思維的疲勞，致使「原型」產生「創作模式化」與「鑑賞程式化」的負面性。因為知覺認識不是一種簡單、直接、純粹感性的反射活動，而是一種多樣性交織、甚至含有創造的活動，所以審美知覺遠比普通感官知覺更為複雜。人又有追逐新奇的「求異性」探究心理，會在認識過程中特別關注現象與本質、局部與整體、主體與客體之間的差異性、對立性，然後由此把握對象的特徵與主客體之間的運動規律；於是會打破知覺定形，讓某種變形意象和人原有的心理圖式產生轉換或錯置，造成不平衡的緊張感。而緊張感，正是探究的心理動力和潛在創造力的桿槓，可調動讀者的審美期待。[166]

---

163 〔清〕王夫之等撰，丁福保輯：《清詩話》（上海市：上海古籍出版社，2015年月1版1刷），頁588。

164 李澤厚：《華夏美學》，頁77。

165 「定勢」這一概念，最早是由德國心理學家繆勒（G. E.Muller）和舒曼（F. Schuman）在1899年所提，後經蘇俄心理學家烏茲納捷（G. N.Uznagia）加以改造。其基本觀點，美國心理學家克雷奇（David Krech）以為，知覺定勢主要來自兩個方面：早先的經驗和像需要、情緒、態度和價值觀念這一些主要的個人因素。所謂「定勢」，就是一種心理的定向反應，就是主體心理因素配置的模式對以後心理活動趨向的制約性，主體由一定的心理活動所形成的準備狀態和展開方式，產生對同類後繼心理體驗的敏感性和向性。龍協濤：《文學讀解與美的再創造》（臺北市：時報文化出版公司，1993年8月初版1刷），頁214-222。

166 吳功正：《中國文學美學》，頁275；邱明正：《審美心理學》，頁104。

審美變形適應了人心理的流動性、跳躍性等要求，既打破了心理平衡，更體現了審美主體對審美對象的超越與高層次的藝術占有。[167]其中，尤以「回旋」(含「流動」與「連續」)和「轉移」等轉位律動形式，最能說明眼睛和心靈對作品內部運動變化的感知。

「連續」的形式富於時間感，帶有音樂性、韻律性。「連續」不斷的運動情感，又隨著律動把情感捲入波心；故作為「連續」最深刻的特徵之一的「回旋」造形，富有極強的律動性。而它之所以會有那樣強烈的韻律性，全靠回旋現象的曲率與曲勢。至於方向上或位置上的「轉移」，以其具有「力」的暗示性，所以是最大特色的律動現象。[168]

若落到章法上，章法單元及結構單元所形成的抝向陰或抝向陽轉位結構，如圖底法所形成的「底→圖→底」(抝向陰)、「圖→底→圖」(抝向陽)結構，或點染法所形成的「染→點→染」(抝向陽)、「點→染→點」(抝向陰)結構，位於中心點兩側的「底」與「底」、「圖」與「圖」、「染」與「染」、「點」與「點」等，除了深具明顯的「對稱性」；又可在時間上呈現較偏於動態結構的「回旋」現象，在空間上呈現較偏於靜態結構的「轉移」現象。

先就偏於動態結構的「回旋」來說。廣義而言，當人面對作品、觀看空間形體時，我們的眼光，大抵先落在「中心」，然後向外擴展，[169]形成一個「動力中心」。中心，是所有力量的出發點，也是所有力量的集中地，因而力量是雙向的。視覺「向量」(vectors)之方向也常是雙向的，是正反相同、前後相成。[170]如建築裝飾常見的手

167 張光福：《中國美術史》(臺北市：華正書局，1986年5月初版)，頁33-36、53-58。

168 林書堯：《基本造型學》，頁367。

169 陳雪帆：《美學概論》(臺北市：文鏡文化事業公司，1984年12月重排初版)，頁82。

170 「向量」本是物理名詞，此處指一個被注視之物體，因其形狀外貌位置的不同，

法，就是「反轉對稱」，就是兩個同一形象的相反對稱，故也稱「逆形對稱」。它易於統一的形式中產生動感，是一種現代感很強的對稱形式，[171]王秀雄指此種「對稱性」，易成為「圖」，予人動感與旋轉感。[172]

「旋轉對稱」是一種轉動式的變換。[173]而轉換，最能見出兩種系統相互發生位移，最能見出作品內部各種運動的速度。轉換的頻率高，節奏就顯得急促，轉換的頻率低，節奏就顯得徐緩。在反應強度的兩極端間來回擺動，產生一張一弛又一張、一起一伏又一起的力度變化，是一種更豐富飽滿的節奏。[174]章法的「轉位」現象，就是會形成此種「回轉對稱」的動態結構。如「底→圖→底」藉由陰陽力勢的流動，從「陰」（陰一）流向「陽」（圖）再拉回到「陰」（底二）；「圖→底→圖」藉由陰陽力勢的流動，從「陽」（圖一）流向「陰」（底）再拉回到「陽」（圖二），形成轉出去又拉回來的回轉式圓圈運動。又如「點→染→點」藉由陰陽力勢的流動，從「陰」（點一）流向「陽」（染）再拉回到「陰」（點二）；「染→點→染」藉由陰陽力勢的流動，從「陽」（染一）流向「陰」（點）再拉回到「陽」（染二），形成一順又一逆的回轉對稱。至於結構單元之「轉位」所形成的「回轉對稱」，因「連續」的動態及「旋轉」的趨勢，也可呈顯往復運動

在視覺上產生力量。所謂「動力」是指在視覺中的物體被察覺到的方向性張力，方向性張力即會產生運動感。劉思量：《藝術心理學・藝術與創造》，頁221。

171 史春珊、孫清軍：《建築造型與裝飾藝術》，頁13。

172 在視覺心理學上，把視覺對象從其背景浮現出來，讓人視認得到的物叫作「圖」，其周圍之背景叫做「地」。「圖」有前進性，密度高，有緊密性，凝縮性，令人產生強烈之視覺印象。有動感、旋轉感之形，易成為「圖」，靜止之形易成為「地」。王秀雄：《美術心理學》，頁126-131。

173 鄭中、童中良：〈論有限移位調式的對稱模式〉，《音樂研究》第1期（2003年3月），頁50。

174 金健人：《小說結構美學》，頁284-289。

變化的節奏與張力，以表現文學作品活潑的生命力。[175]如蘇軾〈減字木蘭花〉：

> 雙龍對起。白甲蒼髯煙雨裡。疏影微香。下有幽人晝夢長。
> 湖風清軟。雙鵲飛來爭噪晚。翠颭紅輕。時下凌霄百尺英。[176]

上片首三句，寫煙雨中，藏春塢門前，蒼蒼髯髯的兩株古松，營造一片幽景，這是第一個「賓」。疏影微香下，正在松下晝眠的「幽人」，即錢塘西湖詩僧清順，是「主」。最後以「湖風」四句，寫雙鵲爭噪、蹴下凌霄花的幽景，是第二個「賓」。其結構表為：

- 賓（古松、陽）
  - 點（陰）：「雙龍」句
  - 染（陽）
    - 視（樹身、陰）：「白甲」句
    - 嗅（松香、陽）：「疏影」句
- 主（幽人、陰）：「下有」句
- 賓（落花、陽）
  - 底（陽）：「湖風」句
  - 圖（陰）
    - 因（雙鵲、陰）：「雙鵲」句
    - 果（紅花、陽）：「翠颭」二句

就篇而言，「賓→主→賓」轉位結構藉由陰陽力勢的流動，從「陽」（賓一）流向「陰」（主）再拉回到「陽」（賓二），形成一順又一逆的回轉對稱。再以此統合「賓一」的「視→嗅」→「點→染」等

---

175 生命形式的特徵，就是運動變化的張力與循環往復的節奏。王菊生：《造型藝術原理》，頁192。

176 「《本事集》：錢塘西湖有詩僧清順居其上，自名藏春塢。門前有二古松，各有凌霄花絡其上，順常晝臥其下。子瞻為郡，一日，屏騎從過之，松風騷然。順指落花覓句，子瞻為賦此詞。」鄒同慶、王宗堂：《蘇軾詞編年校註》（北京市：中華書局，2002年9月1版1刷），頁62。

由「陰」向「陽」流動的順向移位結構單元，和「賓二」的「因→果」（陰流向陽）→「底→圖」（陽流向陰）等或順或逆移位結構單元，形成一種連續動態的反覆節奏，使一篇之中的多種事理，因有主筆復有賓筆的互為幫襯，而生發關此顧彼、沆瀣映帶之妙。因為視覺的介入，其凝視之處，會自動形成一個中心點，力量從這中心點發出而形成一動力系統。這一中心點與作品本身所欲彰顯的中心力量，也會發生互動關係；所以它除了以晝臥松下的詩僧（主）為中心，保持一個統觀全局的焦點；也允許圍繞著中心空間再向外「侵蝕」，形成門前古松（賓一）及凌霄花（賓二）等外圍空間。[177]眼睛與心靈就在兩側「賓」與「賓」的轉移中，形成偏於鼓舞的往復節奏，而後以主旨「幽」統攝所有從屬的部分，凝聚全體的精神。

再就偏於靜態結構的「轉移」來說。「轉移」屬於元素間的配置問題，將各個相同或相異的單元作位置上或方向上的移動。移動會形成「轉移」，由「轉移」再產生變化，造形的美感也由此產生。[178]因此，當我們觀賞一個對象，其中心兩側的份量相等，眼睛的動作特點往往就會像鐘擺一樣來回擺動，然後在兩端的中間停下來，產生視覺中心，[179]使我們的情趣產生平靜的瞬間。這一種均衡和天平的原理一樣，故可稱為「天平式對稱」。[180]它有一個中心或軸心，相稱的兩邊

177 劉思量：《藝術心理學．藝術與創造》，頁218。

178 林崇宏：《造形．設計．藝術》，頁124。

179 〔美〕阿恩海姆〈論空間深度的中心〉以馬蒂斯的畫為例說明，在畫面中，人的雙眼能夠很容易地就識別出整個構圖的「平衡中心」，而桌面上的其他物品均圍繞著它組織起來。這「平衡中心」，即是「最大的重量集中點」。見〔英〕弗萊：〈論美感〉，收錄於佟景韓、易英主編：《現代西方藝術美學文選．造型藝術美學卷》（臺北市：洪業文化出版公司，1995年2月初版一刷），頁163。

180 「天平式對稱」是以一參照物為支點，支點前後兩項的結構或數量基本相等的一種形式。童山東：〈論人類語言對稱藝術的發生及形態〉，《中南民族學院學報．社會科學版》總第96期（1999年9月），頁88。

荷重相同，「力」集中於中央的支點而平衡，林書堯稱之為「消極的均衡美感」。至於「積極的均衡美感」，就和蹺蹺板一樣，左右兩邊的荷重不同，有時甚至無法察覺中心點，使中心位置的觀念潛入到最深底層，使觀賞者產生一種動中有靜、靜中有動的喜悅。[181]

大體而言，章法單元之「轉位」所形成的每一種變化，皆可形成這種近似於「天平式」對稱結構。如「圖、底、圖」結構，以「底」為中心支點，把順、逆交錯的辭章材料「圖一」與「圖二」安置於前後兩端，形成偏近於「消極」的均衡美感。因人之生理，均兩兩相對，故人對於對稱形體，最易感入。而「對稱」作為一種極普遍又極常見的美的形式，具有規律性，給人情感上和平、安穩、沉著、鎮定及嚴正的感覺，偏向於靜態美感。[182]若結合章法結構的形式（天平式對稱）與辭章材料的內容（對比或調和）來看，中心凸出的支點作為統貫全文的主旨（或綱領），能輻射全篇，深具概括性與啟迪性，引領讀者更精準地掌握一篇文章的中心思想。而且就全文結構來看，它可出現在「中央偏前」或「中央偏後」的位置。如蘇軾〈減字木蘭花〉的「賓、主、賓」結構，主旨「幽人」出現在中央偏前的「主」;「賓一」與「賓二」，則以不等質或不等量的形態求得非對稱的平衡形式，形成動態均衡而具有輕快感。若再進一步探討，處於兩端的內容材料，若狀態性質相類或相差極其希微，多形成調和性美感；若差異甚大，則易形成對比性美感。至於居於中（高）而前後顧盼的「主」，具有凸出統一的美感效果。[183]

---

181 林書堯：《基本造形學》，頁195-197。

182 宗白華：《宗白華全集》（合肥市：安徽教育出版社，1996年9月1版2刷），第1冊，頁506。

183 轉位結構的對稱與凸出美感等相關論述，請見黃淑貞：《主旨（綱領）安置於篇腹的結構類型析論》（臺北市：臺灣師範大學國文研究所教學碩士論文，2002年12月），頁38-76、236-269。

（四）節奏與韻律

宇宙萬物在時間的流動裡，既具「前者未嘗終，後者已資始，後先相續，至於無極」的連續性關係，恆向其對待面推移（移位）、轉化（轉位），再經由乾坤至既濟而未濟形成大反轉，開啟另一個新的變化歷程，所以在整個時空的變動歷程中，其律動也是「無往」而「不復」，形成一種形式結構的反覆與有序性，產生具有延續性的節奏與韻律。如《周易・泰・象九三》的「無往不復，天地際也」，和《老子・十六章》的「萬物並作，吾以觀復。夫物芸芸，各復歸其根」，即提出一致的看法。又如《呂氏春秋・仲夏紀》：「音樂之所由來者遠矣，生於度量，本於太一。太一出兩儀，兩儀出陰陽，陰陽變化，一上一下，合而成章。……凡樂，天地之和，陰陽之調也。」[184]陰陽結構推演所至，音樂等藝術美學自也不例外。

宗白華指「中國人撫愛萬物，與萬物同其節奏：靜而與陰同德，動而與陽同波，我們宇宙既是一陰一陽一虛一實的生命節奏，所以它根本上是虛靈的時空合一體，是流蕩著的氣韻生動」。故《周易・繫辭下》的「仰則觀象於天，俯則觀法於地，觀鳥獸之文，與地之宜。近取諸身，遠取諸物」，和《中庸》的「《詩》云：『鳶飛戾天，魚躍於淵。』言其上下察也」一致指明，這種「目既往還，心亦吐納」（《文心雕龍・物色》）、「俯仰自得，游心太玄」（嵇康〈贈秀才入軍〉）的觀看方式，由於「視線」的移動有一定的方向感和精細之別，因而對人的情感心理具有較大的影響。從宏觀上看，直線予人剛直、堅實、明確感，曲線予人柔和、輕盈、變化感，也具有很強的運

184 許維遹撰，蔣維喬輯：《呂氏春秋集釋》（臺北市：世界書局，1962年4月初版），頁216-217。

動感。[185]它以「心靈」為中心，觀照萬物，最終又會回復到「心靈」的觀照點；而且積澱在文人的審美心理層中，形成文學美學時空觀的典型表述，以證入生命的無窮節奏。[186]如笪重光〈畫筌〉的「聚林屋於盈寸之間，招峰巒於千里之外。仰睎岧嶢，訝躋攀之無路；俯觀叢邃，喜尋覽之多途」，[187]蘇武〈燭燭晨明月〉的「俯觀江漢流，仰視浮雲翔」，[188]詩畫中表出一片無盡的律動。又如李白的〈送友人〉：

> 青山橫北郭，白水繞東城。此地一為別，孤蓬萬里征。浮雲遊子意，落日故人情。揮手自茲去，蕭蕭班馬鳴。[189]

詩人「身所盤桓，目所綢繆，以形寫形，以色貌色」[190]的視線，在由遠至近、從上至下之間流轉，拉開蒼茫遼遠的詩性空間，形成一種節奏，托起此地一別以後，如孤蓬飄轉萬里的濃濃離愁。「浮雲一往而無定跡，故以比遊子之意。落日啣山而不遽去，故以比故人之情」。[191]「蘇、李贈言多唏噓語而無蹶蹙聲，知古人之意在不盡矣。太白猶不失斯旨」（沈德潛），[192]透過孤蓬、浮雲、落日等植物及天候意象，透過送別所見的靜態景物及所聽聞的動態景物，拈出黯然離思，翻出無限新意。這種「體盡無窮，而游無朕」（《莊子・應帝王》）的觀看方

185 史春珊、孫清軍：《建築造型與裝飾藝術》，頁29。

186 宗白華：《美學散步》，頁56-59。

187 〔清〕笪重光：〈畫筌〉，收入俞崑：《中國畫論類編》，頁808-809。

188 周啟成等注譯，劉正浩等校閱：《新譯昭明文選》，頁1302

189 〔唐〕李白撰，〔宋〕楊齊賢注，〔元〕蕭士贇補，〔明〕郭雲鵬編：《李太白全集》（臺北市：世界書局，1997年5月2版1刷），下冊，頁907。

190 宗炳：〈畫山水序〉，收入俞劍華編：《中國畫論類編》，頁583。

191 〔唐〕李白撰：《李太白全集》（臺北市：河洛圖書出版社，1975年5月初版），頁406。

192 高步瀛：《唐宋詩舉要》，頁458。

式所形成的心靈節奏，若透過章法結構，更能體現其精微：

- 景（陽）
  - 遠（陽）
    - 高（山，陽）:「青山」句
    - 低（水，陰）:「白水」句
  - 近（陰）
    - 實（現在，陽）:「此地」句
    - 虛（未來，陰）:「孤蓬」句
- 情（陰）
  - 他（遊子，陽）:「浮雲」句
  - 己（故人，陰）:「落日」句
- 景（陽）
  - 視覺（陰）:「揮手」句
  - 聽覺（陽）:「蕭蕭」句

在「篇」的部分，此詩以「景→情→景」轉位結構形成其條理，藉由陰陽力勢的流動，從「陽」（景一）流向「陰」（情）再拉回到「陽」（景二），形成一逆又一順的回轉對稱，凸出主旨「離情別意」在「情」的部分。再由此核心結構，統攝起偏於調和性的材料，貫串從「陽」流向「陰」的「遠→近」、「高→低」、「實→虛」、「他→己」等逆向移位結構單元，及從「陰」流向「陽」的「視→聽」順向移位結構單元，形成單純明確的聯繫。以其是類似結構的層見疊出，具齊一、反覆的法則，由局部而整體地層層疊合成連續反覆的力勢，具有疏密強弱的律動關係，而且可從中顯示事物依序向前發展的規律，進而支撐上層的核心結構。由「景」而「情」再拉回「景」，具有「往和復」、「去與回」雙節奏的規律，可引導出一種動態進行的次序性，興發審美想像，對人內在的情感、思緒有著直接的「滲透力」，[193]又

193 從音樂心理學觀點而言，「經驗」包含個體生活中一切習慣、知識、技能、思想、觀念的累積，「認知」則為個體經由意識活動對事物認識與理解的心理歷程，舉凡知覺、想像、辨認、推理、判斷等複雜的心理活動。因此，經由「經驗」、「認知」在人心理有更深入的內在喚起時，所觸動的已不止於人體生物性的反應功能，而是聆聽者一方面去體會音樂作品中的情感內涵，一方面也是聆聽者自己的情緒和

為全詩帶來較強的向陽力勢，形成剛柔相濟的韻律與風格。韻律，是音樂的第一本原，它符合並來自人的天性，可使精神獲得有意味的形象，激起心靈深處真摯而豁達的情感，展現李白送別詩的一貫風格與特色。

若再作細部的探討，由五個結構單元所產生的層層節奏與韻律，通常以底層的節奏為基本，而且是顯性的；而其二層（三或三層以上）的節奏，則偏屬於隱性。[194]如分別來看，則每一層結構單元對下一層而言，屬於韻律；對上一層而言，則是節奏。而最上一層所造成之節奏，既可統合底下各層級之節奏（韻律），又可藉以形成一篇之韻律，以探究它是毗剛（對比）或是毗柔（調和）。這種輕重有致、虛實有序的內在節奏運動過程，在形式上增強了核心結構「二」和各個輔助結構「多」的條理性及連續性，有助於取得整體形象的統一。因此，章法「多、二、一（0）」結構所形成的節奏與韻律，正如音樂之有旋律，其重要性自是不言可喻。[195]

任何藝術作品都須從「全局」著眼，以「意」為主，使各個局部按照一定的「章法」組合成一個有機整體。欣賞時的樂韻，也是和章法結構的韻律分不開。布局好、章法嚴的詩文，讀者能明顯感到其情景、遠近、高低、虛實、人己等層次邏輯關係，及其所蘊含的動靜之韻、虛實之韻、曠奧之韻、曲直之韻、大小之韻、或開合之韻。當然，無論敘事、寫人、狀物，意象詞彙的密度和質感、句法的選擇和變化、修辭藝術的運用，也都有助於傳達其情感、神態、聲調、色

音樂中表現的情緒相互交融產生共鳴的關係。邵淑雯：《音樂與心理活動之關聯性探討》，頁143-145；陳琳〈鋼琴彈奏中的聽覺思維初探〉，頁140-142。

194 具象節奏是客觀具體物體及其形象所具有的節奏，抽象節奏是非客觀具體物象及其構成形式所具有的節奏。抽象物體和抽象構成形式是從客觀具體物中提煉、抽離出來的，它並不是純主觀的產物。王菊生：《造型藝術原理》，頁232-233。

195 陳滿銘：《章法學綜論》，頁271-297。

彩。因為漢語本身的發音特點，平聲長，仄聲短，平仄格律交替出現的強弱長短現象，可體現出節奏感。「詩以聲為用者也，其微妙在抑揚抗墜之間。讀者靜氣按節，密詠恬吟，覺前人聲中難寫、響外別傳之妙，一齊俱出」。[196]所以「學者求神氣而得之音節，求音節而得之字句，思過半矣」。[197]

中國文字在造字之初，多聲義同源，利用文字的形音義，能製造抑揚悅耳的句子，且能借由聲音來烘托情境，強化效果。例如疊詞「蕭蕭」不但表聲，借用同音字的重複以聲摹境，更有助於情感的湧現；「自茲」「馬鳴」等雙聲詞，富音樂性，可強化事物及作者的情態。城、征、情、鳴等平聲庚韵，和「2-1-2」（青山／橫／北郭）、「2-2-1」（孤蓬／萬里／征）的句式排列，有聲音的回環和鮮明抑揚的頓逗，是詩人內心節奏感的自然流露，詩的節奏也隨著字音的強弱、形式的排列，而有輕重緩急的變化關係。前三聯的對偶句子，青山和白水，北郭和東城，此地與孤蓬，白雲與紅日，遊子與故人，兩兩相襯，具音樂的節拍及旋律感，予人典麗的感覺，故沈德潛《說詩晬語．卷上》指其「只眼前景口頭語，而有絃外音味外味，使人神遠，太白有焉」。[198]

節奏，是造型要素有規律的重複，包含了音的強弱和長短兩層意思。強弱表現其力度，長短表現其速度，不但引導出一種次序性，更

---

196 〔清〕沈德潛：《說詩晬語．卷上》，見〔清〕王夫之等撰，丁福保輯：《清詩話》，下冊，頁538。又如唐彪《讀書作文譜》：「文章有修詞琢句，反復求工而不能盡善，其故何也？以與平仄不相協也。蓋平仄乃天然之音節，茍一違之，雖至美之詞，亦不佳矣。作文者，茍知其理，凡句調有不順適者，將上下相連數句，或顛倒其文，或增損其字，以調其平仄。平仄一調，而句調無不工矣。」

197 〔清〕劉大櫆：《論文偶記》（北京市：人民文學出版社，1998年5月1版1刷），頁6。

198 〔清〕王夫之等撰，丁福保輯：《清詩話》，下冊，頁556-557。

點燃音樂的生命力，成為一種動態進行的藝術。藉由節奏緊張鬆緩的交替表現，音樂產生了前進的律動，而在人的聽覺上產生一種持續而來的刺激，進而影響人的心理情緒。[199]如沈德潛《說詩晬語．卷上》：「文以養氣為歸，詩亦如之。七言古或雜以兩言、三言、四言、五六言，皆七言之短句也。或雜以八九言、十餘言，皆伸以長句，而故欲振蕩其勢，迴旋其姿也。其間忽疾忽徐，忽翕忽張，忽渟瀠，忽轉掣，乍陰乍陽，屢遷光景，莫不有浩氣鼓盪其機，如吹萬之不窮。」[200]人可以運用不同的節奏來模仿不同的運動狀態，伴隨力度速度而來的強烈與輕弱、急促與舒緩，也傳達了不同的思想及情感。[201]

韻律，則是在節奏的基礎上形成，但又比節奏的內涵豐厚。「韻」，變化多樣；「律」，則有秩序性。異質的多樣性，按照一定的秩序規律統一起來，可產生高低、起伏、進退、間隔等抑揚律動關係。例如一切美的表現皆是在時間的歷程中以運動形式進行的樂音，主要依靠聽覺從節奏、旋律、力度、速度、和聲等音樂要素中形成感官的刺激，從而創造一種「情境」。這時，它是被隔離出來的間接意向，離開了它的對象實體而成為一個虛化；不斷被虛化出來的旋律，則在對象實體之外組成有意味的境界。[202]當人內心所蘊藏的「經驗」

---

199 對音樂節奏或遲緩或急速、音樂旋律或安穩或波折、音色色彩或柔美或不協調等音樂元素，發生期許、愁悶、高興等心靈上的變更，這種內心感觸即音樂感覺。樂音之所以能對人的生理、心理產生影響，主要是音樂的聲波經聽覺神經振動後一方面經周圍神經系統影響人的肌肉運動及內臟各器官，另一方面經由中樞神經系統傳導到大腦皮層影響人的心理情緒。陳琳：〈鋼琴彈奏中的聽覺思維初探〉，《劍南文學》2013年04期，頁140-142。

200 〔清〕王夫之等撰，丁福保輯：《清詩話》，第二冊，頁550。

201 邵淑雯：《音樂與心理活動之關聯性探討》（臺北市：樂韻出版社，1996年4月初版），頁93。

202 鄭剛：《邏輯．美學．形而上學》（廣州市：廣東旅遊出版社，1997年11月1版1刷），頁216。

或「認知」和樂音所表現的有意味的情境相近時，就會產生與之相對應的心理活動。[203]「樂之有情，譬之若肌膚形體之有情性也」；[204]所以韻律的魅力，一在韻律的運動節奏感與生命機能性，能激發審美主體的生理快適感。二是韻律的情感表現力能激發審美主體的心理聯想和想像，產生審美判斷力。[205]因為「尋常眼、耳、鼻三覺亦每通有無而忘彼此，所謂感受之共產；即如花，其入目之形色，觸鼻之氣息，均可移音響以揣稱之」。[206]所以我們能意識到聲音節奏的存在，並非僅由情感，而是知覺、記憶、思維、移情、想像等一系列的心理活動也會隨之產生。[207]

「樂者，音之所由生也，其本在人心之感於物也。」[208]音樂通過一系列有組織的樂音，在強弱、急徐、續斷、起伏流動的旋律中，帶領聽者意會其中的心理情感與抽象意蘊。「夫詩以運意為先，意定而徵聲選色，相附成章；必其章、其聲、其色，融洽各從其類，方得神采飛動。」[209]一篇辭章就像一首交響曲，有序曲，有引子，有漸變，

---

203 從音樂心理學觀點而言，「經驗」包含個體生活中一切習慣、知識、技能、思想、觀念的累積，「認知」則為個體經由意識活動對事物認識與理解的心理歷程，舉凡知覺、想像、辨認、推理、判斷等複雜的心理活動。因此，經由「經驗」、「認知」在人心理有更深入的內在喚起時，所觸動的已不止於人體生物性的反應功能，而是聆聽者一方面去體會音樂作品中的情感內涵，一方面也是聆聽者自己的情緒和音樂中表現的情緒相互交融產生共鳴的關係。邵淑雯：《音樂與心理活動之關聯性探討》，頁143-145；陳琳：〈鋼琴彈奏中的聽覺思維初探〉，頁140-142。

204 〔秦〕呂不韋等編：《呂氏春秋‧仲夏紀第五‧侈樂》（臺北市：華正書局，1985年8月初版），頁266。

205 王菊生：《造型藝術原理》，頁245；歐陽周、顧建華、宋凡聖：《美學新編》（杭州市：浙江大學出版社，2001年5月1版9刷），頁79。

206 錢鍾書：《管錐篇》（北京市：中華書局，1986年6月1版1刷），頁1073。

207 愛德華‧漢斯力克（Eduard Hanslick）著，陳慧珊譯：《論音樂美：音樂美學的修改芻議》（臺北市：世界文物出版社，1997年11月初版），頁26。

208 〔清〕阮元校勘：《十三經注疏‧禮記‧樂記》，頁663。

209 〔清〕李重華：《貞一齋詩說》，〔清〕王夫之等撰，丁福保輯：《清詩話》，頁938。

有高潮，有尾聲。它以「意」為主，重視字音的平仄、意象的密度、詞彙的豐富、修辭的運用、語法的變化等局部因素所形成的節奏效應；更重視章節段落之間的聯繫、安排和組織，通過逐步匯集情景、高低、遠近、虛實、賓主、視聽等各層輔助結構的節奏旋律，呈顯全篇辭章的動態、氣勢和神韻。

（五）繁多的統一

一篇辭章是一個有機整體，無論內容或形式，都應該統一。[210]劉勰《文心雕龍・附會》:「驅萬塗於同歸，貞百慮於一致。使眾理雖繁，而無倒置之乖；群言雖多，而無棼絲之亂，扶陽而出條，順陰而藏跡，首尾周密，表裡一體。」[211]萬塗、百慮，眾理、群言，指藝術形象的多樣性、豐富性；無倒置、無棼絲的同歸與一致，指首尾表裡的統一。如王羲之〈筆勢論〉:「凡作一字，或像篆籀，或如鵠頭，或如散隸，或近八分，或如蟲食木葉，或如水中科斗，或如壯士佩劍，或似婦人纖麗。……或牽豎如深林之喬木，而屈折如鋼鉤；或上尖如枯秆，或下細若針芒；或轉側之勢似飛鳥空墜，或棱側之形如流水激來……。」[212]講求大小、方圓、高低、長短、曲直、正斜等「形」的對待因素，剛柔、粗細、強弱、乾濕、濃淡、輕重等「質」的對待因素，疾徐、動靜、聚散、疏密、抑揚、升沉等「力勢」的對待因素的統一，[213]予人豐富多樣的美感。

《國語・鄭語》:「和實生物，同則不繼」，「聲一無聽，物一無

---

210 鄭文貞：《篇章修辭學》（廈門市：廈門大學出版社，1991年6月1版1刷），頁12。

211 王更生：《文心雕龍讀本》（臺北市：文史哲出版社，1985年3月初版），下冊，頁244。

212 〔晉〕王羲之：〈筆勢論〉，《歷代書法論文選》（臺北市：華正書局，1984年9月初版），上冊，頁26。

213 楊辛、甘霖：《美學原理》，頁176-177。

文，味一無果，物一不講。」[214]單一，不能構成「和」;「和」，必須是多樣性的統一。如葉燮《原詩・卷一・內篇上》:「曰理、曰事、曰情三語，大而乾坤以之定位，日月以之運行，以至一草一木一飛一走。三者缺一，則不成物。……然具是三者，又有總而持之、條而貫之者，曰氣。……得是三者，而氣鼓行於其間，絪縕磅礴，隨其自然，所至即為法，此天地萬物之至文也。」[215]情、理、事、景（物）等內容材料，為「多」;「多」又有賴於「氣」，始能達成整體的統一，以表天地萬物之情狀。若落到章法上來說，辭章要達成統一，非訴諸核心「情理」（主旨）不可。再由此核心情理所駕馭的「文之氣」，總而持之、條而貫之，統攝外圍的事材物材，使文章從頭到尾都維持一定的思想情意、節奏韻律，產生最大的說服力與感染力。而且，無論是那一種章法，在「多、二、一（0）」邏輯原理的涵蓋下，也都可以由局部的「調和」或「對比」形成銜接或聯貫，再以主旨（一）統攝核心結構「二」和「多」個輔助結構，形成其韻律與風格（0）。如杜甫〈贈司空王公思禮〉:

> 司空出東胡，童稚刷勁翮。追隨燕薊兒，穎脫物不隔。服事哥舒翰，意無流沙磧。未甚拔行間，犬戎大充斥。短小精悍姿，屹然強寇敵。貫穿百萬眾，出入由咫尺。馬鞍懸將首，甲外控鳴鏑。洗劍青海水，刻銘天山石。九曲非外蕃，其王轉深壁。飛兔不近駕，鷙鳥資遠擊。曉達兵家流，飽聞春秋癖。胸襟日沉靜，肅肅自有適。潼關初潰散，萬乘猶辟易。偏裨無所施，元帥見手格。太子入朔方，至尊狩梁益。胡馬纏伊洛，中原氣

214 易中天:《新譯國語讀本》（臺北市：三民書局，1995年11月初版），頁707-708。
215 〔清〕王夫之等撰，丁福保輯:《清詩話》，下冊，頁590-591。

甚逆。肅宗登寶位，塞望勢敦迫。公時徒步至，請罪將厚責。際會清河公，間道傳玉冊。天王拜跪畢，讜議果冰釋。翠華卷飛雪，熊虎亘阡陌。屯兵鳳凰山，帳殿涇渭闢。金城賊咽喉，詔鎮雄所搤。禁暴清無雙，爽氣春淅瀝。巷有從公歌，野多青青麥。及夫哭廟後，復領太原役。恐懼祿位高，悵望王土窄。不得見清時，嗚呼就窀穸。永繫五湖舟，悲甚田橫客。千秋汾晉間，事與雲水白。昔觀文苑傳，豈述廉藺績。嗟嗟鄧大夫，士卒終倒戟。[216]

〈八哀詩〉作於代宗大歷元年、二年間（766-767），[217]原詩序文為：「傷時盜賊未息，興起王公、李公，歎舊懷賢，終於張相國。八公前後存歿，遂不銓次焉。」以〈贈司空王公思禮〉為首，追思撫平安史之亂有功的名將王思禮。「此篇四句起，四句結，中間凡三次敘功，各入贊語作收束」，[218]形成「凡、目、凡」結構。

「凡一」的部分，以「司空」四句領起全詩，敘述王思禮少年奮起之跡。《舊唐書．王思禮傳》記載，其「高麗人也。……少習戎旅，隨節度使王忠嗣至河西，與哥舒翰對為押衙」；[219]故以「東胡」二字點明出生地，復以「勁翮」、「燕薊」等詞，記其童稚時期所流露的胸懷氣度，並借用《史記．平原君虞卿列傳》毛遂「自贊於平原君」的典故，[220]把王思禮必脫穎而出的英風銳氣描寫得十分精彩。

216 〔清〕楊倫：《杜詩鏡銓》，頁956-959。

217 李辰冬：《杜甫作品繫年》（臺北市：東大圖書公司，1977年2月初版），頁169。

218 〔清〕浦起龍：《讀杜心解》（臺北市：大通書局，1973年10月初版），頁145。

219 〔後晉〕劉昫等撰，楊家駱主編：《新校本舊唐書附索引》（臺北市：鼎文書局，1989年12月5版），頁3312。

220 〔漢〕司馬遷著，瀧川龜太郎注：《史記會注考證》（臺北市：洪氏出版社，1985年9月初版），頁956。

「目一」，指「立功西域」的事蹟。「服事」二句，指明王思禮服事隴右節度使哥舒翰這一段史實，交代兩人的將領部屬關係。「短小」六句，借司馬遷為郭解所塑造的「為人短小精悍，不飲酒。少時陰賊，慨不快意，身所殺甚眾」[221]的形象，把吐蕃大舉進逼唐朝邊境時，王思禮「懸將首」、「控鳴鏑」，英勇禦虜潰敵的精悍之姿，摹寫得風發又鷹揚，令人觀其詩而見其人。繼之以「洗劍」二句記天寶七年，王思禮隨哥舒翰「築神威軍於青海上，吐蕃至，攻破之；又築城於青海中龍駒島」，「吐蕃屏跡不敢近青海」（《舊唐書・哥舒翰傳》），[222]使唐朝告急的邊患得以暫緩的英勇事蹟。「九曲」二句，更以雄快警絕之語，寫天寶十二年王思禮隨哥舒翰破收失土、建軍功，飛揚意氣推到了極點。「飛兔」四句是「論」（贊語），從神似、形似方面進行聯想，以飛兔、鷙鳥為賓，正面烘托王思禮。「以思禮之才僅為邊將，其實知勇兼全，可當大任也」；可惜「功雖建而仍未展其用」，[223]故以「曉達」二句把這種幽微的遺憾轉深一層，並借用杜預嗜讀《春秋左傳》的典故，贊頌王思禮不僅驍勇善戰，更是通曉經傳兵書、胸襟沈靜有韜略的大將。

「目二」，是「立功關右」的部分。「潼關」八句，記天寶十四年安祿山以「誅楊國忠為名」謀反，哥舒翰奉詔率領「河隴、朔方兵及蕃兵與高仙芝舊卒共二十萬，拒賊於潼關」（《舊唐書・哥舒翰傳》）；[224]「每事獨與思禮決之。十五載二月，思禮白翰謀殺安思順父元貞，於紙隔上密語翰，請抗表誅楊國忠，翰不應」（《舊唐書・王思禮傳》）[225]而錯失良機，導致安史之亂初起即潼關失陷。「肅宗」八

---

221 〔漢〕司馬遷著，瀧川龜太郎注：《史記會注考證・游俠列傳》，頁1319。

222 〔後晉〕劉昫等撰，楊家駱主編：《新校本舊唐書附索引》，頁3212。

223 〔清〕楊倫：《杜詩鏡銓》，頁957。

224 〔後晉〕劉昫等撰，楊家駱主編：《新校本舊唐書附索引》，頁3213-3214。

225 〔後晉〕劉昫等撰，楊家駱主編：《新校本舊唐書附索引》，頁3312。

句，續寫肅宗即位靈武，王思禮「徒步」、「請罪」、「獲赦」的經過。肅宗本「責以不能堅守，並從軍令。或救之可收後效，遂斬承光而釋思禮、崇賁，與房琯為副使」，「除為關內節度使。尋遣守武功」，[226] 因而有後來屯兵鳳翔、立功疆域等彪炳事蹟的建立。於是「翠華」六句承接上文，快速轉換自靈武至鳳翔、自鳳翔臨涇渭等時空，敘寫王思禮肅清賊寇而興復中原的事蹟。「禁暴」四句是詩人所下的贊語。一方面說明由於王思禮立法嚴整，士卒嚴守軍令而寇賊不敢入侵，[227] 田野的青麥得以成熟收割，兵糧充足，士氣振奮；一方面也呼應上文的「兵家流」、「春秋癖」等句，證明「王公才識意度如此，則知潼關之敗，非其僨軍，而武功之師，由其底定也」（仇兆鰲），[228]真乃智勇韜略兼備的大將之才。

「目三」，是「功在太原」的部分。「及夫」六句，敘述肅宗即位後，「思禮領兵先入景清宮，又從子儀戰陝城、曲沃、新店，賊軍繼敗，收東京。思禮又於絳郡破賊六千餘眾，器械山積，牛馬萬計。遷兵部尚書、霍國公，食實封三百戶，……尋加守司空」（《舊唐書．王思禮傳》）。[229]雖因戰功升到了極高的祿位，王思禮仍以王土尚未收復為憾事，薨於上元二年四月。「永繫」四句是贊語，借「范蠡乘扁舟，浮於五湖」的典故，明其淡泊的心志；借《史記．田儋列傳》「田橫兄弟能得士」的典故，[230]寫時人的悲慟之情，及當與雲水長留的千秋之功。

「凡二」的部分，先以《史記．廉頗藺相如列傳》的「廉頗為趙

---

226 〔後晉〕劉昫等撰，楊家駱主編：《新校本舊唐書附索引》，頁3312。

227 「思禮長於支計，短於用兵，然立法嚴整，士卒不敢犯，時議稱之。」見〔後晉〕劉昫等撰，楊家駱主編：《新校本舊唐書附索引》，頁3313。

228 〔清〕楊倫：《杜詩鏡銓》，頁957。

229 〔後晉〕劉昫等撰，楊家駱主編：《新校本舊唐書附索引》，頁3313。

230 〔漢〕司馬遷著，瀧川龜太郎注：《史記會注考證》，頁1081-1083。

將伐齊，大破之，取陽晉。拜為上卿。以勇氣聞於諸侯」，及「相如一奮其氣，威信敵國。退而讓頗，名重太山，其處智勇，可謂兼之矣」，[231]兩人合力振起趙國國威的史事為正襯；再以思禮死後，鄧景山代之，失於寬緩而「軍眾憤怒，遂殺景山」(《舊唐書・鄧景山傳》)[232]這一件事為反襯，激盪讀者的情緒，以得「傷景山而司空之才見也」的深刻印象，收束全詩。其結構表為：

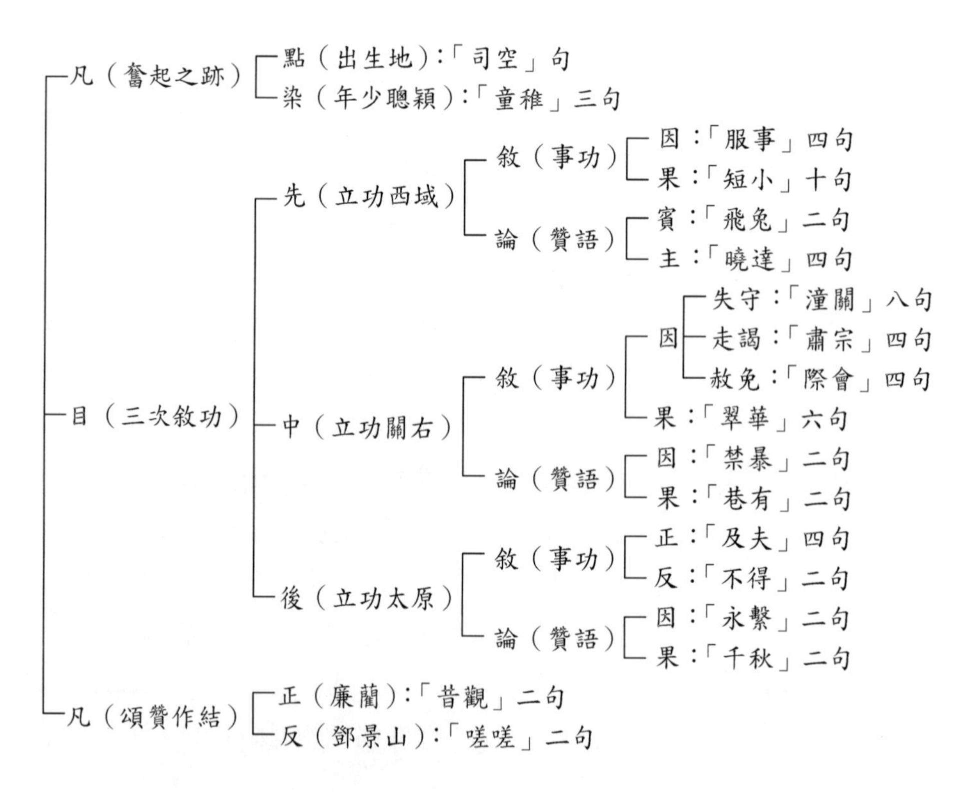

全詩運用了東胡、燕薊、青海、天山、九曲、潼關、朔方、伊洛、鳳凰山、涇渭、金城、太原、汾晉等地理類物材，哥舒翰、犬

231 〔漢〕司馬遷著，瀧川龜太郎注：《史記會注考證》，頁990-996。

232 〔後晉〕劉昫等撰，楊家駱主編：《新校本舊唐書附索引》，頁3314。

戎、玄宗、肅宗等角色性物材，毛遂、郭解、廉頗、藺相如、田横、杜預、范蠡等歷史事材類，及立功西域、關右、太原等現實事材。進而以詞彙將核心的情理及外圍的事材物材轉為文字符號，透過譬喻、映襯、引用等修辭手法增強文章的感染力。以省略主語的敘事句、表態句等語法，將概念組合成不同之意象，敘述史事與征戰地點的推移，達成詩情之鋪展。若從章法來看，由「凡（總括）」而「目（條分）」而「凡（總括）」的變化性結構，綜合運用了演繹與歸納兩種邏輯思維，神經活動因省力而產生快感，由快感而產生美感。

從「多、二、一（0）」結構來看，「凡一」和「凡二」，各以一疊的「點→染」（陰流向陽）、「正→反」（陰流向陽）順移結構單元，形成簡單節奏；「目」的部分，統合底層的四疊「因→果」（陰流向陽）、一疊「賓→主」（陽流向陰）、一疊「正→反」（陰流向陽）順逆移位結構單元，和第三層三疊的「敘→論」（陽流向陰）逆向移位結構單元，以及第二層的「點→染」（陰流向陽）、一疊「先→後」（陰流向陽）、一疊「正→反」（陰流向陽）順逆移位結構單元（多），形成陽剛意味稍強的往復節奏。以此層層串聯，形成一定秩序的反覆、層次律動形式；再進一步以此支撐上層的「凡→目→凡」由陰流向陽再拗向陰的轉位結構，彰顯運動變化的張力與回旋往復的節奏，構成全篇多樣鮮明的韻律與情致，凸出「懷賢」之「意」（一）。因上層的核心結構「二」為全詩帶來稍強的向「陰」力勢，因而洋溢偏於「剛中寓柔」的風格（0）。雖然王世禎《漁洋詩話》、葉夢得《石林詩話》指〈八哀詩〉「鈍滯冗長」，有「累句」之病；但綜觀此詩，主旨「懷賢之意」所統合的意象、詞彙、修辭、語法、章法、節奏、韻律等諸多構成要素，寓「繁多」於「統一」，所以段落雖有長短，然章法層次井然又變化鮮明，故能於「平敘中見串插補綴之妙」，「於結處極致感吁，以見哀情」。[233]

若從形式原理方面探討，不論「繁多的統一」、「多樣的統一」、或「變化的統一」，皆要求在「統一」中有「變化」，在「變化」中求「統一」，兩者有機地結合在一起，寓「多」於「一」，「一」中見「多」，達成高度的形式美。[234]如亞里斯多德認為美的主要形式是「秩序、勻稱與明確」，更概括地說，就是「整一」。在「異同寓合律」這一造形總規律的制約下，為求得形式的完美與和諧，必須深入形式的各方面，找出其形式構成的「五律」：一是使形象富於生命力的「對比律」；二是運用對稱、反覆、漸變等手法有機聯繫各種不同要素的「同一律」；三是造形要素有規律的重複與變化所產生的「節韻律」；四是注意「力」、「勢」等構圖關係的「均衡律」；五是各要素之間的邏輯關係的「數比律」。然後，對比、同一、節韻、均衡、數比等所有美的規律，最後都匯歸於「異同寓合律」，以此融貫、消除所有對待面，綻放整體統一的美。[235]此外，格式塔心理學也提出了一條心理組織、結構的「完形趨向律」。它是指在一定條件下，心理結構經過神經系統的組織作用，易構成一個完形，並使人產生整體性、系統性的反應，形成完形的心理結構。如果審美對象整體中有缺口，觀察者的完形心理結構也會根據「完形趨向律」對缺口加以彌合，完善其圖形。如此，可使人在「即目」的同時「會心」且發生頓悟，把握審美意象的整體系統，又能使心理結構整體化、系統化、完形化。完形心理美學所揭示的整體性特徵表明，作為知覺的整體意象，不但

233 〔清〕楊倫：《杜詩鏡銓》，頁959。

234 陳望道：《美學概論》，頁77-78；歐陽周等：《美學新編》，頁80-81。

235 〔古希臘〕亞里斯多德（Aristotle）著，羅念生譯：《詩學》（北京市：中國戲劇出版社，1986年1月1版1刷），頁1-90；史春珊、孫清軍：《建築造型與裝飾藝術》，頁12-18。

超出組成它的各部分之和，而且知覺整體中的局部也不等同於原來意義的「局部」；因為整體必然賦予其局部以新的含義，故「完形」、「統一」可說是形式美法則的高級形式。[236]

多樣而無統一，則支離雜亂，缺乏整體感；統一而無多樣，又易使人單調與乏味，美感也難以持久。唯有把各個部分有機統合起來，從多樣中求統一，從統一中見多樣，追求「不齊之齊」、「無秩序之秩序」，始能造就高度的形式美。如園林建築，它既重視局部空間的視覺效果，更重視整體空間的律動、節奏與和諧，把建築、山石、樹木等組合成富有音樂感的空間結構，有大小，有開合，既變化又統一；不僅考慮到視點不斷移動所獲得的空間變化效果，甚而把時序、氣象、日、月、風、雲、雨、雪、光影、聲響等變幻因素考慮進來，然後在整個遊賞過程中，逐步匯集、疊加、增強，以形成總的印象。因此，建築的「美」是由建築的美「因」（物質功能「因」和科學技術「因」）、美「形」（審美形式和藝術形式）、美「意」（精神和意蘊）、美「感」（審美主體和審美客體）等要素構成，從「亂」中顯「序」，獲得整體的統一。[237]

又如《水滸傳》宋江遇險潯陽江一段，金聖嘆評「此篇節節生奇，層層追險。節節生奇，奇不盡不止；層層追險，險不絕必追。真令讀者到此，心路都休，目光盡滅，有死之心，無生之望也。如投宿店不得，是第一追；尋著村莊，卻正是冤家家裡，是第二追；掇壁逃走，乃是大江截住，是第三追；沿江奔去，又值橫港，是第四追；甫下船，追者亦已到，是第五追；岸上人又認得梢公，是第六追，艎板下摸出刀來，是最後一追，第七追也。一篇真是脫一虎機，踏一虎

236 邱明正：《審美心理學》，頁29。

237 汪正章：《建築美學》，頁64-66。

機，令人一頭讀，一頭嚇，不惟讀亦讀不及，雖嚇亦嚇不及也」。[238]這種「上文險極，此句快極，不險則不快，險極則快極也」的奇險情節，表明了藝術欣賞的美感，不只是一種單純的心理狀態，同時也是一個對待統一的過程。[239]靜動疾緩、升降起伏、和合分離、盈虛消漲等反差極大甚至相互對立的事物，在一定條件下共處於完整的統一體中，形成相輔相成相互呼應的關係，以見出變化，顯示和凸出被表現事物的本質特徵，增強藝術感染力。[240]故石濤《畫譜・一畫章》云：「法於何立，立於一畫。一畫者，眾有之本，萬象之根。」[241]這個眾有、萬象，包含了「山川萬物之具體，有反有正，有偏有側，有聚有散，有近有遠，有內有外，有虛有實，有斷有連，有層次，有剝落，有丰致，有飄緲」(〈筆墨章〉)。以此，「此一畫收盡鴻濛之外，即億萬萬筆墨，未有不始於此，而終於此」(〈一畫章〉)。[242]所有從屬的部分都為「一」所統攝，而後全體的精神方覺凝聚，繁多的統一的印象方覺顯明，臻達審美上的圓滿境界。

(六)風格與意境

《周易》以「乾坤」、「陰陽」、「剛柔」為核心而展開，並賦予它們以「健」、「順」的哲學意涵，如〈說卦〉:「觀變於陰陽而立卦，發揮於剛柔而生爻。」唯明確從作品的整體風格提出剛柔美學見解者，首推劉勰《文心雕龍》，如〈體性〉:「才有庸俊，氣有剛柔」;〈定

238 〔清〕金聖嘆撰，曹方人、周錫山標點:《金聖歎全集・二・貫華堂第五才子書水滸傳・下》(南京市:江蘇古籍出版社，1985年7月1版1刷)，頁30。

239 葉朗:《中國小說美學》(臺北市:里仁書局，1994年11月初版3刷)，頁118。

240 謝文利:《詩歌美學》(北京市:中國青年出版社，1989年10月1版1刷)，頁379。

241 俞崑:《中國畫論類編》，頁147。

242 此二則，見俞崑:《中國畫論類編》，頁147、150。

勢〉:「剛柔雖殊，必隨時而適用」、「文之任勢，勢有剛柔」等。[243]以此可知，意境的最高，從渾然整體看，是得天之氣的全美，即太樸未散之前的「道」；若從二分看，則是陽剛與陰柔。[244]

1 剛柔風格

形成陽剛或陰柔風格的意境類型，張法指其雖深受「作者」、「文體」、「時代」及「自然」等四方面的影響，然此四者又皆集中到「作品」，皆要從「作品」中反映出來。[245]因為文學的功用，原為表現作者的情感，傳達作者的思想。葉燮《原詩・卷一・內篇上》:「事理情之所為用，氣為之用也。譬之一草一木，其能發生者，理也。其既發生，則事也。既發生之後，夭喬滋植，情狀萬千，咸有自得之趣，則情也。苟無氣以行之，能若是乎？」[246]情、理、景（物）、事，構成辭章的主要內涵。這些內涵又「氣以行之」，所以剛柔風格的形成，在主觀上，是審美主體所抒發的感情是豪情或柔情；在客觀上，是審美主體所描繪的題材是壯闊或纖細。如《文心雕龍・鎔裁》:「情理設位，文采行乎其中；剛柔以立本，變通以趨時。」[247]一篇辭章的整體風格是偏近於陽剛形態或陰柔形態，取決於核心情理和外圍材料（文采所駕馭的事材、物材）是偏近於剛、或偏近於柔。「且夫陰陽剛柔，其本二端，造物者糅，而氣有多寡進絀，則品次億萬，以至於不

243 〔梁〕劉勰：《文心雕龍》（臺北市：臺灣開明書店，1993年5月臺17版），卷六，頁8、24-25。

244 張法：《中西美學與文化精神》（臺北市：淑馨出版社，1998年10月1刷），頁224。

245 張法：《中西美學與文化精神》，頁124-125。

246 〔清〕王夫之等撰，丁福保輯：《清詩話》，頁590。

247 〔梁〕劉勰著，〔清〕黃叔琳校：《文心雕龍注》（臺北市：臺灣開明書店，1993年5月17版），卷七，頁5。此後，魏禧《魏叔子文集・文瀫敘》、姚鼐〈復魯絜非書〉、曾國藩《求闕齋日記》等皆據此而有所繼承與發展。

可窮，萬物生焉，故曰一陰一陽之為道。夫文之多變，亦若是矣」（〈復魯絜非書〉）。[248]多樣的風格既是由陰陽之氣的「多寡進絀」、「多少消長」混雜交錯而造成，[249]在「多、二、一（0）」邏輯原理的涵蓋下，統攝「情」、「理」、「景（物）」、「事」等內涵的章法單元或結構單元，也自成陽剛與陰柔。結構若向「陽」流動，加強的是陽剛之「勢」，易形成「純剛」、「偏剛」、或「剛中寓柔」的風格；結構若向「陰」流動，加強的是陰柔之「勢」，易形成「純柔」、「偏柔」、或「柔中寓剛」的風格。[250]

（1）柔性風格

「文章者，所以表天地萬物之情狀也」（葉燮《原詩・卷一・內篇》）。[251]美感的產生離不開人對審美對象的反應與欣賞，離不開人在審美過程中特殊的心理感受。從審美的整個心理結構來看，感知、直覺、理智、情感、聯想、想像等心理因素，在剛性美和柔性美中所占的比重和活動軌跡，各有差異。[252]當審美對象刺激大腦時，大腦皮層促成「感情體驗」，下丘腦促成「情緒表現」，而有喜怒憂思等不同情感的變化反應。[253]樂感於心，其發聲必舒暢不迫；愛感於心，其發聲

248 〔清〕姚鼐：《惜抱軒文集・卷六》（臺北市：臺灣商務印書館，1968年12月臺1版），頁81。

249 周振甫：《文學風格例話》，頁13。

250 關於陽剛陰柔美感及其與對比調和的對應關係，相關論述因已曾撰文探討，故不再贅述，請參見黃淑貞：《篇章對比與調和結構論》（臺北市：萬卷樓圖書公司，2005年6月初版），頁45-51、262-296；黃淑貞：《建築美學：合院「多、二、一（0）」結構研究》（臺北市：文史哲出版社，2012年9月初版），頁283-289。

251 〔清〕王夫之等撰，丁福保輯：《清詩話》，頁590。

252 李元洛：《詩美學》（臺北市：東大圖書公司，1990年2月初版），頁450。

253 張紅雨：《寫作美學》（高雄市：復文圖書出版社，1996年10月初版1刷），頁116。

必溫柔以和。「溫潤之文，其聲多和平」，[254]所以形成「陰柔形態」背後的心理，常常是陰柔之情緩流。若把這種情緒波動的韻律輸入作品，溢出的語言色彩，必然是較為素淡、輕盈、緩慢；[255]故姚鼐指「其得於陰與柔之美者，則其文如升初日，如清風，如雲，如霞，如煙，如幽林曲澗，如淪，如漾，如珠玉之輝，如鴻鵠之鳴而入寥廓」（〈復魯絜非書〉）。[256]如鄭愁予〈卑亞南蕃社・南湖大山輯之二〉：

我的妻子是樹，我也是的；
而我的妻子是架很好的紡織機，
松鼠的梭，紡著縹緲的雲，
在高處，她愛紡的就是那些雲

而我，多麼希望我的職業
祇是敲打我懷裡的
小學堂的鐘，
因我已是這種年齡——
啄木鳥立在我臂上的年齡。

「南湖大山」系列共七首，[257]成於一九六二年。此首藉卑亞南蕃社附近所見到的兩株大樹來抒發一己情懷，形成「先凡後目」結構。首行，以妻子與我都是「樹」為綱，擬人化的獨白手法，奇警驚人。第

254 宋文蔚：《評註文法津梁》（高雄市：復文圖書出版社，1993年2月修訂2版），頁202-203。

255 張紅雨：《寫作美學》，頁120、158、266。

256 〔清〕姚鼐：《惜抱軒文集・卷六》，頁81。

257 「南湖大山輯」共七首，除了本詩，尚有〈十槳之舟〉、〈北峰上〉、〈牧羊星〉、〈秋祭〉、〈努努嘎里臺〉、〈南湖居〉。

二行以下，是「目」的部分。詩人先將「我的妻子」這一棵樹作進一步形象化，喻之為紡織機，以飄過樹身的雲為布，以跳躍枝頭的松鼠為梭，「在高處」紡雲，於是與周遭的事物產生了戲劇性的關聯。「她愛紡的就是那些雲」和第三行「縹緲的雲」隱約呼應，既可與織女的神話聯想在一起，也含蓄表達了詩中主人翁對於妻子喜愛幻想的調侃意。

第二節，先以「而我」轉折語意再開啟下文，把情和景調降到與人間親近的小學堂之中。「我」，只想成為小學堂裡掛鐘的梁木，為小學童計量上下課的時間。鄭愁予〈九九九九九〉曾透露，一九五九年以後，因工作固定，生活已無波折，「之後婚姻常軌使我對『活過三十便是恥辱』的虛無的『次宗教觀』不再仰仗，下一代出世，充實了童年濡染的傳承文化」；[258]故而特意把「小學堂的鐘」一行後移兩格，在形式上構成大人懷抱小孩的姿態，表達文化傳承的意涵。然而，這一個小小的、踏實的希望，卻因我已是「啄木鳥立在我臂上的年齡」而無法實現，年華老大之悲，溢於言外。這種令人忽覺蒼涼的聲音，也出現於一九六四的〈召魂．為楊喚十年祭作〉：「在多騎樓的臺北／猶須披起鞍一樣的上衣／我已中年的軀體畏懼早寒」。悼亡之作就是自傷之作，三十二歲的愁予已覺自己「中年的軀體畏懼早寒」了。[259]此外，值得一提的是夫妻樹這一個意象。樹本無雌雄，更無所謂夫妻；但在古典詩詞裡，兩株枝葉交纏的樹木多用以比喻夫妻情愛，如白居易〈長恨歌〉的「在天願作比翼鳥，在地願為連理枝」即是典型。典故出於晉．干寶《搜神記》[260]，描寫韓憑夫婦死而為「連

258 鄭愁予：《鄭愁予詩集I》（臺北市：洪範書店，2003年8月2版1刷），頁328-329。

259 楊牧：〈鄭愁予傳奇〉，收入鄭愁予：《鄭愁予詩選集》（臺北市：志文出版社，1997年8月再版），頁42-47。

260 《搜神記．卷十一》：「（憑妻）遺書於帶曰：『王利其生，妾利其死。願以屍骨，賜

理枝」的故事，表達了世人對愛情的嚮往。詩人在此，卻反用其典，隱約透露成了「連理枝」後的些許無奈，[261]頗耐人尋思。其結構表為：

- 凡（陰）
  - 妻子（陽）：「我的妻子是樹」
  - 自己（陰）：「我也是的」
- 目（陽）
  - 妻子（陽）
    - 果（陽）：「而我的妻子……」行
    - 因（陰）：「松鼠的梭，……」二行
  - 自己（陰）
    - 設想（陰）：「而我，多麼……」三行
    - 真實（陽）：「因我已是……」二行

一九六二至一九六五年間，正是詩人登山的頻仍時期，二十首嶽記便成為愁予詩發展的必然現象。[262]楊牧以為其重要性有二端，一是題材的把握，以登山觀察與感受為中心，編織出一種完整的山嶽形象，揉寫景與敘事於一爐，開創了詩的新境界。二是蓄意掙脫以往和緩的、陰性的語言，努力塑造陽性的新語言，使語言增添許多硬度。[263]這可從第一層的「凡→目」及底層的「虛→實」順向移位結構，為全詩所帶來的向陽力勢得到印證。然，詩人自己也說：「享受處身在雲海之上無邊界的狀態，大自然與移情作用無由分際，乃有登山作品的完成。而登山詩的語言必須簡樸，襯出境界且有文化感，必須酌使文言的結構與白話並行，這樣寫下來，詩句便接近圖畫。」[264]

憑合葬。』王怒，弗聽。使里人埋之，冢相望也。王曰：「爾夫婦相愛不已，若能使冢合，則吾弗阻也。」宿昔之間，便有大梓木生於二冢之端，旬日而大盈抱，屈體相就，根交於下，枝錯於上。又有鴛鴦，雌雄各一，恆棲樹上，晨夕不去，交頸悲鳴，音聲感人。宋人哀之，遂號其木曰『相思樹』」。〔晉〕干寶撰，黃鈞注譯：《搜神記》（臺北市：三民書局，1996年1月初版），頁411。

261 羅青：《從徐志摩到余光中》（臺北市：爾雅出版社，1988年7月11刷），頁151-157。

262 詩人共寫了一系列登山詩，計有南湖大山輯七首、大霸尖山輯三首、玉山輯二首、雪山輯二首、大屯山彙三首、大武山輯三首。

263 楊牧：〈鄭愁予傳奇〉，頁32-39。

264 鄭愁予：《鄭愁予詩集I》，頁329。

為了使語言不流於空洞玄虛，再現清新的心象，它必訴諸於視覺（明暗、形狀、色彩等）、觸覺（溫、冷、痛、壓等）和運動覺（紡、敲打等），把空間的形象描繪出來。[265]繼而，喻人為樹、喻松鼠為梭、喻雲為紗等隱喻、借喻手法之穿插使用，逗人產生會心的類似或接近聯想；而「啄木鳥立在我臂上」這一幅圖畫，使得「年齡」具象化，帶領讀者捕捉、領略某種超越形象的意味及審美享受。[266]

因時空上相互接近而引發的接近聯想是一種美感的「鏈式」反映，貫串著整個審美過程、創造過程、乃至情感過程，以生興發感動的力量，故言「南湖大山」而思及兩株交纏的樹、雲、松鼠、小學堂和鐘（聲）。[267]至於《詩經》中的比、興和修辭中的擬人、譬喻、象徵等，都是依據類似聯想而起；它以情感為中介，由「兩株交纏的樹」而推及夫妻樹，由「妻樹、松鼠、雲」而推及紡織機、梭和紡紗，由「夫樹、小學堂、鐘」而推及掛鐘的木柱和啄木鳥的年紀，不僅反映兩個不同事物外在形象上的「形似」，更反映了事物的內在精神和人物的思想情感的「神似」，達成意生象外、神遊象外、境生象外的美感效果。以此也可見，鄭愁予善以最傳統的「意象」撥見最現代的敏感，以應合「詩意」；字句多有來歷復又多義，在平凡之中鋪陳出不凡的聯想和想像。然後經由聯想和想像，物我產生移情，進而因感通而產生共鳴，[268]全詩洋溢出較偏於柔中寓剛的風格。

陽多則偏剛，陰多則偏柔。相較於陽剛之偏於對比，陰柔則偏於

265 陳望道：《修辭學發凡》，頁223-232。

266 鄭愁予〈卑亞南蕃社．南湖大山輯之二〉的解析，見黃淑貞：〈論辭章意象之形成及其表現——以鄭愁予詩為例〉，收入《東方文化．語言／文學教學的理論與實踐》第二輯（花蓮市：慈濟大學出版社，2010年10月初版），頁153-189。

267 張紅雨：《寫作美學》，頁124；邱明正：《審美心理學》，頁340-341。

268 RUDOLF ARNHEIM著、李長俊譯：《藝術與視覺心理學》（臺北市：雄獅圖書公司，1982年9月再版修訂），頁37-39。

調和。對比，是在差異中傾向於「異」（對立）。調和，則是在差異中趨於「同」（一致）。它和韻律一樣，本屬於音樂用語，指在一定的節奏中重複某一個熟悉的聲音，這聲音如果和心理、生理上預期的慣性節奏相合，便能予人寧靜、含蓄、和諧的審美感受。因此，「調和」的積極意義，在於把握包括大小、形狀、明度、色相、位置（方向、速度）等類似的「類聚」，令主體精神和部分屬性聯結起來，構成美的秩序，指向最核心的情理。[269]若體現在傳統繪畫上，為沈宗騫《芥舟學畫編》所言的「得春之氣者為和而多含蓄」。[270]體現在詩文上，則如劉熙載〈詞曲概〉所指的「詞之妙莫妙於以不言言之，非不言也，寄言也。如寄深於淺，寄厚於輕，寄勁於婉，寄直於曲，寄實於虛，寄正於餘，皆是」。[271]亦如陳洵《海綃說詞》所指的「詞筆莫妙於留，蓋能留則不盡而有餘味。……雖以稼軒之縱橫，而不流於悍疾，則能留故也」。[272]能留，就是含蓄。「其情意含蓄於中，而詞句迷離於外，必深入以探其底蘊，則悅然乃有所得」。[273]

含蓄就是力的內在，它一方面要求作品蘊含豐富的「不盡」的審美信息，要求「妙在含蓄無垠，思致微渺，其寄托在可言不可言之間，其指歸在可解不可解之會；言在此而意在彼，泯端倪而離形象，絕議論而窮思維，引人於冥漠恍惚之境」（葉燮《原詩・卷二・內篇下》）。[274]因為唯有「離形象」而「窮思維」，始能引人入於「空白」

---

269 呂清夫：《造形原理》（臺北市：雄獅圖書公司，1989年9月7版），頁159；周來祥：《再論美是和諧》（桂林市：廣西師範大學出版社，1996年11月1版1刷），頁297。

270 俞崑：《中國畫論類編》，頁513。

271 〔清〕劉熙載：《藝概・詞曲概》（臺北市：漢京文化事業公司，2004年3月初版1刷），頁121。

272 唐圭璋編：《詞話叢編》（北京市：中華書局，2012年11月2版6刷），頁4840。

273 傅庚生：《中國文學欣賞舉隅》（臺北市：國文天地雜誌社，2000年4月初版），頁182。

274 〔清〕王夫之等撰，丁福保輯：《清詩話》，下冊，頁590。

之境。而這一個「游心內運」的過程，又具有潛隱性、瞬時性、超驗性，無法以言語描繪；作者只能運用藝術想像，設身而處當時之境會，感受、領悟「當時之情景」。[275]另一方面，它同時要求構成整體形象的各個意象之間，留下大量馳騁想像的空白，誘導讀者再創造、再補充。因「象」與「意」具有「恍惚窈冥」的性質，也具有「形式」與「意味」的象徵性，故而頗近似於「寄託象徵」的「興」。如鍾嶸《詩品．序》所言的「文已盡而意有餘，興也」；《文心雕龍．比興》所言的「比顯而興隱」。「興」既是象徵，就有「隱」的效果。它重「情」也重「隱」，涵意豐富，不僅「意在象中」，往往「意在象外」。唯有充分調動讀者的想像力，經由「象」而上溯「意」，始能獲致象外之旨、韻外之致。[276]

「用剛筆則見魄力，用柔筆則出神韻。柔而含蓄之為神韻，柔而搖曳之為風致」（施補華《峴傭說詩》）。[277]王國維指此種「人惟於靜中得之」的優美，人的全部意識為寧靜地、恰在眼前的審美對象所充滿：「無我之境，以物觀物，故不知何者為我，何者為物」。[278]而置身於這一直觀的審美對象之中的人，他已是純粹的、無意志的、無時間的主體。[279]這和康德（Kant,1724-1804）所指的比外在經驗更精微的「優美感」有其呼應處。「優美」的感覺是聯想、想像與認知理解能力的和諧協調，故其審美愉悅是單純而平靜。這感覺存在於審美主體面對審美對象時「無目的」的「觀照」，而這「觀照」又根生於一種

275 葉太平：《中國文學之美學精神》，頁306。

276 黃淑貞：〈論辭章之「象不盡意」——以稼軒詞為例〉，《師大學報．人文社會類》第五十卷第二期（2005年10月），頁18-21。

277 〔清〕王夫之等撰，丁福保輯：《清詩話》，下冊，頁1028。

278 王國維著，馬自毅譯：《新譯人間詞話》（臺北市：三民書局，1994年3月初版），頁5、8。

279 葉朗：《中國美學的巨擘》（臺北市：金楓出版社，1987年7月初版），頁311。

先天的、存在於人類主體與萬物自然中間的某種普遍的「通達性」。它指向部分與整體的妙契融合，也就是康德所說的「沒有即時目的的最終目的」（purposiveness without a purpose），[280]具有柔順含蓄、韻味深美等大地（坤）的審美屬性。

（2）剛性風格

當審美對象以直接而凸出的姿態作用於人，作者的內心產生強烈的美感情緒波動，並把這種美感情緒輸入載體，那就是寫作的「陽剛形態」。[281]「文者，天地之精英，而陰陽剛柔之發也」（姚鼐〈復魯絜非書〉）。[282]以其「得乎氣之剛者」，故「其文雋快而雄直」；而「雄直之文，其聲多宏大」，[283]亦必然具有急促、鏗鏘、磅礡、氣壯等特色。如劉熙載即指「杜詩高、大、深俱不可及。吐棄到人所不能吐棄，為高；涵茹到人所不能涵茹，為大；曲折到人所不能曲折，為深」。[284]茲舉杜甫作於天寶十一年（752）的〈曲江三章章五句〉其二為例說明：

> 即事非今亦非古，長歌激越捎林莽。比屋豪華固難數。吾人甘作心似灰，弟姪何傷淚如雨。[285]

「境非獨謂景物也。喜怒哀樂，亦人心中之一境界。故能寫真景物、

---

280 王建元：《現象詮釋學與中西雄渾觀》，頁15-19。

281 張紅雨：《寫作美學》（高雄市：復文圖書出版社，1996年10月初版一刷），頁29-32。

282 〔清〕姚鼐：《惜抱軒文集・卷六》，頁81。

283 宋文蔚：《評註文法津梁》，頁202-203。

284 〔清〕劉熙載：《藝概・詩概》，頁59。

285 〔清〕楊倫：《杜詩鏡銓》，頁185。

真感情者，謂之有境界，否則謂之無境界。」[286]作為一位能寫真感情、有境界的詩人，一開篇杜甫就明言此乃一吐胸中鬱壘的即興之作，非關今體或古體；繼而放出穿透蓁莽叢林的激越歌聲，響震亙古長空。再以他人的榮華富貴和反用《史記．韓長孺列傳》「死灰獨不復燃乎」的典故，襯托自己生平的不得志。吾人與弟姪，心似灰與淚如雨，對比強烈，將主人翁困蹇窘迫的寒愴狀更加凸現出來。其結構表為：

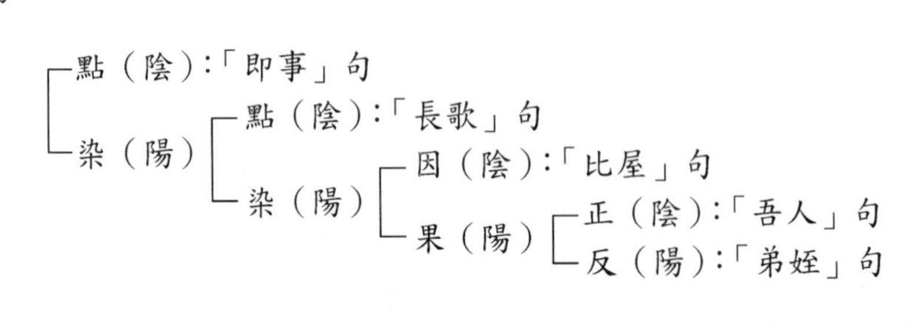

趙翼《甌北詩話》論杜甫詩的風格，指「宋子京《唐書．杜甫傳贊》，謂其詩『渾涵汪茫，千彙萬狀，兼古今而有之』，大概就其氣體而言」；「蓋其思力沉厚，他人不過說到七八分者，少陵必說到十分，甚至有十二三分者。其筆力之豪勁，又足以副其才思之所至，故深人無淺語」，能高能大。[287]由於陽剛所表現出來的力量與氣勢，趨向於運動、沖撞、激盪的狀態；所以不論杜甫、李白或東坡，當他們要敘述某種雄偉宏壯的精神境界時，都不約而同用上了具有「超越的擬喻性」字眼，使詩人及讀者從外在感覺和思維邏輯中超脫出來。[288]這也可以從章法「多、二、一（0）」結構中見出。如「先正後反」、「先點後染」、「先因後果」等輔助結構（多），力勢皆由「陰」向「陽」流動形成節奏，以支撐上層由「陰」向「陽」流動的「先點後染」核心

286 王國維著，馬自毅譯：《新譯人間詞話》，頁11。

287 郭紹虞編：《清詩話續編》（臺北市：藝文印書館，1985年9月初版），頁1151。

288 王建元：《現象詮釋學與中西雄渾觀》，頁28。

結構（二），凸出身世悲感（一），呈現幾近「純剛」的風格（0）。而「筆力豪勁」的純剛風格，與詩中流露的「激越」、「傷淚如雨」等強烈物內之思，恰相吻合。又如柳宗元〈江雪〉：

千山鳥飛絕，萬逕人蹤滅。孤舟蓑笠翁，獨釣寒江雪。[289]

這首詩寫於柳宗元貶謫永州時，當時「既竄斥，地又荒癘，因自放山澤間，其堙厄感鬱，一寓諸文」(《新唐書・本傳》)，故「孤」、「獨」二字，可說是一篇的旨趣，「蓑笠翁」實乃「子厚在貶時所作以自寓也」。[290]詩人的視線流連於千山與萬徑之間，在一高一低、一仰一俯的動作裡，窺見整個宇宙，再趁勢凸出「蓑笠翁」一竿獨釣的圖象來，終而又把空間推向茫茫江雪，神峻而味冽。[291]其結構表為：

```
┌大（陽）┌一（山）：「千山」句
│        └二（徑）：「萬徑」句
├小（陰）：「孤舟」句
└大（陽）：「獨釣」句
```

就篇而言，它形成由「大」而「小」而「大」的轉位結構。由於人的視知覺對外在的形體、光影和色彩具有「選擇性」的分辨功能，能把一定的「圖形」從一定的背景中分辨剝離出來；所以兩種或多種刺激同時出現時，其中之大者、強度高者、輪廓顯明者，最易惹人注意。[292]「雪極大，則千山之鳥斷絕其飛。人不能行，萬徑之蹤跡盡

289 〔唐〕柳宗元撰，尹占華、韓文奇校注：《柳宗元集校注》（北京市：中華書局，2013年10月1版1刷），第九冊，頁2993。

290 徐增：《而庵說唐詩》，收入〔唐〕柳宗元撰，尹占華、韓文奇校注：《柳宗元集校注》，第九冊，頁2995。

291 黃淑貞：《篇章對比與調和結構論》，頁250-251。

292 張春興、楊國樞：《心理學》（臺北市：三民書局，1975年1月4版），頁309。

滅。置孤舟於千山萬徑之間，而以一老翁披蓑戴笠，兀坐於鳥不飛人不行之際，真所謂寄蜉蝣於天地，渺滄海之一粟，何足為輕重哉！」[293]但也何其重哉！所以胡應麟《詩藪》指其「骨力豪上，句格天成」。[294]當這一個具有強烈、深刻、凸出形態特點的「蓑笠翁」被孤立、集中出來時，觀照者的全部精神也被吸入此圖象之中，而感到此圖象即是「存在的一切」。[295]這個「存在的一切」是創作注意力的聚焦點，被美感的騰飛所喚起。為了顯示出絕對的宏大，詩採入聲韻，韻促味永，剛勁有力；更通過不能觸及和不能測度的「千山」「萬徑」來傳達外物對人心靈的撞擊。當讀者置身於這極度知覺性的整體意象中，便對這個鳥不能飛及、人不能涉足的世界作出反應，而臻入雄渾之境。[296]若從章法結構來看，上層的「大→小→大」核心結構由「陽」流向「陰」再拗向「陽」，寓「世態寒涼，宦情孤冷，如釣寒江之魚，終無所得。子厚以自寓也」[297]的主旨（一）於篇外，呈現幾近「純剛」風格（0）。

《周易．繫辭上》既注意了「剛柔相摩、八卦相蕩」兩相對待的動態過程，從而也具有演進發展的序列結構（如〈序卦〉），構成一個系統圖式的觀念；而「陽剛」作為動力的主導地位，也就顯得十分凸出，並賦予乾卦以首要和最高位置，指出「乾」既美且大。乾，是剛健的運動力量，推動著世界萬物的發生與成長，故被儒家美學列為首

293 王堯衢：《唐詩合解箋注》，收入〔唐〕柳宗元撰，尹占華、韓文奇校注：《柳宗元集校注》，第九冊，頁2996。

294 王堯衢：《唐詩合解箋注》，頁2994。

295 徐復觀：《中國藝術精神》，頁97。

296 陳慧樺：〈中西文學裡的雄渾觀念〉，頁45；王建元：《現象詮釋學與中西雄渾觀》，頁32。

297 王堯衢：《唐詩合解箋注》，收入〔唐〕柳宗元撰，尹占華、韓文奇校注：《柳宗元集校注》，第九冊，頁2996。

位的陽剛美，總是與健壯、生長、活躍聯繫在一起。[298]《孟子》區分了「美」與「大」，但與《莊子》所說的「大」又有所區別。李澤厚指前者是個體的道德精神的偉大，具有濃厚的倫理學色彩；後者指的是不包括社會倫理道德在內的各種事物力量的偉大。也就是說，《莊子》的「大美」[299]既是《周易》乾卦剛健壯美的提升，又作了極大的補充。[300]體現在藝術風格上，就是雄渾、奇峭、豪放、粗獷、磅礡、蒼茫、勁健，故姚鼐〈復魯絜非書〉指「得於陽與剛之美者，則其文如霆如電，如長風之出谷，如崇山峻崖，如決大川，如奔騏驥」。[301]

此外，西方文藝批評則稱陽剛美為 Sublime。Sublime 一詞，起源於希臘修辭學者朗吉弩斯（Longinus, 約213-273）的《論雄偉》（*On the Sublime*）。但朱光潛認為 Sublime 在中文裡並沒有恰當的譯名，「雄渾」、「勁健」、「偉大」、「崇高」、「莊嚴」等詞，都只得其片面之義，故暫稱為「雄偉」。他的理由是這術語跟「秀美」（Grace）之意恰好相反，「偉」字又足以概括康德「數量的 Sublime」之意，「雄」字則足以概括「精力的 Sublime」之意。[302]姚一葦《藝術的奧祕》[303]、李元洛《詩美學》[304]、杜若洲翻譯桑塔耶那（Santayana,1863-1952）

---

298 李澤厚：《中國古代思想史論》（臺北市：三民書局，1996年9月初版），頁131-132。

299 如《莊子．秋水》：「千里之遠，不足以舉其大；千仞之高，不足以極其深。禹之時十年九潦，而水弗為加益；湯之時八年七旱，而崖不為加損。夫不為頃久推移，不以多少進退者，此亦東海之大樂也。」

300 李澤厚、劉綱紀：《中國美學史》（合肥市：安徽文藝出版社，1999年5月1版1刷），第一卷，頁256；李澤厚：《華夏美學》，頁102-103。

301 〔清〕姚鼐：《惜抱軒文集．卷六》（臺北市：臺灣商務印書館，1968年12月臺1版），頁81。

302 朱光潛：《文藝心理學》，頁273。雖然歷來許多學者曾針對此譯名提出不同的見解，唯其不是本文探討的重點，故略而不論。

303 姚一葦：《藝術的奧祕》（臺北市：臺灣開明書店，1993年2月12版），頁319。

304 李元洛：《詩美學》，頁444。

的《美感》、周浩中翻譯柯林伍德（Collingwood,1889-1943）的《藝術哲學大綱》，則一致採用了「崇高」一詞。[305]陳慧樺〈中西文學裡的雄渾觀念〉和王建元〈崇高乎？雄偉乎？雄渾乎？一個從翻譯到比較文學的課題〉則以為不論「崇高」或「雄偉」，都沒有真正觸及「S經驗」（Sublime Experience）的核心，故而認為將 Sublime 譯為「雄渾」會是一個較理想的選擇。[306]

王氏引康德的話加以說明，「S 經驗」純然是人置身外界自然事物的「力」或「體積」的威脅下而產生的無限超越性，所形成的一種純理念的滿足。他引司空圖《二十四詩品．雄渾》「大用外腓，真體內充。返虛入渾，積健為雄。備具萬物，橫絕太空」等語，說明「雄」與「渾」二字，都是形容某種極致、甚至企圖超越極致的擬喻，與 Sublime 的作用、性質，幾無差別。基於此，司空圖的「雄渾」幾可與西方觀念中的「S 觀念」相提並論。王氏的推演可說十分精密，然而在其論述中我們又可以發現，康德的整個「S 經驗」基本上是建立在想像力不能抵達一個絕對總體的意念上。康德指出，人與大自然接觸的第一個步驟是經由思維與想像作「領悟」的活動，然後隨著「領悟」無止境地進行，「綜悟」終究因大自然的不能企及性而無法完成；這種不能企及性，就是使 Sublime 的意念通過人的理性獨立而自由地「呈現」出來。故王氏又引美國文評家的話，說明

---

305 王建元解釋：在修辭學中不論是指人格品藻或詞章，S一直是一個利用空間性的「高」或動作性的「舉」，來標明一切「偉大」、「優越」及「完美」的擬喻詞。這字的德譯（das Erhabene）在神學、美學及哲學上總括了它的特性，著眼於某種性靈從形而下物質世界的提昇（uplifting），是人類企圖「超越」有限（transcendence）的理想的最終比喻。中文的「崇高」二字極能將自然界的宏大壯觀用於描寫人的性格操守，又從人格品藻轉為一種文章的準則，「崇高的文章或詞藻」，便成為一般批評的慣用語。見《現象詮釋學與中西雄渾觀》（臺北市：東大圖書公司，1988年2月初版），頁4-5。

306 《現象詮釋學與中西雄渾觀》，頁5-6。

Sublime 能使心靈得以邁向某種心往神馳、高超拔俗的溢揚境界。[307] 也就是說，Sublime 概括了一種不能分割的元始整性，同時又是人的邏輯思維能力遠遠不能企及的「鴻蒙」；它可以經由「返虛」的作用，經由如葉維廉所謂的「離合引生」[308]程序中的「離棄」活動，以神會「天地有大美而不言」(《莊子・知北遊》) 的境界。果如其言，則 Sublime 意涵演化至此，已極貼近《老子・二一章》「道之為物，惟恍惟惚。惚兮恍兮，其中有象。恍兮惚兮，其中有物」中所指的「道」。而「道」，則是剛柔相濟而體現出來的整體意境。[309]所以 Sublime 無論譯為崇高、雄偉或雄渾，它和作為中國兩大美學代表之一的陽剛之美，確實有其呼應處，然又存有極精微的差異，故宜審慎思辨。

2 創境與悟境

意境，作為一個重要的傳統美學範疇，李澤厚指其為形、神、情、理的統一；它是通過眼前的有限形象，以捕捉、領會某種超越形象本身的「象外之旨」，而獲「微塵中有大千，剎那間見終古」的審美感受。[310]「境生於象外」(劉禹錫〈董氏武陵集紀〉)，不僅包括「象」，而且包含「象外」的虛空。它深受《莊子》與佛家「空」、

---

307 《現象詮釋學與中西雄渾觀》，頁15-28。

308 葉維廉指出：所謂「離合引生」的辯證方法在表面看來是一種否定或斷棄的行為，事實上，所謂斷棄並不是否定，而是一種新的方法，把抽象思維曾加諸在我們身上的種種偏、減、縮、限等形象離棄，重新擁抱原有的具體世界。見《比較詩學》(臺北市：東大圖書公司，1983年2月初版)，頁101-102。

309 葉朗：《中國美學史大綱》(臺北市：滄浪出版社，1986年9月初版)，頁53-54；金丹元：《撿拾藝術的記憶・中國古典美學漫談》(臺北市：業強出版社，1992年6月初版)，頁100。

310 「境」是「形」與「神」的統一，「意」是「情」與「理」的統一。李澤厚：《美學論集》(臺北市：三民書局，2001年8月初版2刷)，頁341-343。

「虛」、「無」的影響。故司空圖抓住佛家「境」之虛空性，抓住劉禹錫「象外」之說的虛空性，繼而對「意境」範疇加以闡釋、發揮，成為「意境」範疇集大成者。嚴羽《滄浪詩話》也從「虛」的範疇，強調「透澈之悟」來闡發「意境」的內涵。此後，張炎《詞源》的「離情當如此作，全在情景交鍊，得言外意」[311]、朱承爵《存餘堂詩話》的「作詩之妙，全在意境融徹，出音聲之外，乃得真味」[312]、王世貞《藝苑卮言》談詩有妙悟宜「神與境合」、及王夫之《薑齋詩話》的「含情而能達，會景而生心，體物而得神」[313]等觀點的提出，都一致凸出了意境的虛空性，[314]也一致強調了藝術的動人處，正是這無筆墨處、淡白處、虛空處所指向的境界。[315]

葉維廉指這種「不言」的傳意方式最為豐富。作者運用「若即若離」、「若定向、定時、定義而猶未定向、定時、定義」等高度語法，靈活提供一個開放的領域，令物象事象作「不涉理路」、「玲瓏透澈」、「如在目前」的演出；一面直接占有讀者美感的關注，一面又令讀者自然移入，去感受這些活動所同時提供的多重暗示與意緒，[316]因

311 唐圭璋編：《詞話叢編》，第一冊，頁264。

312 〔清〕何文煥輯：《歷代詩話》（北京市：中華書局，2014年10月2版10刷），下冊，頁792。

313 〔清〕王夫之：《薑齋詩話》（長沙市：岳麓書社，2011年1月1版1刷），頁830。

314 袁行霈：《中國詩歌藝術研究》（臺北市：五南圖書公司，1989年5月臺灣初版），頁73-102；吳建民：《中國古代詩學原理》（北京市：人民文學出版社，2001年12月1版1刷），頁272-302。

315 所謂「虛」，從表面看（淺層次看），是指藝術中那些看不見的、不能直接感受到的部分；但從層次看，這些看不見的、不能直接感受到的部分，恰恰是藝術的精髓，是藝術的真正「意味」，是藝術的無窮無盡的意蘊。葉太平：《中國文學之美學精神》，頁291。

316 所謂「意」，是指作者用以發散出多重思緒或情緒、讀者得進以體驗這些思緒或情緒的美感活動領域。葉維廉：〈中國古典詩中的一種傳釋活動〉，《歷史、傳釋與美學》（臺北市：東大圖書公司，1988年3月初版），頁71。

而有「只可意會，不可言傳」、「意在言外」、「象不盡意」等說法的出現。[317]所以，意境不能離開讀者的審美聯想與想像而存在。它誕生於作者的創造，延續生命於讀者的聯想和想像之中。[318]

「讀詞之法，取前人名句意境絕佳者，將此意境締構于吾想望中。然後澄思渺慮，以吾身入乎其中而涵泳玩索之。吾性靈與相浹而俱化，乃真實為吾有而外物不能奪」。[319]作者對所作的審美表現的「意境」，是一種「創境」；讀者對作者的「創境」所作的發現和補充，是又一重「創境」，可稱為「悟境」。讀者的「悟境」，以作者的「創境」為基礎和依據；作者的「創境」，以讀者的「悟境」為完成和指歸。[320]如嚴羽《滄浪詩話・詩辨》以為孟襄陽詩之所以「獨出韓退之之上者，一味妙悟而已」。[321]因此，真正的意境，是作者的「創境」與讀者的「悟境」兩者互為條件和補充。也就是說，「象外之意」有賴於「象」的觸發，有賴於「象外之象」的傳遞以至於無窮；而「象外之象」與「象外之意」，存在於作者與讀者的想像、觸發之中。[322]

317 葉維廉：〈中國古典詩中的一種傳釋活動〉，《歷史、傳釋與美學》，頁84-87。

318 意境之美，就美在它能以有限的形象，引發欣賞者無限的想像，以文字描摹的有形形象，引發讀者想像中的無形形象，從而以想像出來的景象和意緒，充分滿足欣賞者的藝術再創造的審美心理與欲望。李元洛：《詩美學》，頁211-269。

319 〔清〕況周頤：《蕙風詞話》（上海市：上海古籍出版社，2009年8月1版1刷），頁9。

320 作者與生活，作者是審美主體，生活是審美客體；讀者與作品，讀者是審美主體，作品是審美客體。對「意境」的認識，不能僅局限於作者對意境的創造，而應兼及欣賞者對意境的「再創造」，才能全面把握意境的真諦。李元洛：《詩美學》，頁211-269。

321 〔清〕何文煥輯：《歷代詩話》（北京市：中華書局，2014年10月2版10刷），下冊，頁686。

322 蒲震元：《中國藝術意境論》（北京市：北京大學出版社，1999年1月1版1刷），頁13。

詩人從紛繁萬狀的生活中，敏銳地感受、發現和捕捉詩意，並經過分析、取捨、提煉、概括，鑄煉出主客觀統一的富有美學意涵的意象。意在象中，也在象外，令讀者因象而悟意，延伸、擴展作品所蘊涵的美學領域。以此可知，美學範疇的「取之象外」，就是不能「拘以物體」，而是要「得魚忘荃」、「離形得似」；[323]所謂「意境」，就是以局部暗示整體，寓「全」於「不全」之中，寓「無限」於「有限」之內。也唯有突破、超越具體有限的物象、事象，進入無限的時空，胸羅宇宙，思接千古，從而對整個宇宙人生獲得一種哲理性的感受與領悟。[324]

境之「虛」，是對「象」的突破與超越，突破、超越之後，則直歸於「道」(返真、返虛等)。葉維廉談「無：空白的美學」，即直指這個「無」，就是未受「名限」的「道」。[325]宗白華也以為中國哲學境界與藝術境界的終點，就是「生命本身」體悟「道」的節奏。「道」無限，而「象」有限。在時空中有限的「象」，無法充分體現「道」，故而存有一道「罅隙」，一道「空白」。[326]它頗近似莊子所說的「虛室生白」、「唯道集虛」，[327]故傳統詩學多強調「即景言情」，強調心靈感

323 敏澤：《中國美學思想史》(濟南市：齊魯書社，1987年7月1版1刷)，第一卷，頁535-536。

324 葉朗：《現代美學體系》，頁142。

325 葉維廉：《歷史、傳釋與美學》，頁146-147。

326 有學者稱之為「空筐結構」，因為它向讀者提供了一個馳騁想像力的空間，讀者對作品的感受和闡發就是把自己的人生體驗和精神智慧入這個「空筐」。文學讀解作為一個精神操作過程，就是要充分調動讀者的想像和理解，把作品文本中的空白進行填補，把未定點加以確定化，把蘊含的各種意義潛能加以現實化，從而使作品文本圖式化框架由物的形式變成讀者實際感受到的有生命的鮮活東西。作品文本所包含的空白或未定點愈多，讀者能愈深入、愈自由地參與再創造。龍協濤：《文學讀解與美的再創造》，頁34-40。

327 王弼《老子・十四章注》：「無形無名者，萬物之宗也」，又：《老子・四十章注》「有之所始，以無為本；將欲全有，必反於無也」。「空故納萬境」的哲學淵源即在於此。宗白華：《美學散步》，頁29-33。

悟，要求在「即目」的同時「會心」，[328]超越邏輯思維，進入一種可意會卻不可言傳的虛境，直觀宇宙人生的宏旨。童慶炳〈美的極致與「格式塔質」〉也指「氣」、「神」、「韻」、「境」、「味」等概念，雖其命題、範疇各異，但都一致標示著美的極致，其形成也都可推源至老莊之「道」。[329]緣此，在對審美對象進行縱深觀照這一議題上，中國美學有一個由先秦之「觀」到魏晉之「味」，再到宋代之「悟」的發展過程。[330]藝術之極致況味，雖不能以文字傳達，但可在妙悟的閃光中呈現其奧秘，故自嚴羽、王夫之、王士禎、王國維以來，他們皆一致強調了直覺與靈感的重要。[331]這一傳統文論中的「妙悟派」，劉若愚〈中西文學理論綜合初探〉稱之為持有形上學觀點的批評家，並引西方現象學文學觀點再三申明其與道家之間具有根本哲學的相似性。其中，文學是宇宙之「道」的表現，與杜夫海納（Mikel Dufrenne, 1910-1995）認為藝術是「存有」（Being）的概念，及海德格（Martin Heidegger, 1889-1976）所闡明的「存在」（phenomenological-existential concept of Being）概念，可以並比。[332]海德格強調「可以確定性」必須根源於一個「最終不能確定性」，而我們只能從「彰現」的現象中才能窺探、認識到任何事物的觀點。因為「彰現的核心」存在著一種

328 毛正夫：《中國古代詩學本體論闡釋》（臺北市：五南圖書出版公司，1997年4月初版1刷），頁9-12。

329 一般而言，「格式塔質」主要是講知覺經驗整合生成的特徵，它屬於淺層心理學範圍；而中國的美意識的種種觀念，主要來源於老莊哲學的「道」，所講的是人對宇宙、人生的那種終極的、本原的深命體驗，它與人的深長的「情」、神秘的「思」相連。童慶炳：《中國古代心理詩學與美學》，頁13-22。

330 張法：《中西美學與文化精神》（臺北市：淑馨出版社，1998年10月1版1刷），頁327-329。

331 劉若愚著，杜國清譯：《中國詩學》，頁133-134。

332 劉若愚著，杜國清譯：〈中西文學理論綜合初探〉，收入鄭樹森編：《現象學與文學批評》，頁126。

「蒙蔽性」，它可說是萬物存有的基本條件，概括了一種不能分割的元始整性，具有不能觸及性、不能制割性，亦即人的邏輯思維能力所遠遠不逮的「鴻蒙」。[333]

「目有所極，故所見不周。於是乎以一管之筆，擬太虛之體；以判軀之狀，畫寸眸之明。」（王微〈敘畫〉）。[334]太虛之體只能「擬」，而不能「周」，故海德格等所強調的「最終不能確定性」理論，與道家所主張「心齋」、「坐忘」、「虛以待物」、「唯道集虛」等獨特美學，互通聲氣。[335]梅洛・龐蒂（Maurice Merleau-Ponty, 1908-1961）的知覺現象學除了繼承海德格的本體現象詮釋學，致力於將哲學觸角回歸到一個「早在思考反省之前已經存在」的活潑世界，並強調唯有端賴於一種「神秘的視覺力」、「第三隻眼」，作者才能以獨具的靈視，在景物同時「湧現」與「隱沒」時，融會視覺與意象，達致遊心於虛曠之境。至於殷格頓（Roman Ingarden, 1893-1970）《文學的藝術作品》中所特別標示的「未確定性」觀念，沃爾夫岡・伊瑟爾（Wolfgang Iser, 1926-2007）《閱讀行動》所探討的讀者應如何接受作品所刻意安

---

333 「鴻蒙」是指「渾渾沌沌，終身不離」的自然元氣，語出《莊子・在宥》：「雲將東遊，過扶搖之枝而適遭鴻蒙。鴻蒙方將拊脾雀躍而遊。……萬物云云，各復其根，各復其根而不知；渾渾沌沌，終身不離。」

334 俞崑：《中國畫論類編》，頁585。

335 王建元解釋：「道家的『否定』或『抵消』（negation）行為致力於開展一個詩人與現象之間的無礙躍現的空間。於其中，人與大自然共存共息，兩者之間呈露著一種互通聲氣的調和狀態。這個否定的運作與海德格提出的以『退讓』的態度來詮釋『限有』極之接近。」但「海氏的『退讓』有別於黑格爾那以思考性為至高無上的『退讓』，前者這觀念的特點在於事物能夠『採取一個與我們相對等的立場』，能夠以自我朗現的方式『站出來』。因此，『讓其存在』（letting-be）朝向『某種特別的什麼』（what-is-as-such）自我展露，進而通過一切生存活動作一種豁然的『公開』或『開放』。『讓其存在』也就等於自由本身，也是自我『展現』：它更是由『展出』到存在（ek-sistent）的最真義。」見《現象詮釋學與中西雄渾觀》，頁44-45。

排的「空隙」引發而開始一個意念具體化行動，也與此極為類近。[336]

「象生於意，而存象焉，則所存者，乃非其象也；言生於象，而存言焉，則所存者，乃非其言也。」[337]由於「象」變化生動而複雜紛呈，「符號」（語言、文字或圖象）往往難以曲盡其妙；加上創作主體的「意」（情理）也是倏忽萬變、多重疊合，有時甚至模糊不定，很難以「符號」來加以描繪、界定與概括。[338]因此不管作品多麼慷慨，不管描述有多麼細膩，總存在著未描述的那一面，想像力以伸延、豐富的方法竭力加以彌補也是徒勞。[339]葉維廉指其唯有透過道家所謂的「離合引生」、或「空納生成」的辯證法，人才能獲致妙契渾成的了悟。[340]直覺[341]到了最高層次，就是「悟」。「惟悟乃為當行，乃為本

336 《現象詮釋學與中西雄渾觀》，頁44-45。

337 〔魏〕王弼、〔晉〕韓康伯注：《周易正義》（臺北市：大安出版社，1999年7月1版1刷），頁262。

338 王夢鷗以為「記號」有兩度的事實，第一度是「在心為志」，「志」是一種內在的記號；第二度是「發言為詩」，「詩」是一種外在的記號，但外在的記號未必是盡同於內在的記號。如陶潛〈飲酒〉：「此中有真意，欲辯已忘言。」又如程顥〈秋日〉：「萬物靜觀皆自得，四時佳興與人同。」靜觀自得與欲辯忘言，皆表示了「真意」與「佳興」的意象皆不在語言之內，也都表示記號能力之有限與內心意象之無窮。見《文學概論》（臺北市：藝文印書館，1982年10月2版），頁31-39。

339 每種再現性藝術都突出某些特殊的對象，並在對象背後設置一個背景。這個背景既映襯出對象的確定性，又暗示一個世界的不確定性。〔法〕米蓋爾・杜夫海納（Mikel Dufrenne）著，韓樹站譯，陳榮生校：《審美經驗現象學》（北京市：文化藝術出版社，1992年5月1版1刷），頁208-212。

340 葉維廉：〈無言獨化：道家美學與語言通明〉，《比較詩學》，頁101。

341 構成直覺思維過程的各組成部分的相互作用，是在一個整一連續的領域內進行的。直覺活動的三個基本層次，為心覺、感知、領悟。所謂心覺，是接觸物時最初的心靈反應，表現為心靈的被吸引的忘我狀態。這種「心覺」往往先於其它感官的知覺，特別是客觀物的氣氛或氛圍，只能是靠心覺來領受。「感知」是通過人的感官活動進行的，是感覺器官對客觀事物的直接反應（認識與把握）。領悟是直覺活動的完成階段，往往要有經驗的介入。經驗與知識對於直覺者是作為一種「基質」積澱於心靈之中的。吳曉：《詩歌與人生・意象符號與情感空間》（臺北市：書林出版有限公司，1995年3月初版），頁111-120。

色。然悟有淺深，有分限，有透澈之悟，有但得一知半解之悟」。[342]所以「悟」不是對個別刺激作個別反應，而是觀察、記憶、思維、聯想、想像在一瞬間總的爆發，是對事物整體的直觀把握，對核心情理的總體透視。[343]一如嚴羽《滄浪詩話．詩辨》所說「大抵禪道惟在妙悟，詩道亦在妙悟」；故「學者須從最上乘，具正法眼，悟第一義」，[344]悟「遊於物之所不得遯而皆存」（《莊子．大宗師》）的境地。

342 〔宋〕嚴羽：《滄浪詩話．詩辨》，收入〔清〕何文煥輯：《歷代詩話》，下冊，頁686。

343 吳曉：《詩歌與人生．意象符號與情感空間》，頁129。

344 〔清〕何文煥輯：《歷代詩話》，下冊，頁686。

重要參考文獻

一　古代典籍（略依時代先後排序）

〔春秋〕管仲　《管子》　北京市　燕山出版社　1996年5月1版2刷

〔秦〕呂不韋等　《呂氏春秋》臺北市　華正書局　1985年8月初版

〔西漢〕司馬遷著　瀧川龜太郎注　《史記會注考證》　臺北市　洪氏出版社　1985年9月初版

〔西漢〕劉向編集　王逸章句　《楚辭》　北京市　商務印書館　1939年12月初版

〔西漢〕劉向集錄　《戰國策》　上海市　上海古籍出版社　1978年5月1版1刷

〔東漢〕班固撰　〔唐〕顏師古注　《漢書》　臺北市　藝文印書館　1955年4月初版

〔東漢〕班固撰　〔唐〕顏師古注　《漢書》　北京市　中華書局　1964年11月1版2刷

〔東漢〕班固撰　楊家駱主編　《新校本漢書并附編二種》　臺北市　鼎文書局　1986年10月6版

〔魏〕王弼　〔晉〕韓康伯注　〔唐〕孔穎達等疏　《十三經注疏・周易正義》　嘉慶二十年江西南昌府學開雕　臺北市　藝文印書館　1985年12月10版

〔魏〕王弼　〔晉〕韓康伯注　《周易正義》　臺北市　大安出版社　1999年7月1版1刷

〔魏〕王弼　《老子微旨例略》　臺北市　東昇出版社　1980年10月初版
〔魏〕王弼注　《老子》　臺北市　學海出版社　1984年9月初版
〔西晉〕陳壽撰　〔宋〕裴松之註　《三國志》　臺北市　藝文印書館　1955年4月初版
〔西晉〕劉昫等撰　楊家駱主編　《新校本舊唐書附索引》　臺北市　鼎文書局　1989年12月5版
〔劉宋〕范曄撰　〔唐〕李賢注　《後漢書》　中華書局據武英殿本校刊　未著年
〔劉宋〕范曄撰　楊家駱主編　《新校本後漢書并附編十三種》　臺北市　鼎文書局　1987年元月5版
〔齊梁〕鍾嶸　《詩品》　臺北市　金楓出版社　1986年12月初版
〔梁〕劉勰著　〔清〕黃叔琳校　《文心雕龍注》　臺北市　臺灣開明書店　1993年5月17版
〔後秦〕鳩摩羅什譯　《維摩詰經》　北京市　大眾文藝出版社　2004年10月1版1刷
〔唐〕李白撰　〔宋〕楊齊賢注　〔元〕蕭士贇補　〔明〕郭雲鵬編　《李太白全集》　臺北市　世界書局　1997年5月2版1刷
〔唐〕李白撰　《李太白全集》　臺北市　河洛圖書出版社　1975年5月初版
〔唐〕歐陽詢撰　汪紹楹校　《藝文類聚》　北京市　中華書局　1965年11月1版1刷
〔唐〕柳宗元撰　尹占華、韓文奇校注　《柳宗元集校注》　北京市　中華書局　2013年10月1版1刷
〔唐〕司空圖　《二十四詩品》　臺北市　金楓出版社　1987年6月初版

〔唐〕房玄齡等撰　《晉書》　上海市　上海古籍出版社　1989年8月1版6刷

〔唐〕李鼎祚　《周易集解》　臺北市　臺灣商務印書館　1996年12月臺1版第2刷

〔唐〕楊倞注　〔清〕王先謙集解　《荀子集解》　臺北市　世界書局　1962年4月初版

〔五代〕王仁裕撰　曾貽芬點校　《開元天寶遺事》　北京市　中華書局　2006年3月1版1刷

〔宋〕司馬光撰　胡三省注　章鈺校記　《資治通鑒》　臺北市　舜逸出版社　未著年

〔宋〕邵雍　《皇極經世書》　臺北市　中國子學名著集成編印基金會　1978年12月初版

〔宋〕周敦頤撰　陳克明點校　《周敦頤集》　北京市　中華書局　1990年5月1版4刷

〔宋〕程頤　程顥　《二程全書》　中華書局據江寧刻本校刊　未著年

〔宋〕程頤　《周易程氏傳》　清光緒十年古逸叢書景元至正九年積德堂刊本　臺北市　成文出版社　未著年

〔宋〕程頤　《易程傳》　臺北市　文津出版社　1990年10月2刷

〔宋〕張載　《張子全書》　中華書局據高安朱氏藏書本校刊　未著年

〔宋〕張載撰　〔清〕王夫之注　《張子正蒙注》　臺北市　河洛圖書出版社　1975年10月臺景印初版

〔宋〕張載　《張載集》（嶄新編校本）　臺北市　里仁書局　1979年12月初版

〔宋〕張載著　章錫琛點校　《張載集》　北京市　中華書局　2006年12月1版3刷

〔宋〕歐陽脩　宋祈撰　楊家駱主編　《新校本新唐書附索引》　臺北市　鼎文書局　1989年12月5版

〔宋〕朱熹著　黎靖德編　《朱子語類》　臺北市　文津出版社　1986年12月初版
〔宋〕朱熹　《周易本義》　清光緒九年景宋咸淳刊本　臺北市　成文出版社　未著年
〔宋〕朱熹　《周易本義》　臺北市　大安出版社　1999年7月1版1刷
〔宋〕羅大經　《鶴林玉露》　臺北市　臺灣開明書店　1968年11月1版
〔宋〕羅大經撰　王瑞來點校　《鶴林玉露》　北京市　中華書局　1997年12月1版2刷
〔宋〕陳騤　《文則》　北京市　人民文學出版社　1960年4月1版1刷
〔宋〕樂史撰　王文楚等點校　《太平寰宇記》　北京市　中華書局　2007年11月1版1刷
〔宋〕闕名集註　《分門集註杜工部詩》　上海涵芬樓借南海潘氏藏宋刊本　臺北市　大通書局　1974年10月初版
〔元〕脫脫等撰　楊家駱主編　《新校本宋史并附編三種》　臺北市　鼎文書局　1983年11月3版
〔元〕脫脫等撰　《宋史》　上海市　上海古籍出版社　1989年8月1版6刷
〔明〕李時珍　《本草綱目》　北京市　人民衛生出版社　2003年7月1版1刷
〔清〕金聖嘆　《才子古文讀本》　上海市　廣益書局　1936年1月1版1刷
〔清〕金聖嘆批　王之績評註　《才子古文讀本》　臺北市　老古文化事業公司　1981年8月臺2版
〔清〕金聖嘆撰　曹方人　周錫山標點　《金聖歎全集》　南京市　江蘇古籍出版社　1985年7月1版1刷

〔清〕阮元　《十三經注疏・左傳》　嘉慶二十年江西南昌府學開雕　臺北市　藝文印書館　1985年12月10版
〔清〕阮元　《十三經注疏・周禮》　嘉慶二十年江西南昌府學開雕　臺北市　藝文印書館　1985年12月10版
〔清〕阮元　《十三經注疏・禮記》　嘉慶二十年江西南昌府學開雕　臺北市　藝文印書館　1985年12月10版
〔清〕阮元　《十三經注疏・論語》　嘉慶二十年江西南昌府學開雕　臺北市　藝文印書館　1985年12月10版
〔清〕李光地　《周易折中》　清康熙五十四年武英殿原刊本　臺北市　成文出版社　未著年
〔清〕惠棟　《易學述》　清乾隆二十一年雅雨堂刊本　臺北市　成文出版社　未著年
〔清〕李道平　《周易集解纂疏》　上海市　商務印書館　1936年12月初版
〔清〕孫星衍　《周易集解》　上海市　商務印書館　1936年6月初版
〔清〕王先慎　《韓非子集解》　臺北市　世界書局　1962年9月初版
〔清〕章學誠撰　葉瑛校注　《文史通義》　臺北市　頂淵文化事業公司　2000年9月初版1刷
〔清〕姚鼐　《惜抱軒文集》　臺北市　臺灣商務印書館　1968年12月臺1版
〔清〕王夫之　《周易外傳》　清道光二十二年守經堂刊本　臺北市　成文出版社　未著年
〔清〕王夫之　《周易內傳》　清道光二十二年守經堂刊本　臺北市　成文出版社　未著年
〔清〕王夫之等撰　丁福保編　《清詩話》　臺北市　明倫出版社　1971年12月初版

〔清〕王夫之等撰　丁福保輯　《清詩話》　上海市　上海古籍出版社　2015年月1版1刷
〔清〕王夫之　《薑齋詩話》 長沙市　岳麓書社　2011年1月1版1刷
〔清〕楊倫　《杜詩鏡銓》　臺北市　藝文印書館　1998年12月初版3刷
〔清〕浦起龍　《讀杜心解》　臺北市　大通書局　1973年10月初版
〔清〕吳瞻泰　《杜詩提要》　臺北市　大通書局　1974年10月初版
〔清〕吳見思註　潘眉評　《杜詩論文》　清康熙十一年吳郡寶翰樓刊本　臺北市　大通書局　1974年10月初版
〔清〕劉大櫆　《論文偶記》　北京市　人民文學出版社　1998年5月1版1刷
〔清〕鄭燮　《鄭板橋全集》　臺北市　臺灣時代書局　1975年2月再版
〔清〕方東樹　《昭昧詹言》　臺北市　廣文書局　未著年
〔清〕方東樹　《昭昧詹言》　北京市　人民文學出版社　2006年6月1版5刷
〔清〕何文煥輯　《歷代詩話》　臺北市　漢京文化事業公司　1983年1月初版
〔清〕何文煥輯　《歷代詩話》　北京市　中華書局　2014年10月2版10刷
〔清〕劉熙載　《藝概》　臺北市　金楓出版社　1998年7月革新1版
〔清〕劉熙載　《藝概》　臺北市　漢京文化事業公司　2004年3月初版1刷
〔清〕林雲銘　《古文析義合編》 臺北市　廣文書局　1997年9月8版
〔清〕吳楚材選注　王文濡評校　《古文觀止》　臺北市　華正書局　1998年8月初版

〔清〕況周頤　《蕙風詞話》　上海市　上海古籍出版社　2009年8月1版1刷

二　今人專著（略依姓氏筆畫排序）

（一）哲學類

方立天　《中國古代問題發展史》　臺北市　洪葉文化事業公司　1995年4月初版1刷
方東美　《生生之德》　臺北市　黎明文化公司　1982年12月4版
王　甦　《中道探微》　臺北市　文史哲出版社　1994年11月初版
王邦雄　《老子的哲學》　臺北市　東大圖書公司　1986年9月4版
王明編　《太平經合校》　北京市　中華書局　1992年3月秦皇島1版4刷
王新春　《周易虞氏學》　臺北市　頂淵文化事業公司　1999年2月初版1刷
王新華　《周易繫辭傳研究》　臺北市　文津出版社　1998年4月1刷初版
朱維煥　《周易經傳象義闡釋》　臺北市　臺灣學生書局　1986年10月1版2刷
江弘毅　《周易津梁》　臺北市　文笙書局　1996年7月初版
牟宗三　《心體與性體》　臺北市　正中書局　1968年5月臺初版
牟宗三　《中國哲學十九講》　臺北市　臺灣學生書局　1986年10月初版2刷
牟宗三　《周易的自然哲學與道德函義》　臺北市　文津出版社　1998年8月初版2刷

余　雄　《中國哲學概論》　臺北市　源成文化圖書社　1977年12月初版

吳　怡　《中庸誠的哲學》　臺北市　三民書局　1993年10月5版

宋志明　向世陵　姜日天　《中國古代哲學研究》　北京市　中國人民大學出版社　1998年8月1版1刷

李志林　《氣論與傳統思維方式》　上海市　學林出版社　1999年9月1版1刷

李雄揮　《哲學概論》　臺北市　五南圖書出版公司　1989年2月初版

李澤厚　《中國古代思想史論》　臺北市　三民書局　1996年9月初版

杜維明　《儒家思想——以創造轉化為自我認同》　臺北市　東大圖書公司　1997年11月初版

周鼎珩　《易經講話》　臺北市　榮泰印書館　1964年2月臺初版

姜國柱　《中國歷代思想史・先秦卷》　臺北市　文津出版社　1993年12月初版1刷

姜國柱　《中國歷代思想史・宋元卷》　臺北市　文津出版社　1993年12月初版1刷

胡自逢　《易學識小》　臺北市　文史哲出版社　2000年3月初版

韋政通　《中國哲學思想批判》　臺北市　水牛圖書公司　1986年1月初版

唐　華　《中國易經哲學思想原理》　臺北市　大中國出版社　1980年初版

唐君毅　《中國文化之精神價值》　臺北市　正中書局　1982年12月臺修訂4版

唐君毅　《中國哲學原論・導論篇》　香港　東方人文學會　1974年7月修訂再版

唐君毅　《哲學概論》　臺北市　臺灣學生書局　1975年9月4版

唐君毅　《中國哲學原論・原道篇》　臺北市　臺灣學生書局　1976年8月修訂再版
夏甄陶　《中國認識論思想史論》　北京市　中國人民大學出版社　1996年8月1版2刷
徐志銳　《周易大傳新注》 臺北市　里仁書局　1995年10月15日初版
徐志銳　《周易陰陽八卦說解》　臺北市　里仁書局　2000年3月20日初版4刷
徐復觀　《中國人性論史・先秦篇》　上海市　三聯書店　2001年9月1版1刷
高廣孚　《哲學概論》　臺北市　五南圖書出版公司　1991年11月2版3刷
張立文　《中國哲學範疇導論》　臺北市　萬卷樓圖書公司　1993年4月初版1刷
張立文　《朱熹與退溪思想比較研究》　臺北市　文津出版社　1995年3月初版
張立文　《道》　北京市　中國人民大學出版社　1996年元月1版3刷
張立文　《中國哲學範疇發展史・天道篇》　臺北市　五南圖書出版公司　1996年7月初版1刷
張立文　向世陵　《變》　臺北市　七略出版社　2000年4月初版
張立文　《中國哲學邏輯結構論》　北京市　中國社會科學出版社　2002年1月1版1刷
張善文　《象數與義理》　臺北市　洪葉文化事業公司　1997年1月初版1刷
陳俊輝　《新哲學概論》　臺北市　水牛圖書公司　1991年10月初版
陳俊輝　《中國哲學思想之古今》　臺北市　水牛圖書公司　1992年8月初版

陳鼓應　《老子今註今譯及評介》　臺北市　臺灣商務印書館　1970年5月初版
陳鼓應　《老莊新論》　臺北市　五南圖書出版公司　1993年3月初版1刷
陳榮捷　《中國哲學文獻選編》　臺北市　巨流圖書公司　1993年6月1版1刷
陳滿銘　《學庸義理別裁》　臺北市　萬卷樓圖書公司　2002年1月初版
傅偉勳　《西洋哲學史》　臺北市　三民書局　1987年8月9版
勞思光　《中國哲學史》　臺北市　三民書局　1981年1月初版
曾春海　《儒家哲學論集》　臺北市　文津出版社　1989年5月初版
曾春海　《易經哲學的宇宙與人生》　臺北市　文津出版社　1997年4月1刷初版
項退結　《中國人的路》　臺北市　東大圖書公司　1988年1月初版
馮友蘭　《中國哲學史》　臺北市　藍燈文化公司　1990年10月初版
馮友蘭　《中國哲學史新編》　臺北市　藍燈文化公司　1991年12月初版
馮友蘭　《馮友蘭選集》　北京市　北京大學出版社　2000年7月1版1刷
黃　釗　《帛書老子校注析》　臺北市　臺灣學生書局　1991年10月初版
黃沛榮　《易學乾坤》　臺北市　大安出版社　1998年8月1版1刷
黃慶萱　《周易縱横談》　臺北市　東大圖書公司　1995年3月初版
黃錦鋐　《新譯莊子讀本》　臺北市　三民書局　1988年3月8版
楊政河　《中國哲學之精髓與創化》　臺北市　文津出版社　1982年5月初版

楊憲邦　《中國哲學通史》　北京市　中國人民大學出版社　1995年2月1版3刷
葉繼業　《易理述要》　臺北市　黎明文化公司　1990年6月再版
熊十力　《乾坤衍》　臺北市　臺灣學生書局　1976年5月景印再版
熊十力　《十力語要》　臺北市　明文書局　1989年8月初版
劉文典　《淮南鴻烈集解》臺北市　文史哲出版社　1985年9月再版
賴貴三　《焦循雕菰樓易學研究》　臺北市　里仁書局　1994年7月初版
戴璉璋　《易傳之形成及其思想》　臺北市　文津出版社　1997年2月2刷
韓永賢　《周易探源》　北京市　中國華僑出版公司　1990年11月1版1刷
羅　光　《儒家哲學的體系》　臺北市　臺灣學生書局　1983年6月初版
羅　光　《儒家生命哲學》臺北市　臺灣學生書局　1995年9月初版
羅　光　《中國哲學大綱》　臺北市　臺灣商務印書館　1999年11月2版1刷
羅　因　《「空」、「有」與「有」、「無」──玄學與般若學交會問題之研究》　臺北市　國立臺灣大學出版委員會　2003年7月初版

（二）文學類

仇小屏　《文章章法論》臺北市　萬卷樓圖書公司 1998年11月初版
仇小屏　《篇章結構類型論》　臺北市　萬卷樓圖書公司　2000年2月初版
毛正夫　《中國古代詩學本體論闡釋》　臺北市　五南圖書出版公司　1997年4月初版1刷

王力堅 《六朝唯美詩學》 臺北市 文津出版社 1997年7月初版1刷
王元驤 《文學原理》 杭州市 浙江教育出版社 1989年4月1版1刷
王希杰 《修辭學通論》 南京市 南京大學出版社 1996年6月1版1刷
王更生 《文心雕龍讀本》 臺北市 文史哲出版社 1986年11月再版
王更生 《柳宗元散文研讀》 臺北市 文史哲出版社 1999年2月初版2刷
王更生 《歐陽脩散文研讀》 臺北市 文史哲出版社 1996年5月初版
王更生 《蘇軾散文研讀》 臺北市 文史哲出版社 2001年2月初版
王長俊 《詩歌意象學》 合肥市 安徽文藝出版社 2000年8月1版1刷
王長俊 《詩歌意象學》 合肥市 安徽文藝出版社 2000年8月1版1刷
王建元 《現象詮釋學與中西雄渾觀》 臺北市 東大圖書公司 1988年2月初版
王國維著 馬自毅譯 《新譯人間詞話》 臺北市 三民書局 1994年3月初版
王凱符 張會恩 《中國古代寫作學》 北京市 中國人民大學出版社 1992年9月初版
王葆心 《古文辭通義》 臺北市 臺灣中華書局 1984年4月臺2版
王夢鷗 《文學概論》 臺北市 藝文印書館 1982年10月2版
王夢鷗 《中國文學理論與實踐》 臺北市 時報文化出版公司 1995年11月初版1刷
成偉鈞 唐仲揚 向宏業 《修辭通鑑》 臺北市 建宏出版社 1996年1月初版1刷
朱任生 《古文法纂要》 臺北市 臺灣商務印書館 1984年9月初版

朱光潛　《談文學》　臺北市　臺灣開明書店　1966年11月臺4版
余光中　《掌上雨》　臺北市　文星書店　1967年11月初版
吳文治　《宋詩話全編》　南京市　江蘇古籍出版社　1998年12月1版1刷
吳建民　《中國古代詩學原理》　北京市　人民文學出版社　2001年12月1版1刷
吳曾祺　《涵芬樓文談》　臺北市　臺灣商務印書館　1980年9月4版
吳應天　《文章結構學》　北京市　中國人民大學出版社　1989年8月初版
吳闓生　《古文範》　臺北市　臺灣中華書局　1973年3月臺1版
吳闓生批註　《桐城吳氏古文法》　臺北市　文津出版社　1979年4月初版
宋文蔚　《評註文法津梁》　高雄市　復文圖書出版社　1993年2月修訂2版
李扶九原選　王扶齡改編　《古文筆法百篇》　臺北市　文津出版社　1978年11月初版
李傳龍　《文學創作美學》　西安市　陝西人民出版社　1991年6月1版1刷
李豐楙　劉苑如主編　《空間，地域與文化——中國文化空間的書寫與闡釋》　臺北市　中央研究院中國文哲研究所　2002年12月初版
杜淑貞　《詩話論風格》　臺北市　文津出版社　1999年7月1刷
來裕恂著　高維國等注釋　《漢文典注釋》　天津市　南開大學出版社　1993年2月初版
周振甫　《文學風格例話》　上海市　上海教育出版社　1989年7月1版1刷

周振甫　《詩詞例話》　臺北市　學海出版社　1984年1月初版
周啟成等注譯　劉正浩等校閱　《新譯昭明文選》　臺北市　三民書局　2001年2月初版2刷
宗白華　《宗白華全集》　合肥市　安徽教育出版社　1996年9月1版2刷
林東海　《詩法舉隅》　上海市　上海文藝出版社　1984年11月1版3刷
林淑貞　《中國詠物詩「託物言志」析論》　臺北市　萬卷樓圖書公司　2002年4月初版
林景亮　《評註古文讀本》　臺北市　臺灣中華書局　1969年11月臺1版
竺家寧　《漢語詞彙學》　臺北市　五南圖書出版公司　1999年10月初版1刷
姜林洙　《辛棄疾傳》　臺北市　臺灣商務印書館　1964年10月初版
胡有清　《文藝學論綱》　南京市　南京大學出版社　2002年 7月1版6刷
郁賢皓選注　《李白選集》　上海市　上海古籍出版社　1990年10月1版1刷
韋勒克（René Wellek）　華倫（Austin Warren）著　王夢鷗　許國衡譯　《文學論》　臺北市　志文出版社　1987年12月再版
唐　彪　《讀書作文譜》　臺北市　偉文圖書出版社　1976年11月初版
唐圭璋編　《詞話叢編》　北京市　中華書局　2012年11月2版6刷
夏之放　《文學意象論》　汕頭市　汕頭大學出版社　1993年12月1版1刷
徐震堮　《世說新語校箋》　臺北市　文史哲出版社　1985年7月初版
特里．伊格爾頓（Terry eagleton）　《當代文學理論導論》　臺北市　旭日出版社　1987年10月初版

袁行霈　《中國詩歌藝術研究》　臺北市　五南圖書出版公司　1989年5月臺灣初版
高步瀛　《唐宋詩舉要》　臺北市　明倫出版社　1971年10月初版
高辛勇　《形名學與敘事理論．結構主義的小說分析法》　臺北市　聯經出版事業公司　1987年11月初版
張少康　《中國古代文學創作論》　北京市　北京大學出版社　1983年12月初版
張志公　《中學語言教學研究》　廣州市　廣東教育出版社　2001年1月1版2刷
張春榮　《修辭萬花筒》　臺北市　駱駝出版社　1986年9月初版
張春榮　《修辭新思維》　臺北市　萬卷樓圖書公司　2001年9月初版
張春榮　《作文新饗宴》　臺北市　萬卷樓圖書公司　2002年8月初版
張會恩　曾祥芹　《文章學教程》　上海市　上海教育出版社　1995年5月1版1刷
張會森　《修辭學通論》　上海市　上海外語教育出版社　2002年3月1版1刷
張壽康　《文章學導論》　臺北市　新學識文教出版中心　1990年1月初版
張漢良　《比較文學理論與實踐》　臺北市　東大圖書公司　1986年2月初版
曹　冕　《修辭學》　上海市　商務印書館　1934年4月初版
章微穎　《中學國文教學法》　臺北市　蘭臺書局　1973年10月再版
許恂儒　《作文百法》　臺北市　廣文書局　1989年8月再版
郭紹虞　《滄浪詩話校釋》　臺北市　文馨出版社　1972年12月初版
郭紹虞編　《清詩話續編》　臺北市　藝文印書館　1985年9月初版
陳弘治　《詞學今論》　臺北市　文津出版社　1988年10月5版

陳本益　《漢語詩歌的節奏》　臺北市　文津出版社　1994年8月初版
陳望道　《修辭學發凡》　臺北市　文史哲出版社　1989年1月再版
陳滿銘　《國文教學論叢》　臺北市　萬卷樓圖書公司　1994年9月初版3刷
陳滿銘　《作文教學指導》　臺北市　萬卷樓圖書公司　1997年10月初版2刷
陳滿銘　《國文教學論叢・續編》　臺北市　萬卷樓圖書公司　1998年3月初版
陳滿銘　《文章結構分析》　臺北市　萬卷樓圖書公司　1999年5月初版
陳滿銘　《詩詞新論》　臺北市　萬卷樓圖書公司　1999年8月再版
陳滿銘　《詞林散步・唐宋詞結構分析》　臺北市　萬卷樓圖書公司　2000年元月初版
陳滿銘　《章法學新裁》　臺北市　萬卷樓圖書公司　2001年1月初版
陳滿銘　《章法學論粹》　臺北市　萬卷樓圖書公司　2002年7月初版
陳滿銘　《章法學綜論》　臺北市　萬卷樓圖書公司　2003年6月初版
陳滿銘　《蘇辛詞論稿》　臺北市　文津出版社　2003年8月初版1刷
陳滿銘　《篇章結構學》　臺北市　萬卷樓圖書公司　2005年5月初版
陳慶輝　《中國詩學》　臺北市　文史哲出版社　1994年12月初版
陳鵬翔　《主題學理論與實踐——抽象與想像力的衍化》　臺北市　萬卷樓圖書公司　2001年5月初版
傅庚生　《中國文學欣賞舉隅》　臺北市　萬卷樓圖書公司　2002年12月初版
喻守真　《唐詩三百首詳析》　臺北市　臺灣中華書局　1995年1月臺23版4刷
曾祥芹　《文章學與語文教育》　上海市　上海教育出版社　1995年4月1版1刷

曾祥芹　《現代文章學引論》　北京市　中國文聯出版社　2001年6月1版1刷
曾棗莊　李凱　彭君年編　《宋文紀事》　成都市　四川大學出版社　1995年12月1版1刷
程千帆　吳新雷　《兩宋文學史》　上海市　上海古籍出版社　1991年2月1版1刷
黃永武　《中國詩學・設計篇》　臺北市　巨流圖書公司　1978年6月1版4刷
黃永武　《詩與美》　臺北市　洪範書店　1987年12月4版
黃永武　《中國詩學・鑑賞篇》　臺北市　巨流圖書公司　1999年9月初版13印
黃淑貞　《篇章對比與調和結構論》　臺北市　萬卷樓圖書公司　2005年6月初版
黃慶萱　《修辭學》　臺北市　三民書局　2002年10月增訂3版1刷
黃維樑　《中國詩學縱横論》　臺北市　洪範書店　1986年11月4版
黃錦鋐　《中學國文教材教法》　臺北市　教育文物出版社　1981年2月初版
楊如雪　《文法 ABC》　臺北市　萬卷樓圖書公司　1998年9月初版
楊成鑑　《中國詩詞風格研究》　臺北市　洪葉文化事業公司　1995年12月初版1刷
楊春時　俞兆平　黃鳴奮　《文學概論》　北京市　人民文學出版社　2002年2月1版1刷
葉太平　《中國文學的精神世界》　臺北市　正中書局　1994年12月臺初版
葉嘉瑩　《王國維及其文學批評》　臺北市　源流文化事業公司　1982年6月再版

葉嘉瑩　《唐宋名家詞賞析2・歐陽修》　臺北市　大安出版社　1988年12月初版
葉嘉瑩　《唐宋名家詞賞析3・柳永》　臺北市　大安出版社　1988年12月初版
葉維廉　《中國古典文學比較研究》　臺北市　黎明文化公司　1977年10月初版
葉維廉　《比較詩學》　臺北市　東大圖書公司　1983年2月初版
鄒同慶　王宗堂　《蘇軾詞編年校註》　北京市　中華書局　2002年9月1版1刷
暢廣元　《中國文學的人文精神》　西安市　陝西人民出版社　1994年3月1版1刷
劉介民　《比較文學方法論》　臺北市　時報文化出版公司　1990年5月5日初版1刷
劉若愚著　杜國清譯　《中國詩學》　臺北市　幼獅文化公司　1979年1月再版
劉師培　《漢魏六朝專家文研究》　臺北市　臺灣中華書局　1982年3月臺5版
劉錫慶　齊大衛　《寫作》　北京市　北京師範大學出版社　1994年3月1版4刷
劉勵操　《寫作方法一百例》　臺北市　萬卷樓圖書公司　1993年4月初版4刷
蔡宗陽　《修辭學探微》　臺北市　文史哲出版社　2001年4月初版
蔡振念　《杜詩唐宋接受史》　臺北市　五南圖書出版公司　2002年2月1版1刷
蔣伯潛　《中學國文教學法》　臺北市　泰順書局　1972年5月再版
蔣伯潛　《文體論纂要》　臺北市　中正書局　1979年5月臺二版

蔣建文　《從作文原則談作文方法》　臺北市　臺灣商務印書館　1995年3月增訂3版1刷
鄧廣銘　《稼軒詞編年箋注》　臺北市　華正書局　2003年9月2版1刷
鄭文貞　《篇章修辭學》　廈門市　廈門大學出版社　1991年6月1版1刷
鄭愁予　《鄭愁予詩選集》　臺北市　志文出版社　1997年8月再版
鄭樹森編　《現象學與文學批評》　臺北市　東大圖書公司　1984年7月初版
鄭頤壽　《辭章學概論》　福州市　福建教育出版社　1986年10月初版
鄭頤壽　《辭章學導論》　臺北市　萬卷樓圖書公司　2003年11月初版
黎運漢　《漢語風格學》　廣州市　廣東教育出版社　2000年2月1版1刷
錢鍾書　《談藝錄》　香港　龍門書局　1965年8月初版
錢鍾書　《管錐篇》　北京市　中華書局　1986年6月1版1刷
龍沐勛　《東坡樂府箋》　臺北市　臺灣商務印書館　1995年2月1版6刷
謝无量　《實用文章義法》　臺北市　華正書局　1990年3月初版
謝枋得　《文章軌範》　臺北市　廣文書局　1970年12月初版
顏瑞芳　溫光華　《風格縱橫談》　臺北市　萬卷樓圖書公司　2003年2月初版
魏　飴　《散文鑑賞入門》　臺北市　萬卷樓圖書公司　1999年6月再版
羅　青　《從徐志摩到余光中》　臺北市　爾雅出版社　1988年7月11刷
羅君籌　《文章筆法辨析》　香港　上海印書館　1971年6月初版

顧亭鑑　葉葆銓輯注　《學詩指南》　臺北市　廣文書局　1979年5月初版
顧龍振　《詩學指南》　臺北市　廣文書局　1972年4月再版

（三）心理學類

王秀雄　《美術心理學・創作、視覺與造形心理》　高雄市　三信出版社　1975年8月初版
王維鏞　《語言與思維》　福州市　福建教育出版社　1996年5月1版3刷
田　運　《思維方式》 福州市　福建教育出版社　1996年6月1版3刷
朱光潛　《文藝心理學》 臺北市　臺灣開明書店 1999年1月新排1版
朱長超　《思維的歷程》　福州市　福建教育出版社　1996年5月1版4刷
邱明正　《審美心理學》　上海市　復旦大學出版社　1993年4月1版1刷
邵淑雯　《音樂與心理活動之關聯性探討》　臺北市　樂韻出版社　1996年4月初版
金開誠　《文藝心理學概論》　北京市　北京大學出版社　2001年6月1版3刷
張則幸　金福順　《科學思維的辯證模式》　臺北市　淑馨出版社　1994年12月初版1刷
梁一儒　戶曉輝　宮承波　《中國人審美心理研究》　濟南市　山東人民出版社　2002年3月1版1刷
陳　波　《邏輯學是什麼》　北京市　北京大學出版社　2002年1月1版1刷
彭冉齡　《普通心理學》　北京市　北京師範大學出版社　2001年5月2版1刷

童慶炳　《中國古代心理詩學與美學》　臺北市　萬卷樓圖書公司　1994年8月初版

童慶炳　《文學活動的審美維度》　北京市　高等教育出版社　2001年3月1版1刷

黃浩森　張昌義　《知識與思維》　福州市　福建教育出版社　1996年5月1版2刷

黃順基　蘇越　黃展驥主編　《邏輯與知識創新》　北京市　中國人民大學出版社　2002年4月1版1刷

奧斯朋（Osborn）著　邵一杭譯　《應用想像力》　臺北市　協志工業出版公司　1987年5月15版

楊春鼎　《直覺、表象與思維》　福州市　福建教育出版社　1996年5月1版3刷

劉　雨　《寫作心理學》　高雄市　麗文文化事業公司　1995年3月初版

劉奎林　楊春鼎　《思維科學導論》　北京市　工人出版社　1898年9月1版1刷

劉思量　《藝術心理學・藝術與創造》　臺北市　藝術家出版社　2002年10月4版

魯道夫・阿恩海姆（Rudolf Arnheim）著　郭小平　翟燦譯　《藝術心理學新論》　臺北市　臺灣商務印書館　2001年12月初版4刷

魯道夫・阿恩海姆（Rudolf Arnheim）著　李長俊譯　《藝術與視覺心理學》　臺北市　雄獅圖書公司　1982年9月再版修訂

魯道夫・阿恩海姆（Rudolf Arnheim）著　滕守堯　朱疆源譯　《藝術與視知覺》 成都市　四川人民出版社　2001年3月1版1刷

錢穀融　魯樞元　《文學心理學》　臺北市　新學識文教出版中心　1990年9月臺初版

顏澤賢 《現代系統理論》 臺北市 遠流出版事業公司 1993年8月臺灣初版

（四）美學類

于 民 孫通海 《中國古典美學舉要》 合肥市 安徽教育出版社 2000年9月1版1刷
王其鈞 《中國傳統民居建築》 香港 三聯書店 1993年3月初版1刷
王宗年 《建築空間藝術及技術》 臺北市 臺北斯坦公司 1992年1月初版1刷
王振復 《建築美學》 臺北市 地景企業公司 1993年2月初版
王菊生 《藝術造型原理》 哈爾濱市 黑龍江美術出版社 2000年3月1版1刷
史春珊 孫清軍 《建築造型與裝飾藝術》 瀋陽市 遼寧科學技術出版社 1988年6月1版1刷
石 濤 《畫譜》 臺北市 臺灣學生書局 1971年8月景印初版
亞里斯多德（Aristotle）著 羅念生譯 《詩學》 北京市 中國戲劇出版社 1986年1月1版1刷
佟景韓 易英主編 《現代西方藝術美學文選．造型藝術美學卷》 臺北市 洪葉文化出版公司 1995年2月初版1刷
吳功正 《小說美學》 南京市 江蘇人民出版社 1985年6月1版1刷
吳功正 《中國文學美學》 南京市 江蘇教育出版社 2001年9月1版1刷
呂清夫 《造形原理》 臺北市 雄獅圖書公司 1989年9月7版
李 浩 《唐詩的美學詮釋》 臺北市 文津出版社 2000年5月初版1刷
李元洛 《詩美學》 臺北市 東大圖書公司 1990年2月初版

李澤厚　劉紀剛　《中國美學史》　合肥市　安徽文藝出版社　1999年5月1版1刷
李澤厚　《美學四講》　臺北市　人間出版社　1988年11月1版1刷
李澤厚　《美學論集》　臺北市　三民書局　2001年8月初版2刷
李澤厚　《華夏美學》 臺北市　時報文化出版公司　1989年4月初版
李薦宏　賴一輝　《造型原理》　臺北市　國立編譯館　1973年6月初版
汪正章　《建築美學》 臺北市　五南圖書出版公司　1993年11月初版1刷
周來祥　曾紀文　《美學概論》　臺北市　文津出版社　2002年2月初版
周來祥　《再論美是和諧》　桂林市　廣西師範大學出版社　1996年11月1版1刷
宗白華　《美學散步》　臺北市　洪範書店　2001年1月初版6印
林書堯　《基本造型學》　臺北市　三民書局　1983年8月修訂初版
林崇宏　《設計原理》　臺北市　全華科技圖書公司　1999年7月初版2刷
林崇宏　《造形・設計・藝術》　臺北市　田園城市文化公司　1999年6月初版
金健人　《小說結構美學》　臺北市　木鐸出版社　1988年9月初版
俞　崑　《中國畫論類編》　臺北市　華正書局　1984年10月初版
姚一葦　《戲劇原理》　臺北市　書林出版公司　1992年2月初版
姚一葦　《藝術的奧祕》　臺北市　臺灣開明書店　1993年2月12版
夏　放　《美學・苦惱的追求》　福州市　海峽文藝出版社　1988年5月1版1刷
孫　旗　《藝術概論》 臺北市　黎明文化事業公司 1987年11月初版

徐復觀　《中國藝術精神》　臺北市　臺灣學生書局　1974年5月4版
涂光社　《因動成勢》　南昌市　百花洲文藝出版社　2001年10月1版1刷
袁行霈　《中國詩歌藝術研究》　臺北市　五南圖書出版公司　1989年5月初版
康丁斯基（Kandinsky）著　吳瑪悧譯　《點線面》　臺北市　藝術家出版社　2000年3月再版
康德（Kant）著　宗白華譯　《判斷力批判》　北京市　商務印書館　1987年2月1版4刷
張　法　《中西美學與文化精神》　臺北市　淑馨出版社　1998年10月初版1刷
張光福　《中國美術史》　臺北市　華正書局　1986年5月初版
張紅雨　《寫作美學》　高雄市　復文圖書出版社　1996年10月初版1刷
張涵主編　《美學大觀》　鄭州市　河南人民出版社　1988年1月1版1刷
敏　澤　《中國美學思想史・第一卷》　濟南市　齊魯書社　1987年7月1版1刷
章利國　《造型藝術美學導論》　石家莊市　河北美術出版社　1997年7月1版1刷
陳本益　《漢語詩歌的節奏》　臺北市　文津出版社　1994年8月初版
陳望道　《美學概論》　臺北市　文鏡文化事業公司　1984年12月重排初版
陳望衡　《中國古典美學史》　長沙市　湖南教育出版社　1998年8月1版1刷
傅抱石　《中國繪畫理論》　臺北市　華正書局　1984年3月初版

勞承萬等　《康德美學論》　北京市　中國社會科學出版社　2002年12月1版1刷
堤浪夫著　劉建國　劉子倩譯　《造形的發想》　臺北市　六合出版社　2002年8月1版
彭吉象　《藝術學概論》　臺北市　淑馨出版社　1994年11月初版1刷
曾祖蔭　《中國古代文藝美學範疇》　臺北市　文津出版社　1987年8月初版
童慶炳　《文學活動的審美維度》　北京市　高等教育出版社　2001年3月1版1刷
黃淑貞　《以石傳情：談廟宇石雕意象及其美感》　臺北市　國立臺灣藝術教育館　2006年12月初版
黃淑貞　《建築美學：合院「多、二、一（0）」結構研究》　臺北市　文史哲出版社　2012年9月初版
黑格爾（Hegel）著　朱自清譯　《美學》　臺北市　里仁書局　1981年5月初版
愛德華．漢斯力克（Eduard Hanslick）著　陳慧珊譯　《論音樂美：音樂美學的修改芻議》　臺北市　世界文物出版社　1997年11月初版
楊辛　甘霖　《美學原理》　北京市　北京大學出版社　1989年2月1版4刷
楊辛　甘霖　《美學原理》　臺北市　曉園出版社　1991年5月1版1刷
葉　朗　《中國美學史大綱》　臺北市　滄浪出版社　1986年9月初版
葉　朗　《中國美學的巨擘》　臺北市　金楓出版社　1987年7月初版
葉　朗　《中國美學的發端》　臺北市　金楓出版社　1987年7月初版
葉　朗　《現代美學體系》　臺北市　書林出版公司　1993年10月1版
葉太平　《中國文學之美學精神》　臺北市　正中書局　1994年12月臺初版

葉維廉　《歷史、傳釋與美學》　臺北市　東大圖書公司　1988年3月初版
熊秉明　《中國書法理論體系》　臺北市　雄獅圖書公司　2000年1月3版1刷
蒲震元　《中國藝術意境論》　北京市　北京大學出版社　1999年1月1版1刷
劉思量　《中國美術思想新論》　臺北市　藝術家出版社　2001年9月初版
歐陽周　顧建華　宋凡聖　《美學新編》　杭州市　浙江大學出版社　2001年5月1版9刷
蔣一明　《音樂美學》　臺北市　五南圖書出版公司　1993年11月初版1刷
鄭　剛　《邏輯・美學・形而上學》　廣州市　廣東旅遊出版社　1997年11月1版1刷
龍協濤　《文學讀解與美的再創造》　臺北市　時報文化出版公司　1993年8月初版1刷
韓幼德　《戲曲表演美學探索》　臺北市　丹青圖書公司　1987年2月初版
蘇珊・朗格（Susanne K.Langer）著　劉大基譯　《情感與形式》　臺北市　商鼎文化出版社　1991年10月初版

三　學位論文

仇小屏　《中國辭章章法析論》　臺北市　國立臺灣師範大學國文研究所碩士論文　1997年5月
段致平　《稼軒詞用典研究》　臺北市　國立臺灣師範大學國文研究所碩士論文　1999年6月

夏薇薇　《文章賓主法析論》　臺北市　國立臺灣師範大學國文研究所碩士論文　2000年5月

張雯華　《東坡詞色彩意象析論》　臺北市　國立臺灣師範大學國文研究所教學碩士論文　2003年5月

陳佳君　《虛實章法析論》　臺北市　國立臺灣師範大學國文研究所碩士論文　2001年5月

陳佳君　《辭章意象形成論》　臺北市　國立臺灣師範大學國文研究所博士論文　2004年6月

黃淑貞　《主旨（綱領）安置於篇腹的結構類型析論》　臺北市　國立臺灣師範大學國文研究所教學碩士論文　2002年12月

四　期刊論文

仇小屏　〈論章法的移位、轉位及其美感〉　《辭章學論文集》　福州市　海潮攝影藝術出版社　2002年12月1版1刷

仇小屏　〈論章法結構的原型與變型〉　《第五屆中國修辭學論文集》　臺北市　洪葉文化事業公司　2003年11月

王希杰　〈「上」：視點和對稱〉　《湘潭師範學院學報・社會科學版》　第24卷第1期　2002年1月

王希杰　〈章法學門外閑談〉《國文天地》　18卷5期　2002年10月

白金銑　〈《周易》「位移性格」哲學初詮〉　《中國學術年刊》　第23期　2002年6月

阮堂明　〈論杜甫新樂府詩的產生——以《兵車行》的探討為中心〉　《杜甫研究學刊》　2004年01期

胡自逢　〈伊川論周易對待之原理〉　《孔孟學報》　第35期　1978年4月

張冬云　〈「君不見」、「君不聞」句式及杜甫《兵車行》的敘事方式〉　四川省杜甫研究會《杜甫研究學刊》　2005年03期
梁德林　〈古代詩歌中的「風」意象〉　《社會科學輯刊》　1996年2期
陳　琳　〈鋼琴彈奏中的聽覺思維初探〉《劍南文學》 2013年04期
陳佳君　〈論章法之族性〉　《辭章學論文集》　福州市　海潮攝影藝術出版社　2002年12月1版1刷
陳佳君　〈論章法的「四虛實」〉　《第五屆中國修辭學論文集》　臺北市　洪葉文化事業公司　2003年11月
陳滿銘　〈談儒家思想體系中的螺旋結構〉　《國文學報》　29期　2000年6月
陳滿銘　〈論篇章的點染結構〉　《國文天地》　17卷11期　2002年4月
陳滿銘　〈論因果章法的母性〉　《國文天地》　18卷7期　2002年12月
陳滿銘　〈論章法的哲學基礎〉《國文學報》 第32期　2002年12月
陳滿銘　〈論章法與層次邏輯〉《國文天地》 18卷9期　2003年2月
陳滿銘　〈從意象看辭章之內涵〉　《國文天地》　19卷5期　2003年10月
陳滿銘　〈章法風格中剛柔成分的量化〉　《國文天地》　19卷6期　2003年11月
陳滿銘　〈論章法「多、二、一（0）」的核心結構〉　《師大學報．人文與社會類》　48卷2期　2003年12月
陳滿銘　〈從意象看辭章之內容成分〉　《國文天地》19卷8期　2004年1月
陳滿銘　〈論語文能力與辭章研究——以「多」、「二」、「一（0）」螺旋結構作考察〉　《國文學報》　36期　2004年12月

陳滿銘〈辭章意象論〉　《師大學報．人文與社會類》50卷1期　2005年4月

陳滿銘　〈淺論意象系統〉　《國文天地》　19卷6期　2005年10月

陸寶新　〈論圖案對稱律形式及其構成方法〉　《西北大學學報．哲學社會科學版》　第33卷第2期　2003年5月

曾啟雄　〈美術設計．對稱〉　《藝術家》　44卷2期　1997年2月

黃淑貞　〈試探合院建築中的德觀思想〉　《孔孟月刊》　第42卷第8期　2004年4月

黃淑貞　〈論章法的「四點染」──以東坡詞為例〉　《中國學術年刊》　第二十七期春季號　2005年3月

黃淑貞　〈談園林的視角變換及其美感〉　《思辨集》　第8卷　2005年3月初版

黃淑貞　〈從「因果」法談蘇軾〈稼說送張琥〉〉　《國文天地》　20卷12期　2005年5月

黃淑貞　〈論合院建築的「多、二、一（0）」結構〉　《陳滿銘教授七秩榮退誌慶論文集》　臺北市　萬卷樓出版公司　2005年7月

黃淑貞　〈論章法「二元對待」的哲學義涵〉　《先秦兩漢學術學報》　第四期　2005年9月

黃淑貞　〈論辭章章法四大律〉　《中國學術年刊》　第二十七期秋季號　2005年9月

黃淑貞　〈論辭章之「象不盡意」──以稼軒詞為例〉　《師大學報．人文社會類》　第五十卷第二期　2005年10月

黃淑貞　〈〈秋聲賦〉辭章意象探析〉　《國文天地》　21卷5期　2005年10月

黃淑貞　〈《周易》「移位」,「轉位」論〉　《孔孟月刊》　第44卷第5、6期　2006年2月

黃淑貞　〈論辭章意象之形成及其表現——以鄭愁予詩為例〉　《東方文化・語言／文學教學的理論與實踐》　第二輯　花蓮市　慈濟大學出版社　2010年10月
黃淑貞　〈辭章學閱讀策略之理論與實踐——以鄭愁予二詩為例〉　《章法論叢》第五集　臺北市　萬卷樓圖書公司　2011年10月
鄭中　童中良　〈論有限移位調式的對稱模式〉　《音樂研究》　第1期　2003年3月
鄭明娳　〈余光中散文論〉　黃維樑　《璀璨的五彩筆・余光中作品評論集（1979-1993）》　臺北市　九歌出版社　1994年10月初版
鄭頤壽　〈中華文化沃土，辭章學圃奇葩〉　《海峽兩岸中華傳統文化與現代化研討會文集》　蘇州　海峽兩岸中華傳統文化與現代化研討會　2002年5月
賴貴三　〈論《周易》「二元對貞」的文化詮釋學〉　《人文研究與語文教育》　臺北市　國立臺灣師範大學　2004年7月初版

國家圖書館出版品預行編目(CIP)資料

跨界章法學研究叢書
辭章章法四大律 ; 黃淑貞著.
許錟輝總策畫 ; 中華章法學會主編
-- 初版. -- 臺北市 : 萬卷樓, 2016.11
6冊 ; 17(寬)x23(高)公分
ISBN 978-986-478-033-4(全套:精裝)
ISBN 978-986-478-036-5(第2冊:精裝)

1.漢語 2.篇章學 3.文集

820.7607　　105018940

跨界章法學研究叢書
辭章章法四大律　ISBN 978-986-478-036-5

作　者 黃淑貞
總策畫 許錟輝
主　編 中華章法學會
出　版 萬卷樓圖書股份有限公司
總編輯 陳滿銘
發　行 萬卷樓圖書股份有限公司
發行人 陳滿銘
聯　絡 電話 02-23216565　傳真 02-23944113
網址 www.wanjuan.com.tw
郵箱 service@wanjuan.com.tw
地　址 106臺北市羅斯福路二段41號6樓之三
印　刷 百通科技股份有限公司
初　版 2016年11月
定　價 新臺幣12000元 全套六冊精裝 不分售

　新聞局出版事業登記證號局版臺業字第5655號